치료요법 문화

실존적 불안 시대에 취약한 주체 계발하기

이 도서의 국립중앙도서관 출판예정도서목록(CIP)은 서지정보유통지원시스템 홈페이지(http://seoji.nl.go.kr)
와 국가자료공동목록시스템(http://www.nl.go.kr/kolisnet)에서 이용하실 수 있습니다.
CIP제어번호: 2016024271(양장) / CIP제어번호: 2016024274(학생판)

치료요법 문화

Therapy Culture
Cultivating vulnerability in an uncertain age

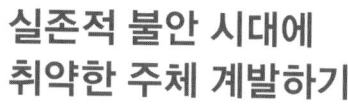

실존적 불안 시대에
취약한 주체 계발하기

지은이
프랭크 푸레디

옮긴이
박형신 · 박형진

한울
아카데미

Therapy Culture: Cultivating vulnerability in an uncertain age
by Frank Furedi

옮긴이의 글: 치료요법 문화를 통한 현대 문명 비평

어쩌면 독자들은 이 책을 마주하자마자 책의 제목에 생소해하거나 어색한 느낌을 가질지도 모른다. 이 책을 번역하며 번역 용어에 고심에 고심을 거듭한 옮긴이로서도 이에 대한 해명을 먼저 해야 할 것 같다는 생각이 든다. 이 책의 원제목은 번역본의 표지에도 써 있듯이 Therapy Culture: Cultivating vulnerability in an uncertain age이다.

번역에 앞서 우리가 먼저 고민에 빠졌던 것은 책 제목에 포함되어 있는 therapy라는 용어를 우리말로 어떻게 옮길 것인가 하는 것이었다. 기존 번역서에서는 '치료', '치료법', '치유', '치유법' 등으로 옮기거나, 복합명사로 사용될 경우 '요법' – 심리요법, 식이요법 등 – 으로 번역하거나, 아니면 아예 영어를 그대로 읽어 '테라피'로 표기하기도 한다.

앞의 우리말 용어들은 therapy와 유사한 의미로 사용되기도 한다. 하지만 그러한 용어들로는 논자에 따라서는 therapy와 의도적으로 구분하여 사용하기도 하는 용어들인 treatment, cure, healing과 구분할 수 없다. 이 책에서 저자 푸레디는 therapy는 치료법treatment으로 장려되기도 하지만 치료법이 아니라는 입장을 견지하고 있다. 또한 therapeutist들은 therapy를 치유healing의 하나의 방법, 즉 전문가들에 의해 수행되는 치유로 파악한다는 점에서 therapy와 healing은 이 책에서 동일한 의미로 사용할 수 없다. 따라서 치료 또는 치유라는 용어는 이 책에서 사용하는 therapy의 의미에 부합하지 않는다. 요법이라는 용어는 앞서의 예와 같은 복합명사로 사용할 경우 그 의미를 잘 전달하지만, 독립적인 단어로 사용할 경우 그 의미가 잘 다가오지 않는다. 더군다나 이 책의 제목처럼 '요법'이라는 단어와 '문화'라는 단어가 결합할 경우 매우 어색하다.

따라서 대안이 있다고 한다면, 그것은 therapy를 우리말로 번역하지 않고 그냥 테라피라고 표기하는 것이다. 하지만 이 책에서는 therapeutic, therapeutist, therapeutics 등 therapy의 파생어들을 함께 사용하고 있어, 테라피라는 용어들을 사용할 경우 그러한 용어들을 우리말로 표기하는 데서 더더욱 어색함을 초래한다. 그리하여 궁리 끝에 중복언어임에도 불구하고 우리가 새로 선택한 것이 '치료요법'이라는 말이다. 논란의 여지가 있는 용어이지만, 아직은 더 좋은 표현을 만들지 못함을 양해해달라는 말 이상은 못할 것 같다.

그렇다면 이 책에서 치료요법이란 무엇을 의미하는가? 이 책의 저자 푸레디도 치료요법 에토스가 아직 형성과정 중에 있다는 점을 이유로 들며, 그것을 정의하기를 망설인다. 다만 그는 로버트 벨라의 정의를 인용하여, 치료요법은 "심적 장애를 치료하는 하나의 방법이라기보다는 하나의 사유방식"이라고 언급한다. 푸레디에 따르면, "이러한 사유방식이 개인과 치료요법사 간의 관계를 인도하는 것에서 다양한 이슈들에 관한 공중의 인식들을 틀 짓는 것으로 확대될 때, 그 문화는 치료요법적이 된다. 그 지점에서 그것은 임상기법이기를 중단하고 주체성의 관리를 위한 하나의 도구가 된다." 이러한 논의에 분명하게 암시되어 있듯이, 이 책에서 푸레디가 관심을 가지고 있는 것은 "임상기법으로서보다는 하나의 문화적 현상으로서의 치료요법"이다.

그렇다면 '치료요법 문화'란 무엇인가? 푸레디에 따르면, '감정주의로의 전환'으로 특징지어지는 치료요법 문화는 감정에 권위를 부여하고, 감정 프리즘을 통해 세상을 이해한다. 푸레디는 이러한 치료요법적 사유방식의 작동을 영미사회 도처에서 찾아낸다. 먼저 정치 영역을 보자. 정치인들은 특정한 사건을 어떻게 '인식'하는가가 아니라 어떻게 '느끼'는가에 의해 평가받는다. 이를테면 9·11 직후 미국 공중은 조지 부시의 눈에 맺힌 눈물을 본 후 그에게 지지를 보냈다. 정치인들 역시 대의와 신념보다는 감정표출 — 특히 눈물 — 을 통해 유권자에 호소한다. 그리고 유권자들 또한 그도 우리와 같은 슬픔을 가진 사람이라고 느끼고 동정심을 드러낸다. 영국의 경우 산업세계에서도 치료요법은 "경영통제권을 유지하는 강력한 도구"로 작동한다. 경영자들은 피고용자들을 해고하고 그들의 생존적 불안을 해소하는 방법으로 해고자들에게 카운슬링을 제공하는 것으로 그들의 의무를 마감한다. 노동조합들은 단체교섭을 통해 의미 있는 이득을 만들어내는 것보다 스트레스로 감정적 고통을 받는 조합원들을 위한 보상을 받아내는 일에 더 집중한다.

이처럼 감정은 치료요법 문화에서 중심적 지위를 차지한다. 그러나 치료요법 문화가 그간 사회인식에서 무시되어온 감정을 문화적으로 복원하고자 하는 것은 아니다. 푸레디에 따르면, 치료요법 문화는 감정 그 자체보다는 '감정적 결함'에 관심을 가진다. 치료요법적 세계관에 따르면, 개인과 사회가 고통을 받는 것은 감정적 결함 때문이다. 이를테면 어린 시절의 학대 경험이 낳은 트라우마는 '평생의 상처'로 남아 개인의 삶 전체를 지배하고, 또 다른 학대와 범죄의 원인이 된다. 이러한 '감정결정론'은 현대사회가 직면한 문제 중 많은 것이 감정상태에서 기인하는 것으로 파악하게 한다. 그 결과 처리되거나 관리되지 않은 감정은 사회를 괴롭히는 질병의 원인으로 간주되게 된다. 이러한 감정적 결함의 담론은 나쁜 감정을 '병리화'하고, 치료요법의 대상이 되게 한다.

이러한 감정에 대한 관심은 치료요법 문화에서 자아, 특히 '감정적 자아'에 주목하게 한다. 치료요법학의 관점에서 볼 때, 자아는 내적인 감정적 삶의 경험을 통해 의미를 획득한다. 윙클의 표현으로 "나의 감정이 나에게 말하고 있는 것이 나이다." 이렇듯 치료요법 문화는 감정영역을 '진정한 자아'를 발견할 수 있는 장소로 인식한다. 따라서 치료요법은 "감정적 자기발견을 통한 자아재구성 프로젝트"로 자신을 채색하기도 한다. 하지만 푸레디에 따르면, 치료요법 문화는 자아를 유례없이 취약하고 무력한 것으로 인식하게 하는 데 일조할 뿐이다. 왜냐하면 감정적 결함을 통한 자아의식은 불확실성의 시대에 실존적 불안감을 강화하고, 자신의 행동을 문제 있는 것으로 느끼게 하고, 스스로 움츠러들게 만들기 때문이다.

이렇게 구성된 치료요법적 자아, 즉 '축소된 자아'는 자신들의 문제를 스스로 극복할 수 없는 '취약한 주체'가 되고, 그러한 시도를 하는 개인은 '완벽주의자 콤플렉스'에 빠진 사람, 다시 말해 치료요법적 개입이 필요로 하는 사람이 된다. 반면 자신의 감정적 결함을 세세히 드러내고 치료요법 전문가에게 도움을 요구하는 사람은 치료요법의 세계에서 '용감하고' '솔직하고' '강한' 사람으로 칭찬받는다. 푸레디에 따르면, 치료요법 문화는 결국 끝없이 자기계발을 강조함에도 불구하고 적극적이고 자율적 개인이 아닌 수동적이고 의존적 개인을 만들어낸다. 우리가 이 책의 부제를 살짝 바꾸어 "실존적 불안 시대에 취약한 주체 계발하기"라고 붙인 이유도 여기에 있다.

푸레디는 계속해서 이러한 치료요법적 전환이 초래한 문제들을 사회학적으로 명쾌하게 분석한다. 그중 하나가 사적 영역의 병리화 내지 해체이다. 전통적으로 사적 영역은 친밀성과 자기표현 그리고 자기탐색이 이루어지는 장소이자, 감정형성의 핵심적 장으로 인식되어왔다. 반면 치료요법적 세계관에 따르면, 사적 영역은 (특히 여성과 아동에게) 내밀한 폭행과 학대가 가해지는 장소이자 감추어져 있는 공간이다. 이렇듯 사적 영역이 병리화되고 범죄의 공간으로 상정됨에 따라 이제 사적 영역은 '공적 감시' 내지 치료요법적 관리의 대상으로 바뀌게 된다. 또한 사적 영역의 친밀한 관계가 감정적 고통의 원천으로 간주됨에 따라 비공식적 관계는 자아를 증진시키기보다는 위험을 내재한 관계로 인식되고, 친밀한 관계에서까지 불신의 분위기가 지배하게 한다. 따라서 자아를 지키기 위해서는 타인과 거리를 두어야만 한다. 타인으로부터의 자기소외는 이제 근대인의 감정적 손상의 원인이 아니라 자기 생존의 원리가 된다. 이렇듯 치료요법 에토스는 연대의 해체를 넘어 인간불신의 문화를 조장한다.

푸레디의 분석에 따르면, 이러한 취약하고 소원해진 자아가 취하는 치료요법적 생존전략이 '감정적 순응'과 '인정의 정치'이다. 먼저 치료요법적 사유방식을 따를 때, 취약한 자아의 이면에는 개인들이 조절하거나 다스리지 못한 부정적 감정이 자리하고 있다. 따라서 감정 관리는 자기계발의 중요한 기제가 된다. 그러나 무력한 주체는 자기계발의 주체가 될 수 없다. 왜냐하면 그러한 개인은 부정적 감정을 스스로 극복할 수 없고, 그러한 감정을 유발한 사회적 조건을 개선할 수는 더더욱 없기 때문이다. 그렇기에 취약한 자아는 공적 제도와 치료요법의 대상이 될 수밖에 없고, 그것들에 도움을 구해야만 한다. 그리고 치료요법은 감정교양의 함양이라는 이름하에 그리고 자존감 고취라는 명분 아래 개인들에게 사회에 감정적으로 순응할 것을 강요한다. 그리하여 결국 치료요법의 자기발견 프로젝트는 사회에 대한 감정적 순응의 강요로 귀착되고 만다.

다른 한편 취약한 주체가 느끼는 실존적 불안은 자아로 하여금 계속해서 긍정받고 싶어 하게 한다. 하지만 특정한 성과와 공적 행동이 없는 취약한 주체의 경우 공적으로 인정받을 수 있는 그들만의 독특한 자산이 존재하지 않는다. 그들에게 인정받을 수 있는 자원이 있다면, 그것은 감정적 상처이다. 왜냐하면 무력한 그들은 어찌할 수 없는 상황의 희생자들이기 때문이다. 따라서 그들의 지위를 인정받을 수 있게 해주는 유일한 것은 자신들이 고통받는 희생자 내지 피해자 또는 환자라는 것이다. 푸레디는 이것이 바로 치료요법 문화에서 '희생자 정체성'이 중요한 무기가 되고, 또 희생자 옹호자들이 그 무기를 전략적으로 개발하는 이유라고 설명한다.

푸레디에 따르면, 이러한 치료요법의 세계에서 정부의 일 역시 변화한다. 국민들의 엄청난 감정적 상처가 유발하는 사건에 대해 정부는 그 사건의 진상을 규명하고 그것의 재발을 방지하는 조치를 취하기보다는 그 사건에 의해 상처받은 사람들에게 피해자의 지위를 부여하고 피해자들의 트라우마를 치유하는 것을 돕는 일에서 그것의 존재 이유를 발견한다. 또한 경제 영역에서도 정부는 새로운 일자리를 창출하는 것보다 실업자들이 '실업이라는 곤경'에 대처할 수 있도록 돕는 쪽에 훨씬 더 많은 에너지를 투여한다.

이러한 분석을 통해 푸레디는 오늘날의 치료요법은 "계몽을 이룰 수 있는 수단이라기보다는 생존의 도구"라고 결론짓는다. 치료요법은 오늘날의 허약한 자아를 만들어낸 조건을 고치고 개선하는 것이 아니라 고통받는 개인들에게 "긍정과 인정이라는 모호한 축복"을 제공할 뿐이다. 푸레디가 직접 표현하고 있지는 않지만, 이 책에 대한 한 논평자의 말을 인용하면, 치료요법은 잠시 고통을 잊게 하는 것, 다시 말해 "새로운 '인민의 아편' 이다."

지금까지 푸레디의 논의는 앞서도 언급했듯이 영국과 미국의 경우에 근거한 것이다. 그럼에도 불구하고 이 책을 옮기는 동안 옮긴이의 머리에 고통과 힐링 사이를 헤매는 수많은 한국인들, 끝없는 자기계발의 노력을 경주함에도 항상 허전함에 빠져 있는 청년들, 세월호 이후의 대통령 눈물 논쟁과 그 원인은 애써 외면하며 생존자 트라우마 치유에 허둥대던 정부와 심리 전문가들이 거듭 교차했던 것은 왜일까? 한국사회도 지금 치료요법 문화의 지배를 받고 있는 것일까? 한국 정부도 치료요법 정치를 하고 있는 것인가? 치료요법 문화를 통한 현대 문명 비평이라고 할 수 있는 이 책은 우리와 같은 관심을 공유한 연구자들에게 중요한 단서를 제공할 수 있을 것으로 기대된다. 그리고 자기계발서를 통해 자아 찾기에 전력을 다하면서도 무력함과 허무함을 느꼈던 수많은 사람들에게는 이 책이 그러한 '노오력'이 왜 기쁨의 과정이 아니라 고통의 과정일 수밖에 없었는지를 알게 해주는 계기가 될 수 있을지도 모르겠다.

대형서점의 서가를 자기계발서와 치료요법 서적들이 장악하고 있는 시대에 한울엠플러스(주)는 독자들의 외면을 받을 수도 있는, 그러한 시대 풍조를 비판하는 이 책의 출판을 기꺼이 맡아주었다. 고통의 시대에 남의 고통을 깨달음으로 바꾸기 위해 스스로의 아픔을 감내하며 좋은 책 만들기를 고집하는 출판사에 다시 한 번 감사하지 않을 수 없을 것 같다. 특히 김진경 씨는 우리말로 표현하기 까다로운 이 책의 편집을 맡아 또 다른 고통을 느꼈을지도 모르겠다. 디자인팀은 그 고통을 알았는지 이 책을 멋진 모습으로 치장해주었다. 모두에게 감사를 표한다. 그럼에도 불구하고 이 책 속에 남아 있을 어색한 표현이나 잘못이 독자들에게 고통이 되었다면, 그것은 우리 옮긴이들이 고통을 덜 느끼고자 한 탓이다. 더 많은 깨달음을 위한 질책을 바랄 뿐이다.

2016년
봄과 여름의 사이에서
옮긴이 씀

감사의 말

나는 이 책을 쓰며 나의 친구, 동료, 학생들에게 큰 신세를 졌다. 그들은 내게 나의 생각을 시험하고 그들의 통찰로부터 득을 볼 수 있는 특별한 기회를 가질 수 있게 해주었다. 치료요법 문화에 대해 탐구하고 사고하는 과정에서, 나는 관련 분야에서 연구조사를 수행하는 많은 사람과 의견을 교환하며 도움을 받을 수 있었다. 영국에서는 데릭 서머필드Derek Summerfield, 사이먼 웨슬리Simon Wessely, 데이비드 웨인라이트David Wainwright, 랠프 페브르Ralph Fevre, 그리고 마이클 피츠패트릭Michael Fitzpatrick의 연구가 나의 논의를 발전시키는 데 매우 중요한 역할을 했다. 미국에서는 제임스 놀런James Nolan과 조엘 베스트Joel Best의 연구가 이 책과 관련된 몇 가지 핵심 쟁점들을 분명히 하는 데 도움을 주었다. 2001년 3월 보스턴 대학교에서 개최된 '치료요법 문화 전쟁Therapeutic Culture Wars'에 관한 작은 심포지엄 참석자들은 이 주제에 대한 나의 생각에 엄청난 영향을 미쳤다. 나는 특히 바네사 푸파바크Vanessa Pupavac와 엘리너 리Eleanor Lee의 고무적인 논평과 비판에 감사한다. 치료요법 문화에 관한 토론을 통해 우리는 진정한 의미에서의 공동 연구자가 되었다. 내게 모든 것에 의문을 가지도록 가르치고자 하셨던, 돌아가신 나의 아버지 라스즐로Laszlo에게 이 책을 바친다.

차례

서론

오늘날 우리는 감정을 매우 진지하게 다루는 문화 속에서 살고 있다. 사실 감정이 너무나도 진지하게 다루어지는 나머지, 사람들이 직면하는 모든 도전이나 불행이 실제로 그들의 감정적 웰빙에 직접적 위협이 되는 것으로 제시되고 있다. 일상의 실망들 — 거절, 실패, 무시당함 — 은 우리의 자존감에 위험한 것으로 간주된다. 사람들이 취약하다고 묘사되거나 스스로가 자신을 취약하다고 묘사할 때, 준거가 되는 것은 보통 그들의 감정 상태이다. 손상을 입은 것으로 묘사되는 사람들은 감정적으로 상처를 입었을 것이라고 가정된다. '문제' 있는 사람 또는 문제를 '남에게 털어놓을' 필요가 있는 사람들은 감정 영역에 사로잡혀 있는 것으로 간주된다. 감정주의라는 말이 대중문화, 정치세계, 일터, 학교와 대학, 그리고 일상생활에 널리 퍼져 있다.

현대 문화가 감정이라는 프리즘을 통해 세상을 이해하는 데에 얼마나 큰 중요성을 부여하는지는 치료요법 언어와 관행들이 일상생활로 확대되는 방식을 통해 알 수 있다. 아홉 살에서 열 살 정도로 보이는 어린아이들이 '스트레스에 지친' 느낌에 대해 이야기한다. 최근에 미국 걸스카우트는 흔들리는 해먹이 새겨진 '스트레스리스 배지stressless badge'를 만들었다. 캘리포니아 서니베일에 있는 걸스카우트 459분단에서는 3학년 브라우니단 Brownies[7~10세 또는 11세까지의 소녀들로 구성되는 걸스카우트단 _ 옮긴이]을 위한 스트레스 클리닉을 설치했다. 반면 영국 리버풀에 있는 세인트 사일 러스St Silas 초등학교 학생들은 스트레스와 공격성을 줄이는 것을 돕기 위해 라벤더 향이 나는 티슈를 제공받고 있을 뿐만 아니라, 방향요법과 손발 마사지를 받고 있다.[1] 아이들의 행동은 점점 더 심리학적 꼬리표를 통해 묘사되고 있다. 그들은 자주 우울하거나 정신적 외상을 입은 것으로 진단된다. 그리고 학교 공포증이라는 진단이 타당한 것인지를 놓고 여전히 논쟁이 벌어지고 있지만, 활동적인 아이나 산만한 아이가 실제로 '주의력 결핍 과잉행동 장애'라는 꼬리표를 얻게 될 수도 있다. 1990년에서 1995년 사이에 미국에서는 주의력 결핍 장애로 진단된 어린이의 수가 두 배 증가했다. 전문가들은 200만 명의 미국 어린이들이 주의력 결핍 과잉행동 장애를 가지고 있을지도 모른다고 주장한다(Hymowitz, 2000: 96을 보라).[2]

치료요법학의 어휘는 더 이상 이례적인 문제나 별난 마음 상태를 지칭하기 위한 용어가 아니다. 스트레스, 불안, 중독, 강박충동, 트라우마, 부정적인 감정들, 힐링, 신드롬, 중년의 위기 또는 카운슬링 같은 용어들은 일상적 삶의 정상적 에피소드들과 관련되어 있다. 그것들은 또한 우리의 문화적 상상력의 일부가 되었다. 미국의 인기 텔레비전 프로그램 〈소프라노스Sopranos〉에서 갱스터 패밀리의 우두머리인 토니 소프라노Tony Soprano가 정신과 의사 제니퍼 멜피Jennifer Melfi 박사를 만나러 갔을 때, 대부분의 시청자들은 그것이 별나다고 생각하지 않았다. 심지어 마피아의 거친 남자들도 미국의 치료요법 문화가 제공하는 언어를 통해 자신들의 삶을 이해하는 것으로 보인다. 비정한 갱단원인 폴리 월너츠Paulie Walnuts는 그 드라마의 한 회 방송에서 토니에게 "나는 약 1년 전에 치료요법사를 만나고 있었다"고 말한다. 그는 마피아 보스에게 "내게 몇 가지 문제들이 있었다"고 알린다.

치료요법의 새로운 언어 역시 개인의 감정 상태를 묘사하는 데에만 한정되어 사용되지 않는다. 미국에서 도시 재개발 프로젝트는 "미국의 도시들을 힐링"하기 위해 고안된 '신뢰 구축 프로그램'으로 묘사된다. 9·11 직후 미국의 분위기는 자주 '국가적 트라우마의 시기'로 표현되었다. 그리고 미국은 "고통에 빠진 국가"라고 주장되었다. "뉴욕은 아픔을 끝내고 싶어 한다"가 몇몇 전문가들이 2001년 10월의 분위기를 보고했던 방식이었다. 미국의 탁월한 사회학자 닐 스멜서Neil Smelser는 9·11 사건이 미국에 '문화적 트라우마'를 낳았다고 주장한다.[3] 발리 섬 나이트클럽 폭파가 시민들의 생명을 앗아간 후 호주에서도 유사한 감상들이 반복되었다. 호주는 "트라우마에 빠진 국가"로 묘사되었다. 동일한 방식으로 이스라엘 총리 라빈Rabin이 암살된 지 1년 후에 한 보고서에서 이스라엘은 "트라우마 후의 국가"로 묘사되었다.[4] 2002년 여름에는 "정신적 외상을 입은" 소함Soham이라는 영국의 지역사회가 한창 때인 두 어린 소녀의 비극적 살해를 받아들이려고 애쓴 후에 "아픔을 끝내고 싶어 하고 있었다"고 보도되었다.

≪더 네이션The Nation≫은 힐링과 아픔 끝내기closure라는 말이 "1995년 오클라호마시티 연방건물 폭파 음모와 11건의 살인에 대해 덴버Denver 배심원단이 티모시 맥베이Timothy McVeigh에게 유죄판결을 내린 이후 뉴스 보도에서 가장 자주 언급된 두 단어였다"고 보고한다.[5] 힐링과 아픔 끝내기 같은 용어들은 도덕적 위안 추구와 유사하지만, 그것들은 본질적으로 심리-의학적 개념들이다. 그리하여 사별 개념처럼 힐링 개념은 자주 그 증상,

그리고 그것을 분명하게 정의할 수 있는 단계들을 갖는 과정으로 표현된다. 그 비극이 오클라호마시티 사람들에게 미친 영향을 분석한 한 연구에 따르면, 거기에는 애도 과정이 치료요법 지식이 지시하는 방침에 따라 진행되어야만 한다는 '무언의 메시지'가 존재했다(Linenthal, 2001: 96을 보라).

힘이 드는 경험뿐만 아니라 통상적인 경험마저도 감정 각본을 통해 재해석하는 경향은 심리학적 꼬리표와 치료요법 용어들의 사용이 놀랄 만큼 증가한 것에서 찾아볼 수 있다. 한 연구에 따르면, '신드롬'이라는 용어는 1950년대, 1960년대, 1970년대 동안에 미국 법학 저널들의 지면에 전혀 등장하지 않았다. 하지만 1985년에는 '신드롬'이라는 단어가 86개의 논문에서 등장했고, 1988년에는 114개의 논문에서, 1990년에는 146개의 논문에서 등장했다. 1993년에는 단 한 달 동안에 정기간행물과 신문들의 1000개가 넘는 기사에서 그 용어가 사용되었다(Downs, 1996: 25를 보라). 영국에서 치료요법 어휘도 마찬가지로 현저하게 증가했다. 1970년대에는 공중이 실제로 알지도 또 들어보지도 못했던 단어들을 1990년대 초반경에는 대부분의 사람들이 인지하고 있을 정도였다. 심지어 1980년대에도 사람들은 범불안장애generalised anxiety disorder(걱정하는 것), 사회적 불안장애social anxiety disorder(부끄러워하는 것), 사회공포증social phobia(아주 부끄러워하는 것), 또는 부동성 불안free-floating anxiety(무엇을 걱정하는지 알지 못하는 것) 같은 용어들을 들어본 적이 전혀 없었다.

'자존감self-esteem'이라는 단어를 살펴보자. 오늘날 낮은 수준의 자존감은 범죄에서부터 십 대 임신에 이르기까지 다양한 사회문제의 원인으로 일컬어지는 각종 감정적 어려움과 결부 지어지고 있다. 대부분의 사람들은 미디어, 학교, 의료 서비스 또는 일터에서 자존감에 대한 논의와 마주해왔다. 하지만 최근까지 자존감 결여는 문제로 인지되지 않았을 뿐 아니라, 그 용어 자체는 치료요법적 함의를 지니고 있지 않았다. 17세기에 자존감이라는 말은 독립심, 자기판단 또는 자기본위를 일컫는 용어였다. 18세기와 19세기에 이르러 그것의 의미는 자기인식 행위를 지칭하는 것으로 수정되었다. 실제로 1989년까지만 해도, 『옥스퍼드 영어사전The Oxford English Dictionary』은 자존감을 자기 자신에 대한 "호의적인 평가 또는 의견"으로 정의하고, 그것과 감정 문제의 연관성에 대해서는 어떠한 언급도 하지 않았다.6 반대로 오늘날 낮은 자존감은 인간 조건의 문제와 관련하여 가장 남용되는 진단들 중 하나이다. 영국 신문 300개를 대상으로 하여 팩티바Factiva 검색을 한 결과, 1980년에는 자존감이라는 용어가 언급된 것을 단 하나도 찾지 못했다(〈표 1〉). 1986년에는 자존감이라는 용어가 3회 언급된 것으로 검색되었다. 1990년경에 이 수치는 103회로 늘었다. 10년 뒤인 2000년에는 '자존감'을 언급한 경우가 무려 3328회에 달했다.

자존감에 관한 논의가 너무나도 만연되어 있어서, 사람들은 그것과 연관된 문제들이 상대적으로 최근의 발명품이라는 사실을 간과하기 쉽다. 자존감이 널리 사용되는 수사적 표현으로 변형된 것은 심리학적 용어들이 일상생활 언어의 일부가 되게 한, 보다 광범위한 변화 경향을 반영한다. 따라서 오늘날 트라우마는 불쾌한 상황에 대한 사람들의 반응에 지나지 않는 것을 의미한다. 영국 신문에 대한 팩티바 검색은 기사에서 저널리스트들이 이 단어를 사용하는 빈도가 놀랄 만큼 증가했다는 것을 보여준다(〈표 2〉).

팩티바 검색은 또한 스트레스와 신드롬 또는 카운슬링 같은 단어들도 사용 횟수가 유사하게 증가했다는 것도 보여준다(〈표 3~5〉).

치료요법학 언어의 사용 증가는 단순히 언어적 관심 때문만은 아니다.

표 1 영국 신문들에서 '자존감'이라는 용어가 언급된 횟수(1980~2001년)

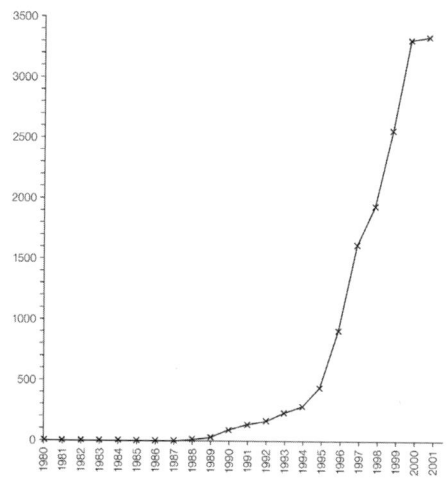

주: 인용 수치들은 로이터의 팩티바 데이터베이스에서 얻은 것이다.
자료: Factiva.

표 2 영국 신문들에서 '트라우마'라는 단어가 언급된 횟수(1994~2000년)

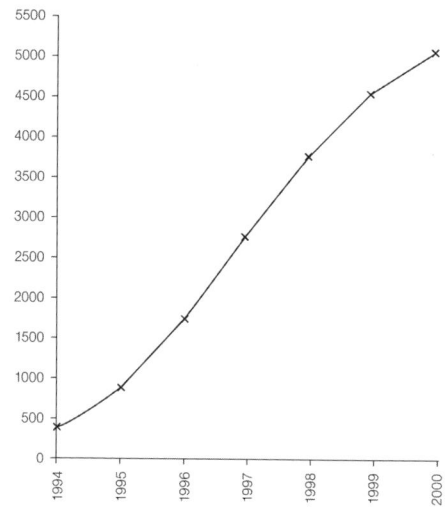

자료: Factiva.

표 3 영국 신문들에서 '스트레스'라는 단어가 언급된 횟수(1993~2000년)

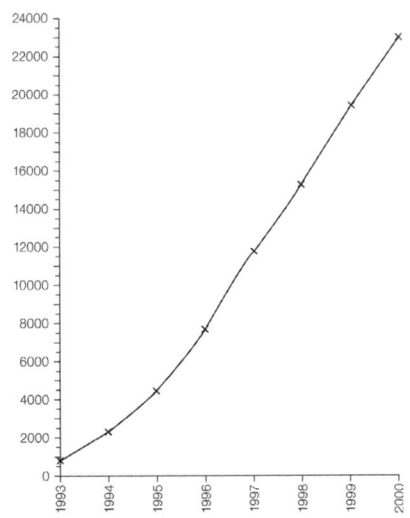

자료: Factiva.

표 4 영국 신문들에서 '신드롬'이라는 단어가 언급된 횟수(1993~2000년)

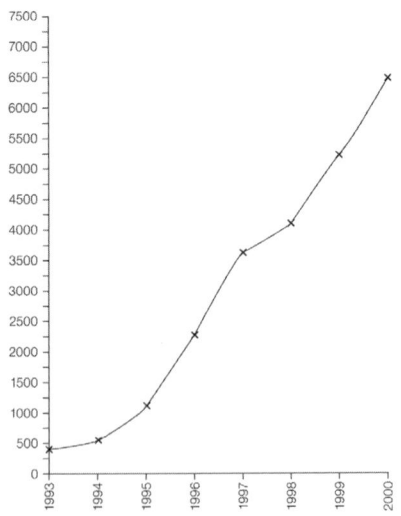

자료: Factiva.

표 5 영국 신문들에서 '카운슬링'이라는 단어가 언급된 횟수(1993~2000년)

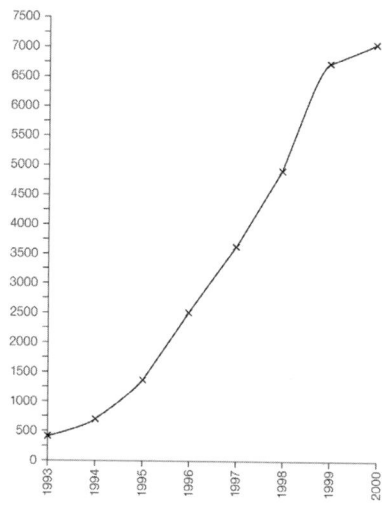

자료: Factiva.

언어의 변화된 형태는 새로운 문화적 태도와 기대를 보여준다. 특히 그러한 언어는 '자존감 신화'의 부상에 관한 한 연구가 "오늘날 문화 전체에서 감정과 웰빙의 지배"라고 특징지은 것을 표현한다(Hewitt, 1998: 87을 보라). 이러한 감정주의로의 전환은 현대 서구문화에서 진전된 가장 중요한 사태들 중의 하나이다.7

감정적 결함

치료요법 문화에 대한 보다 면밀한 조사는 그것이 감정보다는 감정적 결함의 문제에 관해 말한다는 것을 보여준다. 사람들의 자존감에 대한 관심은 그것의 낮은 수준과 관련되어 있다. 낮은 자존감은 항상 사람들이 자신의 삶을 통제하는 능력을 손상시키는, 보이지 않는 질병으로 해석되고 이해된다. 개인과 사회가 감정적 결함으로 고통받는다는 믿음이 감정지능과 감정교양이라는 주제에 대한 논의를 이끌고 있다. 사람들이 늘어나는 다양한 만남, 경험, 관계들에 감정적으로 대처할 수 없다는 확신이 치료요법 문화가 인간 조건을 이해하는 방식을 특징짓고 있다.

감정적 결함에 대한 인식은 감정적 취약성이라는 강력한 인식에 의해 뒷받침된다. 그 결과 사회는 이제 무엇이 인간 조건을 구성하는지에 대해 근본적으로 새로운 정의를 내리고 있다. 지금까지 삶의 통상적 부분으로 해석되어온 많은 경험이 사람들의 감정에 해로운 것으로 재정의되고 있다. 사람들, 특히 어린아이들은 다양한 당혹스러운 상황, 그리고 우울증이나 스트레스 관련 질병과 같은 심리적 질병들에 취약하다는 말을 듣고 있다. 공중은 항상 점점 더 많은 사람이 그러한 감정적 상처들로 괴로워한다는 말을 듣는다. 이를테면 우울증으로 고통받는 어린아이들의 수가 증가하고 있으며 이러한 상황은 미래에 성인들 가운데서 이 질병의 발생률 증가로 이어질 것이라고 자주 주장된다. 한 설명에 따르면, 미국에서 "심리적 우울증은 빈곤보다 더 큰 재앙"이다. 게다가 그것이 사회에 미치는 영향은 줄곧 증가하고 있다. 『나는 그것에 대해 말하고 싶지 않다: 남성 우울증이라는 눈에 띄지 않는 유산 극복하기I Don't Want To Talk About It: Overcoming the Secret Legacy of Male Depression』(1999)의 저자 테렌스 리얼Terrence Real은 20세기가 시작된 이래로 "각 세대는 우울증에 두 배 더 민감해졌다"고 주장한다.

캐나다 앨버타 대학교의 거스 톰슨Gus Thompson 교수는 자신이 응답자가 젊을수록 우울증을 더 많이 보고한다는 점을 발견했다고 보고했다. 그는

"오늘날의 어린아이들은 그들의 선조들보다 덜 행복할 것 같을 뿐 아니라 그들의 생애과정에서 극적인 변화가 일어나지 않고는 그들은 미래 세대의 어린아이들을 위해 더 나은 캐나다를 만드는 과업을 수행할 준비를 제대로 갖추지 못할 것"이라고 주장한다.[8] 톰슨은 이 문제가 캐나다 어린아이들이 그들의 선조들보다 최근 몇십 년 동안 유년 시절에 더 많은 트라우마를 겪어왔다는 사실에서 기인한다고 믿는다. 하지만 캐나다가 지난 20년 동안 더욱 트라우마적 사회가 되었다고 보기는 어렵다. 이 책의 중심적 주장들 중 하나가 그간 변화된 것은 트라우마에 대한 문화적 상상력이라는 것이다. 오늘날 우리가 두려워하는 것은 개인들이 고립감, 실망감, 실패감에 대처할 만한 탄력성을 결여하고 있다는 것이다. 현대 문화는 삶의 압박과 관련한 부정적인 감정적 반응들을 병리화함으로써 부지불식간에 사람들로 하여금 지금까지 일상적인 것으로 간주하던 경험들이 자신들에 정신적 외상을 입히고 우울하게 만들었다고 느끼게 한다.

우울증의 발생 비율이 크게 증가해왔다는 것에는 의문의 여지가 거의 없다. 제1차 세계대전 중에 태어난 사람들 가운데서 살면서 우울증에 걸린 사람의 비율은 약 1%였다. 제2차 세계대전 중 태어난 사람들 가운데에서는 이 비율이 5%로 증가했고, 1960년대에 태어난 사람들 가운데에서는 10%에서 15% 사이로 크게 뛰어올랐다. 미국 심리학자 마틴 셀리그먼Martin Seligman은 이처럼 우울증이 유행하는 것은 사람들이 실망과 실패에 대처하는 데서 겪는 어려움 때문이라고 믿는다. 그는 "우울증의 유행이 당연한 슬픔, 당연한 불안에 제대로 감응하지 못하게 함으로써 어린아이들이 불필요한 우울증에 걸리기 쉽게 만들었다"고 쓰고 있다.[9] 감정적 결함의 담론이 나쁜 감정들을 병리화하고, 점점 더 늘고 있는 다양한 경험들을 감정적 생존에 문제가 있는 것으로 바꾸어 놓고 있다. 이러한 관점은 사람들로 하여금 스스로가 병들었다고 믿게 만든다.

감정적으로 취약하다는 의식이 심화되고 있는 것은 삶의 불확실성을 객관화하고 그것들을 위험의 확대된 형태로 재조명하려는 경향이 낳은 산물이다. 우리가 제6장 「위험에 처한 자아」에서 논의하듯이, 불확실성을 개인의 통제를 넘어서는 위험으로 객관화하는 것은 무력감과 무기력감을 계발한다. 인간의 경험을 위험의 문법으로 객관화하는 것은 모든 새로운 만남을 감정적 탄력성 테스트로 바꾸어 놓을 가능성이 있다. 그것은 감정적 취약성을 인식하고 감정적 결함의 언어를 채택할 것을 부추긴다. 위험의식의 이면이 바로 무력감이다. 무력감은 감정적 결함의 서사의 내면화를 통해 구체화되는 의식이다.

감정적 결함의 언어가 사회의 기본 제도 중 하나인 교육에서도 넘쳐나고 있고, 또 그곳에서 일어나는 위험과 무력감 간의 상호작용을 설명한다. 교사, 교장, 학생들이 지속적인 불안과 스트레스 상태에 있다고 제시하는 보고서들이 끝없이 이어지고 있다. 호주의 교육학자 캐서린 스콧Catherine Scott 박사가 주장하듯이, 호주의 교육제도는 교장들이 학생들의 행동으로 인해 "스트레스를 받고 있을" 정도로 공포 분위기에 사로잡혀 있는 것으로 보인다. 영국에서는 대학교수들이 스트레스 관련 질병의 유행에 직면해 있고 학생들도 점점 정신건강 문제들로 고통받고 있다는 주장이 제기된 바 있다.[10] 한 조사는 영국 대학생의 53%가 "병리적 수준에서 불안해"했다고 언급했고, 영국 카운슬링·정신요법협회(BACP)는 대학 내 카운슬링 부서를 찾는 학생 10명 중 한 명이 "이미 자살충동에 사로잡혀 있다"고 주장한다.[11] 미국에서 몇몇 연구자들은 학교가 "우울증의 틀을 마련하는 데서"

중요한 역할을 한다고 주장한다.[12] 영국에서는 학교 시험이 아이들에게 스트레스와 여타 질병들을 초래한다는 이유로 비판받아왔다. 한 조사에 따르면, 일곱 살 난 모든 아이의 절반 이상이 시험 스트레스로 고통받는다. 몇몇 학교에서는 시험 성적을 끌어올리는 것을 돕기 위해 열 살 정도의 아이들에게 최면요법을 받게 하고 있다.[13]

학교에서의 경험을 고위험 체제로 변형시키는 것에는 모든 사건이 실제로 아이의 감정적 웰빙에 잠재적으로 위협이 될 수 있다는 믿음이 깔려 있다. 성장 과정에 불가피하게 따르는 복합적인 감정적 긴장이 이제 자주 아이들이 대처할 수 있을 것이라고 기대할 수 없는, 스트레스 많은 사건들로 정의된다. 아이들의 스트레스에 대한 우려는 일부 학교들로 하여금 어린 학생들에게 '화 관리' 스킬을 가르치도록 해왔다. 버밍엄 도심에서 진행된 한 프로젝트는 중학생들이 그들의 감정들을 다루는 법을 배우는 것을 돕기 시작했다. 이 프로젝트는 심리치료사가 가르치는 화 관리 과정을 제공하는데, 심리치료사는 중학생들이 역할극과 베개 펀칭 같은 운동들을 통해 그들의 공격성을 방출하게 한다.[14] 그리고 그것은 결코 너무 빨리 시작한 것으로 여겨지지 않는다. 이싱턴Easington의 피터리스Peterlee에 소재한 10개 초등학교에서는 시범사업의 일부로 네 살 난 어린아이들에게 유년 시절 트라우마를 다루는 카운슬링을 실시한다. 친구 되어주기 국제협회 Befrienders International라는 한 단체는 여섯 살 먹은 어린 학생들에게 현대생활의 스트레스에 대처하는 방법을 가르친다. 이 단체의 책임자인 크리스 베일Chris Bale은 그러한 수업이 보육원이나 초등학교의 학생들이 "후일 삶의 위기들에 대처하고 그리하여 자살률을 줄이는 것"에 일조하기를 바란다.[15] 치료요법 전문직은 실제로 모든 형태의 도전적인 경험들로부터 어린

아이들의 감정을 보호하기로 결심한 것처럼 보인다. 2000년 9월에는 중학교에 다니기 시작하면서 스트레스를 받는 아이들을 위한 전화상담 서비스가 준비 중이라고 발표되었다. 이 전화상담 서비스는 학생들이 초등교육에서 중등교육으로 넘어가는 것을 돕기 위해 고안된 수많은 카운슬링 계획들에 의해 보완되었다. 전화상담 서비스의 주창자들은 어린아이들이 중등교육의 압박에 대처하는 것을 돕기 위해 '정신건강 사업'이 교육에 통합되어야만 한다고 믿는다.[16]

치료요법적 개입

네 살 난 어린아이들이 치료요법적 개입의 정당한 대상으로 간주된다면, 아기들에게 그러한 서비스를 확대하라는 요구가 증가하고 있다는 말을 듣는다고 해도 놀랄 일은 아니다. 미국에서는 유아 정신건강이 이미 전문직의 한 분야가 되었다. 미국과 영국에서 이 전문 분야의 옹호자들은 아기들을 위한 정신건강 서비스 ― "위험에 처한 아기와 그들의 주요 돌보미(보통은 엄마) 간의 유대를 강화함으로써 초기에 심리적 손상이 일어나는 것을 막기 위해 고안된 서비스" ― 를 개시할 것을 주장한다.[17] 자녀양육에 요구되는 기본적인 감정적 속성에 결함이 있으며 따라서 부모-자녀 관계에 제3자의 치료요법적 개입이 요구된다는 믿음은 육아 '전문가들'에게 널리 받아들여지고 있는 가정이다(Furedi, 2001a: ch.10을 보라).

실제로 생애과정 ― 출생에서 사망까지 ― 의 모든 단계가 카운슬링과 여타 형태의 개입을 요구할 만큼 심각한 위험을 지니고 있는 것으로 묘사된다. 출산은 감정적 외상을 유발하는 것으로 제시되고, 적어도 4개월에 한 번은 산후 스트레스가 온다고 주장된다. 삶의 스펙트럼의 다른 한쪽 끝에서 슬픔은 이제 감당할 수 있는 고통이 아니라 치료요법의 지원을 통해 가장 잘 다루어질 수 있는 과정으로 묘사된다. 현대사회는, 감정 문제는 사람들이 스스로 대처해서는 안 되는 것이라는 믿음을 전파한다. 예상치 못하거나 곤란한 또는 도전적이거나 불쾌한 만남들에 직면하는 개인들에게 끊임없이 치료요법이 개입되고 카운슬링이 제공된다. 영국 축구팬들은 뮌헨 월드컵 예선 동안에 독일 경찰이 일촉즉발의 잠재적 위기를 풀기 위해 스트레스 카운슬러들을 고용했던 것을 알고 놀랐었다.[18] 한 회사는 자신의 반려동물이 죽은 사람들을 위한 카운슬링과 심리치료요법을 제공하는 반려동물 보험 패키지를 출시했다.[19]

치료요법사들은 관계 전문가relation expert의 역할을 취해왔고, 실제로 모든 제도적 환경에서 자신들의 서비스에 대한 수요를 성공적으로 창출해왔다. 1960년대에 미국인 중에서 그간 살아오면서 최소한 한 번이라도 특정 형태의 심리 카운슬링을 받은 사람은 대략 14%였다. 1995년경에는 인구의 거의 절반이 특정 형태의 치료요법적 처치를 받았다. 그리고 세기의 전환기에는 그 수치가 미국인의 거의 80%에 도달한 것으로 추정된다.[20] 1500만 명의 미국인들이 매주 열리는 약 50만 개의 지원단체 모임들 중 하나에 참석할 것이라는 주장도 있다(Karp, 1996을 보라). 정신건강에 대한 1999년의 의무국장Surgeon General 보고서는 5000만 명의 미국인이 매년 정신건강 장애를 겪는다고 진술했다(Horwitz, 2002: 3에서 인용함). 치료요법은 때때로 미국인의 별난 행동으로 묘사된다. 하지만 치료요법적 개입이 영국 사회에 미치는 영향도 이보다 결코 덜하지 않다.

1980년대 — 카운슬링이 영국의 작은 성장 산업의 하나가 되었던 때 — 이래로 대화치료를 업으로 하고 있는 사람들의 수가 꾸준히 증가해왔다.[21] 심지어 카운슬링 전문직 부문들조차도 치료요법적 개입의 수요가 일상화되고 있다는 점에 우려를 표명하고 있다. 심리치료사 닉 토튼Nick Totton은 카운슬링 트레이닝을 '피라미드식 판매 책략pyramid selling scheme'으로 묘사하고, 그것이 "고객을 크게 증가시켜왔다"고 말했다. 토튼은 "유료 치료요법과 카운슬링을 받는 유일한 방법은 …… 국가와 다른 제도들이 그 비용을 지불하게 하는 것"이라고 주장한다(Totton, 1999: 88). 카운슬링 전문직들은 그간 자신들이 그 서비스 시장을 성장시키는 데 성공했음을 분명하게 입증해왔다. 오늘날 이례적인 사건에 직면하는 사람들은 카운슬링을 필요로 하거나 적어도 카운슬링의 도움을 받을 것이라고 가정된다. 1995년 클리블랜드 카운티 의회의 해산 사례를 살펴보자. 비록 고용인 중 어느 누구도 결코 일시 해고에 직면하지 않았지만(그들은 재편된 지방 당국에 다시 배치될 것이었다), 의회 노동자들은 그들이 경험할지 모를 어떤 상실감을 극복하는 데 도움을 주는 사별 카운슬링을 제공받았다. 고용인들은 그 경험이 "친구나 연인"의 죽음 같은 것일 수 있다는 경고를 받았다. 직원들은 리비도의 상실, 극심한 감정 변화, 섭식장애, 공황발작 같은 증상들이 예상된다는 말을 들었다. 의회는 고용인들이 스트레스의 징후를 확인하고 "그들이 내적인 힘을 이용하는" 것을 돕기 위해 카운슬러 18명을 고용했다.[22]

카운슬링의 권위는 치료요법 에토스와 강력하게 융합한 세계에서 카운슬링이 경험에 의미를 부여하는 능력에 의지한다. 제임스 놀런James Nolan에 따르면, 그 권위는 새로운 성직자 계급, 다시 말해 "권위 있는 자아가 내뱉는 감정주의적 언어를 이해하고 해독할 수 있는" 주로 정신과 의사와 심리학자들에 기초한다. 놀런은 종래의 도덕질서의 종교적 관리인들이 의료적·정신의학적 권위자로 대체되어왔다고 믿는다(Nolan, 1998: 9~12). 확실히 자의식적인 치료요법 전문직들은 감정적으로 지향된 도덕세계의 언어를 구성하는 데서 중요한 역할을 한다. 심리학자, 카운슬러, 치료요법사, 사회사업가 수의 엄청난 증가는 치료요법적 정명의 힘을 추인한다. 놀런이 지적했듯이,

> 현대생활에서 엄청나게 증가한 심리학화는 미국에서 사서, 소방관 또는 우편 집배원들보다 치료요법사들이 더 많다는 사실, 그리고 치료요법사들이 치과의사나 약사의 2배가 된다는 사실에서도 분명하게 드러난다. 오직 경찰과 변호사만이 카운슬러의 수보다 많지만, 두 경우 모두에서 그 비율은 2 대 1이 되지 않는다(Nolan, 1998: 8).

1970년에서 1995년 사이에 정신건강 전문가의 수가 4배 증가했다(Horwitz, 2002: 4를 보라). 영국에서도 유사한 경향이 분명하게 드러나고 있다. 정부는 교육제도와 형벌제도의 모든 수준에 NHS를 통해 카운슬링을 제도화해왔다. 내셔널 로터리National Lottery가 건강 프로젝트들에 자금을 전달했을 때, 연구자선단체에는 그 자금의 5%에서 6%가 지급되었던 것에 비해, 조언과 카운슬링 기구들에는 25%가 제공되었다. 지난 10년 동안 영국 카운슬링협회의 회원 수는 3배 이상 증가했다. 1989년에 4500명이었다가 1999년에는 1만 6000명으로 늘었다. 영국심리치료협의회UKCP에 등록된 심리치료사의 수는 1997년 3500명에서 1999년 5500명으로 증가했다. 한 추정치에 따르면, 50만 명의 사람들이 전일제 또는 시간제 카운슬러로

일하고 있다.[23] '카운슬링, 조언, 중재, 심리치료, 지원 가이던스Counselling, Advice, Mediation, Psychotherapy, Advocacy Guidance: CAMP'가 수행한 조사는 카운슬링의 광범위한 영향력을 보여준다. 그것은 1999년 2월 영국에서 행해지고 있는 카운슬링 만남의 수를 조사하고, 그달에 그러한 이벤트가 123만 1000번 있었다고 결론지었다.[24]

치료요법적 개입은 단지 치료요법사와 고객의 관계에 한정되지 않는다. 그러한 개입이 영국의 모든 현대 조직과 제도를 특징짓는다. 다양한 전문직과 제도들 ― 교사, 변호사, 사회사업가 ― 이 치료요법 에토스와 관행을 받아들여온 과정은 그간 아주 잘 입증되어왔다. 니컬러스 로즈Nikolas Rose는 영국에서 치료요법 문화의 제도화가 진전된 과정을 광범위하게 조사하고 난 후, "주체성의 관리는 현대 조직의 주요 업무가 되었다"고 지적한다 (Rose, 1990: 2).

지난 20년간 치료요법 행동주의가 사적인 일에 미치는 영향이 눈에 띄게 확대되었다. 1980년대 영국 산업의 침체는 일자리를 잃은 사람들이 트라우마에 직면할 가능성이 크고, 그것이 일시 해고자들을 위한 카운슬러의 수요를 불러일으킬 것이라고 생각하게 했다. 곧 카운슬러들이 실업자가 될 사람들을 관리했을 뿐 아니라, 그들은 매니저들이 다른 사람들을 일시 해고하는 것을 돕기 위해 매니저들에게도 스트레스 치료요법을 제공했다.[25] 1980년대 이래로 카운슬링은 통상적인 인사관리 과정의 일부로 통합되었다. 레저그룹 휘트브레드Whitbread와 케이블 앤 와이어리스Cable and Wireless 같은 영국의 성장하는 우량기업 집단들은 고용인 계약의 일부로 치료요법을 제공하는 조치를 취해왔다. 그러한 기업들은 단지 카운슬링 서비스를 구매하는 것뿐만 아니라 관리자들이 카운슬링 스킬을 그들의 일의 일부로 사용하도록 훈련시키고 있다.[26] 인적자원 관리 분야에서도 치료 요법적 접근방식은 그 업무 범위를 확대해온 것으로 알려졌다. 영국 인력 개발연구소Institute of Personnel and Development는 중역들을 대상으로 감정지 능 과정을 운영하고, 사업에서 치료요법 관행들을 채택하는 운동을 적극적 으로 추진하고 있다.[27] 영국 고용부가 수행한 한 연구는 영국 "피고용자들 이 그들의 기본적인 육아 욕구를 지원받기보다는 장시간 노동문화long-hours culture의 결과를 완화하기 위한 스트레스 카운슬링(49%)을 더 많이 제 공받을 가능성이 있다"고 보고했다.[28]

치료요법적 개입이 사회의 모든 영역으로 확대된 것은 주목할 만한 것 이었다. 군대, 경찰, 응급 서비스 같이 명시적으로 금욕주의와 희생정신에 의지하는 기관들조차도 이제는 감정 문제에 시달린다. 경찰과 응급대원들 은 특히 외상 후 스트레스 장애PTSD를 포함하여 스트레스 관련 질병에 걸 리기 쉽다고 빈번히 주장된다. 전쟁의 수행 자체는 자주 정신적 질병의 언 어를 통해 묘사된다. ≪뉴욕 타임스New York Times≫ 해외특파원 크리스 헤 지스Chris Hedges가 전쟁에 대해 쓴 최근 저서는 전쟁을 마약의 한 형태로, 즉 "자주 치명적인 중독"으로 묘사한다. 그는 "일단 우리가 전쟁의 자극적 인 마약 효과에 취하기 시작하면, 그것은 중독을 일으켜서 우리를 모든 중 독자들처럼 서서히 도덕적으로 타락시킨다(Hedges, 2002: 3~5). 전투가 공 공연히 그러한 병리학적 용어들로 표현되기에, 많은 군인이 자신들의 전투 경험을 정신건강에 위험한 것으로 간주한다는 것을 발견한다고 해도, 그것 은 놀랄 일이 아니다. 모든 주요한 분쟁에는 그것 나름의 신드롬이 뒤따르 는 것으로 보인다. 걸프전 신드롬 이후, 발칸 신드롬, 코소보 신드롬, 체첸 신드롬, 그리고 인티파다 신드롬이 이어졌다. 최근에는 아프간 신드롬에 관한 이야기가 생겨나고 있다. 병사의 감정 상태에 대한 우려는 미군이 치료요법 관행들을 제도화하고 치료요법 언어를 채택하게 해왔다. 한때 두려움의 대상이었던 장애물 훈련장은 '자신감 훈련장'으로 새로 명명되었고, 모든 장교에게는 '타인 보살피기'라는 이름이 붙은 프로그램이 하나의 의무로 부과되었다.[29] 전쟁의 정신의학적 상처들에 대해 준비가 되어 있지 않음을 주장하는 군인들을 대신하여 영국 국방부를 상대로 소송을 진행하고 있는 변호사들은 자신들의 고객들이 "그 스펙트럼의 최극단에서 심리적·정신의학적 위험들을 수반하는 직업에 직면해" 있다고 주장한다.[30] 경찰과 군에 종사하는 많은 주요 공무원들은 자신들의 서비스 역할과 치료요법 에토스로의 전환을 조화시키기가 어렵다는 것을 발견한다. 영국경정협회British Police Superintendents Association의 총경 브라이언 맥켄지Brian MacKenzie는 경찰의 "카운슬러와 사회사업가들에 대한 불행한 의존"에 관해 우려를 표명해왔다. 그리고 그는 경찰관들이 직무를 수행할 수 없을 정도로 너무나도 부드러워지고 있다는 견해를 취하고 있다.[31]

치료요법의 의미체계

치료요법 문화는 감정적 결함을 "자신의 문화적 전문용어로 전환하는", 그리고 그것을 "일상 현실의 구성"에 이용할 수 있는 각본을 제공한다 (Gergen, 1990: 362). 출생부터 결혼과 육아를 거쳐 사별에 이르기까지 사람들의 경험은 치료요법 에토스를 통해 해석된다. 이 주제에 대한 수많은 연구들은 죄의식과 책임감 같은 개념에 부여되어 있는 전통적인 도덕적 의미들이 치료요법 에토스가 영향력을 획득하는 환경에서는 희미해진다고 지적해왔다. 사회학자 제임스 놀런은 미국의 약물법원 운동Drug Court Movement에 대한 자신의 연구에서 '무죄 재판guiltless justice'의 발생에 대해 기술하고 있다. 그는 "치료요법적으로 정의된 질병과 자존감의 관념이 판결 과정에서 보다 중심적인 위치를 차지하고 있기 때문에 죄라는 관념이 점점 더 덜 적절해지고 있다"고 기술한다(Nolan, 2001: 140). 이 주제에 관한 미국의 한 연구는 "도덕적 이해를 지배하는 이 패러다임"은 "철저하게 치료요법적"이라고 주장한다(Hunter, 2000: 81). 그 결과 새로운 경험과 발전의 의미를 찾고자 하는 시도는 자주 치료요법학의 프리즘을 통해 이루어진다. 심지어 주요 재난과 이례적인 중대한 사건들조차도 그것들이 사람들의 정신 상태와 감정에 미치는 영향을 통해 이해된다. 특정 국가에 대한 공격도 그 사회의 집단적·개인적 정신건강에 미치는 영향에 주안점을 두어 인식되고 있다.

2001년 9월 세계무역센터 파괴에 대한 사람들의 반응은 치료요법적 상상력이 그 후 이 비극의 해석을 어떻게 특징지었는지를 예증한다. 물론 논평자들은 대량살상무기의 엄청난 파괴능력에 관해 경고하고 미국의 물리적 안보를 우려하기도 했다. 하지만 이 사건이 정신건강에 미치는 영향이 더욱 중요하게 강조되었고, 9·11이 남긴 고통과 상처는 빈번히 그것들이 감정에 미치는 영향이라는 측면에서 묘사되었다. 슬픔과 사별은 모든 사람에게 나쁜 영향을 미치는, 식별 가능한 공통의 특징들을 가지는 과정으로 제시되었다. 슬픔이 훈련된 전문가들이 치료할 수 있는, 분명하게 인지되는 질병을 낳는다는 것은 이제 상식의 문제가 되었다. 미디어와 전문 출판물들은 그러한 슬픔의 과정을 되풀이해서 묘사했다. 이러한 표현 수단

들은 자주 '자가진단 툴킷'을 제공했고, 사람들은 그것을 통해 자신들의 고통을 이해할 수 있었다.[32]

이 끔찍한 사건이 발생한 지 몇 시간이 안 되어, 정신적 충격을 받은 것으로 보이는 주민들이 엄청난 심리적 손상을 입을 수 있다는 것은 논쟁의 여지가 없는 사실로 유포되었다. 처음부터 치료요법 활동가와 건강 전문가들은 수백만 명의 미국인이 트라우마와 감정적 상처로 장기간 고통받을 것이라고 예상했다. 공격 후 며칠간 수행된 한 조사는 미국 성인의 90%가 스트레스 증상 중 적어도 하나를 심하게 겪었다고 보고했음을 발견했다.[33] 그 사건이 발생하고 얼마 안 되어, 수많은 지원단체들은 정신적 외상을 입은 개인들에게 회복에 도움이 되는 조언을 해주고 다른 상황에 있는 사람들이 어떻게 반응할 것 같은지를 개괄적으로 소개하는 소책자들을 발간했다. 특히 그러한 단체들은 아이들이 그 사건에 대처하는 것을 돕기 위한 정보를 제공하는 데에 역점을 두었다. 아울러 9·11이 어린아이들에게 미치는 심리적 영향에 대처하기 위한 수많은 인터넷 사이트들도 만들어졌다.[34]

공중에게 제공된 지침은 대부분의 미국인에게 비극을 받아들이는 법을 알려주는 특정 형태의 치료요법이 요구되고 있다는 확신에 근거하고 있었다. 그 문건을 이끌고 있는 것은 전례 없는 규모의 치료요법적 개입이 9·11의 심리적 결과들을 다루기 위해 필요할 것이라는 가정이었다. 전문가들은 인구의 상당수가 장기적인 심리적 상처로 고통받을 가능성이 크다고 지적한 보고서들을 줄줄이 발간했다. 사건 발생 열 달 후에 발표된 한 연구는 "뉴욕시 공립학교에 다니는 수만 명의 아이들이 세계무역센터 공격 수개월 후에 만성적인 악몽, 공공장소에 대한 공포, 극심한 불안과 다른 정신건강 문제들을 경험하고 있다"고 주장했다.[35] 몇몇 보고서는 자신들이 트라우마를 극복했다고 생각하는 사람들조차도 나쁜 기억과 불안을 떠오르게 하는 것들과 마주친다고 제시했다.[36]

　장기적인 감정적 손상의 예측은 항상 사실의 문제 – 공중의 반응을 틀 짓기 위한 문화 각본의 일부 – 로 제시된다. 심각한 감정적 상처들을 개관하는 보고서들은 또한 사람들이 어떤 반응을 드러낼 것인지를 예측했다. ≪워싱턴 포스트Washington Post≫의 한 전속 필자는 그 신문에 "국립 정신건강 전문가들에 따르면, 9월 11일의 공격 이후 미국을 휩쓴 공포와 불안이 대부분의 미국인에게서 가라앉았지만, 수많은 사람이 계속해서 그날의 심리적 상처들로 고통받고 있다"고 보고했다.[37] 전문가들은 오클라호마시티 폭파의 경험을 자주 인용했고, 생존자와 구조자 가운데 외상 후 스트레스 장애의 비율이 34%였다고 지적했다. 오클라호마시티 생존자들 사이에서 외상 후 스트레스 장애의 높은 유병률이 나타나고 있다는 사실에 기초한 예측들은 9·11 이후 미국 주민들이 직면할 정신건강 문제의 규모가 막대해질 것이라고 시사했다. 또한 (겉으로는 오클라호마의 경험을 기반으로 해서) "희생자들의 가족과 친구들이 충격과 그것의 극기 단계들을 거치고 대처 전략과 행동들을 채택하고 그러한 행동의 결과를 검토하는 데 수개월이 걸릴 것"이라고 주장되었다.[38] 이러한 예측이 함의하는 것은 사람들이 그 충격을 이겨내온 것으로 보일지라도 회복의 길은 무한한 미래로 이어질 것이라는 점이었다. 한 보고서는 "미국 적십자가 여전히 오클라호마시티에 남아 있고 사람들은 6년이 지난 후에도 여전히 도움을 받기 위해 그곳을 찾고 있다"고 지적했다.[39]

　9·11 이후 1년 동안 치료요법 전문가들은 그 사건이 유발한 정신건강 결과가 엄청날 것이라고 계속해서 주장했다. 2002년 9월에 발표된 한 연구는

뉴욕 메트로폴리턴 지역에 거주하는 사람 중 50만 명 이상이 공격의 직접적 결과로 외상 후 스트레스 장애를 가질 것이라고 추정했다.[40] 하지만 정신건강 서비스를 요구하는, 심리적으로 손상된 사람들의 수가 엄청나게 증가할 것이라는 예상은 현실화되지 않았다. 뉴욕 의학아카데미 소속의 연구원 조지프 보스카리노Joseph Boscarino는 "나는 [정신건강 서비스] 이용 비율이 훨씬 더 높을 것이라고 예측했다"고 기술했다. 보스카리노는 그가 만난, 9·11에 충격을 받은 환자들 대부분이 정신불안 병력을 가지고 있었다고 설명했다.[41] 그럼에도 불구하고 정신건강 서비스의 이용률이 상대적으로 낮다는 사실이 치료요법 활동가들이 그들의 프로젝트를 확대하기 위해 더 많은 자원을 요구하는 것을 막지는 못했다. 전문가들은 자신들의 서비스에 대한 관심이 매우 적은 것 그 자체가 문제의 심각도를 보여주는 징후라는 역설적 주장을 펼쳤다. 그들은 "많은 경우에 매우 심각한 감정적 어려움을 가진 사람들은 수개월 또는 수년이 지난 후에야 도움을 청한다"고 주장했다.[42] 트라우마에 대한 대중매체의 표현은 종신형을 함축하고 있었다. 우리가 축소된 자아를 다루는 제5장에서 지적하겠지만, 감정적 상처가 평생 남는다는 관점은 인간 주체성의 작동에 관한 근본적으로 새로운 생각들에 의해 뒷받침된다.

오클라호마시티 폭파사건 생존자들은 자주 공중이 9·11 사건에 대해 어떤 종류의 반응을 보일 것으로 예견되는지를 알려줄 수 있는 전문가로 대서특필되기도 했다. 4살 된 딸을 잃고 뉴욕에서 적십자 자원봉사자로 일하는 한 어머니는 자신의 경험을 바탕으로 하여 슬픔의 반응을 이렇게 개략적으로 요약했다. "처음에 당신은 그러한 긴장증적 상태에 있게 된다. 그 상태에서 당신은 심지어 움직일 수도 없고", 때때로 "울 수도 없고, 고통 때문에 마비되고 만다."[43] '연기된 슬픔delayed grief'이라는 관념, 즉 심각한 증상들이 자신들에게 나타나는 데에는 수년이 걸릴 수도 있다는 생각은 미디어를 통해 유포된 감정 각본에서 하나의 강력한 테마였다. 그것은 9·11 사건이 사람들에게 장기적인 감정적 손상을 남길 것이라는 확신을 뒷받침했다.

당시 유포된 감정 각본은 또한 취약성이라는 공통의 경험을 축으로 하여 일체감을 만들어내기 위한 것이기도 했다. 공격이 있은 지 하루 만에 범죄 희생자 지원단체 중의 하나로 즉각 결성된 한 단체는 "이웃들은 무서운 테러리스트의 공격을 받은 이웃 사람들에게 힘을 북돋아주어야만 한다"고 주장했다.[44] 전국학교심리학자협회The National Association of School Psychologists는 「트라우마 유발 사건 이후의 추모/활동/의례 ― 학교를 위한 제안 Memorials/Activities/Rituals Following Traumatic Events ― Suggestions For Schools」이라는 광범위한 지침을 발표했다. 그 지침은 추모 및 그와 관련한 활동들이 "학생과 직원 모두의 힐링 과정에서 중요한 기능을 한다"고 역설했다. 그 것은 "추모활동의 중요한 목적은 감정과 우려를 함께 표현하기 위해 ― 고립감과 취약감을 줄이기 위해 ― 사람들을 한데 모으는 것"이라고 부언했다.[45] 질문과 답변의 형태로 제시된 또 다른 지침은 사람들에게 "힘을 모으라"고 조언했다.[46] 오클라호마시티 폭파사건의 한 생존자는 뉴욕 사람들에게 "추모에 참여하면서 자신이 힐링되었다"는 점을 상기시켰다. 그녀는 "추모는 집단치료요법 세션 같았다"고 썼다.[47]

9·11 이후 집단적 슬픔을 동원하여 추모 행사를 열라는 권고는 이전의 추도 규범들로부터 중요한 이탈을 하고 있다. 그것은 오클라호마시티에서 수립된 유형을 따랐다. 그곳에서는 이른바 추모 과정이 "폭파의 영향으로

인해 트라우마를 입은 공동체를 돕기 위해 치료요법적이 되도록" 의식적으로 설계되었다"(Linenthal, 2001: 4). 그러한 기억 지향은 그것을 통해 공동체의 목적을 확인하고자 했던 전통적인 방식과는 크게 다른 것이었다. 그것은 추모가 사람들이 그것을 통해 자신들의 개인적 자아 속에서 의미를 발견하게 하는 쪽으로 크게 변화했다는 것을 의미한다. 유족 공동체a bereaved community에서 유족들의 공동체a community of bereaved로의 이러한 이동은 사회에서 작동하고 있는 개별화 정명individualising imperative을 표현한다. 오클라호마시티에 대한 리넨탈의 연구가 보여주듯이, 추도를 통한 의미 획득 방식은 "문화 속에서 눈에 보이는 존재의 권리를 주장하는" 하나의 방법이다. 사별은 죽은 자들에 대한 추억 행동이 아니라 생존자들에 대한 치료요법적 진술이 된다. 이것이 오클라호마시티의 추모 행사에 죽은 사람들의 이름뿐만 아니라 생존자들의 이름까지도 포함시켜야 한다는 압력이 그렇게도 강력했던 이유이다(Linenthal, 2001: 4, 198~204). 치료요법적 추도는 개인의 자아를 인정하는 것을 목적으로 한다. 우리가 제5장에서 지적하듯이, 인정 정치politics of recognition의 제도화는 현대사회에서 일어난 주요한 발전의 하나가 되었다.

치료요법적 상상력은 미국인들이 경험했던 상실감과 방향감각 상실을 틀 짓는 데서 중요한 역할을 했다. 치료요법적 상상력은 일반적으로 그러한 반응을 정신의학적 용어들로 표현하고자 했다. 치료요법 활동가들은 그러한 언어를 통해 이해할 수 없어 보이는 사건에 의미를 부여하고자 했다. 미국심리학회는 의식적으로 그것을 받아들였다. 미국심리학회는 "미국 역사상 전례 없는 이 시기 동안 환자와 고객들을 실질적으로 돕기 위해 심리학자들은 탄력적일 필요가 있고 또 그래야만 한다"고 선언했다. 미국

심리학회는 "미국 전역에서 환자와 고객들이 이미 발생한, 그리고 계속해서 발생할 사건들이 개인들에게 갖는 의미를 가공하는 데서 도움을 받기 위해 심리학자들에게 의지할 것"이라고 덧붙였다.[48] 진단을 통해 의미를 부여하는 식의 힐링은 다양한 기관들이 채택한 전략이었다. 다양한 시대에 스포츠인, 음악가, 미술가 등등이 그들의 전문 활동들이 국민들을 힐링하는 데 기여할 수 있다고 주장했다. 뉴욕 메트로폴리턴 박물관 관장인 필립 드 몬테벨로Philippe de Montebello는 "아직 일하러 돌아갈 마음이 없었던 사람들이 평온함을 느끼기 위해, 그리고 다른 사람들의 주선으로 여기에 와서 일종의 문화의 요람에서 서로 교류했다"고 진술했다. 그는 병원은 몸을 고치기 위해 거기에 있고 "우리는 영혼을 고치기 위해 여기에 있다"고 부언했다.[49]

치료요법적 세계관은 공중에 영향을 미칠 뿐만 아니라, 여론 형성자와 공직자들이 사건을 이해하는 방식도 틀 지었다. 정신건강 문제를 다루는 것은 정치계급이 자동적으로 공중의 지지를 받을 수 있게 하는 것이었다. 그것은 또한 즉시 재정적 지원을 끌어낼 수 있는 것이기도 했다. 미국 적십자와 9·11 기금은 이례적으로, 그리고 전례 없이 9·11 공격에 직접 영향을 받은 사람들이 장기간에 걸쳐 받게 될 정신건강 치료비용의 부담을 떠맡았다. 이 새로운 계획은 약 15만 가구에게 정신의학적 도움, 약물 또는 알코올 치료, 향정신성 약물치료, 병원치료에 들어가는 비용을 지불하기 위한 것이었다.[50] 다른 형태의 건강과 사회 서비스에 자원을 할당하는 것을 둘러싼 논쟁이 정치적 풍경을 지배하고 있던 때에, 정신건강 지원에 관해 그러한 동의를 했다는 것은 아주 특별한 것이었다. 정신의학적 지원을 공적으로 제공하는 것에 부여된 중요성은 치료요법 문화가 감정적 손상에 부여한 의미를 예중한다.

치료요법 문화가 9·11을 경험하는 방식에 미친 강력한 영향은 그러한 지원에 대한 이의가 좀처럼 제기되지 않았다는 사실에 의해 더욱 부각된다.[51] 소수의 정신건강 전문가만이 주요 재난에 대한 사람들의 통상적 반응을 의료화하는 강력한 경향에 대해 비판적이었다. 9·11이 발생하고 일주일이 지난 후에 한 심리학자 집단이 발표한 문서는 재난상황에서 정신건강에 공격적으로 개입하는 일이 점점 더 많아지는 것에 대해 특히 우려를 표명했다. 그 집단은 사람들의 스트레스 반응을 하나의 질병 유형으로 광범위하게 분류하는 것에 대해 염려했다. 그 문서에 서명한 사람들 중 한 사람인 제럴드 로젠Gerald Rosen은 "사람들은 우리가 스트레스를 받을 때 흔히 나쁜 꿈을 꾸거나 수면장애를 겪는다고 말하는 대신에, 그러한 반응을 '외상 후 스트레스 장애의 신호'라고 또는 그 사람이 '외상 후 스트레스 장애'를 겪고 있다고 말한다"고 불평했다.[52]

심리학을 매개로 하여 9·11의 영향을 표현하는 경향이 낳은 한 가지 결과는 공중의 취약성을 일방적으로 과장하는 것이었다. 테러가 공중에 미치는 영향을 공중의 취약성 문제로 개념화할 때, 사람들에게는 수동적 역할이 할당된다. 한 보고서는 "나라가 다시 공격을 받는다면 국민의 정신에 어떤 일이 일어날 것인가"라고 묻는다.[53] 치료요법적 세계관은 그 답변이 심리적인 것 ― 34%가 외상 후 스트레스 장애 등등을 겪을 것 ― 일 것이라고 기술한다. 하지만 그렇게 협소하게 정신건강에만 초점을 맞추는 것은, 공격이 공통의 목적의식을 가지게 하고 일체감을 느끼게 하고 전투에 전념하게 함으로써 이른바 국민정신national psyche을 달리 규정하게 하고 그것이 공통의 목적을 쟁취하게 할 수도 있다는 점을 간과하고 있다. 그간의 경험에 따르면, 진주만 폭격, 런던 대공습, 런던에서의 테러리스트 공격, 그리고 예루살렘에서의 자살폭탄 공격과 같은 갑작스러운 군사적 공격이 국민정신에 미치는 영향은 문화적·정치적 영향력과 제도들을 통해 조정된다. 그러한 폭력이 단지 그것의 표적이 되는 상대에게 정신적 외상을 주기만 하는 것은 아니다. 그것은 상대로 하여금 싸울 결심을 하게 하거나 공통의 대의명분을 축으로 하여 하나의 공동체를 구축하게 할 수도 있다. 제2차 세계대전이 발발했을 때, 그 분쟁의 결과들 중 하나로 정신질환자의 수가 증가할 것이라고 널리 예상되었던 것은 상기할 만한 가치가 있다. 그리고 그러한 예상에 맞추어 다수의 민간인 정신질환자들을 받아들일 준비를 했지만, 환자의 수는 전혀 증가하지 않았다. 또 다른 연구들도 북아일랜드와 스페인 내전에서의 갈등과 같은 다양한 경험들로부터 그와 유사한 경향을 보고해왔다. 패트릭 브래큰Patrick Bracken이 주장하듯이, "전시의 고통과 트라우마가 필연적으로 병적 상태를 증가시키지는 않는다는 것을 보여주는 확실한 증거가 있다." 그러한 사례들에서 증대된 연대감과 공동체 의식은 사람들에게 그들이 겪은 역경의 의미를 깨달을 수 있게 해주었다(Bracken, 2002: 67~73을 보라). 사람들이 정신적 외상을 입었다고 느끼는지, 만일 그렇다면 그들이 그러한 외상을 어떻게 경험하는지는 적어도 얼마간은 그들이 그 경험을 어떻게 해석하는지에 달려 있다. 치료요법 문화가 기여한 것 중 하나는 그것이 개인들로 하여금 정신건강 용어들을 통해 극적인 사건들을 이해하게 한다는 것이다. 이 접근방식의 영향력은 그것이 사람들로 하여금 9·11 같은 주요 사건들에 대해 관련 시민이 아니라 잠재적인 트라우마의 희생자로서 반응하게 만든다는 것일 수도 있다.

9·11에 대한 치료요법적 반응은 덜 알려진 비극과 불행한 사건들이 발

생하는 동안에 분명하게 드러나는 여러 경향들을 여실히 보여준다. 최근 영국에서 수재와 구제역 발발이 초래한 결과들도 그와 유사한 정신건강 용어들로 묘사되었다. 2002년 8월 케임브리지셔의 소함 마을에서 발생한 열 살 소녀 두 명 ― 홀리 웰스Holly Wells와 제시카 채프먼Jessica Chapman ― 이 비극적으로 살해당한 사건에 대한 반응은 치료요법 문화의 모든 특징을 보여주었다. 지역 당국은 카운슬링 서비스와 특별한 전화상담 서비스를 신속하게 제공했고, 지역사회는 주민들에게 적극적으로 추모 활동에 참여할 것을 독려했다. 영국에서 "카운슬링을 제공하고 있다"는 말은 이례적인 심각한 어떤 일이 일어났다는 인식을 담고 있다.

우리 시대의 의미체계

우리가 치료요법 문화의 영향력을 정확하고 엄밀하게 도식화할 수는 없다. 문화적 가치와 기대의 변화는 점진적으로 일어난다. 그것들은 전통적인 규범과 나란히 발전하고, 자주 그러한 것들이 합쳐져서 그것들의 의미를 재정의한다. 미국 사회와 영국 사회에 대한 연구들은 치료요법적 감성이 오랜 역사를 가지고 있음을 보여준다. 에바 모스코비츠Eva Moskowitz는 그녀의 책『우리가 신뢰하는 치료요법 속에서: 미국의 자기실현에 대한 강박In Therapy We Trust: America's Obsession with Self-Fulfillment』에서 그녀의 이야기를 19세기 중반에서 시작한다. 영국에서 일어난 그러한 발전에 대한 로즈의 연구는 양차대전 사이의 기간에 치료요법 에토스가 공무원, 정책 입안자, 기업 경영자들을 움직였다는 것을 보여준다. 제2차 세계대전과 복지국가 수립 기간 내내 치료요법 관행들이 제도화될 수 있는 기회가 자주 있었다(Moskowitz, 2001; Rose, 1990; Herman, 1995를 보라).

치료요법학에 대한 공적 관심이 근대성의 발흥과 동시에 발생했기는 하지만, 그것은 여전히 삶의 한정된 영역들에 국한되어 있었다. 20세기에 심리학의 영향력이 확대되었음에도 불구하고, 1960년대까지 그것은 단지 서구 문화에 영향을 미치는 많은 요소 가운데 하나에 불과했다(그리고 결코 가장 영향력 있는 것은 아니었다). 심리학이 중대한 문화적 힘의 하나로 부상했다고 말할 수 있는 것은 치료요법학이 공중의 의미체계에 영향을 미치고 그것을 확실하게 지배하기 시작한 때이다. 오늘날 고백 양식의 발흥, 사적인 것과 공적인 것 간의 경계선의 모호화, 그리고 감정주의에 대한 강한 긍정과 함께 치료요법이 가공할 만한 문화적 힘이 되었다는 것은 의심의 여지가 없다. 치료요법학의 힘은 그것이 대중문화에 행사하는 영향력을 통해 증명된다. 그 치료요법 코드가 보다 전통적인 다른 의미 코드들을 압도할 수 있다는 것은 〈소프라노스〉에서 분명하게 예증되고 있다. 그것은 치료요법의 고백 수단에 대해 마피아가 그간 전통적으로 보여온 침묵 코드를 토니가 포기한 것을 시대를 따라가는, 예상할 수 있는 시도의 하나로 묘사한다. 내적 자아를 탐구하고 그것과 싸우는 것은 현대 정체성의 중요한 구성 요소가 되었다.

치료요법 문화의 발흥에 대한 선구적인 연구에서 필립 리프Philip Rieff는 "각각의 문화는 그 자체로 하나의 치료요법 체제이다"라고 논평했다(Rieff, 1966: 15). 오늘날의 상황을 과거의 치료요법 체제들과 구분해주는 것은 치료요법 체계가 그것만의 독특한 기능적 역할만을 수행하는 것이 아니라 더 넓은 문화제도들과 합체되어 사회의 모든 제도에 영향을 미친다는 점이다. 우리가 앞으로 살펴보듯이, 치료요법 에토스는 교육, 사법제도, 복지 서비스의 제공, 정치생활, 의료에 중요한 영향을 미치고 있다. 그것은 모든 전문직과 사회제도를 식민화해온 것으로 보인다. 치료요법 에토스가 다른 전문직과 권위 형태들로 침입한 것은 그것의 이전의 경쟁상대 — 종교제도 — 와 관련시켜 볼 때 특히 분명하게 드러난다. 최근 캔터베리Canterbury의 대주교는 서구 국가에서 치료요법이 기독교를 대체하고 있다고 주장해왔다. 캐리Carey 대주교에 따르면, '구세주 그리스도'는 '카운슬러 그리스도'가 되고 있다.[54] 성직자들은 점점 더 카운슬링 스킬을 채택할 것을 권고받고 있다. 신학자는 점점 더 치료요법사의 역할을 떠맡아왔다. 교회의 일에 치료요법 전문지식을 활용하고자 해온 조직들은 세속적인 지향을 취할 수밖에 없다. 이를테면 카운슬링, 심리치료요법, 기독교 신앙이 제공하는 통찰들을 결합하기 위해 1970년대 초 감리교 목사가 세운 웨스트민스터 목회재단Westminster Pastoral Foundation은 재단의 종교적 연관성을 약화시켜왔다. 재단 이사장인 팀 울머Tim Woolmer 박사는 그럼에도 불구하고 그들은 여전히 "보다 광범한 종교적 질문 — 우리는 왜 여기에 있고 대체 어찌된 일인가? — 자체"에 관심을 두고 있다고 진술한다.[55] 사람들의 실존적 탐구와 관련된 종교적 교의가 이렇게 치료요법에 예속되는 것은 자아에 대한 몰두 쪽으로 나아가는 보다 광범한 전환을 반영한다. 미국의 '구도자 교회seeker churche'에 대한 한 연구는 새로운 신자를 끌어들이는 그들의 능력은 미국인들의 치료요법적 이해를 활용하는 능력에 달려 있다고 주장한다(Sargeant, 2000: 45).

치료요법의 권위에 의한 종교 영역의 식민화는 사회가 죽음이라는 현상을 다루는 방식과 관련하여 살펴볼 때 분명하게 드러난다. 이 주제에 대한 토니 월터Tony Walter의 중요한 탐구는 사별의 경험이 이전 시대의 외적인 애도 행위에서 유족의 내적 정신 내에서 진행되는 '비통의 과정'으로 변화되어왔음을 시사한다(Walter, 1999: 196). 외부에 초점을 둔 영적인 것에서 심리적인 것으로의 이러한 대체는 영국의 선도적인 사별 기관 크루즈CRUSE의 사례에서 잘 나타난다. 1959년 퀘이커 교도들이 세운 이 조직은 1990년대쯤에 "카운슬링 기법과 친절한 마음만으로 충분해 보이는 완전히 세속적인 조직"이 되었다(Walter, 1999: 196).

치료요법 문화가 처음으로 세력을 얻었던 미국에서조차, 그것이 일상생활에 강력한 영향을 미치기 시작한 것은 비교적 최근의 일이다. 1970년대 초에 지역사회 정신건강센터에 도움을 구하는 외래환자들을 연구했던 앨런 호르비츠Allan Horwitz는 "1970년대 초의 관점에서는 이 외래환자들을 괴롭혔던 일반적인 삶의 불안들이 곧 오늘날 정신건강 전문가들이 치료하는 환자들을 괴롭히는 특정한 정신질환으로 변화될 것이라고는 예측조차 할 수 없었다"고 회상했다(Horwitz, 2002: ix). 호르비츠는 그가 수집한 1970년대의 자료를 다시 살펴보면서, 당시에는 외래환자들에게 정신의학적 꼬리표가 그리 붙여지지 않았다는 것을 발견했다. 그는 "돌이켜볼 때, 이 자료들에서 주목할 만해 보이는 것은 그 집단이 직면했던 어려움의 종류를 특성화하는 데서 정신의학적 진단이 사소한 역할만을 수행했다는 것"이라고 결론지었다(Horwitz, 2002: ix).

이전에는 자제, 절제, 과묵을 연상시켰던 사회인 영국에서 치료요법 문화가 대대적인 성공을 거두고 있다는 사실은 매우 인상적이다. 1960년대와 1970년대에는 자제력이 강한 영국과 마음을 솔직하게 털어 놓는 미국의 에토스가 자주 대비되었다. 그러나 1997년 다이애나 왕세자비의 죽음을 둘러싸고 전례 없이 표출된 공중의 감정주의 이후, 영국은 불굴의 정신을 가진 나라라는 신화를 유지하기가 어려워졌다. 이 사건 이후 치료요법 문화가 영국 사회에 미치고 있는 강력한 영향이 널리 인지되게 되었다. 감정적 태도에 대한 한 전국 비교연구는 "자제하는 영국의 시대는 끝났다"고 결론지었다. 그 연구는 영국인은 프랑스인이나 독일인보다는 성격이 급하지만, 멕시코인이나 이스라엘인만큼은 외향적이지 않다고 진술했다.[56] 주요 사회평론가들은 이러한 사태의 진전을 인정할 뿐 아니라, 그것을 더 많이 동정하고 더 많이 표현하는 뉴브리튼의 독특한 특징으로 환영하는 경향이 있다. 한 논평자는 ≪가디언The Guardian≫에 영국 문화의 초점이 '정신의 삶'에서 '감정의 삶'으로 옮겨왔다고 지적한다. 그녀는 "합리성은 격하되었고 감정이 지배한다"고 주장하고, "여성들은 감정을 더 잘 과장해서 표현하기 때문에" "특히 엄격한 금욕주의에 입각하여 성장한 45세 이상의" 남성들로 하여금 도망치게 만든다고 장담한다.[57]

우리가 실망과 역경에 대처할 감정적 자원을 결여하고 있다는 믿음이 생겨난 것은 비교적 최근의 일이다. 그러한 취약성 인식은 이전의 수십 년 동안 사람들이 자신들이 역경에 대처하던 것을 바라보던 방식과 현저하게 대비된다. 사람들은 치료요법적 진단을 불운에 직면하는 사람들의 상태를 묘사하는 데 무차별적으로 적용하는 것이 지난 10년 남짓 동안의 산물이라는 것을 잊기 쉽다. 오늘날에는 모든 사소한 불행이 트라우마 카운슬러와 치료요법 전문가들이 개입하고 나서는 현장이 되었다. 유족, 친척, 친구들을 카운슬링하는 것은 의무가 되었다. 논평자들은 비록 영원하지는 않더라도 상당한 시간 동안 사람들이 정상적인 생활을 하지 못하게 만들 수도 있는, 숨어 있는 심리적 속성들을 계속해서 언급한다.

1980년대까지 인간임에 대한 영국의 문화 각본은 "금욕주의, 절제, 불굴의 정신, 끈기(이를테면 대중의 기억 속에서 제2차 세계대전 동안의 국가 경험과 결부 지어지는 불독 같은 끈질김)" 같은 관념들을 북돋았다.[58] 비록 모든 문화적 구성물과 마찬가지로, 영국의 끈기 관념이 이상화된 형태의 인간행동의 일례이기는 하지만, 그것은 역경의 경험을 포함하여 일상생활에 대한 해석을 틀 짓는 데 일조했다. 전후 영국에서 가장 충격적이었던 산업 비극 중 하나인 1966년의 애버판 참사Aberfan disaster의 사례를 살펴보자. 마을 학교가 석탄 쓰레기 산사태에 휩쓸린 참사가 발생했는데도 불구하고, 아무도 그들의 트라우마나 심리적 고통에 대해 보상을 요구하지 않았다. 이 비극의 기간에 사망한 어린아이 116명과 성인 28명의 친족들은, 그들이 고발을 한다는 것은 "복수심에 굴복"하는 것이 되기 때문에 고발을 원하지 않았다는 견해를 피력했다. 학교는 "생존한 아이들이 마음속에서 그 재난을 떨쳐버릴 수 있도록 하기 위해" 그 비극이 발생한 지 2주 후에 수업을 재개했다. 이 참사가 있은 지 일 년 후에 웨일스 대학교의 가족·아동 심리학자 메리 에식스Mary Essex는 살아남은 아이들은 정상적이고 적응된 것으로 보인다고 지적했다. ≪더 타임스The Times≫는 "그 마을 사람들이 별다른 도움 없이 스스로 훌륭하게 원상을 회복했다"고 진술했다.[59] 오늘날 주요 참사에서 그러한 반응은 상상할 수도 없을 것이다. 아마도 그 지역의 모든 생존자는 깊은 정신적 상처를 입었을 것이고 그들은 평생 동안 그 상처에서 벗어날 수 없을 것이라고 반사적으로 가정될 것이다. 어린 학생들을 비극 이후 곧바로 다시 학교에 보내는 것은 나쁜 관행으로 경멸받았을 것이다. 자조를 통해 대처하고자 하는 지역사회의 시도 자체는, 희생자들이 그들 스스로 그러한 문제를 다룰 수 없을 것으로 예상되기 때문에, 잘못된 판단으로 비난받을 것이다.

　최근에 출간된 애버판에 관한 책은 그러한 전략을 택한 생존자들의 냉철함에 정말로 당황해한다. 그 책은 당시 사람들이 심리적 도움을 제공받는 것을 어째서 부정적으로 인식했는지를 상세하게 기록하고, 지역 컨설턴트인 정신과 의사가 사람들로 하여금 그들이 도움을 필요로 한다는 것을 깨닫게 하기가 어렵다는 것을 발견했다는 사실에 슬퍼한다. 저자들은 "심리적 도움을 구하는 것에 대한 낙인이 오늘날보다 1960년대에 더 강했다"고 결론짓는다. 저자들은 후일 외상 후 스트레스 장애의 발명 이후 당국이 치료요법에 분명하게 초점을 맞춘 정책을 가지고 그러한 참사에 대응할 가능성이 커진 것에 기뻐한다(McLean and Johnes, 2000: 104~106).

　1990년대 이후 애버판의 역사는 오늘날의 치료요법 에토스에 따라 다시 쓰이고 있다. 연구자들은 생존자들이 그들의 경험을 트라우마의 언어를 통해 재해석하는 것을 돕느라 분주하다. 애버판 생존자들과 최근 행해진 인터뷰 모음집은 사람들이 과거의 트라우마를 회고적으로 발견해왔다고 주장한다. 이 참사의 기억에 대해 저술해온 한 생존자는 이러한 감상을 그대로 되풀이한다. 그녀는 "우리가 애버판에서 심히 실망감을 느끼게 된 결정적인 측면들 중의 하나는 적절한 카운슬링이 제공되지 않았다는 점이었다"고 말했다.[60] 오늘날에는 감정적 상처에 대해 감성이 지니는 힘이 너무나도 강력해서 과거의 사건들은 단지 트라우마의 언어를 통해서만 이해될 수 있다. 논평자들은 이 웨일스 광산 지역의 탄력성을 연구하기는커녕, 오히려 생존자들을 무정한 관료집단에 의해 감정적 욕구를 무시당한, 숨겨진 희생자들로 다룰 가능성이 더 크다.

　애버판에서 발생한 비극에서 지역민들이 보여준 절제된 반응은 결코 예외적인 것이 아니었다. 164명의 사망자를 낸 1952년과 1953년의 수해에 대해 공중이 드러낸 표현은 하나의 유용한 연구 사례를 제공한다. 언론 보도는 주로 감정적이기보다는 정보 제공적이었다. 여왕이 "친족들에게 조의를 표했음"에도 불구하고, 그 참사의 감정을 과장해서 보도한 미디어는 없었다.[61] 심지어 수해 희생자들의 장례식마저도 치료요법 범주를 사용함이 없이 냉정하게 묘사되었다. 린머스Lynmouth에서 사망한 13명의 장례식은 다음과 같이 묘사되었다. "그것은 슬퍼하는 친족들 — 그들의 슬픔을 의연하게 견뎌낸 강건한 데번Devon 사람들 — 을 작은 공동묘지로 이끈 통절한 사건이었다."[62] 오늘날이라면, 강건했던 옛 데번 사람들이 취약하고 정신적 상처를 입은, 그리고 감정적 손상을 입은 개인들로 제시될 것이다.

감정적 취약성과 장기간의 심리적 충격에 대한 우려 역시 1950년대의 수해 표현에서는 그리 눈에 띄지 않는다. 전 총리이자 노동당 당수인 클레멘트 애틀리Clement Attlee는 "또다시 우리 국민들은 그들 특유의 용기를 보여주었다"고 말했다. 그는 "남자, 여자, 아이들은 감동적인 영웅적 행동 이야기들을 만들어왔다"고 덧붙였다.[63] 생존자, 정신적 외상을 입은 희생자, 그리고 감정적 손상을 입은 공동체는 이 시나리오에는 존재하지 않았다. 의미심장하게도 그 사건은 자기지향적 심리보다는 종교의 거대서사를 통해 해석되었다. 캔터베리의 대주교는 그 "참사에는 일종의 장엄한 정직함이 있었다"고 주장했다. 그는 "그것은 인간이 자연의 힘과 맞서 싸웠던, 그리고 인간존재의 조건이기도 했던 영원한 투쟁의 일부였"고, 그 "비극은 신이 인류에게 스스로 자신을 구원하도록 설정해 놓은 기본 조건들로부터 나온 것이었다"고 믿었다.[64] 오늘날 사회는 그러한 논평을 이해할 수 없는 것으로 간주할 것이다.

이것은 1950년대의 반응과 2000년 영국에 참혹한 피해를 입힌 홍수에 대한 표현을 비교해볼 때 분명해진다. 2000년에 신문 헤드라인들은 영국이 위기상태에 빠졌고 중대한 자연재해에 직면했다고 공포했다. 비록 그 홍수가 상당한 피해를 유발했고 간접적으로 네 명의 목숨을 앗아갔지만, 그것은 이전의 경험들에 비해 상대적으로 사소한 참사였다. 하지만 그 홍수는 사람들의 감정적 건강에 광범위한 영향을 미치는 하나의 트라우마로 경험되었다. 중요한 것은 그 홍수가 가한 건강위협이 자주 신체적 용어보다는 심리학적 용어로 제시되었다는 점이었다. ≪브리티시 메디컬 저널 British Medical Journal≫의 한 사설은 "홍수가 심리적 건강에 미치는 장기적 영향이 어쩌면 질병이나 상해보다 훨씬 더 중요할지도 모른다"고 경고했다. 그것은 "대부분의 사람들에게 감정적 트라우마는 물이 빠진 이후에도 오랫동안 계속된다"고 부언했다. 또 "원상복구, 청소, 보험금 처리가 스트레스가 될 수 있다"고 지적했고, "회복과정 동안 지원이 이루어지지 않을 경우 스트레스 수준은 더욱 증가할" 것이라고 경고했다(Ohl and Tapsell, 2000: 1167). 수해 희생자들의 감정적 취약성에 대한 이러한 강조는 현대 영국 문화에서 되풀이되는 테마이다.

오늘날 감정적 취약성이 인간 조건을 규정한다는 믿음이 너무나도 강력해서 과거에 실망과 역경에 처했던 사람들이 현재 우리가 그것들에 반응하는 것과 유사하게 반응했으리라고 생각하기 쉽다. 그 결과 현재의 치료요법 상상력에 따라 역사를 다시 쓰는 사업이 실제로 이루어지고 있다. 많은 학자들은 오늘날 과거에 사람들이 실제로 용기와 불굴의 정신으로 역경을 겪어냈다는 것을 믿기 어려워한다는 것을 발견한다. 애버판의 경우처럼, 역사는 치료요법 상상력의 관점에 따라 재해석되고 있다. 그중 하나를 예로 들어보자. 1997년에 한 심리학자가 수행한 조사에 따르면, 75만 명의 영국 여성이 여전히 제2차 세계대전의 스트레스와 트라우마로 고통받고 있다. 심리학자 멜린다 워Melinda Waugh는 이 여성들을 '잊힌 세대'라고 부르고, "그 여성들의 아이들이 외상 후 스트레스 장애의 심리적 상처들을 겪었을 가능성"이 있다고 진술한다. 이 모든 추측은 100명의 여성을 대상으로 한 조사로부터 추정한 것에 기초했다.[65] 다음 장들에서 분명해지겠지만, 과거에 밝혀지지 않았던 정신건강 문제들의 발견은 이전 세기에 어떤 일이 일어났었는가에 대한 것보다는 자아의 내적 세계에 대한 오늘날의 집착에 관한 것을 더 많이 말하고 있다.

이 책에 대하여

치료요법 문화에 대한 설명들은 자주 이러한 현상을 이기적 또는 적어도 자기중심적인 자기실현의 추구, 개인적 선택 또는 만족, 자기표현, 표현적 개인주의, 그리고 감정주의와 연관시킨다. 그러한 비평가들은 그것의 부정적 측면을 지적하고, 그것을 나르시시즘, 이기주의 또는 무책임의 문화를 구성하는 것으로 제시한다. 이러한 성격 규정이 일부 유용한 통찰을 담고 있기는 하지만, 그것은 치료요법적 사고방식의 가장 중요한 특징이 무엇인지를 간과하는 것일 수 있다. 이 책은 치료요법적 정명이 자기성취를 실현하게 하기보다는 오히려 자기제한을 조장하는 쪽을 향하고 있다고 주장한다. 치료요법은 아주 취약하고 연약한 형태의 자아를 상정하고, 삶의 관리가 치료요법 전문지식의 지속적인 개입을 필요로 한다고 주장한다.

자아에 대한 고양된 관심이 인간의 잠재력을 실현하는 긍정적 시각보다는 불안과 걱정에 의해 뒷받침되고 있다. 치료요법 문화는 축소된 자아의식 ─ 감정적 결함으로 고통받고 있으며 항구적으로 취약하다는 의식을 가지는 것을 특징으로 하는 ─ 을 구성하는 데 일조해왔다. 지금까지 치료요법 문화가 남긴 주요한 유산이 바로 유례없이 취약성 의식을 부추기는 것이다.

치료요법 문화의 가장 중요한 특징은 자아를 증진시키기보다는 자신과 타자를 거리 두게 한다는 것이다. 그 속에서 치료요법 문화는 시종일관 오늘날의 개인화 분위기를 만들어낸다. 치료요법 문화는 파편화와 소외의 경향을 반영하고 또 조장한다. 그러나 그것은 단지 일부에 불과하다. 제3장에서 우리가 지적하듯이, 그것은 실제로 파편화 경향을 정당화하고자 한다. 그것은 비공식적 의존관계들을 체계적으로 낙인찍음으로써 그렇게 한다. 이것이 바로 치료요법 문화가 비공식적 관계의 영역에 가장 큰 적대감을 드러내는 이유이다. 실제로 우리가 앞으로 주장하듯이, 사적 영역의 해체가 아마도 치료요법 문화가 이룬 주된 성과일 것이다. 치료요법 문화는 자주 자아의 내적 세계로의 후퇴로 특징지어진다. 사실 자아에 대한 지향은 치료요법이 사적 삶의 영역을 관리하게 하는 역설적 결과를 낳는다. 그 결과 자아의 관리는 정부와 다른 기관들이 수행하는 일의 일부가 되었다. 우리는 이것에 잠재하는 권위주의적 함의들을 이 책의 마지막 장에서 논의할 것이다.

치료요법 문화의 의미에 관해 몇 가지 말해두기로 하자. 치료요법 문화의 지배적 지위를 치료요법이 사람들의 삶에 행사하는 영향력의 증대와 혼동해서는 안 된다. 이 책에서 우리는 임상기법으로서보다는 문화적 현상으로서의 치료요법에 관심을 가진다. 사회학자 로버트 벨라Robert Bellah

가 지적했듯이, 그것은 "심적 장애를 치료하는 하나의 방법이라기보다는 하나의 사유방식"이다(Bellah et al., 1996: 113). 이 사유방식이 개인과 치료요법사 간의 관계를 인도하는 것에서 다양한 이슈들에 관한 공중의 인식을 틀 짓는 것으로 확대될 때, 그 문화는 치료요법적이 된다. 그 지점에서 그것은 임상기법이기를 중단하고 주체성을 관리하기 위한 하나의 도구가 된다.

　문화는 삶의 의미에 관한 믿음의 체계를 아우르고, 우리가 개인과 사회의 관계를 이해할 수 있는 어휘를 제공한다. 그러한 관계에 대한 문화적 표현들은 개인을 구성하는 것에 대한 우리의 인식에 의해 뒷받침된다. 모든 문화는 인간의 본성에 관한 진술과 인간행위의 잠재력과 한계들에 대한 통찰을 제공한다. 치료요법 문화는 오늘날 인간존재의 본성에 관한 독특한 시각을 제공한다. 그것은 사람들의 감정 상태를 특히 문제 있는 것으로 간주하는 동시에 사람들의 정체성을 정의하는 것으로 간주하는 경향이 있다. 그 결과 치료요법 문화는 감정의 관리를 개인적·집합적 행동을 인도하는 가장 효과적인 방법으로 간주한다.

　치료요법 문화를 서구 문화 전체와 동일시해서는 안 된다. 일상생활 속에서 사람들은 사회학자 피터 버거Peter Berger와 토마스 루크만Thomas Luckmann이 '경쟁하는 문화적 주장들의 불협화음'으로 특징지은 것과 직면하게 된다(Berger and Luckmann, 1967). 개인들은 국가의 권위를 존중하고 그들의 사업 경쟁자들과 경쟁하고 자신들의 책임을 다하고 또 자신들의 자아를 성찰할 것을 요구받는다. 존 휴잇John Hewitt이 주장하듯이, 문화는 "동기부여와 관련한 여러 일단의 믿음 — 그러한 믿음 각각은 특정한 활동과 사고 영역 내에서 작동하며 그 안에서 취해진 행위들을 설명하고 정당화한다 — "

을 담고 있다(Hewitt, 1998: 87). 자본가는 무능한 직원을 해고하는 행동을 시장의 문화 논리를 통해 이해한다. 그러나 고용주는 또한 다른 문화적 경향들에도 민감하다. 그리고 그 해고된 노동자가 카운슬링을 제공받을 때에도, 치료요법 에토스의 영향은 분명하게 드러난다. 이러한 방식으로 치료요법 문화는 사람들이 세상을 경험하고 이해하는 의미와 상징의 체계를 제공한다. 그것이 현시대에 독특한 의미망을 제공한다는 것은 분명하다. 비록 다른 흐름들과 경쟁하고는 있지만, 치료요법 문화는 개인들이 행동을 실행하는 데서 강력한 영향력을 행사해왔다. 그것은 사회가 삶과 관련한 의미를 획득하는 방식과 관련하여 독점권을 가지고 있지는 않지만, 개인들이 일상생활에서 의미를 얻는 데서 아주 중요한 기표로 작동하고 있음은 거의 틀림없다. 그것이 그렇게 중요해진 이유를 설명하는 것이 이 책의 목적 중 하나이다.

사람들은 그들의 문화에 적극적·선택적으로 참여한다. 앤 스위들러Ann Swidler가 주장하듯이, "모든 사회에서 사람들은 어떤 문화적 의미를 받아들일 것인지, 그리고 그것을 어떻게 해석할지를 선택한다." 그리고 사람들은 문화적 관점들을 선별적으로 채택할 뿐만 아니라, 그들이 "문화적 요소들을 전유할 때, 그것들을 자신들의 목적에 맞게 수정한다"(Swidler, 2001: 16, 17을 보라). 문화적 규범들은 어떤 형태의 행동은 용인하고 다른 것들에는 낙인을 찍는다. 우리가 다음 장들에서 살펴보겠지만, 치료요법 문화는 개인들이 그들의 자아에 대해, 그리고 타인들과의 관계에 대해 독특한 이해를 발전시킬 각본을 제공한다. 사람들은 또한 다른 각본들도 읽지만, 자신들이 누구인가를 이해하는 것에 관한 한, 치료요법학은 그들의 삶에 엄청난 영향력을 행사한다. 이러한 자기인식이 행동에 커다란 영향을 미치기 때문에, 치료요법 문화는 사회적·정치적 행위에 영향을 미친다. 치료요법 정치에 관한 장에서 우리는 이 문화가 왜 동원에서 하나의 초점의 대상이 될 수 있는지를 지적한다.

이 책 도처에서 치료요법 문화, 치료요법 에토스, 치료요법학이라는 용어는 반복을 피하기 위해 서로 바꾸어 쓸 수 있는 말로 사용된다. 나는 치료요법 에토스가 여전히 형성 과정 중에 있기 때문에 그것을 정의하는 것을 자제해왔다. 겉으로 보기에, 의미와 지침을 제공하려는 그것의 시도는 종교, 시민규약, 이데올로기가 과거에 작동해온 방식과 유사하다. 하지만 치료요법 에토스는 너무나도 산만하고 일관되지 않아서 이데올로기나 종교의 명칭을 얻을 수는 없다. 치료요법 에토스의 매력은 그것이 이전에 이데올로기, 종교, 인본주의 사상에 의해 성찰되던 어려운 질문들에 대해 기꺼이 답하고자 하지 않는다는 것에 있을지도 모른다.

제1장

감정주의 문화

복잡한 근대사회에서 우리가 직면하는 문제들을 이해하려는 노력은 하나의 도전으로, 어려움으로 가득 차 있다. 우리의 삶을 틀 짓는 중요한 힘들 중 많은 것 - 지구화, 시장의 작동, 정치·문화제도들 - 은 추상적인 비가시적인 성격을 가지고 있다. 그 결과 대부분의 시기에 사람들은 우리의 행동을 주조하고 우리의 의사결정에 영향을 미치는 힘들을 인지하지 못한다. 놀랄 것도 없이 우리는 "우리의 행동과 감정이 우리 내부의 어떤 것으로부터 파생된다"고 믿는 경향이 있다(Smail, 2001: ix). 따라서 우리는 자주 우리의 감정 상태 - 우리가 '받아들일 수 없는 심리 상태'에 있거나 '스트레스를 받고' 있거나 '극도로 피로한 상태'에 있거나 또는 '중년의 위기'를 겪고 있다는 것과 같은 사실 - 가 우리의 행위와 선택에서 기인하는 것으로 생각한다. 인간행동에 대한 이러한 견해는 다음과 같은 널리 받아들여지는 가정에 기초해 있다. 그것이 바로 "의미를 어떤 것으로 묘사하는 일은 개인의 마음속에서 이루어지며, 그러한 일은 내적이고 사적이고 고독한 어떤 것으로 간주된다"는 것이다(Bracken, 2002: 64를 보라).

우리의 경험이 개인적 선택의 결과라는 확신은 오늘날 개인화 의식이 고양되면서 더욱 강화되고 있다. 공동체와 사회적 네트워크가 파편화되고 초이동성hypermobility이 가능해지면서 사람들의 삶은 극히 원자화되었다. 독일 사회학자 울리히 벡Ulrich Beck은 "동질적인 사회집단 내에서 일어나는 개인의 고립"에 대해 기술한다(Beck, 2002a: 33). 그러한 고립의 경험은, 사람들이 우리가 공유하는 많은 것을 인식하고 우리의 결정에 영향을 미치는 광범한 사회적 힘을 파악하는 능력을 손상시킨다. 이러한 상황에서 우리가 우리의 경험 속에서 의미를 발견하기란 매우 어려워진다. 그러한 고립은 또한 개인들로 하여금 자신들의 삶을 이해하는 데 따르는 어려움을 사회가 사람들에게 공통의 의미망을 제공하지 못한다는 점과 관련해서라기보다는 자신들의 내적 삶의 산물로 해석하게 한다. 이러한 상황에서 우리는 사회적 조건으로부터 발생하는 고통을 자신의 문제로 경험하게 된다. 우리는 점점 더 사회적 문제를 감정적 문제로 생각하는 경향이 있다.

사회적 문제를 감정적 문제로 바꾸어 놓기

오늘날 서구 문화는 고도로 개인화된 치료요법 담론의 언어를 통해 행동을 해석하는 방식으로 사회적 고립의 경험을 이해한다. 그간 우리 문화는 하나의 특정한 풍토를 조장해왔다. 그러한 풍토 속에서 개인의 내적 세계는 사회적 문제가 발생하고 그러한 문제가 해결될 필요가 있음이 인식되는 장소가 되었다. 이처럼 사회적 삶에서 개인의 내적 삶으로 초점이 전환하면서 지적 삶 또한 자아에 집착하게 되었다. 자아가 감정을 통해 정의되기 때문에, 감정 상태는 자주 개인적 행동과 집합적 행동 모두의 핵심적 결정 요소로 제시된다. 그리고 사회적 문제는 자주 사회적 영역과 직접적 관계가 없는 개인적 문제로 조명된다.

이처럼 사회학적 상상력이 쇠퇴한 결과, 공적 문제를 개인의 사적 문제로 재정의하는 경향이 증가해왔다. 이러한 분위기는 치료요법의 개인화된 언어 속에서 생생하게 포착된다. 치료요법 문화는 우리로 하여금 문제를 심리학 용어들을 통해 인식하게 만든다. 벡은 "그 결과 사회적 문제들이 점점 더 심리적 성향 — 개인적 부적절성, 죄책감, 불안, 부조화, 신경증과 같은 — 과 관련하여 인식되고 있다"고 결론짓는다(Beck, 2002a: 39). 영국 임상심리학자 데이비드 스마일David Smail이 주장하듯이, 치료요법 언어는 감정과 행동을 '내부의 원인'에서 기인하는 것으로 바라보는 것을 하나의 상식으로 만드는 데 일조한다(Smail, 2001: ix). 일상의 상식은 감정과 행동을 우리 내부로부터 나온 열정의 산물로 간주하라고 가르친다. 브래큰이 주장하듯이, 오늘날에는 인간의 주체성이 '모든 것의 근원'으로 이해되고 있다(Bracken, 2002: 179).

물론 자아와 내적 삶의 이해는 개인의 행동과 보다 광범한 공동체의 삶을 파악하는 데 중요하다. 하지만 자아에 대한 일차원적 집착은 자주 개인의 정체성이 근거하고 있는 사회적·문화적 토대를 간과하게 한다. 그러한 접근방식은 새롭고 독특한 자아표현 — 미국 사회학자 존 라이스John Rice가 '몰사회적 자아asocial self'라고 특징지어온 자아 — 을 낳는다(Rice, 1996: 89~

99). 몰사회적 자아의 관점에서 볼 때, 중요한 것은 그것의 내적 삶이다. 개인적 감정이 협소하게 심리학적으로 숙고되면서 그만큼 사회적·문화적 영향력이 갖는 중요성은 무시된다. 이전 시기의 근대적 삶을 지배했던 중요한 지적 추세들은 사회에 대한 설명에서 개인의 자아에 대해 그리 중요성을 부여하지 않는 경향이 있었다. 조야한 경제결정론 또는 사회결정론에는 개인적 주체를 위한 공간은 거의 존재하지 않았다. 이를테면 당혹스러울 만큼 다양한 인간행위들 — 사람들이 클럽에 가입하는 이유, 여성들이 아이를 적게 낳는 이유 또는 특정 집단이 외국인을 증오하는 이유 — 이 경제적 상황의 결과로 설명되었다. 그러나 오늘날 과거의 경제·사회결정론은 새로운, 그리고 훨씬 더 조야한 형태의 결정론, 즉 '감정결정론'에 압도되었다. 우리의 감정 상태가 이제 현대사회가 직면한 문제들 중 많은 것의 원인으로 제시된다. 우리가 우리 자신 — 우리의 자존감 — 에 대해 느끼는 방식은 세계를 이해하기 위한 중요한 설명 도구의 하나가 되었다.

낮은 자존감은 이제 사회를 괴롭히는 질병들 중 많은 것과 연관지어진다. 정책 입안자, 미디어 논평자, 전문가들은 이 문제를 경험한 집단 — 그중 몇몇만 거론하면 학생, 십 대, 부모, 노인, 노숙자, 정신질환자, 비행청소년, 실업자, 인종차별을 겪는 사람, 홀로된 부모들 — 의 자존감을 높일 수 있는 조치를 취할 것을 정기적으로 요구한다. 더 나아가 우리가 제8장에서 지적하듯이, 자존감 결핍은 자주 개인을 넘어서는, 그리고 전체 세대와 공동체를 괴롭히는 조건으로 제시된다.

감정결정론의 관점에서 볼 때, 개인은 사회가 직면한 문제의 근원으로 인식된다. 이러한 교의는 개인을 일반적 감정 결핍 상태로 인해 괴로워하는 개인으로 인식한다. 과거에 문화 엘리트들은 하층계급 사람들을 비합리적이며 자신들의 감정을 통제하지 못한다고 혹평했다. 세련되고 우아한 감정들은 사회의 보다 고상하고 교육받은 분파들과 연계지어졌다. 오늘날의 문화 각본에 따르면, 어느 누구도 감정 결핍 문제로부터 자유롭지 못하다. 그저 잘 살기 위해 애쓰는 일반 사람들뿐만 아니라 다이애나 왕세자비 같은 귀족이나 마피아 폭력단원 토니 소프라노 모두가 정신분석치료의 적절한 후보자이다.

오늘날 영국과 미국 모두에서 감정을 지향하는 설명들이 과거에 사회-경제적 또는 철학적 분석을 통해 해명되었던 문제들을 이해하는 데 이용되고 있다. 에바 모스코비츠는 미국의 치료요법 문화의 역사에 관한 자신의 중요한 연구에서 "한때 정치적, 경제적 또는 교육적인 것으로 간주되었던 문제들이 오늘날에는 심리적인 것으로 밝혀진다"고 지적한다(Moskowitz, 2001: 2). 모스코비츠는 1970년대 미국에서 발생한 "감정에 대한 강박관념"이 사회문제를 심리학적 관점에서 프레임 짓는 경향이 있는 환경을 만들어내는 데 일조했다고 지적한다. 이러한 추세는 인종 탄압 문제와 관련하여 특히 분명하게 드러났으며, 그러한 차별의 결과는 점점 더 치료요법 용어들을 통해 해석되었다. 이 접근방식에 따르면, 인종차별주의로 인해 고통받은 사람들은 그들의 퍼스낼리티에 영구한 손상을 입었다. 실제로 그들은 손상된 사람이 되었다. 이어서 엘리자베스 라시-퀸Elisabeth Lasch-Quinn은 손상된 퍼스낼리티의 치료는 불평등 문제와 싸우는 것이 아니라 태도관리를 강조하는 것으로 이어지는 치료요법학을 요구한다고 지적한다(Lasch-Quinn, 2001).

영국에서도 역시 인종차별주의 문제의 심리학화 경향이 증대하고 있다. 과거에 인종차별주의를 비판하는 사람들이 경제적 불평등, 차별, 폭력을 부각시켰다면, 오늘날에는 피해에 대한 치료요법 용어들을 채택하는 경향이 있다. 조세프 라운트리 재단Joseph Rowntree Foundation은 최근 인종적 괴롭힘의 희생자가 겪은 '파멸적 스트레스'에 초점을 맞춘 연구를 수행한 바 있다. 그 보고서는 의식적으로 인종차별주의의 희생자들에 대한 공적인 공감을 끌어내기 위해 치료요법 기록부에 초점을 맞추었다. 그 보고서는 그 연구의 응답자들이 언급한 "화, 스트레스, 우울증, 잠 못 자는 밤"을 집중적으로 조명했다(Joseph Rowntree Foundation, 1999). 인종차별주의 자체가 반半의식적인 심리적 과정으로 재조명되었다. 1996년에 발간된, 영향력 있는 맥퍼슨 보고서Macpherson Report는 느낌과 감정을 법으로 성문화하는 데 일조했다. 그 보고서의 저자 윌리엄 맥퍼슨William Macpherson 경은 제도적 인종차별주의를 마음의 문제로 규정했다. 맥퍼슨은 자신의 제도적 인종차별주의에 대한 정의에서 그것이 "소수 인종집단 사람들을 불리한 처지에 놓이게 하는 부지불식간의 편견, 무지, 분별 없음, 인종적 고정관념화를 통해 차별에 이르게 되는 과정, 태도, 행동 속에서 드러나거나 간파될 수 있다"고 선언했다. 여기서 핵심적인 단어가 '부지불식간의'이다. 즉, 그것은 규제·억제되지 않은 감정에 의해 추동되는 하나의 무의식적 반응이다.

사회와 제도의 실패를 그것들이 개인의 감정에 미치는 영향과 관련하여 인식하는 경향은 인종차별주의 문제에 국한되지 않는다. ≪가디언≫ 신문사는 영국 교육제도의 위기에 대한 주요한 보고서를 출간하면서, 다음과 같이 지적함으로써 가난한 아이들의 사회적 조건이나 교육제도의 실패보다는 오히려 그들이 겪은 감정적 손상을 강조했다. "빈곤은 가난하게 사는 사람들의 감정에 최악의 피해를 입힌다."[1] 사회는 빈곤을 사회적 문제보다는 정신건강 문제로 다루는 것에 훨씬 더 편해하는 것으로 보인다. 이러한 접근방식은 어려운 상황, 심지어는 비교적 평범한 상황조차도 스트레스를 유발하고 트라우마와 다양한 형태의 정신질환의 원인이 된다는, 널리 받아들여지는 전제에 의해 뒷받침된다.

영국에서 사회적 영역에 뿌리를 둔 문제에서 감정적 동요로 관심의 초점이 이동하기 시작한 것은 1970년대였지만, 그러한 전환이 탄력을 받게 된 것은 1980년대였다. 1980년대 초반의 경제적 격변기에 급진적 사회비판가들조차 자유시장 자본주의가 정신건강에 초래하는 결과를 강조하기 시작했다. 노동조합의 호전성과 재분배주의적 정치에 대해 환멸을 느끼는 분위기가 확산되는 상황과 맞닥뜨렸을 때, 많은 활동가가 불평등이 정신건강에 초래한 결과들에 이의를 제기하는 것에 마음이 끌리기 시작했다. 실업과 일자리 불안이 정신건강에 미치는 파괴적 결과를 고발하는 수많은 연구들이 그 시기에 발표되었다. 1980년에 출간된 한 보고서는 1984년경에 실업이 유발한 스트레스로 인해 5만 명이 사망할 것으로 예측했다.[2] 실업이 정신건강에 미치는 부정적 영향을 증명한 연구들이 보다 광범한 문화적 영향력과 합류하여 자본주의에 대한 사회-경제적 비판을 치료요법적 비판으로 전환시켰다. 보수당 정부 비판가 중 한 사람은 ≪새로운 정치가 The New Statesman≫에 기고한 글에서 "이제 족쇄 풀린 자유시장이 국민의 정신건강에 해롭다는 것을 경험적으로 보여주는 것이 가능하다"고 공언했다. 그는 "인구의 상당한, 그리고 점점 더 많은 부분이 정부 정책으로 인해 심리적으로 고통받고 있다"고 덧붙였다.[3]

자본주의에 대한 치료요법적 비판에 비옥한 토양을 제공한 것은 당시를 지배하던 문화적 풍토였다. 체계의 힘이 유발한 심리적 피해에 치료요법적으로 지향하는 것은 1980년대에 만연했던 개인주의적 기질과도 잘 맞아

떨어질 수 있는 것이었다. 대처 정부조차도 실업자를 표적으로 하는 자신의 계획에 치료요법적 관리 형태를 기꺼이 받아들였다. 실업자의 카운슬링에 할당하는 자원의 양이 1980년대에 꾸준히 증가했다. 이러한 추세가낳은 누적효과는 저항을 개인주의화하고 벡이 '치료요법적 문제처리방식'이라고 규정한 것을 부추겼다(Beck, 2002a: 37).

감정 문제가 단지 빈곤, 인종차별주의, 잘못된 양육, 가정폭력과 같은 문제들이 초래한 냉혹한 결과로만 제시된 것은 아니다. 감정적 기능장애는더 나아가 사실상 모든 형태의 사회 붕괴의 원인으로 빈번히 묘사되었다.감정결정론의 견해에 따르면, 처리되거나 관리되지 않은 감정은 사회를 괴롭히는 질병들의 원인이다. 이러한 감정결정론적 견해는 감정지능 관념의주창자들에 의해 널리 전파되고 있다. 감정지능 교의의 지지자들은 진짜감정을 인정하기를 꺼리는 것과 자의식의 결여가 개인적 고통과 사회가처한 문제 모두를 유발한다고 믿는다. 그들은 감정 문맹인 사람들은 잠재적으로 파괴적인 퍼스낼리티를 지니며, 그들이 사회가 직면한 질병 중 많은 것에 책임이 있다고 주장한다. 이러한 사회적·문화적 문제의 심리적 문제로의 전환을 가장 웅변적으로 표현한 것이 바로 다니엘 골먼Daniel Goleman의 베스트셀러『감정지능: 왜 IQ보다 더 중요한가Emotional Intelligence: Why It Can Matter More than IQ』이다. 골먼은 사회가 '집합적인 감정적위기'에 직면해 있다는 견해를 취하고 있다. 그는 "우리가 공유하고 있는감정적 삶에서 불행이 증가하고 있음"을 관찰한다. 그러한 불행을 보여주는 것들로는 부부폭력, 아동학대, 청소년 비행의 증가, 우울증과 외상 후스트레스의 증가 등이 있다. 골먼에 따르면, 감정 문맹과 연관된 이러한 문제들은 우려스러운 것이다. 미국 초등학생이 반 친구에게 가한 총격, 십 대

임신, 약자 괴롭히기, 약물 남용, 정신질환은 공중의 감정적 욕구에 주의를 기울이지 않은 결과들 중의 일부이다. 골먼이 제시한 해결책은 감정을 관리하고 인정하는 전략을 제공하는 감정교육을 더 많이 시키는 것이다(Goleman, 1996: x-xi, 263~269).

영국의 감정교양emotional literacy 제창자들은 '폭력과 불평등'의 원인을 "회피성 인격장애를 가진 개인들 ― 자신의 감정을 무시하고 따라서 자신들이 존중할 만한 감정을 가진다는 의미에서 자신들의 감정을 대등한 것으로 간주하지 않는 사람들 ― 의 어린 시절 경험에서 부분적으로 발견"할 수 있다고 주장한다.[4] 감정결정론은 환경문제를 설명하기 위해서도 동원된다. 영국인의 감정교양을 증진시키는 데 헌신하는 기관인 앤티도트Antidote에 따르면, "상실의 공포, 미지의 것에 대한 공포, 그리고 우리보다 더 많은 것을 가진 다른 어떤 사람에 대한 공포는 우리로 하여금 자연 세계가 이끄는 분명한 방향을 보지 못하게 만든다." 앤티도트는 우리의 '화'가 "그러한 현실을 모르는 체하게" 만든다고 주장하고, 사회가 "자신의 귀중한 자원의 많은 것, 즉 사람들의 에너지와 창의성"을 낭비한다고 비난한다. 그것은 이러한 불행한 사태가 "감정이 우리가 행하는 거의 모든 것에 영향을 미친다는 것을 인정하기를 꺼려한 결과"라고 공언한다.[5]

국가 간의 폭력과 전쟁의 원인 또한 감정 탓으로 돌려진다. 특히 '트라우마'가 "여러 세대 동안 처리되지 않고 응결되었을" 때, 그것이 폭력의 분출을 부채질한다고 주장된다. 저널리스트들에게 치료요법 훈련을 제공하는 한 지원단체의 대표자는 "오래 지속되어온 뿌리 깊고 무의식적인 트라우마가 이를테면 9·11이 왜 발생했는지, 오렌지당원들이 왜 여전히 행진하는지, 젊은 팔레스타인인들이 왜 자살폭탄으로 스스로 목숨을 끊는지와 관련하여 많은 것을 설명할 수 있다"고 기술한다.6 국제적 갈등이 트라우마가 유발한 심리적·사회적 기능장애로부터 발생한다는 믿음은 인도주의적 원조 분야와 관련된 단체들의 사고에도 영향을 미쳐왔다. 1994년에 유니세프UNICEF의 한 브리핑 문서는 다음과 같이 지적했다. "세계는 전쟁의 심리적 상처가 치료받지 않고 방치될 경우 가장 파괴적일 수 있다는 것을 이제 겨우 깨닫기 시작했다. 그 이유는 아이들이 정상적 기능을 수행할 수 없게 자라면서 자주 그들이 경험한 폭력을 영속화시키기 때문이다"(Pupavac, 2001: 7에서 인용함). 바네사 푸파바크가 갈등 이후 전략post-conflict strategies에 관한 자신의 연구에서 논평했듯이, 점점 더 "많은 국제문서들이 갈등 이후 사회의 재건보다는 오히려 재활을 언급하고 있다"(Pupavac, 2001: 7).

자신의 감정을 인정하거나 치유하지 않는 것이 동아시아 분쟁의 원인으로 묘사되기도 한다. 사담 후세인에게조차도 치료요법적 진단이 내려졌다. 서방이 이라크 정권에 대량살상무기의 내역을 밝히라는 압력을 가하는 동안, 사담은 미디어에 의해 빈번히 "스스로를 받아들일 수 없는 심리 상태에 있는" 것으로 특징지어졌다. 미국의 정치심리학자 제럴드 포스트Jerrold Post 박사는 "그 모든 것은 그의 어머니의 자궁으로까지 거슬러 올라간다"고 진술했다. 포스트에 따르면, 사담의 어머니는 "자살을 시도했을 뿐만 아니라 낙태를 시도하기도 했다." 그러한 경험이 "그의 자존감에 상처를 입혔고", 이것이 '상처 입은 자아wounded self'로 알려진 조건을 창출했다. 또 다른 설명은 사담이 그의 비천한 태생으로 인해 크게 수치심을 느꼈고 그것은 "그가 만년에 심리적으로 어느 누구도 신뢰할 수 없게" 만들었다고 주장한다.7

"그 모든 것이 자궁으로까지 거슬러 올라간다"는 믿음은 감정결정론의 주축원리이다. 이러한 주장은 아이의 어릴 적 감정경험이 나중의 행동을 결정하고 규정한다는 전제에 기초한다. 그것은 어린아이들이 겪은 감정적 손상이 종신형에 해당하는 것일 수도 있다고 주장한다. 많은 관찰자가 정신에 입은 '비가시적 상처'는 결코 치유되지 않고 희생자의 삶에 손상을 입힌다고 주장한다. 시작과 끝이 있고 그 성격상 구체적으로 나타나는 신체적 행동과는 달리, 감정의 영역은 경계를 알지 못한다. 이러한 강력한 결정론적 모델에 따르면, 고통을 경험한 아이들은 정신적 외상을 입게 되고 그 에피소드의 상처를 성인기로 가지고 간다. 그러한 모델은 청소년들이 겪은 트라우마는 그들이 폭력적 행동을 하게 할 수 있다고 주장한다. 어린 시절에 겪은 트라우마는 성인의 파괴적 행동의 출발점으로 제시된다. 이러한 결정론적 세계관은 아프가니스탄에서 일어나는 폭력적 갈등을 설명하는 데에도 이용되었다. 한 설명에 따르면, 카불에 거주하는 아이들의 상당수가 폭력문화가 그들의 삶에 미친 영향을 통해 정신적 외상을 입어왔다. 감정결정론의 한 옹호자는 "그러한 사건들이 상당한 심리적 트라우마와 고통으로 이어질 수도 있지만, 그것들은 또한 어린 마음이 폭력에 익숙해지게 할 수도 있다"고 주장한다. 어린 시절에 겪은 트라우마의 결과는 다음과 같이 상술된다.

평균적인 탈레반과 북부 동맹군 병사들은 아주 어린 시절부터 경험한 동일한 사회적 격변의 순환이 낳은 산물이다. 무지, 고립, 그리고 일상적인 폭력 의례는 그들의 세계관을 크게 강화한다. 폭력의 순환을 끝내는 조치를 취하지 않는 한, 이 '잃어버린 세대'가 더 많이 자라날 가능성이 크다(Bhutta, 2002: 351).

폭력이 폭력을 낳는다는 관념은 얼마간은 하나의 문화적 신화가 될 정도로 매력적임이 입증되었다. 하지만 사람들이 다양한 방식으로 폭력의 경험에 대처한다는 것을 보여주는 증거 또한 상당히 많이 있다. 그리고 감정결정론의 한 비판가가 주장하듯이, "궁극적으로 무수한 아동 생존자들의 장기적 복리를 전 세계적으로 결정하게 될 것은 무엇보다도 경제적·교육적·사회문화적 세계의 재구축일 것이며, 이는 공정과 정의의 문제와 관련되어 있다"(Summerfield, 2000: 426).

트라우마와 폭력 간의 인과관계에 관한 관념은 그간 가족 관련 문헌들의 학대순환 모델에서 체계적으로 정교화되었다. 비록 이 가설의 타당성이 크게 의문시되기는 하지만, 학대가 트라우마를 낳고 이것이 다시 학대로 이어진다는 믿음은 진부한 문구의 지위를 획득했다. 1990년대에 트라우마라는 용어는 모든 형태의 고통스러운 사건을 이해하는 하나의 해석장치로 확대되었다.[8] 트라우마 경험이 수많은 형태의 범죄와 반사회적 행동에 대한 다목적 설명으로 전화되어왔다.

감정적 인과관계가 현대의 범죄 표현 역시 지배하고 있다. 범죄에 관한 관념들은 공중이 처한 위협에 대한 공중의 공포와 불안, 그리고 그것에 대한 문화적 감수성을 반영한다. 1980년대 이래로 공중의 범죄 표현에서도 한 가지 주요한 변화가 있었다. 1980년대 초반에 법질서에 대한 불안은 공공연한 폭력범죄에 초점을 맞추게 했다. 마약 전쟁, 갱단, 그리고 특히 노상강도가 그 시대의 범죄 위험을 상징했다. 이러한 문제에 대해 진단하는 사람들은 탐욕이나 박탈, 그리고 빈곤, 잘못된 육아, 당국과 교육의 실패와 같은 다양한 사회-경제적 원인을 탓했다. 공공연한 폭력범죄가 여전히 상상력을 자극하지만, 현대 문화는 경제적 이득의 욕망보다는 훨씬 더 내적 충동에 따라 행동하는, 감정적으로 도착된 개인들에 더 많이 끌리는 것으로 보인다. 문화적 상상력을 자극하는 범죄자들로는 연쇄살인범, 아동유괴자, 성범죄자, 스토커를 들 수 있다. 이들은 상상할 수 없는 감정적 충동에 따라 행동하는 극악무도한 사람들이다. 우리 시대를 규정하는 범죄 중 많은 것은 폭력적 관계나 학대 관계, 그리고 파괴적 개인의 행동이 낳은 산물이다. 세간의 주목을 받는 감정 범죄들로는 증오 범죄, 가정폭력, 아동학대, 데이트 성폭행, 약자 괴롭히기와 학교폭력, 로드 레이지road rage와 스토킹 등이 있다. 최근에 등장한 이러한 범죄 중 그 어떤 것도 경제적 이득의 동기에 의해 유발되지 않는다. 이러한 범죄들은 인간의 병리 상태의 결과로 기술되며, 경제적 계산에 영향을 받지 않는다. 사회적 원인 또는 경제적 탐욕이라는 동기에서부터 파괴적 퍼스낼리티라는 동기로의 이러한 변화는 감정결정론이 현대의 범죄 표현에 미치는 영향을 보여준다. 그리고 감정이 사회에서 일어나는 불행의 너무나도 많은 것의 뿌리로 인식되기 때문에, 감정은 강력한 문화적 관심의 주제가 되었다.

감정에 대한 애매한 태도

감정결정론의 광범위한 영향은 인간 조건에 대해 하나의 중요한 진술을 하게 한다. 그것은 감정이 삶을 지배하고 우리가 직면한 문제들의 많은 것을 유발한다는 세계관을 진전시킨다. 이것이 바로 감정결정론의 발전이 감정의 솔직한 인정을 의미하는 것으로 해석되어서는 안 되는 이유이다. 분명 '정신의 삶life of the mind'에서 '마음의 삶life of the heart'으로의 이 같은 초점 이동을 주창하는 사람들은 공개적인 과장된 감정표현을 보다 이지적이고 감성적인 사회의 증거로 찬양한다.9 이처럼 치료요법 문화가 외견상으로 감정의 공개적 표출을 극구 칭찬하지만, 그것은 또한 사회의 많은 질병의 원인이 되는 감정들을 억누를 것을 원한다. 치료요법 문화는 감정에 대해 심히 애매한 입장을 보이고 있다.

치료요법 문화는 단지 감정주의가 아니라 몹시 개인화된 형태의 감정주의를 조장한다. 감정에 대한 이러한 이해는 고통 또는 즐거움의 경험이 사적 문제에 대한 반응이 아니라 전체 공동체에 영향을 미치는 문제들에 대한 반응으로 초래된 것인 문화에는 맞지 않는다. 넬슨 만델라Nelson Mandela는 자신이 석방되었을 때 서구 논평자들이 자신의 사적 감정과 심리 상태에 초점을 맞추어서 무수한 질문을 하는 것에 놀랐다(Summerfield, 1999: 1451에서 인용함). 그러한 질문은 또한 감정 과정이 사건에 대한 보다 광범한 공동체의 반응과 결부되어 있던 과거의 서구사회에서도 거의 이해될 수 없는 것이었다. 그렇게 오래 전이 아닌 제2차 세계대전 동안에도 개인의 고통과 폭력의 경험이 공동체의 문화적 대처 자원을 통해 중재되었다는 점은 지적할 만한 가치가 있다. 고통스러운 경험은 개인의 감정적 문제의 징후라기보다는 공동체의 의미체계의 일부로 이해되었다.

감정주의가 엄청난 문화적 지위를 획득한 시대에 사회가 선택적으로 어떤 감정은 받아들이고 어떤 감정은 거부한다는 점을 기억하는 것이 중요하다. 자기실현 프로젝트를 지원하는 감정들은 긍정적 측면에서 제시되는 반면, 개인을 타자에 묶어놓는 감정은 의혹을 가지고 바라보는 경향이 있다. 감정을 찬양하는 동시에 두려워하는 이러한 경향은 감정의 세계를 설명하기 위해 사용되곤 하는 치료요법 언어들 속에서 현저하게 드러난다.

감정은 문화적 숭배의 대상이자 의료화의 대상이기도 하다. 감정, 특히 강한 감정들은 체계적인 치료요법적 개입이 요구되는 병리 상태와 중독으로 간주된다. 따라서 화는 빈번히 중독과 같은 질병의 징후로 간주된다. 일부 사람들은 화가 가장 강력한 감정 중독이라고 주장한다. '로드 레이지', '컴퓨터 레이지computer rage', '트롤리 레이지trolley rage', '골프 레이지golfrage' 또는 '에어 레이지air rage'와 같은 최근에 만들어진 상황은 화라는 감정이 즉각 하나의 질병으로 전화될 수 있음을 보여준다. 치료요법 로비단체는 이러한 감정 중독의 해결책은 스트레스 또는 화 관리 기법을 적용하는 것이라고 주장한다. 현대문화의 감정 각본을 통해 전달되는 이야기 속에는 항상 치료요법적 개입이 결론으로 함축되어 있다. 이러한 치료요법적 감정관리의 요구는 감정이 심각한 문제를 만들어내고 있다는 인식이 서구문화가 감정영역에 중요성을 부여하게 했다는 것을 말해준다.

감정은 빈번히 긍정적 감정(즐거움, 행복, 만족감)과 부정적 감정(공포, 화, 증오)으로 분류된다. 우리의 감정 각본에서 가장 독특한 특징 중의 하나는 행복과 만족감에 대한 찬사이다. 이러한 관점에서 볼 때, 긍정적 감정은 개인을 행복하게 만드는 감정들이다. 그에 반해서 부정적 감정은 "당신에게 비참함과 슬픔을 유발하는 어떤 감정들로 묘사될 수 있다."[10] 만족함이라는 감정은 점차 개인의 건강을 규정하는 특질로 인식되고 있다. 건강health을 "단지 질병이나 병약함이 없는 것이 아닌 완전한 신체적·정신적·사회적 웰빙의 상태"로 보는 세계보건기구의 1946년 재정의에 따라 이제 '웰빙 상태에 있음wellness'은 하나의 건강의 목표가 되었다. 감정 각본을 따라 자신에 대해 좋은 느낌을 가지는 것이 중요함을 역설하는 것은 오늘날 문화의 독특한 특징 중의 하나이다. 그것은 개인의 자아를 사회적·도덕적·문화적 관심사의 중심적 초점으로 간주하는 사고방식에 의해 뒷받침된다. 자기지향적인 긍정적 감정의 옹호자 중 한 사람은 다음과 같이 주장한다. "특히 프로테스탄트 윤리를 신봉하고 고된 노동과 자기규율을 미덕으로, 그리고 여가와 쾌락을 죄악으로 바라보는 문화에서는 긍정적 감정이 가져다줄 수 있는 이득이 과소평가되고 있는 것으로 보인다"(Fredrickson, 2000: 2). 자신에 대한 좋은 느낌이 미덕의 상태로 간주되기 때문에, 개인들로 하여금 자아의 욕구로부터 주의를 다른 곳으로 돌리게 하는 형태의 행동들은 빈번히 평가절하된다. 그 결과 고된 노동, 희생, 이타심, 헌신과 같은 전통적인 덕목들은 빈번히 개인의 행복감 추구에 반하는 것으로 제시된다.

다른 감정 상태에 비해 즉각적 행복에 특권을 부여할 수 있는 것은 그 행복이 내부를 지향하기 때문이다. 행복조차도 그것의 실현이 타자에 의존한다면, 그것은 문제 있는 것이 될 수 있다. 『지적 감정: 당신의 감정을 바꾸어 성공하는 법Intelligent Emotion: How To Succeed Through Transforming Your Feelings』의 저자 프랜시스 윌크스Frances Wilks는 행복 키우기보다 '기쁨 키우기'를 더 선호한다. 그녀가 기쁨의 상태를 더 선호하는 까닭은 기쁨이 내부로부터 유발되는 반면 행복은 호의적인 '외부 상황'을 요구하기 때문이다. 윌크스는 "사람과 사물"을 통해, 즉 '외부 지향적' 활동을 통해 자기성취를 이룰 수 있을 것이라고 기대하는 것은 비현실적이라고 주장한다. 대신에 사람들은 자기발견과 자기표현이라는 '내부 지향적' 과정에서 경험한 순간적 쾌락이 제공하는 보상에 만족해야 한다(Wilks, 1998).

개인으로 하여금 자신의 욕구로부터 주의를 다른 곳으로 돌리게 하는 감정은 부정적 감정으로 규정되는 경향이 있다. 많은 감정이 부정적인 것으로 묘사되는 까닭은 그것들이 자기실현의 추구를 방해하기 때문이다. 임상심리학자 토머스 야넬Thomas Yarnell 박사에 따르면, "당신이 어떤 사람에 대해 부정적 감정을 지닐 경우, 당신은 그 사람과 감정적으로 결합된다." 그러한 감정이 비난받는 까닭은 그것이 어떤 개인을 다른 사람과 또는 자신의 범위를 벗어나 있는 어떤 이상이나 대의와 결합시키기 때문이다. 어떤 감정을 부정적으로 만드는 것은 그것 고유의 성질과 별 관계가 없다. 어떤 감정이 부정적인 까닭은 그것이 개인을 다른 사람과 '결합'시키기 때문이다. 야넬은 "당신이 어떤 사람을 사랑할 때 당신은 그와 결합되고", "당신이 어떤 사람에게 화를 내거나 그를 두려워할 때에도 당신은 그와 결합된다"고 주장하며, "그들과 결합된다는 것은 당신이 감정적으로 성장하고 더 나아지는 것을 막는다"고 결론짓는다.[11]

사랑의 구속적 성격에 대한 야넬의 경고는 현대사회가 헌신에 대해 가지는 모호한 태도를 반영한다. 비록 사랑이 여전히 하나의 이상이지만, 그러한 느낌과 결합된 강렬한 감정은 자주 자아에 해로운 것으로 묘사된다. 역설적으로 사랑이 자기실현의 최고의 원천으로 묘사되지만, 그것이 자신을 다른 사람에게 예속시킬 위험이 있기 때문에, 사랑은 또한 잠재적으로 해로운 것으로 묘사된다. 이것이 바로 다른 사람에 대한 사랑이라는 열정적 감정이 자주 파괴적이고 위험한 것으로 인식되는 이유이다. 앤 윌슨 셰프Anne Wilson Schaef는 그녀의 베스트셀러 『친밀성으로부터의 탈출Escape From Intimacy』에서 '섹스 중독', '로맨스 중독', '관계 중독'과 같은 꼬리표를 타자에 대한 열정적 감정들을 낙인찍기 위해 사용한다(Wilson Schaeff, 1990). 다른 사람에 대한 강렬한 사랑은 개인들로 하여금 그들 자신의 욕구를 충족시키고 또 자신의 이익을 추구하는 것으로부터 다른 곳으로 주의를 돌리게 한다는 이유에서 주기적으로 비판받는다. 1980년대 이래로 수많은 어드바이스 북들이 공중에게 '지나친 사랑'이 지닌 위험을 경고하려는 목적에서 집필되어왔다. 『지나치게 사랑하는 여자Women Who Love Too Much』, 『부모가 지나치게 사랑할 때When Parents Love Too Much』 또는 『자신들의 고양이를 지나치게 사랑하는 사람들을 위하여For People Who Love Their Cats Too Much』와 같은 책들은 독자들에게 다른 사람에 대한 그들의 열정이 그들의 삶을 압도하게 놔두는 것에 대해 경고한다. 사랑은 자주 위험한 미혹으로 비난받고, 사람들은 마음의 언어를 신뢰하지 말 것을 조언받는다. 영국 학자 웬디 랭포드Wendy Langford는 그녀의 책 『마음의 혁명Revolutions of the Heart』에서 낭만적 사랑은 여성들을 해친다고 주장한다(Langford, 1999). 그리고 우리는 지나친 사랑은 '공동의존성co-dependency'과 결부된 많은 심리적 질병으로 이어진다는 말을 듣는다. 이를테면 "지나치게 사랑하는 부모들"은 다른 사람들의 승인에 과도하게 의지하는 기능장애를 지닌 사람들을 만들어낸다고 주장된다.[12] 또한 친밀성을 갈망하는 사람들은 그들 자신의 욕구에 충실하지 않으며, 글자 그대로 지나치게 사랑하는 사람들은 섹스 중독이라는 심리적 기능장애에 시달린다고 주장된다.

사랑의 감정에 대한 오늘날의 주저함은 개인적 자아를 넘어서는 감정에 대해 사람들이 갖는 애매한 태도를 보여준다. 분명하게 긍정적 감정으로 제시되는 만족과는 달리, 개인적 자아를 넘어서는 감정들은 자주 잠재적으로 문제 있는 감정으로 묘사된다. 사랑 감정의 문제화는 사랑 그 자체와는 별 관계가 없다. 자신 밖에 존재하는 대상을 지향하는 모든 감정을 의혹을 가지고 바라보는 감정 각본이 사랑이라는 감정을 문제 있는 것으로 만들고 있다. 그 결과 부부 행복 만들기, 병든 부모의 간병 또는 (특히 어떤 대의를 위한) 고된 노동과 같은 자신들에 외재하는 대의에 감정적으로 사로잡힌 개인들 또한 자주 부정적 감정에 의해 지배되는 것으로 간주된다. 믿음이 지나친 사람들은 종교 중독으로 고통받을 수 있다고 제시되기도 했다. 레오 부스Leo Booth 신부는 자신의 책『신이 마약이 될 때When God Becomes A Drug』에서 "우리의 믿음이 주는 확실성, 확신 또는 안전감에 중독되는" 것에 대해 경고한다. 미국 공동의존성 운동의 주도적 제창자 중 한 명인 존 브래드쇼John Bradshaw는 〈종교 중독Religious Addiction〉이라는 제목의 자조 비디오를 제작했다. 이 비디오 광고의 선전문구에는 다음과 같이 적혀 있다. "이 테이프는 공동의존성이 어째서 종교 중독이라고 주장할 수 있고 또 외래 종교가 어떻게 공동의존성을 조장하는지를 기술한다."[13]

아마도 오늘날 가장 낙인찍힌 부정적 감정은 죄책감일 것이다. 미국의 감정문화에 대한 한 연구는 "한때 불쾌하기는 하지만 교훈적인 것으로 간주되었던 죄책감이 이제는 가능한 한 피해야 하는 매우 위험한 것이 되었다"고 지적한다(Irvine, 1997: 352). 이전의 문화적 규범에 따르면, 죄책감이라는 감정은 개인들이 지배적인 도덕적 기대를 따르고 있다는 것을 나타내는 것이었다. 개인들이 죄책감을 통해 옳고 그름에 대한 기대를 인지했기 때문에, 죄책감이라는 감정은 사회화 과정에서 하나의 중요한 요소로 간주되었다. 오늘날 죄책감은 하나의 병리로 간주된다. 왜냐하면 사람들이 죄책감을 통해 자신을 외적 요구에 종속시키기 때문이다. 죄책감은 개인을 불행하게 만드는 것만이 아니다. 그것은 또한 감정 에너지를 자아를 계발하는 데가 아니라 더 광범한 사회가 강요하는 요구에 주의를 기울이는 데로 돌린다. 오늘날의 치료요법 문화에 따르면, 죄책감이라는 감정은 행동 문제와 퍼스낼리티 장애가 발생하는 원인이 된다. 이를테면 훈육과 관련한 오늘날 영미권의 양육 조언은 아이들이 죄책감을 느끼게 하는 것은 그 어떤 것도 피해야만 한다는 믿음에 기초해 있다.

관리 대상으로서의 감정

감정주의 문화의 가장 기묘한 특징 중의 하나는 그것이 '감정지능', '감정교양', '감정적 개방성', '자기 자신과 소통하기', '자기 자신 표현하기'에 갈채를 보내면서도 인간의 감지능력에 의구심을 가진다는 것이다. 치료요법 문화는 감정을 평가하는 방식에서 매우 양가적이다. 오늘날 영미권 사회에서 감정의 의식적인 공개적 표현은 문화 엘리트들로부터 칭찬받고 있다. 자발적이고 자연스러운 감정을 표현하는 능력은 빈번히 호의적으로 거론된다. 하지만 동시에 치료요법 문화는 공중에게 가공되지 않은 날감정raw emotion에 신중을 기하라고 가르친다. 오늘날의 문화는 단지 감정을 찬양할 뿐만 아니라 강렬한 감정을 억제하고 조절할 것을 요구한다. 이러한 역설은 미국의 감정문화에 대한 레슬리 어빈Leslie Irvine의 연구에서 지적되었다. 그녀는 "미국의 감정문화에서 규범들이 대부분의 강렬한 감정을 표현하는 것을 제재할 때조차 그들의 믿음은 자발적인 '자연적' 감정을 찬양한다"고 진술한다(Irvine, 1997: 351). 공동의존성 집단의 작동에 관해 연구하면서, 그녀는 그 성원들이 자신들의 감정과 소통할 것을 권고받지만 실제로 그들에게 요구되는 것은 그들의 감정의 "강도를 통제하라는" 것이라고 주장한다(Irvine, 1997: 361). 감정에 대한 이러한 양가적 태도는 감정이 너무나도 많은 사회문제의 근원이라는 믿음에 근거한다. 이것이 바로 감정이 관리되어야 하는 대상으로 제시되는 이유이다.

감정의 인정은 감정 관리의 서곡이다. 이러한 '문화적 냉각cultural cooling' 과정은 개인들로 하여금 자신들의 감정을 오늘날의 문화 각본에 따라 조절하게 한다. 알리 혹실드Arlie Hochschild가 주장하듯이, 오늘날 연인 관계에 관한 조언은 과거에 비해 '더 냉정한' 감정적 전략들을 제시한다(Hochschild, 1994: 3). 열려 있는 진정한 경험을 약속하는 자기발견 항해가 긴급히 요구되는 치료요법적 관리와 나란히 불편하게 존재한다. 감정에 순응하라는 요구는 자기발견이라는 열려 있는 프로젝트를 부정한다.

감정 관리 역시 개인에게 맡길 수 있는 프로젝트가 아니다. 개인들은 단지 그들 자신의 노력을 통해서뿐만 아니라 치료요법의 지원을 받아 자신들의 감정과 소통한다. 치료요법 문화가 자아를 지향함에도 불구하고, 치료요법은 감정 관리는 너무나도 중요해서 일반인의 노력에 맡겨 놓을 수 없는 것이라고 인식한다. 이것이 바로 "자신의 감정적 욕구에 주의를 기울"이라는 호소가 자주 치료요법적 개입을 요청하라는 것을 감추고 있는 것으로 보이는 이유이다. 실제로 "자신의 감정적 욕구에 주의를 기울인다"는 것은 치료요법적 지원을 구할 준비가 되어 있다는 것을 뜻한다. 사실 치료요법 전문가들은 빈번히 "자신의 감정을 탐구한다"와 같은 표현을 도움을 구한다는 표현의 완곡어법으로 사용한다. 따라서 영국 대학의 한 카운슬링 부서는 자신의 서비스에 대해 "우리의 감정을 탐구하여 그들의 현실을 받아들일 수 있게 하는 것"이라고 기술한다.[14] 감정적 웰빙은 점점 더 기꺼이 도움을 구하는 것과 연관지어지고 있다.

이른바 공동의존성과 중독의 사례를 다루는 많은 전문가가 자신들의 상태에 스스로 대처하고자 하는 희생자들에게 격하게 경고한다. 몇몇 치료요법사들은 중독 및 여타 문제를 극복하기 위한 개인적 시도들을 '완벽주의자 콤플렉스'의 무익한 표출로 치부한다. 웬디 카미너Wendy Kaminer는 많은 치료요법사의 태도를 이렇게 묘사하고 있다. "당신이 아프다는 것을 인정한다면, 당신은 회복 중인 사람들을 동료로 받아들일 것이다. 그러나 그것을 의문시한다면, 당신은 자신을 '심리적으로 받아들이지 못하고 있는' 것이다"(Kaminer, 1993: 36). 전문적 치료를 피하는 것은 희생자가 처한 문제가 중대하다는 것을 보여주는 증거가 된다. 치료요법 전문가들은 그러한 심리적 부정을 문제를 인정하고 도움을 구하는 행위를 하는 데 따르는 고통을 피하는 것으로 간주한다(Overton, 1994).

도움 구하기에 반하는 형태의 행동들은 자주 감정 문맹의 징후로 매도당한다. 우리의 치료요법 문화는 자아를 찬양함에도 불구하고 자기신뢰 및 자기통제를 입증하는 행동 유형들에 적대적이다. 이러한 적대감을 표현하는 것 중의 하나가 전형적인 남성적 행동, 특히 자기통제 열망에 대한 낙인찍기이다. 치료요법 문화는 그것을 진정한 감정을 부정하려는 바보 같은 시도로 파악한다. 학계의 한 감정주의 옹호자는 "우리는 다른 사람의 도움 없이 혼자 힘으로 일을 처리하라고 배웠다"고 불평한다. 그는 또한 남성들이 "다양한 방식으로 마음의 상처와 고통을 최소화할 수 있어야 한다"는 에토스에 반대한다. 왜냐하면 그것이 "우리가 우리의 취약함을 남성 정체성의 본질적 부분으로 받아들이는 것을 매우 어렵게 하기" 때문이다. 남성들이 분명 약함을 그대로 받아들이지 못한다는 것은 남성 정신의 치명적 결함으로 제시된다(Seidler, 1992a: 1, 2; 1992b: 245). 개인적 자율성에 대한 열망과 자기통제는 심리적으로 파괴적인 충동으로 간주된다. 치료요법 전문직 종사자들은 남자아이들이 자율성을 열망하는 경향을 계속해서 공공연히 비난한다. 영국의 두 심리학자 댄 킨들런Dan Kindlon과 마이클 톰슨Michael Thompson에 따르면, "남성적 터프함에 대한 정형적 관념은 남자아이가 그의 감정을 부정하게 하고 그에게서 전 범위의 감정적 자원을 계발할 기회를 빼앗는다."[15]

남자아이들은 언제나 감정 문맹이라는 이유로 비난받는다. "나이와 무관하게 대부분의 남자아이들은 감히 감정적으로 건강한 성인이 되는 길로 나아갈 준비가 되어 있지 않은" 것으로 제시된다.[16] 남성성이라는 병리 상태가 남자아이들이 '미묘한 감정적 언어'를 습득하는 것을 방해한다는 것이다. 치료요법사 로저 호록스Roger Horrocks는 남성의 합리성과 냉정함이라는 외양은 '남성의 막연한 불안', 즉 '남성 자폐증'의 징후라고 주장한다.[17] 복잡한 감정을 공개적으로 인정하기를 거부하는 것은 어떤 사람에게 질병을 유발하는 것만이 아니라 사회 전체에 손상을 초래하는 몹시 해로운 힘이라고까지 묘사된다. 한 중요한 논평자 및 사회과학자 단체가 이러한 견해를 견지하고 있다. 존 매킨스John Macinnes는 "남성의 '도구주의'는 점점 더 근대사회의 동학에 중심적인 것으로 인식되고, 여성의 풍부한 표현력이라는 덕목과 대비된다"고 지적한다. 하지만 그는 "남성들이 자신의 감정과 소통하고 자신의 감정표현력을 계발하기 위해 전통적 남성성으로 생각되는 것을 포기하게 해야 한다는 데에는 놀랄 만한 합의"가 이루어져 있다고 덧붙인다(Macinnes, 1998: 57).

도움 구하기라는 에토스에 역행하는, 통제하고자 하는 열망은 남성의 감정적 웰빙을 특히 손상시키는 것으로 해석되곤 한다. 스카이다이버들에 대한 한 민족지적 연구는 남성들은 '치명적 환경'에 대한 자신들의 통제능력과 관련하여 왜곡된 의식을 발전시키는 경향이 있다고 결론짓는다. 문화 페미니스트 (남성, 그리고 여성) 학자들이 '헤게모니적 남성성'이라고 부르는 것을 비판하는 사람들은 한 걸음 더 나아가, 통제를 중시하는 위험감수적 남성들은 스스로를 미혹시킬 뿐만 아니라 실제로는 자신의 감정적 욕구에 주의를 기울이지 않음으로써 자신들의 삶에 대한 통제력을 상실하고 있다고 주장한다. 그들에 따르면, "취약함을 털어놓지 못한다는 것은 남성들로 하여금 감정 문제를 잘 다룰 수 없게 만든다"(Lyng, 1990; 872 그리고 Stanko and Hobdell, 1993을 보라). 통제하고자 하는 열망은 항상 미혹과 같은 심리학적 용어와 함께 손상을 초래하는 것으로 묘사된다. 이와 같은 남성성의 의료화는 건강 증진 분야에서 하나의 기정사실이 되었다. 한 연구는 '심한 남성성'을 그것이 도움 요청을 거부한다는 점을 들어 비난하고, 그것은 "좋지 못한 건강 습관의 중요한 지표" 중의 하나라고 주장한다(Kaplan and Marks, 1995: 207). 새로운 건강 검사 프로그램의 주창자들에 따르면, 남성들이 이를테면 고환 이상에 대해 이야기하는 것보다 스포츠나 맥주에 대해 이야기하는 것을 훨씬 더 쉽게 발견할 수 있다.

여성처럼 행동하는 남성들이 남성처럼 행동하는 여성보다 더 선호된다는 것은 분명하다. 감정적으로 옳은 고결한 행동의 위계에 따르면, 여성적인 여성이 최고에 올라 있다. 여성적인 남성은 남성적인 여성을 제치고 두 번째 자리를 차지하고 있다. 물론 남성적인 '마초적' 남성이 맨 마지막에 위치한다. 이 위계가 많은 건강 전문가들의 태도 역시 인도하고 있다. 한 연구에 따르면, 남성성은 좋지 않은 건강 습관의 표시이다. 이와 대조적으로 '여성적인 특징들'은 '건강을 증진시키는 행동'과 연계되어 있다. 여기서 강조점은 젠더가 아니라 행동에 맞추어져 있다. 이 연구는 '매우 여성적인 남성들'은 자신들의 건강에 가장 큰 관심을 드러내고 또 성별과 무관하게 여성적 지향을 가진 사람들이 "좋은 건강 습관을 유지할" 가능성이 더 크다고 주장한다. 치료요법 문화의 관점을 따르면, 개인들이 건강에 집착하고 기꺼이 도움을 구하는 것은 감정적 성숙을 이루기 위한 토대이다. 이것이 바로 그렇게 많은 자원이 치료요법 전문가들에 의존하는 데 바쳐지는 이유이다.[18]

도움 구하기 행동을 채택하려 하지 않는 사람들은 지배적인 문화의 기대를 따르라는 강한 압력에 직면한다. 이것의 한 예를 1995년 오클라호마에서 발생한 비극적인 폭파사건에 대한 반응에서 살펴볼 수 있다. '애도 산업grief industry'이 그 도시에 침입하며, 짧은 시간 내에 이 비극적 사건은 "'트라우마' 전문가들에 의해 공식적인 또는 권위 있는 피해의 언어로 번역되었다." 그리고 희생자의 일부 가족 성원들이 "애도 산업이 너무 지나치게 활개 치는 것에 분개했음"에도 불구하고 그 경험에 대한 심리학적 해석이 그 사건을 규정하게 되었다(Linenthal, 2001: 89~96을 보라). 미리 주어진 감정 각본에 따라 비극적 사건을 경험하라는 끈질긴 압력이 공중으로 하여금 도움 구하기 행동을 내면화하게 만든다.

도움 구하기 행동은 또한 1990년대 말에 영국 시골에서 조직적으로 장려되기 시작하여 2001년 구제역이 발발했을 때 정점에 달했다. 자립심이 강한 강건한 영국 농민이라는 전통적인 이미지는 점차 재난의 트라우마에 압도당한 농민의 이미지로 바뀌었다. 이 모든 것은 1999년에 시작되었다. 당시에 정신건강 운동가들은 농민들이 다른 직업의 같은 연령대 남성들에 비해 자살할 가능성이 두 배에 이른다는 주장을 공론화하기 시작했다. 농업공동체에서의 자살에 쏠린 관심은 즉각 전국으로 퍼져나갔다. 미디어에서 논평자들은 재빨리 영국 농민들이 특히 자살하기 쉬운 것은 그들이 내성적이고 금욕적이고 자립적인 사고방식을 가지고 있기 때문이라고 지적했다. 농민들은 도시에 사는 그들의 사촌들과는 달리 도움을 요청하기가 '어렵고' 어려운 상황에 대처할 수 있는 '감정 스킬'을 가지고 있지 못하다는 점을 깨달았다. 정신건강 자선단체 루럴 마인즈Rural Minds는 "농민들은 그들의 일의 성격상 '아주 고독한 무리'이기 때문에 도움을 요청하는 것을 좋아하지 않는다"고 설명한다. 농촌 자살의 문제는 계속하여 공론화되었고, 그리하여 2000년 10월에 "스트레스 받은 농민들에 귀 기울이는 단체"로 홍보된 농촌 스트레스 정보네트워크The Rural Stress Information Network가 농림수산식품부와 협력하여 설립되었다. 최근 구제역이 발발했을 즈음에, 카운슬링 산업은 시골의 치료요법 요구에 대처할 준비가 잘되어 있었다. 구제역이 발발하고 몇 주 안 되어, 정신건강 전문가들은 영국 농촌에서 자살과 외상 후 스트레스 장애가 증가할 것이라고 예측하고 나섰다.

정신건강 운동가들은 농업공동체를 정복해야 할 난제로 인식하고, 구제역 전염병의 발발을 감정 문맹인 농민을 재교육할 수 있는 기회라고 생각했다. 활동가들은 농민들의 심리적 문제를 강조하면서, 좀처럼 기쁨을 숨기지 않았다. 정신건강 자선단체 마인드Mind의 슈 바커Sue Barker는 "우리는 자신들의 삶과 일의 많은 것을 우리의 자원에 의존해야만 하는, 기본적으로 자립심이 강한 사람들에 대해 이야기하고 있다"고 지적했다. 그리고 그는 그들은 때때로 "그들의 자원만으로는 충분하지 않다"고 덧붙였다. 활동가들은 농민들의 감정적 곤경을 강조할 수 있는 모든 기회를 이용하면서 얼마간 선교사적 열정을 드러냈다. 2001년 2월에 농촌 스트레스 정보 서비스Rural Stress Information Service는 자신들에게 상담전화를 걸어온 건수가 10배 증가했다고 보고했다. 이 단체의 대표자인 캐럴라인 데이비스Caroline

Davis에 따르면, 많은 농민이 "통화 중에 울음을 터뜨렸다." 데이비스는 "그들이 전화를 걸게 한 것 중의 일부는 높은 자살률에 대한 우려였다"고 덧붙였다. 시골을 정복하라는 유혹에 저항할 수 없었던 디프레션 얼라이언스Depression Alliance라는 단체 역시 구제역 위기로 인해 곤경에 직면한 농민들에게 카운슬링을 해주고 자신들의 자원을 제공하고 있다고 공표했다. 2001년 4월경에 비통해하는 농민의 이미지가 시골의 위기에 대한 미디어의 묘사를 지배하게 되었다. 그리하여 치료요법적 도움 구하기라는 덕행이 영국 농촌에 제도화되었다.[19]

자신의 감정을 인정하는 행위, 그리고 그것이 함의하는 공개적인 도움 구하기는 문화적으로 고결한 행동으로 제시된다. 반면에 감정 문제를 인정하기를 꺼리고 도움 구하기를 거부하는 것은 개인적 고통과 사회가 처한 많은 문제를 유발하는 소행으로 간주된다. 도움 구하기는 보다 전통적인 문화적 환경에서 죄를 인정하는 행위가 얻었던 것과 유사한 긍정적인 도덕적 함의를 획득했다. 형사사법제도 내에서도 그 제도가 제공하는 도움을 받아들이고 특정 형태의 치료요법을 시작한 범죄자는 빈번히 그러한 긍정적 행동으로 인해 보상받는다. 미국 텔레비전 토크쇼에 대한 캐슬린 로우니Kathleen Lowney의 연구는 도움 구하기라는 덕행이 어떻게 대중문화 속에서 굴절되는지를 보여준다. 그녀는 "게스트들은 그들이 치료요법을 개시한다는 데에 또는 12단계 프로그램에 참여한다거나 어떤 다른 지원단체에 들어간다는 데에 동의할 때까지 핀잔을 받는다"고 지적한다(Lowney, 1999: 18).

자신의 감정을 치료요법적으로 관리하는 것에 대해 열린 태도를 지니는 것은 자신의 감정을 공개적으로 표현하게 한다. 공개적으로 과장해서 감정표현하기라는 현상이 최근 증가하고 있는 것과 관련하여 많은 논평이 있었지만, 그 현상은 자주 강렬한 날감정의 표현을 찬양하는 것으로 잘못 이해되고 있다. 사실 감정의 공개적 표현은 집합적인 도움 구하기 의례의 하나가 되었고, 이는 감정 관리를 우호적으로 바라보는 환경을 만들어냈다. 치료요법 문화는 감정주의의 표현을 통해 일상생활의 행동에 대하여 분명한 신호를 보내고 있다.

감정 드러내기

감정적 고통을 인정하는 행위는 그것을 공개적으로 표현하는 것을 통해 의미를 획득한다. 이러한 숨김없이 털어놓는 행위는 다른 사람들과의 소통 행위를 수반한다. 그것은 적어도 어떤 치료요법사에게, 그리고 되도록이면 지원단체에게 자신의 감정적 고통을 명명해줄 것을 요구한다("나는 중독자이다"). 이러한 치료요법적 인정 행위는 긍정적 가치평가를 받음으로써 문화적으로 존중받게 되었고, 그러한 평가는 감정을 공개적으로 성찰하는 행위로까지 확대되었다. 그 결과 공적 인물들은 그들의 행동 또는 그들의 행위의 결과보다도 그들이 느끼는 방식에 의해 정기적으로 평가된다.

공중이 감정주의에 부여한 중요성은 다이애나 왕세자비의 장례식을 둘러싼 사건들을 통해 생생하게 확증되었다. 감정주의 에토스에 의거하여 문화 엘리트 분파들은 내적 고통을 공유하기를 원치 않는 왕실 가족들을 특히 신랄하게 비난했다. 미디어는 엘리자베스 여왕과 찰스 왕세자에게 공중이 그들에게 어떠한 애도 형태를 기대하는지를 알리는 일을 맡았다.

사적으로 개인의 감정에 따라 애도하고자 하는 바람은 병리화되고 또 냉정하고 비인간적인 것이라고 비난받았다.

찰스 왕세자는 그의 아이들을 팔로 감싸 안지 않는 것에 대해 신경질적인 훈계를 들었다. 영국의 유력 저널리스트 중 한 명인 수전 무어Susan Moore는 그가 감정 문맹이라고 비난한 반면, 한 심리학자는 일간신문에 찰스와 그의 아들들 간에 가시적 접촉이 없었던 것은 '아동학대 행위'였다고 썼다. 점점 더 대중문화는 사적으로 느끼고 슬퍼하는 사람들은 적절하게 행동하는 것이 아니라는 메시지를 전달한다. 찰스 린드버그Charles Lindbergh의 자서전 저자인 스콧 버그A. Scott Berg는 "린드버그의 행동 중 많은 것에 숨이 막혔다"고 언론에 털어놓았다. 그 이유는 무엇인가? 그것은 린드버그가 "그의 가족에게 놀랄 만큼 냉정할 수 있었기" 때문이었다. 충격을 받은 전기 작가는 비난조로 린드버그는 "그의 아들의 유괴와 죽음에 대해 슬픔을 표현할 수 없었고 그의 아내는 사람들이 없는 데서 울었다"고 진술했다.[20] 사적으로 감정을 표현하는 것에 머무는 것을 비난하는 비평가들은, 단지 찰스 왕세자나 린드버그가 감정을 억제하지 않는 사람들만큼 슬픔에 젖을 수도 있다고 생각하기만 하는 것은 아니다. 감정의 공개에 대한 이러한 찬양이 종교적 교의의 지위를 획득해온 것으로 보이며, 지금의 모든 계층에서 널리 장려되고 있다. 런던 대학교 학생회관 벽에 붙어 있는 수많은 상담전화 광고 중 하나인, 다음과 같은 포스터 글은 이를 분명하게 보여준다. "불굴의 정신은 1940년대에 죽었다." 불굴의 정신에 대한 이러한 비난은 공개적으로 감정을 표현하는 것이 좋으며 도움을 요청하는 것은 좋은 것이라는 확신을 바탕으로 하고 있다. 감정지능과 감정교양의 장려는 가치 기준에서 일어나고 있는 이 같은 중요한 전환을 보여주는 것이다.

감정을 공개적으로 드러내라는 이러한 온갖 훈계가 사람들이 스스로를 더욱 자각하게 만들었는가? 자각은 성숙한 성인들이 매우 성취하고 싶어 하는 목표 중 하나이다. 자신을 안다는 것은 성숙 및 의식적 성찰과 연관된 중요한 자질 가운데 하나이다. 자신을 아는 것은 다른 사람들을 아는 것과 역동적인 관계에 있다. 왜냐하면 중요한 통찰력은 바로 관계와 경험에 관한 의식적 성찰을 통해 획득되기 때문이다. 그러나 자신의 감정과 느낌을 인정하는 것이 자신의 감정과 느낌을 숭배하거나 그것들에 집착하는 것을 의미할 필요는 없다. 실제로 자기인식의 추구가 그 자체로 하나의 목적이 될 경우, 거의 아무런 통찰도 얻지 못할 것이다. 이것이 바로 이전의 어느 시기보다도 더 많은 사람들이 치료요법사와 카운슬러를 찾지만 그간 자기인식은 눈에 띄게 증가하지 않은 이유이다. 실제 자아real self 찾기는 단지 감정과 느낌에 대한 사회의 집착을 강화해왔을 뿐이다. 그런데 자아 찾기가 자아를 이해하는 최선의 전략이 아닐 수도 있다. 자아는 발견되기를 기다리는 잃어버린 것이 아니다. 자기인식, 그리고 우리가 누구인가에 대한 인식은 타자와의 상호작용 경험에 대한 우리의 의식적 성찰의 결과이다.

물론 자아 찾기는 근대 상상력의 역사에서 오랜 고귀한 전통을 지니고 있다. 지난 2세기 동안 수많은 사상가들이 경제적 생존과 사회적 일상이 요구하는 것들에 역겨움을 드러내왔다. 사회학자 알리 혹실드는 자신이 '관리되는 마음의 상업적 왜곡'이라고 부른 것과 관련하여 사람들이 보인 하나의 공통된 반응이 '실제 자아'를 찾는 것이었다고 믿는다. 인간소외의 문제에 관심을 둔 저술가들에 따르면, 자본주의사회의 규칙과 규제는 사람들에게 그들의 실제 자아와는 모순되는 방식으로 행동할 것을 강요한다. 실제 자아의 진정성에 관심을 가진 사람들은 사회적으로 용인되는 형태의 인간행동을 어떤 의미에서는 개인들이 자신들의 실제 느낌과 감정을 어기고 있는 것으로 간주하는 경향이 있다. 혹실드가 지적했듯이, 이러한 인식은 사람들로 하여금 '자연적인' 것 또는 '자발적인' 것에 더 큰 덕성을 부여하게 했다. 그녀는 '자연적 감정'에 대한 높은 존중은 자발성과 감정이 "희소하고 귀중한" 하나의 자원이라고 믿는 감상을 보여주는 것이라고 덧붙인다(Hochschild, 1983: 22). 자발적 감정에 대한 찬양을 보여주는 것 중의 하나가 심리치료요법, 특히 당신의 실제 감정 및 실제의 당신과 소통할 필요성을 강조하는 치료요법이 점점 더 대중화되고 있다는 점이다.

모든 근대사회가 진정성을 열망할 것이라는 데에는 의문의 여지가 거의 없다. 사회적 파편화와 유동성, 개인화, 그리고 변화는 항상 "나는 누구인가?"와 "나는 어디에 속해 있는가?" 같은 질문을 던지게 한다. 그러한 상황 속에는 자기성찰을 넘어서서 자신의 감정을 진정성의 유일한 원천으로 간주하라는 유혹이 커진다. 게다가 모든 것이 유동적이고 덧없어 보이는 세계에서 안정적인 생득적 자아가 존재한다는 믿음은 그것이 아니었더라면 불안했을 개인을 일정 정도 편안하게 해준다. 모든 열정 및 감정과 함께 '진정한 자아true self'는 불확실한 상상의 대상이 되는 경향이 있다. 자발적이고 자연적인 감정이 단지 사회의 자기통제, 자율성, 이성의 요구에 의해 더럽혀질 수 있을 뿐이라는 믿음은 자주 이러한 사고방식으로부터 나온다. 이것이 바로 근대문화가 계속해서 진정하고 자연적이고 자발적인 감정을 찬양해온 이유이다.

그러나 종래의 진정성 추구 방식이 감정을 공개적으로 드러내라는 오늘날의 압력과는 별 관계가 없다는 점을 강조할 필요가 있다. 때때로 진정성의 추구는 사회의 특정한 탈인간화 관행들을 비판적으로 성찰하는 것이었다. 오늘날의 감정교양에 대한 요구는 어떤 반란충동에서 비롯되는 것이 아니다. 감정적 순응을 요구하는 것은 세계관이다. 사회학자 메스트로비치(Meštrović, 1997: 65)가 지적했듯이, 오늘날에는 여론 형성자들이 우리에게 어떻게 느껴야 하는지를 말해준다. 우리가 여기에 덧붙일 수 있는 유일한 것은 여론 형성자들이 우리에게 우리가 어떻게 느껴야 하는지를 말해줄 뿐만 아니라 우리가 우리의 감정과 소통하는 것을 하나의 의무라고 주장한다는 것뿐이다. 오늘날에는 사람들이 자신들의 감정과 소통하는 것을 도와주는 진실산업veritable industry — 메스트로비치는 이를 진정성 산업authenticity industry이라고 부른다 — 이라는 것이 있다. 치료요법 공식을 따르는 이 산업은 주로 사람들이 특정한 형태의 행동을 택하도록 교육하는 데 전념한다. 사람들이 스스로를 이해하기 위해 분투하는 것과 진정성 산업의 교육 매뉴얼을 학습하는 것 간에는 현저한 차이가 있다. 하나의 예를 들어보자. 클라우드 스타이너Claude Steiner가 쓴 『감정교양의 획득: 당신의 감정지능을 증가시키는 개인 프로그램Achieving Emotional Literacy: A Personal Program to Increase Your Emotional Intelligence』을 광고하는 한 리플릿은 다음과 같이 전한다.

클라우드 스타이너 박사는 20년 동안 단체와 개인들에게 감정교양을 가르쳐왔다. 이제 이 단계별 오디오북에서 스타이너 박사는 당신에게 교양을 증대시키는 방법을 말해준다. 당신은 우리를 가로막고 있던 감정적 장애물들에 대한 스타이너 박사의 분명하고 체계적인 대답을 듣게 될 것이다. 그리고 그는 다음의 것들에 대해 당신에게 말해줄 것이다.

- 사람들의 삶을 지배할 수도 있는 위험한 자기파괴적 양식들을 뒤집는 방법
- 당신의 마음과 생각을 정직하게 그리고 효과적으로 터놓고 소통하는 방법
- 감정적 풍경을 관찰하는 방법
- 당신의 감정적 삶을 책임지는 방법[21]

감정교양에 대한 책, 비디오, 강좌는 건강체조, 다이어트, 섹스에 관한 그것들과 유사한 구조를 가지고 있다. 그것들은 기계적인 반복 학습을 통해 감정을 유발하는 것으로, 자발성이나 진정성과는 거의 무관하다. 그것은 쉽게 소화할 수 있는 사운드바이트sound bite[핵심내용을 축약한 말이나 문구 또는 표현 _ 옮긴이]를 통해 사람들이 요구에 감정적으로 순응하게 한다.

고백실의 부활

감정을 공개적으로 숨김없이 털어놓기가 갖는 가치와 관련한 주장들이 대중문화 속으로 완전히 흡수되었기 때문에, 그것의 치료요법적 의미가 이의를 제기받는 일은 아주 드물다. 개인의 감정을 공적으로 인정받기 위해서는 감정을 되도록이면 공개적으로 드러낼 것이 요구된다. 이것이 바로 느낌과 감정이 그것의 사적 성격을 그렇게도 많이 잃게 된 이유이다. 역설적으로 치료요법 문화를 자아의 내적 삶 속으로 받아들인 것은 그와는 분명 정반대되는 상황 — 사적 삶의 영역의 끊임없는 침식 — 을 낳았다.

사적 영역과 공적 영역을 구분 짓는 경계의 부식은 치료요법 문화가 거둔 중요한 업적 중 하나이다. 이제 모든 사람이 텔레비전에서 유명 인사들

이 자신들의 질병, 중독, 성생활, 개인적 상처를 드러내놓고 이야기하는 것을 보곤 한다. 고백 텔레비전을 통해 조장된 테마들 중의 하나가 감정적으로 상처받은 개인들은 치유를 위해 "사적 상처를 노출하여 그것을 다른 사람들과 공유할" 필요가 있다는 것이다(Lowney, 1999: 19). '공유' 행위 — 사적 문제를 공적 이야기로 전환시키는 — 는 현재의 문화적 규범을 강력하게 반향하고 있다. 미국 사회비평가 웬디 카미너는 "대중 치료요법들은 침묵과 극기를 악령으로 묘사해왔고, 건강한 사람들은 자신에 대해 이야기한다는 믿음을 부추긴다"고 쓰고 있다(Kaminer, 2000을 보라).

비극적 상황에서 사랑하는 사람을 잃은 사람들은 미디어를 통해 그것을 공유하라는 유혹에 저항하기가 어렵다는 것을 발견하곤 했다. 어떤 사람의 사적 슬픔을 공유하고자 하는 사회의 욕망은 자신들의 고통을 공중에게 말하는 것이 효과적인 치료요법 형태의 하나라고 믿는 사람들에 의해 자주 환영받아왔다. 정신질환 가해자에 의해 남편이 살해된 제인 지토 Jayne Zito는 자신이 그것을 "계속해서 이야기하고 싶은 욕구가 엄청나게 컸었다"고 회상했다. 그녀가 볼 때, "자신이 어떻게 느꼈는지를 이야기할 수 있는 곳이 매우 제한되어 있었지만 그것을 이야기하는 것이 그것을 이겨내는 데 결정적이었기" 때문에, 그녀는 지토 트러스트Zito Trust를 설립했다.[22] 치료요법 캠페인이 개인적 문제들을 이겨낼 수 있게 해준다는 생각이 사회에서 널리 받아들여지고 있다. 워링턴에서 폭발한 아일랜드 공화국군IRA의 폭탄으로 인해 어린 아들 티모시Timothy를 비극적으로 잃은 콜린 패리Colin Parry는 북아일랜드에서 정치적 상황의 관리에 대해 자주 상담하는 공인이 되었다. 콜린 패리는 미디어를 개인적 치료요법의 한 형태로 간주한다. 패리는 만약 미디어가 그의 개인적 슬픔에 대해 이야기할 기회를 주지 않았더라면 삶이 "견딜 수 없는" 것이 되었을 수도 있다고 주장해왔다. 패리의 부인 웬디Wendy는 "콜린은 자신의 치료요법으로 미디어를 필요로 했다"고 지적했다.[23]

몇몇 사회평론가들은 영미권 사회에 공개적 고백 양식이 출현한 것을 비난해왔다. 리얼리티 TV와 자기폭로 텔레비전 ─ 오프라 윈프리Oprah Winfrey, 제랄도Geraldo, 리키 레이크Ricki Lake ─ 의 등장은 감정의 흐름이 대대적으로 전파를 타고 있음을 예증한다. 하지만 트래시 TV는 그것의 보다 고상한 문학적 사촌, 즉 자기폭로적 전기self-revelatory biography라는 새로운 장르와 마찬가지로 친밀성 및 사적 공간과 관련하여 새로 형성된 문화적 규범을 반영한다. 모든 사람이 자신에 대해 이야기하거나 글쓰기를 원하는 것처럼 보인다. 스탠턴 필Stanton Peele이 지적했듯이, 음주이력에 대한 당사자의 이야기, 이른바 주취무용담drunkalogue은 미국 문학 장면의 오랜 주제였다(Peele, 1995). 1970년대와 1980년대 동안에 이러한 중독고백이라는 장르의 출판물이 유행했다. 질 로빈슨Jill Robinson의 『베드타임 스토리 Bed Time Story』, 바버라 고든Barbara Gordon의 『나는 가능한 한 빠르게 춤을 춘다I'm Dancing as Fast as I Can』, 그리고 여러 저자의 『변화할 용기Courage to Change』가 이 장르의 예들이다. 1980년대 후반 이래로 약물과 알코올 문제를 다룬 유명인사의 책들이 꾸준히 연속해서 출간되었다. 여배우 캐리 피셔Carrie Fisher, 축구선수 토머스 헨더슨Thomas Henderson과 로렌스 테일러 Lawrence Taylor, 음악가 주디 콜린스Judy Collins와 그레이엄 내시Graham Nash가 쓴 책들은 자신들의 감정 문제를 길게 논의한다. 영국의 교양 있는 '문인'들은 미국에서 수입한 보다 조잡한 토크쇼에 반감을 가지면서도, 그러한 문인 중 많은 사람이 보다 유명인들이 자신들의 질병과 여타 비극에 대해 일반 신문에 매주 쓰는 일기를 탐독했다.

　1990년대에 고백 자서전과 반(半)허구적 이야기들이 "나는 중독자였다" 식의 흔한 이야기를 넘어서, 이전보다 훨씬 더 사적인 테마들을 채택했다. 미국과 영국의 소설가들은 가족의 장애를 드러내고 근친상간과 여타 형태의 아동학대를 극적으로 설명하는 위장된 회상록을 써왔다. 심리학자들과 나란히 트레이시 톰슨Tracy Thompson과 엘리자베스 워첼Elisabeth Wurtzel같은 유명 작가들은 기분장애mood disorder에 대한 당사자 이야기라는 조류를 만들어냈다. 다양한 정신문제에 대한 고백 이야기들이 환자들의 우울증 증언집들과 서가에서 경쟁했다. 미국 비평가 로라 밀러Laura Miller가 '질병 회상록'이라고 특징지은 것이 1990년대 후반을 대표하는 매우 독특한 문학 장르의 하나가 되었다. 질병 회상록의 저자들은 자신들의 질병, 증상, 중독을 되새긴다. 그들은 자신의 질병과 관련한 가장 내밀한 경험들을 아주 세세하게 독자들에게 전달한다. 엘리자베스 워첼의 『프로작 네이션Prozac Nation』, 로웰 핸들러Lowell Handler의 『경련과 고함: 한 투렛 환자의 이야기 Twitch and Shout: A Tourette's Tale』, 마리아 홈바허Marya Hombacher의 『쇠약해진 사람: 무식욕증과 다식증의 회상Wasted: A Memoir of Anorexia and Bulimia』, 에밀리 콜라스Emily Colas의 『그냥 확인하기: 강박신경증 환자의 삶의 장면들Just Checking: Scenes from the Life of an Obsessive-Compulsive』은 미국 질병 희생자 문학의 하이라이트 중의 일부이다. 영국에서는 벤 와트Ben Watt의 『환자 Patient』 — 자기 자신이 걸린 심신이 점점 쇠약해지는 병에 관해 쓴 매우 호평받은 이야기 — 가 질병 회상록이 영국에서도 유행하고 있다는 것을 말해주었다. 이러한 지난 몇십 년의 경험은 문화비평가 앤드루 칼컷Andrew Calcutt의 예언 — 중독, 암, 산후 우울증 및 여타 다양한 고통을 다룬 회상록이 영국 출판계의 성장 부문이 될 가능성이 크다는 예언 — 을 입증해주었다(Calcutt, 1998: 26~27).

회상록을 통해 자신의 개인적 문제와 기능장애를 알리는 사람들은 잘 알려진 유명인사와 저자들만이 아니다. 1996년에 ≪뉴욕타임스 매거진 New York Times Magazine≫의 편집자 제임스 아틀라스James Atlas가 1995년 1년 동안 미국에서 출간된 고백 회상록을 세어보니 200권이 넘었다. 앞으로 나올 더 많은 책 중에서 그는 매리언 위닉Marion Winik의 『첫사랑First Love』 — 뉴저지 출신 유대인 하버드 시인으로, 자신이 에이즈AIDS로 사망선고를 받은 이탈리아 노동계급 게이 미용사와 결혼한 것에 관한 이야기 — 과 전직 프린스턴 대학교 교수 마이클 라이언Michael Ryan의 『비밀생활Secret Life』 — 자신과 개의 섹스에 관한 이야기 — 을 거론했다.[24] 은밀성 마케팅은 캐서린 텍시어 Catherine Texier의 『파탄: 러브스토리의 종말Breakup: The End of a Love Story』에 가장 웅변적으로 표현되어 있다. 1998년에 출간된 『파탄』은 텍시어의 결혼 실패를 아주 상세하게 이야기하고 있다. 그것은 솔직히 그녀의 남편에 대한 폭언이 아니라 질투, 고통, 굴욕의 기록이다. 비록 그것이 승리의 비망록으로 끝나지만(그녀는 남편을 쫓아낸다), 그것은 고전적인 희생자 참회 기도서이다. 거기에서 해피엔딩은 감정적 생존이다.

은밀한 사생활을 드러내는 출판물의 방대한 시장 규모는 사적 문제 공유하기의 인기가 사회 내에서 일어나고 있는 몇몇 중요한 진전을 반영하고 있음을 보여준다. 숨김없이 털어놓으라는 요구와 감정에 대해 이야기하기에 대한 집착은 치료요법 문화의 가치체계에 의해 강력하게 뒷받침되고 있다. 숨김없이 털어놓기는 도움 구하기 — 치료요법 문화에서 하나의 덕행인 — 의 출발점이다. 도움 구하기는 또한 사람들의 감정 관리의 전제조건이다. 이것이 바로 개인들에게 "고통을 인정하고 공유하라"는 문화적 압력이 그토록 강하게 가해지는 이유이다.

숨김없이 털어놓기, 그리고 되도록이면 치료요법을 통해서 하는 고백은 책임감이라는 짐을 덜어주고, 또한 공적으로 승인받고 찬사받을 수 있는 길을 열어준다. 음주 또는 약물복용으로 물의를 일으킨 스포츠 스타들은 항상 미디어의 비난에 직면한다. 영국 축구선수 폴 개스코인Paul Gascoigne이 폭음자이자 시가 흡연자임이 폭로되었을 때, 매체들은 매우 격노했다. 그가 자신이 '문제'가 있었고 병원에 입원했었다는 점을 인정할 때까지 그는 공적 폐물로 간주되었다. 개스코인은 자신의 문제를 인정함으로써 그가 도덕 공동체에 다시 진입하는 데 필요한 의무적 의례를 실행했다. 이와 대조적으로 치료요법의 처치를 받을 것을 거부한 스포츠 스타들은 의구심을 가지고 다루어진다. 영국에서는 맨체스터 유나이티드의 축구 스타 에릭 칸토나Eric Cantona가 적대적인 팬과 싸운 것에 대해 공개적으로 사과하기를 거부해서 욕을 먹었다. 마찬가지로 미국 평론가들은 1983년 자서전 『자이언트 스텝스Giant Steps』에서 대학시절에 약물을 이용했음을 시인한 농구선수 카림 압둘 자바Kareem Abdul-Jabbar에 대해 매우 비판적이었다. 평론가들은 그가 면목 없어 하는 것이 아니라 희생자인 것처럼 군 것에 분개했다. 필이 아이러니한 방식으로 지적했듯이, 만약 카림 압둘 자바가 "통제력을 상실하고 중독되어 농구를 중단하고 치료를 받았더라면, 그는 우리의 아이들을 위한 롤모델이 될 수도 있었다"(Peele, 1995: 83).

스포츠 유명인사들이 적절한 롤모델로 고려되기 위해서는, 그들은 자신들의 약점을 공개적으로 인정할 필요가 있다. 영국에서 축구선수 폴 머슨Paul Merson과 토니 애덤스Tony Adams는 자신들의 중독을 용감하게 공개적으로 인정했다는 이유로 미디어의 찬사를 받았다. 폴 머슨은 롤모델의 롤모델이다. 자신의 코카인, 도박, 라거비어 중독을 시인한 이후, 그는 기자회견에서 울면서 자신의 취약함을 드러냈다. 그는 다른 기자 회견에서 또다시 울면서 충실하게 연기를 반복했다. 그때는 그 자신을 위해서가 아니라 그가 이전에 속했던 클럽의 동료로, 상처받은 폴 개스코니를 위해서 그렇게 했다. 예전에 영국 국가대표팀의 주장이었던 토니 애덤스 또한 자신의 알코올 문제를 공중에게 밝힌 이후 미디어의 존경을 받았다. 1998년 여름 동안에 애덤스는 그의 자서전 『중독자Addicted』를 출간했다. 거기서 그는 잠결에 오줌을 싼 것을 인정하는 것을 포함하여 자신의 취태를 생생하게 묘사했다. 애덤스가 영국 스포츠에서 전형적인 희생자 영웅이 되었을 때, 그가 이제는 어쩌면 그의 축구보다 중독으로 더 존경받는다고 암시했던 일부 익살꾼들은 그들의 주장을 입증받은 것으로 보인다.

오늘날의 문화는 내적 고통의 공개적 노출을 긍정적으로 받아들이고 지원한다. 어떤 경우에는 찬사받기를 원하는 사람들이 자신들의 감정적 생존 주장에 대해 긍정적 반응을 유발하기 위해 자신들의 이야기를 조작하기도 한다. 매우 성공한 저자들은 자신들이 감정적 고통을 겪은 적이 있음을 교묘하게 누설한다. ≪가디언≫에 실린, 영국 작가 에이미 젠킨스Amy Jenkins와 가진, 이목을 끈 인터뷰는 그녀의 삶이 지난 6년간 어떻게 '허물어졌는지'를 길게 다루었다. 젠킨스는 대담자에게 "나는 클럽을 만들어 마약을 하고 실제로 나와 어울리지 않는 남자친구를 사귀고 통제할 수 없는 아주 무시무시한 일들을 했다"고 말했다. 이것이 어쩌면 그녀가 한 줄도 쓰지 않았던 두 소설의 대가로 60만 파운드를 받을 수 있었던 이유였을 것이다.[25]

개인적 문제와 기능장애에 대한 찬양은 치료요법 사회가 인간경험을 표현하는 방식을 상징한다. 이러한 관점에서 볼 때, 자기파괴적 행동은 이제 더 이상 예외적인 것이 아니라 아주 정상적인 것으로 간주된다. 이제 그러한 에피소드에는 그것에 부여되던 수치심이 전혀 존재하지 않는 것만이 아니다. 오히려 그것은 영향력 있는 지위에 있는 사람들의 중요한 문화적 기표가 되었다. 그리고 약물 남용이나 심리학적 증후군과 같은 잠재적으로 파괴적인 경험으로부터 헤어날 수 있는 능력은 칭찬을 받을 만한 가치가 있는 용감한 행위로 재해석된다. 그 결과 점점 더 많은 사람이 자신들의 중독, 증후군 또는 신체적 질병을 통해 자신이 누구인지를 밝힌다. 로라 밀러가 논평했듯이, "순수한 영웅적 행위를 성취하기는커녕 그것을 규정하기도 점점 더 어려워지는 세계에서 증후군 회상록은 단순한 생존을 하나의 승리로 전환시킨다."[26] 사적 문제의 공적 표현에 부여된 도덕적 권위는 영국 최고의 저작권 에이전트인 데이비드 고드윈David Godwin으로 하여금 "질병은 최신 유행이 되었다"고 논평하게 했다. 질병이 남의 이목을 끄는 독특한 특징이 된 것은 감정적 생존에 그렇게도 많은 의미를 부여하는 문화적 사고방식을 상징하는 하나의 엠블럼이다.

하지만 고백실의 편의주의적 일상화가 현실의 훨씬 더 중요한 측면 — 사회 자체가 사적인 것과 공적인 것의 경계를 부식시키는 경향을 만들어내고 또 그것을 보상한다는 것 — 을 덮어 감추어서는 안 된다. 사회는 도움 구하기 행위를 지지함으로써 계속해서 고통을 공개적으로 표현할 것을 요구한다. 사람들에게 자신들의 감정에 대해 이야기하라고 권하는 것은 단지 교회 지도자들만이 아니다. 치료요법 문화는 계속해서 공개적인 참회를 요구한다. 이러한 관점에서 볼 때, 프라이버시의 요구는 감정적 옳음emotional correctness의 에티켓을 받아들이기를 거부하는 것이다. 그리고 감정과 느낌이 개인의 정체성을 규정하는 특징으로 간주됨에 따라 사적 영역은 정당한 공적 감시의 영역이 되었다. 우리가 제4장에서 살펴보듯이, 치료요법이 친밀한 관계에 개입할 수 있게 만들어주는 이러한 과정은 사적 세계를 평가절하하는 경향과 나란히 진전되어왔다.

제2장

감정정치

개인의 감정과 경험은 공적 삶에서 전례 없는 중요성을 획득해왔다. 텔레비전 뉴스 리포터들은 점점 더 정치인들이 무엇을 했는지보다는 어떻게 느끼는지를 알고 싶어 한다. '개입 취재보도engaged reportage'라고 불리는 새로운 종류의 보도유형이 있는데, 그것은 주요 사건들을 사람들의 감정에 대한 짤막한 이야기들로 변형시키고자 한다. 한 비평가는 이러한 종류의 고백 저널리즘confessional journalism에 대해 비판하며, '개입 취재보도' 태도가 갖는 위험은 뉴스 주제가 리포터에 의해 자세하게 조사되기보다는 그 것에 대해 카운슬링하게 된다는 것이라고 경고했다.[1] 지금까지 사적 감정에 의한 공적 삶의 식민화는 현대 정치 스타일에 커다란 영향을 미쳐왔다. 공인들이 자신을 표현할 때 감정을 과장해서 표현하는 스타일을 취하는 경향이 점차 증대하고 있다. 그들은 자신들의 붕괴된 가족 상황, 알코올 중독 어머니, 학대하는 아버지 또는 자신의 아이들의 비극적인 고통을 세상에 자세하게 털어놓음으로써 자신의 인간성을 증명한다. 개인적 상처와 고통의 폭로는 미디어로부터 집중적인 관심을 받아 승인받게 될 가능성이 크다.

정치인들은 항상 감정을 관리하는 일을 해왔다. 정치인들은 아주 중요한 군사적 동원을 하기 위해 특정 대의에 대해 국민들이 마음속 깊은 곳에 가지고 있는 감정을 이용하고자 해왔다. 윈스턴 처칠은 영국 수상으로서 발표한 첫 성명서에서 "내가 바칠 것은 피와 노력, 눈물, 땀밖에는 없다"고 진술했다. 처칠의 연설은 자신의 개인적 감정을 거의 드러내지 않았다. 그것은 다른 사람들의 감정을 고무하는 데 바쳐졌다. 이러한 희생의 요구는 처칠이 어떻게 느꼈는지와는 거의 관계가 없고, 그가 무엇을 해야만 하는지에 관한 것이었다. 이것은 놀랄 만한 일이 아니다. 왜냐하면 최근에 이르기까지 개인적 감정을 드러내는 것은 정치적 권위와 리더십의 행사와는 어울리지 않는 것으로 인식되었기 때문이다. 운다는 것은 미숙한 것으로 인식되었다. 즉, 그것은 공직자가 상황을 통제하지 못하고 있음을 보여주는 것이었다. 1972년으로 돌아가 보면, 대통령 후보였던 상원의원 에드먼드 머스키Edmund Muskie는 우는 모습을 보였기 때문에 그의 야망을 포기할 수밖에 없었다. 그러나 30년 후 9·11 직후에 조지 W. 부시의 지지율은 미국 공중이 그의 눈에 맺힌 눈물을 본 후에 상승했다.

최근까지 정치인이라는 공인의 사적인 삶은 단지 사적인 것으로 간주될 뿐이었다. 대부분의 시기 동안에 공중은 자신들의 지도자들을 괴롭힌 개인적 비극과 개인적 문제들을 알지 못했다. 소아마비로 다리를 쓸 수 없게 되어 휠체어에 의지했던 미국 대통령 프랭클린 루스벨트는 공중에게 자신의 장애를 숨겼다. 이와 대조적으로 오늘날 지도자의 사적 문제와 슬픔은 자주 공중의 최고의 관심사이다. 영국 재무장관 고든 브라운Gordon Brown 이 딸 출산 이후 보여준 행복함과 뒤이은 아이의 비극적 죽음으로 인한 슬픔은 미디어에 의해 아주 상세하게 해설되었다. 미디어의 섹션들은 그것을 브라운이라는 알 수 없는 정치인이 가진 인간성의 증거로 제시했다. 한 저널리스트에 따르면, "사람들은 재무장관의 인간적 측면을 보게 되었고, 그에 대한 생각이 바뀌었다." 그 저널리스트는 다음과 같이 덧붙였다. "브라운은 한때 정치인으로서 지니고 있던 멋진 환한 웃음을 잃었고, 전율하여 입 벌리고 있는 아버지로서의 얼굴이 그것을 대신했다. 그러한 브라운에게 쏟아진 동정심은 정치의 확실한 규칙 중의 하나처럼 보이는 것을 암시한다. 그것은 바로 유권자들은 자신들의 지도자가 자신들과 아주 비슷하기를 원한다는 것이다."[2] 유권자들이 지도자가 자신들과 비슷하기를 원하는지는 분명하지 않다. 그러나 정치인들 역시 일반인들과 동일한 감정을 가지고 있고 누구나 겪는 인간문제들을 겪는다는 것을 보여주라는 강력한 문화적 압력이 그들에게 가해지고 있음은 분명하다. 정치인들과 공적 인물들은 지금까지 자신들이 겪은 사적인 감정적 삶의 문제를 이야기하고 드러내라는 엄청난 압력을 받고 있다. 그러한 제스처를 하지 않고는 어떤 공인도 공중에게 자신이 인간적이고, 다가갈 수 있는 사람이라는 인상을 주지 못할 것이라고 주장된다.

공적인 것과 사적인 것 간의 경계 파괴는 모든 사회적 관계를 감정적·심리적 측면에서 재평가하려는 추세와 밀접히 관련되어 있다. 이 장은 치료요법학의 언어가 공적 대화를 틀 짓는 경향을 검토한다. 그리고 상대적으로 주목받지 않았지만 우리 시대의 중요한 특징 중 하나, 즉 높은 수준의 사회적 비참여와 치료요법 정치의 부상이 동시에 발생했다는 사실 또한 검증한다.

공적 삶에서 감정의 지위 변화

우리 인간은 항상 감정을 공개적으로 드러내왔으며, 그것은 변함없이 사회적 삶의 한 특징이었다. 모든 문화는 특정한 감정을 고무하고 찬양한다. 문화는 사람들에게 감정을 어떻게 공개적으로 표현해야 하는지에 대해 분명한 신호를 보낸다. 이를테면 예전에는 국가가 승리하는 순간이나 왕자가 결혼할 때 기쁨을 표현할 것을 강요받았다. 신성한 것으로 간주되는 의례와 상징에 대해서는 경외감과 존경심을 표할 것이 기대되었다. 19세기로 거슬러 올라가면, 지배 엘리트들은 사회질서를 용이하게 유지하기 위해 권위의 상징에 적극적인 감정적 애착을 가지게 하고자 했다. 입헌 전문가 월터 배젓Walter Bagehot은 중요한 감정, 특히 대중을 군주제의 상징들에 묶어놓는 감상을 조장했다(Furedi, 1992에서 인용함). 애국심이라는 감상 또한 통상적으로 찬양되었고, 적에 대한 반감, 심지어는 증오도 찬양되었다. 그러나 비록 특정 형태의 감정 표출이 문화적으로 정당화되었지만, 정치 엘리트들은 감정의 공개적 표출에 대해 매우 양가적인 입장을 취하는 경향이 있었다. 감정은 그 표현이 지나치지 않을 경우에만 정당하게 표출될 수 있었다. 민족주의의 경우를 살펴보자. 과거에 영미 엘리트들은 다른 사회의 포퓰리즘적 민족주의가 극단적 열정, 무절제한 감정, 비합리성을 드러낸다는 이유에서 그것을 비난했다. 존 홉슨John Atkinson Hobson은 그의 고전적 저작 『제국주의Imperialism: A Study』에서 오늘날의 공격적 민족주의와 연관된 주요 위험과 혼란에 대해 경고했다(Hobson, 1988: 4). 노동당의 선도적 지식인 해럴드 래스키Harold Laski는 1930년대에 민족주의가 억제되지 않는 한 민족주의의 '과잉'이 "문명을 파괴할 것"이라고 경고했다(Laski, 1932: 43). 홉슨과 래스키의 관점에서 볼 때, 문제를 만들어내는 것은 민족주의가 유발하는 감정의 강도였다. 민족주의가 적절히 느껴질 경우, 그것은 받아들일 수 있는 것이었다. 따라서 영국 민족주의는 그것이 절제되고 좀처럼 강한 열정을 불러일으키지 않는다는 점에 근거하여 찬양되었다. 한 설명에 따르면, 자신의 힘에 대한 영국의 확신이 "우리 속에 무의식적인 종류의 민족주의, 즉 좀처럼 주장하지도 또는 심지어 알 필요도 없는 민족주의를 발생시켜왔을 수도 있다"(Perham, 1962: 114). 영국 정치체제는 그러한 위엄 있고 온건한 민족주의 감정에 찬사를 보냈다.

"주장하지도 또는 심지어 알" 필요가 없었던 민족주의는 열정과 강한 감정을 결여하고 있는 민족주의였다. 애국주의가 대중 사이에서 어떤 강력한 감정을 폭발시키지 않는 한, 그것은 정치 엘리트의 관점에서 볼 때 받아들일 수 있는 것이었다. 하지만 엘리트들은 도시 대중을 자극하는 정치적 열정과 감정을 불편해했다. 영국에서 J. A. 홉슨과 같은 저명한 자유당 인물들은 보어전쟁이 발발했을 때 호전적 애국주의의 분출에 당황했다. 홉슨은 자신의 책 『호전적 애국주의의 심리학The Psychology of Jingoism』에서 군중의 마음에 대해 엘리트들이 갖는 의구심을 강력하게 논급한 바 있다. 홉슨은 이렇게 진술했다. "가장 교활한 루머, 증오에 대한 가장 격렬한 호소, 그리고 피에 대한 동물적 갈망이 조장한 조악한 애국주의는 도시의 혼잡한 삶을 통해 빠르게 전염되고, 또 감각적 갈망을 만족시킴으로써 모든 곳에서 스스로를 매력적인 것으로 만든다"(Hobson, 1901: 9).

19세기 후반에 프랑스 군중심리학자 구스타프 르봉Gustave Le Bon은 공중의 감정이 초래하는 위협에 관한 가장 영향력 있는 엘리트주의적 설명 중 하나를 제시했다. 르봉과 그의 동료들은 군중의 마음은 야만적인 비합리적 충동에 좌우된다고 생각했다. 그는 군중의 파괴적 감정이 이성을 격파할 것이고 그리하여 사회에 위협이 될 것이라고 믿었다. 르봉은 다음과 같이 썼다.

감상에 맞서 싸워야만 할 때, 이성적 사고가 얼마나 무력한지를 통찰하기 위해 원시적 존재로까지 내려갈 필요조차 없다. 단지 가장 단순한 논리와도 모순되는 종교적 미신이 수 세기 동안 얼마나 완강하게 지속되어왔는지를 상기하기만 하면 된다(Le Bon, 1990: 110).

군중의 심성에 대한 정치 엘리트들의 우려는 선동가들이 군중의 감정을 파괴적 목적을 위해 조작할 수 있다는 가정에서 기인하는 것이었다. 이러한 온정주의적 가정은 미국의 평론가 월터 리프먼Walter Lippman에 의해 그의 고전적인 연구『여론Public Opinion』(1922)에서 강력하게 주장되었다. 리프먼은 "전혀 글을 모르는" 유권자의 비율이 의심을 품을 수 있는 유권자의 비율보다 훨씬 더 많으며, "정신적으로 어린아이 또는 미개인"인 그러한 사람들은 자연스럽게 조작의 표적이 된다고 공언했다. 공중이 유아적 감정에 의해 지배된다는 믿음은 양차 세계대전 사이의 시기에 사회과학 문헌에 널리 퍼져 있었다. 그러한 문헌들은 자주 여론은 무엇이 가장 이익이 되는지를 알지 못한다는 거만한 가정을 전파했다. 한 미국 사회학자가 1919

년에 지적했듯이, "여론은 공공복지를 위해 사심 없이 투쟁하는 사람들에게 자주 매우 잔인하다"(Lippman, 1922: 75; Paget, 1929: 439).

여론을 비합리성의 포로로 간주하는 경향은 20세기 대부분의 기간 내내 감정의 공개적 표출에 대한 엘리트의 태도에 영향을 미쳤다. 공직자와 여론 형성자들은 급진 이데올로기들이 너무나도 많은 정치적 감정을 만들어 낼 수 있음을 특히 우려했다. 거리의 저항자들의 열정과 화는 이성에 의거한 계몽된 민주적 과정의 안티테제로 간주되었다. 그리고 일반적으로 비합리적 감정주의가 일단 동원되면 합리성의 힘을 격파할 수 있다고 추정되었다. 이것이 바로 널리 존경받은 경제학자 조지프 슘페터Joseph Schumpeter가 일반인들이 공무에 접근하는 것을 제한할 필요가 있다고 주장하고 나섰던 이유이다. 슘페터는 '공리주의적 이성'은 솔직히 행동의 초합리적extra-rational인 결정요인들에는 당할 수 없다고 믿었다(Schumpeter, 1951: 264). 그는 사람들이 자신들의 감정에 좌우되어 사회의 이익을 무시할 수 있다는 점을 두려워했다. 슘페터의 공포는 대서양 양편의 정치체제에 의해 널리 공유되었다. 그 결과 사회화 제도와 미디어는 감정 절제의 에토스를 계발하고자 했다. 감정의 공개적 표출은 그것이 전통적 의례와 상징을 통해 이루어지지 않는 한 억제되었다. 실제로 정부가 취한 일들 중의 하나가 사회의 감정적 삶을 수용 가능한 경계 내로 제한하기 위해 여론을 모니터하는 것이었다.

영미 정치 엘리트들이 감정의 공개적 표출에 대해 드러내는 양가감정은 하층계급을 도덕적으로 열등한 사람들로 간주하는 성향에 근거하고 있었다. 이 가정은 공중의 감정적 삶에 대한 엘리트들의 태도에 직접적으로 영향을 미쳤다. 공중의 감정에 대한 엘리트의 우려는 '하층계급'의 정신적 사고방식이 야만적 양육에 의해 왜곡되어 있다는 믿음과 연계되어 있었다. 노동계급의 감정적 사고방식이 그들로 하여금 반민주적이고 권위주의적인 대의를 채택하게 해왔다고 주장되었다. 냉전시대에 이 주제에 대해 주도적 목소리를 내었던 미국 사회과학자 시모어 마틴 립셋Seymour Martin Lipset의 다음과 같은 논평은 그러한 입장을 전형적으로 보여준다. "요약하면, 노동계급 개인은 일찍이 어린 시절부터 처벌, 사랑 결핍, 그리고 일반적인 긴장과 공격 분위기에 노출되어왔을 가능성이 크다. 이 모든 경험은 인종적 편견, 정치적 권위주의, 천년왕국적인 초가치평가적 종교로 표현되는 뿌리 깊은 적대감들을 낳는 경향이 있다"(Lipset, 1963: 114). 오늘날의 학대순환이론의 이러한 초기 변종들은 하층계급을 민주적 가치를 지지할 수 없는 심리적 피해를 입은 개인들로 구성되어 있는 것으로 묘사한다. 감정적으로 세련된 중간계급과 감정적으로 무지한 노동계급을 설득력 있게 구분한 사람이 바로 잘 알려진 영국 심리학자 한스 아이젠크Hans Eysenck였다. 아이젠크는 이렇게 주장했다. "중간계급 보수주의자들은 노동계급 보수주의자들보다 마음이 더 따뜻하고, 중간계급 사회주의자들도 노동계급 사회주의자들보다 마음이 더 따뜻하고, 중간계급 공산주의자들조차 노동계급 공산주의자들보다 마음이 더 따뜻하다"(Eysenck, 1960: 137).

정치에 감정이 들어오는 것을 막았던 것은 양극화된 환경에서 화와 분노가 불안정성과 사회불안을 유발할 수 있다는 인식에 따른 것이었다. 오늘날의 정치적 상황은 근본적으로 다르다. 20세기에 혁명 및 사회적 투쟁과 연관되었던 정치적 열정들은 소진된 것으로 보인다. 이데올로기에 의해 추동되던 사회운동이 쇠퇴하고 정치적 양극화가 완화되면서, 열정은 공적 영역에서 거의 눈에 띄지 않는 것으로 보인다. 정치적 열광은 공중의 상상력을 사로잡지 못하고, 바리케이드를 향해 나아가던 감정적 군중의 유령은 공적 지루함과 비참여의 유령에게 길을 내어주었다. 이데올로기에 대한 사회적 지지가 쇠퇴하면서, 한때 사회변혁을 지향했던 감정들이 정치적 삶과 단절되었다. 열정과 정치의 분리는 1960년대에 미국 사회학자 다니엘 벨Daniel Bell이 그의 고전적 저작 『이데올로기의 종말The End of Ideology』에서 이미 예견한 것이었다. 비록 벨이 이데올로기의 명백한 패배를 찬양했지만, 그의 책은 또한 정치적 열정의 소실을 한탄했다. 그는 "젊은 지식인이 불행한 것은 '중도中道'가 그를 위한 것이 아니라 중년의 사람들을 위한 것이기 때문이며, 중도는 열정이 없는, 그리고 죽어가는 것"이라고 훈계했다(Bell, 1964: 375). 최근 몇십 년의 경험은 오히려 벨의 예언이 훨씬 더 광범하게 실현되고 있음을 보여준다. 넌더리를 내는 것은 단지 '젊은 지식인'만이 아니다. 실제로는 전체 유권자가 정치적 삶으로부터 멀어져버렸다.

열정과 정치적 삶의 분리는 감정의 탈정치화를 조장해왔다. 어떤 의미에서 서구에서 감정은 위험을 포함하지 않게 만들어져왔다. 이러한 추세를 보여주는 강력한 실례가 2003년 2월 15일 런던에서 있었던 반전시위였다. 75만 명 이상의 사람들이 이라크와의 전쟁이 초래할 위협에 맞서 저항한 이 시위는 근대 영국 역사상 단연코 최대의 공중 동원이었다. 하지만 그것은 또한 공적 관심사를 가장 조용하게 그리고 가장 절제되게 표명한 시위 중의 하나였다. 시위의 분위기를 묘사한 한 기사에 따르면, "이러한 식의 감정 고조는 완강한 저항과는 달리 화조차 야기하지 않는다. 토요일에는 그러한 감정의 고조조차도 그리 눈에 띄지 않았다."[3] 화를 야기하지 않는 감정은 아마도 신념, 확신, 목적, 열정을 담고 있지 않은 감정일 것이다.

화, 분노, 증오의 감상은 계속해서 많은 반反서방 단체와 운동이 벌이는 활동에 연료를 공급하고 있다. 하지만 그러한 감상들은 서구 사회 내에서는 좀처럼 표출되거나 동원되지 않는다. 노동조합은 조합원들에게 분노감이나 계급증오를 부추기기보다는 화 관리 강좌를 개설할 가능성이 훨씬 더 크다. 화나 증오와 같은 감정들은 탈정치화를 통해 치료요법적 격분rage 개념으로 형태를 변환해왔다. 격분이라는 용어는 화라는 감정을 치료의 대상으로 만들 뿐만 아니라 그것을 개인화한다. 격분은 자신 내부로부터 나오는 어떤 것의 산물이다. 그것은 침묵 속에서, 그리고 다른 사람들과 고립된 상태에서는 더 악화될 수 있는 어떤 것이다. 동시에 그것은 자아비판을 나타내는 개념이다. 격분 상태에 있다거나 격분했다는 것은 개인적 허약함의 신호이다. 그리고 그 이유들을 때때로 이해할 수는 있지만, 그것은 통제 불가능한 개인들이 지니는 결함이다. 개인화된 격분의 형태로 화를 표출하는 것은 자신들의 사회적 성격을 드러내는 것이며, 개인적인 성격 결함으로 제시된다. 기내 난동air-raged 승객은 기내 난동에 대한 치료를 받지만, 화가 폭발하게 만든 조건들 ― 비행 취소, 공항에서의 말다툼, 직원의 건방진 대우 ― 은 그 방정식에서 빠져 있다.

감정은 정치와 분리되어온 것만이 아니다. 감정과 과거에 그 감정을 지속시켰던 많은 전통적 제도, 의례, 상징의 관계도 약화되었다. 애국주의 감정을 살펴보자. 주기적으로 국민의 영혼에 충격을 준 어떤 주요 사건 ― 미국에서는 9·11, 영국에서는 2002년 월드컵 축구 ― 직후에 애국주의 감상이 상승될 것으로 단지 예측되지만, 곧이어 별다른 변화가 없었던 것으로 밝혀졌다(Mackenzie and Labiner, 2002를 보라). 공중의 감정표출이 자주 전통적인 집합적 상징과 결합되어 있지 않기 때문에, 그것은 자의적이고 예측할 수 없는 성격을 지니게 되었다. 탈정치화되고 개인화된 공중의 감정들은 자주 강력한 어떤 개인적 진원을 가지고 있다. 유괴된 아이에 대한 공개적 공감, 소아성애자에 대한 증오, 유명인사의 삶에 대한 강박적 집착, 목숨을 잃은 사람들에 대한 슬픔은 리본 달기와 자발적인 추모대 설치와 같은 다양한 임시적인 새로운 의례들을 통해 표현되고 있다.

강력한 이데올로기적 또는 지적 헌신이 쇠퇴하면서, 감정의 공개적 표현이 위험한 것으로 인식될 가능성은 훨씬 적어졌다. 그 결과 공중의 감정주의에 대한 전통적 엘리트들의 의구심은 이전 시대보다 훨씬 더 약해졌다. 공중의 감정주의가 좀처럼 하나의 문제로 경험되지 않기 때문에, 오늘날 문화적·정치적 엘리트들은 그것의 표출에 관심을 덜 가지게 되었고, 심지어는 그것에 대해 긍정적이게 되었다. 일단 공적 영역이 탈정치화되어 버리자, 감정주의가 불안정의 한 원천으로 인식될 가능성은 적어졌다. 이것이 바로 치료요법 문화의 성장에 대해 엘리트들이 그리 반대하지 않는 이유들 중의 하나이다. 그와는 반대로 공중의 감정에 대한 치료요법적 관리가 자주 그들의 불만과 불안을 다루기 위해 이용되고 있다. 다나 클라우드Dana Cloud는 걸프전 동안에 미국 텔레비전 뉴스가 "정치적 격분을 개인적 불안으로 재진술함으로써" 실제로 얼마나 중요한 역할을 효과적으로 수행했는지에 대해 논평했다. 그녀는 군인 가족의 지원을 다루는 뉴스가 사람들이 어떻게 "전쟁에 대처하고" 있는지와 같은 문제들에 초점을 맞춤으로써 어떻게 감정적 일체감을 만들어내는지를 추적했다. 클라우드가 인용한 한 텔레비전 기자가 지적했듯이, "국내에서 페르시아 만은 감정들의 전쟁이다"(Cloud, 1998: 94, 97를 보라).

과거에 감정주의의 공개적 표출이 결함 있는 사람들의 비합리적 행동으로 빈번히 낙인찍혔다면, 오늘날 그것은 자주 성숙함과 개방성의 표현으로 칭찬받는다. 수많은 시민단체와 학자들이 공적 삶에서 감정이 수행하는 역할을 확대하자는 주장을 옹호하고 있다(이를테면 McGuigan, 2000을 보라). 실제로 사회가 치료요법적 감성에 순응할수록, 그러한 감성은 고무되어 더욱더 고조된다. 치료요법학이 문화적 삶을 지배하게 되면서, 이제 치료요법의 열성적 옹호자들은 영국이 여전히 충분히 감정적이지 않다고 불평하기까지 한다. 영국을 '감정억제 문화'라고 비난하는 케임브리지 신경심리학자 이언 로버트슨Ian Robertson의 입장은 치료요법 운동의 관점을 분명하게 보여준다. 그는 다음과 같이 논평한다.

> 하나의 민족으로서의 우리는 감정을 신뢰하지 않는다(아니 그게 아니라 두려워한다). 우리는 꼴사나운 감정을 분출하는 방종한 미국인과 대륙 유럽인을 비웃기를 좋아한다. 우리의 완강한 대뇌피질은 변연계에 있는 감정 중추를 위협하여 무서워서 그것에 순종하게 한다. 그 결과가 바로 감정 불구자의 나라이다.[4]

치료요법 운동가들에게 영국은 여전히 감정 문맹의 국가이다.

영국의 싱크탱크 앤티도트를 살펴보자. 앤티도트의 목적은 심리학의 통찰력을 정치적·공적 삶에 통합시키는 것이다. 그것은 "보다 화합된 사회로 발전시키는 데 기여하는 감정적 태도를 고무하는" 경향이 있는 정책을 제창하고자 한다(Park, 1999: 52를 보라). 앤티도트의 공식 목적 중의 하나가 바로 정책의 감정적 결과에 대한 정보를 수집할 수 있게 해주는 감정적·사회적 인덱스를 만드는 것이다. 최근에 앤티도트는 사실상 모든 분야의 공공정책을 언급한 선언서를 출간했다.[5] 앤티도트의 공동 운영자들은 치료요법 에토스의 제도화를 촉진하는 데, 그리고 정치의 어휘를 변화시키는 데 커다란 관심을 가지고 있다. 앤티도트의 창립자 중의 한 사람인 앤드루 새뮤얼스Andrew Samuels가 최근 출간한 책은 이러한 어젠다를 분명하게 피력한다. 그는 정책위원회와 정부위원회는 "위원회 위에 전문가 스펙트럼의 일부로서 정신치료요법사"를 두어야만 한다고 주장한다. 그 책은 국가 감정검사를 실시할 것, 그리고 "모든 정책제안이 심리적·정신적 건강에 미치는 영향을 모니터할 수 있는" 감정적·정신적 정의正義 위원회와 같은 일련의 제도들을 창설할 것을 주장한다(Samuels, 2001: 2, 202, 203). 우리가 앞으로 살펴보듯이, 정치인과 정부 공무원들은 이러한 감정주의 정치의 요청에 기꺼이 순응하기만 하는 것이 아니다.

　치료요법 에토스가 공적 삶에 미치는 영향이 강화되는 것을 '감정으로의 전환'으로 특징짓는 것은 아마도 엄밀하지 못할 것이다. 대중의 분노 폭발을 포함하여 감정은 항상 공적 삶의 일부였다. 지배 엘리트에 관한 한, 그들은 공중의 감정적 삶에 무관심한 경우가 결코 없었다. 공중의 기분 관리는 항상 정부의 과업 중 하나였다. 변한 것은 감정 관리 형태가 개인화되면서 그것이 지금까지 사적으로 간주되던 영역에까지 개입한다는 것이다. 그 결과 사적인 것과 공적인 것을 구분하는 선이 흐려졌다. '사적 감정'은 이제 우리 시대의 치료요법 에토스와 부합하지 않는 것으로 보인다. 사람들은 지금까지 사적 영역에 속하는 것으로 간주되어온 감정들을 표현할 것을 기대받는다. 한 설명에 따르면, "그간 [감정표현의] 조심은 억제로, 그리고 망설임은 억누름으로 재개념화되어왔다."[6] 사적 감정들이 공개되는 반면, 공적 삶 자체는 공허해졌다. 공적 삶이 정치에서 개인적인 것으로 이동한 것은 사적 영역의 개인화가 낳은 당연한 결과이다.

감정의 얼굴을 한 관리주의

감정주의에 대한 엘리트의 태도 변화는 공적 삶의 탈정치화와 맞물려 있다. 벨은 이미 1960년대에 이데올로기의 쇠퇴가 정치적 삶에서 모든 실제적 내용을 박탈할 우려가 있다고 경고했다. 그는 정치에서 의미의 상실은 젊은 지식인 세대를 혼란스럽게 할 것이라고 믿었다(Bell, 1964). 그가 예측했듯이, 현재 정치의 이름으로 진행되는 실용주의적 관리주의는 유권자들의 상상력을 고무하는 능력을 가지고 있지 못하다. 이처럼 관리주의가 정치를 대체하는 것은 유권자의 상당수가 파당과 정치인들 간의 갈등을 지루하고 부적절한 것으로 간주하게 하는 분위기를 조장해왔다. 이러한 정치적 상상력의 쇠퇴로부터 득을 보는 주요한 수혜자가 바로 치료요법 에토스였다. 대체로 지난 30년 동안 정치적 비참여와 치료요법 문화의 영향력 확대 간의 관계가 가시화되었다. 당시 크리스토퍼 라시Christopher Lasch는 심지어 "치료요법적 사고방식이 정치를 대체할 우려가 있다"고 주장하기까지 했다(Lasch, 1979: 43). 1970년대 이래로 영국에서는 폴 할모스Paul Halmos에 의해, 그리고 미국에서는 라시에 의해 확인된 과정이 더욱 강화되었다. 우리가 앞으로 살펴보듯이, 정치는 치료요법학에 의해 대체되었다기보다는 그것에 의해 변형되어왔다. 전통적인 정치도 치료요법적 감성을 채택해왔고, 자주 공중을 시민이라기보다는 고객으로 취급한다.

사람들이 전통적인 정치에 관심을 잃어버린 시대에, 정치인들은 계속해서 공중과 상호작용하는 새로운 방식을 찾고 있다. 이것이 바로 직업 정치가들이 치료요법 에토스를 그렇게도 빨리 받아들인 이유이다. 정치인들은 자신들과 유권자의 정치적·이데올로기적·도덕적 연계가 그 특성상 깨지기 쉽다는 것을 알게 되었다. 전통적 형태의 정당정치, 정치적 가치, 정체성은 정치에 매우 환멸을 느낀 공중을 거의 붙잡아둘 수 없다. 권위에 대한 대중의 불신은 국민들이 선거제도를 점점 더 멀리하고 있다는 사실에 의해 확인된다. 미국식의 선거 무관심은 새로운 유럽에서도 피할 수 없는 현실이 되었다. 유럽에서도 유권자의 상당 비율이 투표는 시간낭비라고 믿고 있다.

모든 선거는 당혹스럽게도 우리가 거주하는 곳을 점점 더 정치적 불모지로 생각하게 할 우려가 있다. 무관심은 이제 더 이상 미국에서 공중의 정치 참여가 계속해서 감소하는 것을 묘사하는 적절한 용어가 아니다. 1960년 이래로 거의 모든 대통령 선거에서 투표 참여가 꾸준히 감소해왔다. 전체적으로 보면, 대통령 선거에서 유권자의 투표 비율은 1960년 62.5%에서 1988년 50.1%로 떨어졌다. 1996년 선거에서는 선거 연령 인구의 단지 49%만이 투표했다. 이는 1924년 이래로 가장 낮은 투표율이다. 2000년 선거에서도 이러한 경향은 계속되어, 등록 유권자의 약 50%만이 투표에 참여했다. 공중의 정치과정의 멀리함은 2000년 선거에서 특히 현저했다. 이미 결론이 난 것으로 보였던 1996년의 선거와 달리, 2000년의 경쟁은 지난 수십 년 동안의 선거 중에서 그 결과를 예측할 수 없는 가장 치열한 선거였다. 하지만 투표한 미국인의 수는 1996년과 거의 같았다. 미국유권자연구위원회에 따르면, 지난 30년 동안의 투표 비참여를 누적해본 결과, 오늘날 "예전에 투표했던 2500만 명의 미국인들이 더 이상 투표하지 않는다."7 하지만 대통령 선거 투표 참여율은 하원의원에 입후보한 후보들에 대한 투표율보다 단연 높았다. 하원의원 투표율은 1990년대에 평균 약 35%였다.

9·11 직후에 미디어 전문가들은 이 비극적 사건과 그것이 유발한 애국

심이 정치 참여를 증가시킬 것이라고 추측했다. 하지만 곧 그러한 중요 사건조차도 기존의 비참여 유형을 깨지 못한다는 것이 분명해졌다. 2002년 7월 5일 이전에 치러진 첫 18개 주 예비선거는 "낮은 투표율을 보였을 뿐만 아니라 역대 최저 투표율을 기록했다. 민주당원의 단 8%와 공화당원의 7%만이 투표했다."[8]

유럽 논평자들이라고 해서 미국 유권자들의 정치적 문맹을 놓고 우쭐해 할 수 있는 처지가 아니다. 1999년 6월 선거에 앞서 ≪가디언≫에 실린 「유럽에 대해 하품하며 말하지 말라. 무관심이 선거를 장악해서는 안 된다」라는 제목의 사설은 정치적 삶에 대한 공중의 환멸은 이제 더 이상 대서양의 다른 쪽에 국한되지 않는다고 지적했다. 영국의 경우도 두말할 필요가 없다. 1997년에 신노동당도 선거권자의 단 31%의 지지만을 받았다는 점을 상기할 필요가 있다. 이 선거의 투표율은 1945년 이래 가장 낮았다. 이 사건에 대한 누필드 대학Nuffield College 연구팀은 "1997년 총선은 사람들이 기억하는 다른 어떤 선거보다도 관심을 불러일으키지 못했다"고 결론지었다. 스코틀랜드와 웨일스에서 권한 이양을 둘러싸고 전개된 매우 과장된 홍보 캠페인조차도 공중의 관심을 불러일으키는 데 실패했다. 1999년에 실시된 이 "역사에 남을 만한" 선거에서 나타난 투표 참여율은 공중이 권한 이양을 또 다른 연출된 사건으로 간주했다는 것을 보여주었다. 웨일스 유권자의 대다수가 역사에 남을 선택을 한 것이 아니라 집에 머무르는 것을 선택했다. 웨일스 유권자의 단 46%만이 투표했다. 스코틀랜드에서는 투표 참여를 독려하기 위해 기획된, 세간의 이목을 끈 미디어 캠페인이 투표율을 59%까지 끌어올렸다. 같은 날에 잉글랜드의 투표소는 말 그대로 비어 있었다. 등록 유권자의 단 29%만이 5월 6일 지방선거에서 투표했다. 1999

년 6월 영국에서 치러진 유럽의회 선거는 사상 최저 투표율을 기록했다. 단 23%만이 투표했다. 선덜랜드의 한 투표소에서는 1000명의 선거권자 중 단 15명만 투표했다. 2001년 총선과 비교하면, 1997년 선거는 확실히 흥미진진한 선거였다. 2001년 선거운동 내내 무관심이 논쟁의 주요 쟁점으로 등장했다. 2001년 6월 7일에 실시된 총선의 투표율은 사상 최저인 59%를 기록했다.

투표 참여의 지속적 감소는 훨씬 더 광범하게 작동하는 과정과 직접적으로 연계되어 있다. 투표에 참여하지 않는다는 것은 기존 정치체계에 대한 환멸과 공중의 불신을 보여주는 분명한 지표의 하나이다. 미국 공중의 태도에 관한 조사들은 정부에 대한 지지가 최근 수십 년간 지속적으로 감소해왔다는 것을 보여준다. 1958년에 미국인의 75% 이상이 정부가 잘하고 있다고 보고 정부를 신뢰한 반면, 1990년에는 단 28.2%만이 유사한 감상을 표명했다. 1990년 이래로 정치인에 대한 신뢰는 계속해서 하락해왔다. 1996년 갤럽이 수행한 연구 『분열상태 속에서In a State of Disunion』는 응답자의 64%가 정부 공무원이 진실을 말한다는 것에 대해 거의 또는 전혀 신뢰하지 않는다는 사실을 발견했다.

2002년 5월 브루킹스연구소가 수행한 한 주요한 연구는 9·11 직후 이어진 애국주의의 물결조차도 미국 정부에 대한 신뢰를 지속적으로 증가시키지 못했다는 것을 발견했다. 이 조사는 2001년 7월에 미국인의 단 29%만이 자국 정부에 긍정적인 평가를 한 데 반해, 9·11 사건 직후에 그 수치가 57%로 거의 두 배 늘었다는 것을 보여주었다. 하지만 2002년 5월경 연방 정부에 대한 공중의 신뢰는 거의 9·11 이전의 수치로 떨어졌다. 비록 그 비율이 40%였지만, 전문가들은 신뢰 관계를 재구축할 수 있는 기회는 이미 지나가버린 것 같다고 느꼈다(Mackenzie and Labiner, 2002: 2~3).

유럽에서 실시된 조사들도 유사한 경향을 보여준다. 유럽연합에서 실시한 조사들은 주민의 약 45%가 현재 '민주주의의 작동방식'에 대해 만족하지 않는다는 것을 보여준다. 영국에서 실시된 각종 조사들은 공중이 정치인에 대해 높은 수준의 냉소주의를 드러내고 있음을 보여준다. 1995년 4월에 실시된 갤럽의 한 여론조사는 하원의원에 대한 국민 대다수의 평판이 '낮거나' '매우 낮았던' 것으로 결론지었다. 10년 전에는 국민의 1/3만이 이러한 견해를 가지고 있었다. 1994년에 수행된 또 다른 조사에 따르면, 주민의 단 24%만이 영국 정부가 자신들의 당의 이익보다 국익을 중시한다고 믿었다(Curtice and Jowell, 1995: 141, 148). 정치인은 시종일관 공중이 신뢰하는 직업 리스트의 밑바닥에 자리잡고 있다. 1999년 6월 여론조사 기관 ICM이 출간한 한 연구는 응답자의 단 10%만이 정치인을 많이 신뢰하고, 65%가 조금 신뢰하고, 25%가 전혀 신뢰하지 않는다는 것을 발견했다.[9] 2002년 2월에 BBC가 실시한 한 연구는 45세 이하의 사람들 중 대다수가 정치에 환멸을 느끼고 정치인을 '사기꾼', '거짓말쟁이'로, 그리고 정치를 '시간 낭비'로 생각한다는 것을 보여준다.[10]

1990년대에 공중의 신뢰 부식은 정치체계 자체에 대한 국민의 의심 풍조를 반영하는 것이었다. 이로부터 출현한 것이 반反정치라는 브랜드, 선출직 공무원에 대한 냉소적 경멸, 그리고 웨스트민스터와 워싱턴에서 벌어지는 추잡함과 타락에 대한 강박증이었다. 클린턴 시대는 계속되는 스캔들의 시대였다. 그리고 부시의 선거방식을 둘러싼 논쟁은 엔론의 파산에서 절정에 달한 일련의 기업 스캔들로 이어졌을 뿐이었다. 신노동당이 1997년 선거에서 승리하는 데 결정적 역할을 한 요인은 신노동당이 보수당을 추잡한 정당으로 묘사하는 데 성공한 것이었다. 하지만 신노동당 정부도 곧 자신들도 스캔들 정치에서 자유롭지 못하다는 것을 발견했다. 당선되고 몇 달이 안 되어, 신노동당 정부에서도 하원의원 및 각료들과 연루된 작은 스캔들이 잇따라 터져 나왔다. 1998년에는 추잡한 문제들이 계속해서 정부에 출몰하여 장관들이 줄줄이 사임할 수밖에 없었다. 2002년 12월에 발생한 '체리게이트Cheriegate'를 둘러싼 대소동 ― 총리 부인이 불법적인 어떤 일을 해왔다는 혐의가 전혀 없었음에도 불구하고 발생했던 ― 은 정부에 대한 냉소주의가 삶의 항시적 특징의 하나라는 것을 말해준다.

정치적 삶의 고갈은 정치부패, 무능한 정치지도자 또는 무감각한 관료제와는 별 관계가 없다. 지난 20년 동안 변화해온 것은 바로 정치의 의미 그 자체이다. 지난 세기가 시작되면서, 정치적 삶은 근본적으로 다른 대안들에 의해 지배되었다. 경쟁하는 정치철학들은 좋은 사회에 대한 서로 대조되는 비전을 제공했다. 그러한 이데올로기들 간의 갈등은 자주 격심했고, 때로는 폭력적인 충돌, 그리고 심지어는 혁명을 일으켰다. '좌파'와 '우파'는 단지 꼬리표일뿐이 아니었다. 그것들은 근본적인 의미에서 개인들에게 자신들의 삶을 대하는 방식과 관련한 매우 중요한 어떤 것을 말해주는 정체성을 부여했다. 혁명적 변화를 열렬하게 주창하는 사람들은 자본주의 체계의 열렬한 옹호자들과 충돌했다. 사회에 대한 그러한 경쟁하는 견해들이 일상정치의 행동을 지배했다.

21세기가 시작하면서 정치적 풍경이 근본적으로 달라졌다. 오늘날 정치는 지난 세기 동안 사람들의 헌신과 증오를 틀 지어왔던 열정이나 갈등과는 별 공통점을 가지고 있지 않다. 거기에는 더 이상 자유시장 신념을 열렬하게 옹호하는 사람들을 위한 공간도, 그리고 혁명적 변혁을 강력하게 제창하는 사람들을 위한 공간도 존재하지 않는다. 하지만 정치가 단지 온건해졌을 뿐이라고 결론짓는 것은 아마도 잘못일 것이다. 정치는 이미 조기퇴직했다. 세기말 에토스는 계속해서 특정 문제들은 인간이 개입해서 해결할 수 있는 것이 아니라는 점을 강조해왔다.

지구화 이론들은 계속해서 특정한 힘들은 사람들과 그들의 국민국가의 통제를 벗어나 있기 때문에 그들이 그러한 힘을 다룰 수 없다는 점을 강조한다. 우리 시대의 빅 이슈들 — 임박한 환경재해, 우리의 건강에 대한 위협, 살인 곤충, 대량살상무기 — 은 정치의 범위를 벗어나 있는 위험으로 제시된다. 세계가 통제를 벗어나 있으며 그렇기에 인간이 그러한 진전을 억제하거나 자신들의 운명에 영향을 미치기 위해 할 수 있는 일은 거의 없다는 믿음이 널리 퍼져 있다. 선택권과 선택지를 박탈당한 인류는 마거릿 대처가 TINA — 대안은 없다There is No Alternative — 라고 적절히 묘사한 세계관을 묵묵히 따를 것을 강요받고 있다.

그리고 만약 실제로 대안이 없다면, 정치는 별 의미를 지닐 수 없다. 대안이 없이는, 논쟁은 사소한 문제에 대한 공허한 언동이 된다. 정치인들은 상대적으로 진부한 계획안을 주요한 정책혁신의 수준으로 부풀릴 것을 강요받는다. 오늘날은 '미시정치'의 시대이다. 정치는 기술관료제의 언어를 채택해왔고, 스스로를 탈정치화된 관리주의의 언어로 표현한다. 오늘날 정치인들은 '약속을 지킬 것을' 약속한다. 그들은 신중하게 계획안의 "원가를 계산하고" "지불받은 돈에 합당한 가치를" 제공한다. 정책은 더 이상 선한 것이 아니다. 정책은 '증거에 기반'한다. 정책은 좀처럼 세계관에 의해 산출되지 않는다. 그것은 '우수혁신사례'로부터 도출된다.

관리주의적 정치 스타일의 증가는 정치가 개인적인 것으로 이동한 것과 밀접한 관계가 있다. 퍼스낼리티와 개인의 행동이 현대 정치의 표현을 지배하고 있다. 공적 삶이 그 내용을 가지지 못함에 따라, 사적·개인적인 중대 관심사가 공적 영역으로 들어왔다. 그 결과 한때 이데올로기의 대립이 유발하던 열정이 이제 개인의 부정행위, 사적 문제, 퍼스낼리티 갈등에 의해 야기될 가능성이 훨씬 더 크다. 정치인의 사적인 삶이 그들이 공직을 수행하는 방식보다 더 큰 관심을 불러일으킨다. 영국에서는 리얼리티 TV 쇼 〈빅 브라더Big Brother〉가 "정치인들이 더 이상 불러일으키지 못하는 열정을 깨우고 있다."[11] 미국에서도 〈아메리칸 캔디데이트American Candidate〉라는 제목의 텔레비전 프로그램을 내보낼 계획을 세우고 있다. 이 프로그램의 목적은 리얼리티 TV 형식을 이용하여 경쟁자들로부터 '국민 후보'를 뽑는 것이다. 그렇게도 많은 사람들이 관리주의 정치에 싫증내고 있는 상황에서, 정치인들이 리얼리티 텔레비전 프로듀서들로부터 (그들이 아니었더라면 정치에 무관심했을) 공중과 관계를 맺는 방법을 배우고자 한다는 것은 정말 놀라울 뿐이다.

공중의 치료요법적 정치 참여

비록 감정이 탈정치화되어 왔지만, 감정은 여전히 공중을 동원하는 데서 중요한 수단의 하나이다. 그러나 이데올로기와 집합이익이 분리되면서, 감정의 공개적 표현은 개인화된 성격을 지니는 경향이 있다. 그러한 동원은 치료요법의 한 형태로 작동하며 개인들로 하여금 자신들의 감정을 표현할 수 있게 해준다. 고도로 파편화·개인화된 세계에서 개인들의 불만은 공동의 감정표출을 통해 일시적으로 공유될 수 있다. 공중이 분명한 정치적 견해를 표명하기 어려운 상황에서 공중이 다른 사람들과 함께 감정을 표출하는 행동은 하나의 진정하고 중요한 진술로 해석된다. 감정주의의 공개적 표출은 소원하고 인위적인 정치세계와 대비되어 자주 호의적으로 인식된다.

놀랄 것도 없이, 감정적 연대 행위에 참여하는 것은 그 자체로 높이 평가된다. 애도 행위에의 참여는 공적으로 인가된 치료요법의 한 형태로, 그러한 관여는 그 자체로 착한 것으로 인식된다. 이탈리아 사회학자 알베르토 멜루치Alberto Melucci는 현대사회운동의 독특한 특징 중 하나는 사람들의 운동 참여가 더 이상 어떤 목적을 이루기 위한 하나의 수단이 아니라는 데 있다고 주장한다. 개인들은 "집합행위에의 참여가 자신들의 개인적 욕구에 하나의 직접적인 응답이 되지 않는 한, 그것을 아무런 가치도 지니지 않는 것으로 인식한다"(Melucci, 1989: 49). 개인들은 집합행위에 참여하여 자신들의 감정을 개인적으로 진술한다. 하지만 다른 사람들과 함께하는 감정적 행위 그 자체 속에서 개인들은 적어도 일시적으로나마 감정공동체의 일원이 된다.

1990년대에 유럽에서 최대 규모로 이루어진 몇몇 동원들은 이러한 '개인적 욕구' 표출 추세가 작동한 결과였다. 1997년 7월 ETA[바스크 지방의 분리독립을 주장하는 스페인의 과격파 민족주의 조직 _ 옮긴이]에 의해 살해된 미겔 앙헬 블랑코Miguel Angel Blanco를 애도하기 위한 대중시위는 이상한 감정 동학을 드러냈다. 때때로 군중은 마치 비극적인 어떤 일이 막 발생한 것처럼 강렬한 의식을 분출했다. 어떤 때에는 기대감이 ― 팝 페스티벌에서처럼 ― 흥분의 감정을 불러일으키는 데 일조했다. 시위 참가자들은 기자들에게 자신들이 왜 거기에 있었는지 확실하지 않았다고 말했고, 일부는 자신들이 희생자처럼 느껴졌음을 시사했다. 군중은 투항하는 포로들의 자세처럼 손을 머리 뒤로 올리는 제스처를 취함으로써 그러한 반응을 의식적으로 촉발했다.

그러나 감정정치의 의미를 가장 잘 보여준 것은 1966년 벨기에에서 있었던 백색행진White March이었다. 벨기에 역사상 최대 규모의 공중 연대를 보여준 백색행진과 그것에 뒤이은 백색운동White Movement은 감정정치의 힘을 분명하게 보여준다. 사악한 연쇄 살인범에게 살해된 아동 희생자와의 연대 행위로 시작되었던 일이 벨기에 정치체계 전체를 비난하는 것으로 전화되었다. 정치인들이 자신들의 권위의 일부를 상실했지만, 국왕 알베르King Albert는 힘을 획득했다. 그 이유는 무엇인가? 그것은 정치인들과는 달리 알베르가 텔레비전에서 그의 감정을 즉시 드러냈기 때문이었다. 그리고 여론조사를 근거로 하여 판단하면, 공중은 국왕이 그러한 인간적 약점을 드러낸 것에 대해 긍정적으로 반응했다.

감정정치의 잘 알려진 상징이 리본 달기이다. 그것이 시작된 때를 말하기란 어렵다. 노란 리본 달기가 처음으로 유행한 것은 1980년 테헤란에 미국 외교관 인질이 감금되어 있는 동안이었다. 사람들은 노란 리본을 달았고, 그리하여 그들 또한 경험의 일부가 될 수 있었다. 보다 최근에는 에이즈 희생자들에 공감하는 사람들이 빨간 리본을 달기 시작했다. 사담과 싸우기 위해 떠난 군인들의 행복을 비는 사람들이 다시 노란 리본을 달았다. 스페인에서는 7월에 ETA 반대 운동가들이 검은 리본을 달았고, 미국에서는 유방암 자선단체들이 핑크 리본을 배포했다. 루이즈 우드워드Louise Woodward — 미국 법원에 의해 자신이 돌보던 유아를 살해한 혐의로 기소된 영국인 보모 — 의 지지자들도 리본을 배포했다. 리본은 감정공동체 의식aware-ness을 상징한다. 리본 달기는 개인적으로 성명을 발표하는 것이다. "나는 알고 있다"와 "나는 공감한다"가 리본 달기와 연관된 핵심 감상이다.

치료요법 정치를 규정하는 특징 중의 하나가 그것이 정치적 비참여와 감정주의의 공개적 분출을 결합하고 있다는 것이다. 이 두 특징은 서로 역비례하는 것으로 보인다. 집합적 감정의 가장 의미 있는 공개적 표출 중의 일부가 정치과정에 대한 광범한 의심과 동시에 발생해왔다는 것은 지적할 만한 가치가 있다. 이를 잘 보여주는 실례가 벨기에이다. 벨기에 사회학자 마르크 후그Marc Hooghe에 따르면, 벨기에 국민들은 "애국심을 전혀 가지고 있지 않다." 그는 "정치체계에 대한 신뢰의 심각한 상실"이 왜 백색운동이 벨기에의 정치제도를 그토록 의구심을 가지고 바라보았는지를 설명해준 다고 생각한다. 브누아 리후스Benoit Rihoux와 스테판 발그레이브Stefaan Walgrave가 수행한, 백색행진의 참여자들에 대한 일련의 연구는 대중이 정당을 매우 불신하고 있다는 것을 보여준다. 분명 많은 벨기에인들은 스스로를 자신들의 정치체계의 참여자라기보다는 그것의 희생자로 간주했다.

권위에 대한 대중의 불신은 기존 권위를 비난하는 소문들이 널리 퍼져 있는 것에서 아주 잘 확인된다. 벨기에에는 끔찍한 범죄를 저지르는 사람들이 주요 공직자와 정치인들에 의해 보호되고 있다는 믿음이 널리 퍼져 있다. 수치스러운 알카세르Alcacer 사건 — 스페인에서 일어난 세 명의 십 대 여성 성폭행과 살인사건 — 에 대한 공중의 반응 역시 권위에 대한 깊은 불신을 드러냈다. 여론조사는 치안경비대Guardia Civil가 사건에 연루되어 있고 실제의 살인을 촬영하는 비디오를 찍기 위해 소녀들이 살해되었다는 견해가 널리 지지받고 있었다는 것을 보여주었다. 같은 맥락에서 영국 일각에서는 다이애나 왕세자비가 무슬림과 결혼하는 것을 막기 위해 공식 인가를 받은 암살자에 의해 살해되었다는 소문이 널리 퍼져 있었다.

그러한 불신과 관련한 소문이 초래하는 당연한 결과는 심한 소외감과 무력감이다. 감정정치의 아이콘이 희생자라는 것은 매우 지적할 만한 가치가 있다. 다이애나에 대한 공중의 슬픔은 그녀가 영국의 가장 잘 알려진 고통받는 사람으로 세간의 주목을 받았다는 사실에서 기인하는 것이었다. 벨기에에서 발생한 사건에 대한 공중의 반응도 유사했다. 조사들은 백색행진 참여자들이 거리를 장악한 것은 그들이 자신들을 희생자와 감정적으로 동일시했기 때문이었다는 것을 보여준다. 공중이 취약성 숭배의식에 참여하는 것은 그들이 고통의 경험을 공유하고 있음을 나타낸다. 공동의 유대를 이끄는 것은 고통의 유대이며, 리본을 단 모든 사람들은 동일한 공적 슬픔의 드라마에 참여하는 것일 수 있다. 감정의 집합적 표출을 통해 그게 아니었더라면 파편화되었을 사회가 일시적으로 통합의 순간을 획득한다.

그러나 감정정치가 단지 소외와 무력함만을 드러내는 것은 아니다. 감정정치는 또한 상당 정도 다양한 정치체계가 겪는 정당성의 문제를 보여주는 것이기도 하다. 집합적 반응이 드문 시대에 그러한 고통의 연대를 표출하는 것은 국가적 통합을 보여주는 둘도 없는 현상일 수도 있다. 그리고 정치인들과 미디어는 그러한 것들을 최대한 이용해왔다. 영국 사람들이 매우 파편화되어 있는 상황에서 그 애도 의례가 소속감을 창출하는 몇 안 되는 경험 중의 하나였다는 결론을 내리지 않기란 쉽지 않다. 1998년 7월에 있었던 거대한 반ETA 동원은 아마도 스페인에서 최근에 일어난 모든 사건들 중 가장 중요한 사건이었을 것이다. 짧은 집합적 연대 행위 동안에 카탈로니아, 유스카디, 안달루시아 등등 간의 지역적 차이가 일시적이나마

잊혔다.

벨기에에서는 백색행진을 국가적 신화로 전환시키고자 하는 분명한 시도가 있었다. 국왕 알베르는 텔레비전으로 방송된 자신의 크리스마스 메시지에서 그 경험을 벨기에가 좋은 사회라는 증거로 제시했다. 그는 행진이 불러일으킨 새로운 희망을 강조하고 "그것의 힘과 위엄이 전 세계에 감명을 주었던" 방식을 역설했다. 알베르는 "그것은 우리 모두에게 사회의 수많은 문제들에 대한 해결책을 찾는 책임을 떠맡을 것을 촉구한다"고 진술했다. 유사한 지적이 영국의 정치계급에 의해서도 반복되었다. 주요 정치인들은 다이애나의 죽음에 대한 공중의 반응을 지적하며, 거기에 영국의 참모습이 있다고 공언했다.

공개적 연대 표현은 매우 드문 일이기 때문에, 모든 사람들은 고통을 축으로 하여 구축된 공동체를 아주 면밀하게 고찰하는 일을 그리 마음 내켜 하지 않는다. 그러나 공통의 슬픔을 통해서만 연대를 경험할 수 있는 사회에는 뭔가 슬픈 일이 있기 마련이다. 정말로 비극적인 것은, 비판적인 관찰자들조차도 어떤 종류의 사회가 공중에게 공통의 감정적 반응을 불러일으키기 위해서는 비극적 죽음을 필요로 하는가라는 질문을 하기를 꺼려한다는 사실이다. 만약 공통의 반응을 겉으로 드러내게 하기 위해서는 엄청난 비극이 필요하다면, 그 사회는 연대의 정신이 매우 허약할 것이 틀림없다. 하지만 열정을 불러일으키는 것이 거의 없는 시기에, 감정주의가 갖는 동원 잠재력은 아주 독특해 보인다. 그것은 그게 아니었더라면 소원했을 공중을 하나로 묶어준다. 한 논평자는 "정치제도들이 앞으로 씨름해야 할 것은 자유민주주의가 모종의 정치적 감정 ─ 헌신을 뒷받침하고 집합적인 것을 위해 개인의 이익을 기꺼이 희생하게 하는 감정 ─ 을 불러일으키는 데 실패했다는 것"이라고 쓰고 있다.[12] 이것이 바로 모든 비극 또는 장례식이 공동체 의식을 재생시킬 수 있는 드문 기회의 하나로 인식되는 경향이 있는 이유이다. 영국 국교회는 공중이 다이애나에 대한 슬픔을 토로하는 것을 이용하여 교회 참석자 수를 증대시키고자 하는 포스터 캠페인을 계획했다. 그 포스터에는 다량의 조화와 귀여운 장난감, 그리고 손으로 쓴 메시지들이 그려져 있고, "이 모든 것이 당신으로 하여금 다시 생각하게 했다면, 이번 부활절 예배에 참석하라"라는 슬로건이 실려 있다. 이 캠페인의 조직자인 로버트 엘리스Robert Ellis 목사는 "최근에 우리는 슬픔의 집합적 토로를 목격해왔고" "우리는 그러한 감정을 이용하기를 원하고 또 이 캠페인을 통해 사람들이 다음 단계로 나아가기를 바란다"고 말했다.[13]

치료요법적 정치 스타일

관리주의적 양식의 정치는 유권자의 관심을 끌 수 있는 능력을 결여하고 있다. 정치인들은 계속해서 공중과 '재결합'할 방식을 찾고 있는 중이다. 영국에서 정치인들은 심지어 투표자, 특히 젊은이들과 결합하는 방식에 대한 조언을 듣기 위해 피터 바잘게트Peter Bazalgette — 성공한 리얼리티 텔레비전 프로그램 〈빅 브라더〉의 크리에이터 — 에게 의견을 구해왔다. 바잘게트는 젊은이들이 어떤 정치 후보자보다 〈빅 브라더〉의 경쟁자에게 투표할 가능성이 더 컸던 이유는 "그들이 그 프로그램에 감정적으로 사로잡혔기" 때문이라고 주장한다.[14] 정치계급에게 분명한 반향을 불러일으키고 있는 메시지가 바로 이것이다. 왜냐하면 정치인들 역시 그간 분명하게 공중의 감정을 지향해왔기 때문이다.

전문 정치인과 그들의 조언자들은 정치인이 자신의 유권자들로부터 고립되는 것에 매우 민감하다. 놀랄 것도 없이 그들은 자신들과 공중의 연계를 강화하는 새로운 방식을 계속해서 찾고 있다. 탈정치화 시대에 공중의 감정을 지향하는 것은 정치에 대한 국민들의 무관심을 해결하는 중요한 방법의 하나로 간주된다. 이것이 바로 정치인들이 자주 마치 자신들이 정치인이 아니라 아웃사이더, 즉 우리와 동일한 문제들을 가지고 있는 보통 사람인 것처럼 행동하는 경향이 있는 이유이다.

서구세계 도처에서 정치인들은 새로운 정당화 형태를 모색하기 시작했다. 그러한 탐색은 전통적 가치, 그리고 실제로 모든 공통의 신념 및 이데올로기와 스스로 거리를 두고 있는, 고도로 개인화된 유권자들을 향할 필요가 있다. 자아 문제에 대한 공중의 관심 증대는 치료요법적 감성이 사회 문제를 지각하는 방식에 영향을 미치게 하는 분위기를 만들어낸다. 그 결과 정치계급은 치료요법적 에토스에 초점을 맞출 수밖에 없게 되었다. 미국 사회학자 제임스 놀런은 대중을 동원하는 데 관심을 기울이는 미국 정치인들은 치료요법적 의식이 갖는 영향력을 이용하여 자신들의 영향력을 확대하고자 시도해왔다고 주장한다(Nolan, 1998: 45).

정치인들은 이러한 시대 분위기에 맞추어 치료요법적 정치 스타일을 채택해왔다. 정치인들은 자신들의 사적 감정을 드러내고 자신들의 개인적 문제와 기능장애를 공중에게 털어놓는다. 고백실 정치의 관점에서 볼 때, 가장 중요한 것은 당신이 어떤 입장에 있는가라기보다는 당신이 어떻게 느끼는가 하는 것이다. 웬디 카미너가 전하듯이, "대통령 후보들은 마치 국가가 하나의 커다란 후원단체이기라도 하듯이 자신들의 개인적 오디세이 이야기로 우리를 기쁘게 하고 있다." 카미너는 엘 고어와 빌 클린턴 모두가 자신들의 성장 이야기를 세상에 말하는 데 얼마나 전문적이었는지를 지적한다.[15] 정치인들은 점점 더 강력한 지도자의 이미지를 피하고 자신들의 약점을 떠벌린다. 노동당의 전 하원의장 진 코스톤Jean Corston은 하원의원들이 우울해지는 것을 막기 위한 카운슬링이 필요하다고 주장했다. 코스톤은 "나는 어떤 점에서도 낙인이 찍히지 않는, 그리고 신뢰할 수 있는 카운슬링을 제공할 경우 그것에 찬성할 수 있다고 생각한다"고 진술했다.[16] 도움을 구하는 행위는 낙인이 찍히기는커녕 용기 있는 행위로 제시된다.

정치인들은 자신의 약점을 공개적으로 인정함으로써 "당신처럼 나도 고통을 느낀다"라는 메시지를 전한다. 강력한 감정의 공개적 표출은 울음을 참는 행위를 통해 가장 잘 표현된다. 그러한 제스처는 진실하게 행동하는 진정한 사람이라는 이미지를 전달한다. 전 상원의원 밥 케리Bob Kerrey는 10여 명이 넘는 베트남 민간인을 살해하는 데서 자신이 비밀리에 수행했던 역할을 고백할 때, 목이 메었고 '울먹였다'. 2001년 4월에 케리는 "나는 매우 수치스러웠고, 죽고 싶었습니다"라고 말했다.[17] 다른 주요 인물들, 특히 스캔들을 통해 신뢰를 잃은 사람들에게 공개 고백은 자신이 한 짓에 대한 책임을 더는 데 기여한다. 그리고 치료요법을 시작하는 것은 정치적 미덕의 표현이다. 이것이 바로 1998년 섹스 스캔들 이후 사임한 노동당 하원의원 론 데이비스Ron Davies가 1999년 6월에 자신이 그의 '더 어두운 면'이라고 묘사한 것에 대한 정신과 치료과정을 시작했다고 공개적으로 언명한 이유이다. 그는 자신의 처지를 "문제가 많았고 폭력적이었고 감정적 기능장애를 겪은 어린 시절" 탓으로 돌렸다.[18]

이러한 정치 스타일은 클린턴 행정부에 의해 완성되었고, 신노동당에 의해 성공적으로 복사되었고, 점점 더 대륙에서 모방되었다. 놀런은 1992년 선거 동안에 클린턴이 사용한 치료요법 레토릭이 지배적 정치담론에서 일어난 주요한 변화를 특징짓는다고 주장한다. 당시에 클린턴 부부와 고어 부부 모두가 카운슬링을 받고 있다는 보도가 널리 퍼졌었다. 그리고 클린턴과 그의 러닝메이트 엘 고어는 자신들의 부부문제, 로저 클린턴의 약물 중독과 관련한 문제, 그리고 그의 의붓아버지의 알코올 중독에 관해 공개적으로 이야기했다. 1992년 이후 클린턴은 그의 감정과 그의 개인적 실패에 관한 이야기를 결코 중단하지 않았다. 그리고 클린턴이 세상 사람들에게 "나는 당신의 고통을 느낀다"고 말할 때, 그는 자신의 내적 취약점을 사람들이 볼 수 있게 세상에 노출시키고 있는 것이었다. 힐러리 클린턴은 배우자의 손상된 정신을 확인해주었고, 모니카 르윈스키Monica Lewinsky 사건 동안 남편을 '학대받은' 아이로 표현했다. 그녀는 "그가 학대로 인해 상처받았을 때 겨우 4살이어서 그것에서 벗어나거나 그것에 대해 생각할 수 없었다"고 진술했다.[19]

　놀런에 따르면, 1996년 공화당과 민주당의 전당대회는 치료요법 레토릭의 승리를 가장 분명하게 보여주는 것이었다. 샌디에이고에서 열린 공화당 대회에서 엘리자베스 돌Elizabeth Dole이 보여준 자신의 남편에 대한 감정적 찬사는 시카고에서 열린 민주당 대회에서 고어가 털어놓은, 여동생이 폐암으로 사망했다는 눈물 나게 하는 이야기를 능가하는 것이었다(Nolan, 1998: 275~276을 보라). 그 이후 고어의 아내 티퍼Tipper는 자신과 우울증의 싸움을 미국 공중과 공유했다. 그리고 엘리자베스 돌의 남편 밥Bob은 그의 발기부전을 미국 사회에 알리는 것이 중요하다고 생각했다. 한 논평자는 "이제 준비를 완전히 마친 밥 돌은 선거유세 중에 훌쩍이며 울었다"고 지적하고 난 후, "밥 돌이 캔자스에서 자신의 전쟁 경험이나 참혹한 어린 시절을 언급할 때 그는 목이 메였고 이는 청중에게 그가 실제로 그들과 같은 인간적인 사람 중의 한 명이라는 점을 재확인시켜주었다"고 덧붙였다.[20]

2000년 대통령 선거운동 동안에 두 경쟁자 ― 조지 W. 부시와 엘 고어 ― 는 짬을 내어 오프라 윈프리 쇼에 출연했다. 부시는 그 쇼에서 눈물을 흘림으로써 자신의 인간성을 입증했다. 한 기사에 따르면, "그의 아내 로라Laura가 쌍둥이를 가졌을 때 임신중독증에 걸렸던 것에 대해 이야기하면서 그의 두 눈이 젖었고 그 후 이어진 광고가 끝난 후에도 그의 눈은 눈물로 반짝였다."[21]

조지 W. 부시가 신임 미국 대통령으로서 취임선서를 할 때에도 그의 두 눈은 눈물로 채워졌고, 이는 감정주의 정치가 초당적 합의를 이루고 있음을 보여주는 것이었다. 9·11 비극 직후에 부시의 감정적 분노감은 공개적으로 노출되었다. 그는 그 공격이 있던 날 눈에 띌 정도로 분노로 몸을 떨었고, 다음 날에는 눈물을 보이지 않으려고 노력하는 듯이 보였다.[22]

블레어의 신노동당은 클린턴의 경험에 크게 의존해왔다. 1996년 노동당 대회는 치료요법 정치가 영국에서 최고 수준에 도달했다는 것을 보여주었다. 그 대회의 절정은 던블레인Dunblane을 근거지로 하여 총기소지에 반대하는 스노드롭 캠페인Snowdrop campaign을 주도하는 유명한 인물인 앤 피어스톤Ann Pearston이 행한 연설이었다. 피어스톤은 최근의 비극에 대한 기억을 환기시키면서 회의를 침묵에 빠지게 하는 데 성공했다. 피어스톤이 그 비극의 세부내용을 자세하게 이야기했을 때, 대의원들은 드러내놓고 눈물을 흘렸다. 그녀의 연설은 열렬한 기립박수로 이어졌다. 그리고 토니 블레어는 던블레인의 희생자들을 애도하는 묵념을 1분 동안 하고 회의를 이끌었다. 그것은 최고의 정치 공연장이었다. 신중하게 조율된 피어스톤의 연설은 신노동당의 공보비서관이 끈기를 가지고 연습시킨 것이었다. 그것은 정치적 감정주의의 힘을 입증했다. 실제로 그것이 회의에서 유일하게 기억할 만한 순간이었다. 토리당원들이 그들의 회의에서 연설하겠다는 피어스톤의 제안을 정중하게 거절했다는 것은 상기할 만한 가치가 있다. 감정 정치를 하는 데에서의 그들의 기량 부족은 이어진 선거에서 그들의 패배와 현재 그들의 정치적 야인생활을 부분적으로 설명해줄 수도 있다.

신노동당에게 1997년 선거에서 승리를 할 수 있게 해준 1년 동안, 당이 감정주의 정치를 선택해왔음을 보여주는 흔적들이 뚜렷하게 남아 있다. 노동당의 주요 공보비서관 중의 한 명인 조이 존슨Joy Johnson은 자신이 "말할 거리가 되는 감정적 이야기를 가진 '실제 인물'을 찾는" 일을 주 업무로 하는 자리에서 일하고 싶지 않다는 점을 이유로 들어 그 자리를 사임했다.[23] 1996년 10월에 개최된 당대회에서 블레어가 연설하는 동안에 자신의 73세 된 아버지 레오Leo에 대해 즉석에서 감정적 찬사를 표했을 때, 그는 그녀가 말하고자 했던 것을 입증했다. 블레어는 또한 뛰어난 노동조합 지도자 샘 머클러스키Sam McCluskie의 장례식을 상기시켰다. 블레어는 머클러스키의 가족 중 한 명이 그에게 머클러스키가 소장한 길고 가느다란 붉은 리본 조각 ― 한 노동당 지도자가 여전히 소중하게 간직했던 유품 ― 을 주었다고 말했다. 그러한 눈물 어린 감정 증명은 치료요법 정치라는 새로운 스타일을 상징한다. 역사적으로 중요한 주요 사건들에 대해 논평할 때조차 블레어는 감정을 과장해서 표현하려는 유혹에 저항하지 못한다. 그는 북아일랜드 협정에 서명하기 직전에, 다시 말해 "그러나 당신도 알다시피 역사의 시곗바늘이 실제로 우리의 어깨 위에 있으며 나는 실제로 그렇게 할 것이다"라고 덧붙이기 전에, "이것은 사운드 바이트를 위한 시간이 아니다"라고 말했다.

치료요법 정치는 정책과 원칙의 문제를 피하고 감정의 영역 속에서 그렇지 않으면 소원해질 유권자와 접촉할 수 있는 지점을 만들어내고자 시도한다. 영국에서 이러한 기술의 유능한 전문가가 북아일랜드 국무장관 모 몰럼Mo Mowlam이었다. 몰럼은 보통 사람의 면모를 풍길 뿐만 아니라 카메라 앞에서 일반인들을 일상적으로 껴안는 등 매우 따뜻한 인물인 척했다. 그녀가 심각한 질병과 공개적으로 벌이는 싸움은 그녀가 고통과 괴로움을 잘 아는 사람이라는 것을 입증했다. 그녀는 자신이 '문제 가정dysfunctional family'이라고 묘사한, 알코올 중독 아버지와 함께한 어린 시절을 헤쳐 나왔다. 이러한 조건을 감안할 때, 그녀가 최근까지 신노동당 정부의 가장 인기 있는 성원이었다는 것은 놀랄 일이 아니다. 중요한 것은 생각의 질, 전략적 사고 또는 지도력보다는 실제적이고 따뜻하고 감정적임을 보여주는 공개적 제스처이다. 이러한 제스처들에 대한 강조는 따뜻한 몰럼과 그녀의 쌀쌀한 선임자를 대비시키는 보도 속에서 분명하게 드러난다.

몰럼 박사는 …… 불과 2년 5개월 전에 북아일랜드의 장관직을 수행하기 시작했다. 그녀는 1997년 5월 어느 날 아침 벨파스트Belfast[북아일랜드의 수도 _ 옮긴이]로 진출했다. 그리고 그 후 정치는 달라졌다. 그날 그녀는 벨파스트 도심을 따라 걸어가면서 반갑게 인사하고 여기서 잡담하고 저기서 꼭 껴안고 누군가의 사과를 한 입 베어 물고 키스 세례를 퍼부었다. 그녀의 선임자 패트릭 메이휴Patrick Mayhew 경의 귀족적 쌀쌀함 후에 나온 이러한 행동은 참신하고 거의 충격적이었다. 한 가톨릭 신자는 그녀에게 이렇게 말했다.

"잘했어요, 모. 나는 당신이 정치인들을 좀 바꿔주길 바래요." 실제로는 그것이 그녀의 목적의 일부였다. 그녀가 격식 없이 행동하고 야한 농담하기를 좋아하고 사투리를 과도하게 사용함에도 불구하고, 민족주의자들은 일반적으로 그녀에게 호의적이었다. 하지만 예의범절을 훨씬 더 따지는 통일당원들은 자주 그녀에게서 한 가지 불리한 성격을 찾아냈다. 일부 사람들은 그녀가 "품위가 없다"고 불평했다.[24]

공중과의 감정적 유대를 만들어내는 능력은 치료요법 정치의 주요한 덕목이 되었다. 이것이 바로 정치적 야망을 가진 사람들이 치료요법적 스타일을 계발할 필요가 있는 이유이다.

치료요법적 스타일의 정치는 공적 인물들에게 자신들의 퍼스낼리티 특질들을 이용할 것을 요구한다. 항시적으로 요구되는 감정적 반응은 정치인들에게 프라이버시의 여지가 거의 없다는 것을 의미한다. 미디어는 정치인들이 그들의 개인적 자아를 드러낼 것을 부추긴다. 그들은 다가가기 쉽고 유머 있고 아주 인간적이라는 인상을 풍길 때 보상받는다. 놀랄 것도 없이 공보비서관은 어떻게 말하는가가 무엇을 말하는가와 마찬가지로 중요하고 강력할 수 있다는 것을 깨달아왔다(Altheide, 2002: 108를 보라).

감정주의의 정치적 관용구는 특히 감정과 분위기에 대한 개인적 진술을 통해 표현된다. 놀런은 클린턴 대통령이 자신의 행위와 정책을 정당화하기 위해 "나는 …… 에 대해 좋게 느낀다"라는 표현을 주기적으로 사용하는 방식에 대해 지적한다(Nolan, 1998: 237). 이처럼 레토릭이 '옳은' 것을 옹호하는 것에서 사람들이 좋게 느끼는 것을 인정하는 쪽으로 옮겨간 것은 감정주의가 정치적 의사결정에 편입되었다는 것을 의미한다. 유사한 전환이 영국의 정치무대에서도 분명하게 드러난다. 영국에서 블레어 정권은 감정정치에 몰두해왔다. "1997년 11월에 에클레스톤 사건Ecclestone affair ─ 신노동당 스캔들의 하나 ─ 과 관련한" 부적절한 행동으로 비난받고 있을 때, "블레어는 그가 상처받고 기분이 상했다는 점을 인정했다." 블레어는 자주 자신이 불행을 당한 공중의 고통을 느낀다거나 그들이 마주친 문제들을 이해한다고 주장한다.

치료요법적 정치 스타일의 부상은 공인들이 점점 더 그들의 감정 스킬emotional skill과 관련하여 평가되고 있다는 것을 의미한다. 커뮤니케이션 컨설턴트인 프레이저 시텔Fraser Seitel에 따르면, 전 뉴욕시장 루디 줄리아니Rudy Giuliani가 9·11 직후 동안에 하나의 유력한 지도자였던 까닭은 그의 커뮤니케이션 스킬 덕분이었다. 시텔은 "루디 줄리아니는 냉철했지만, 감정을 표현하는 데에는 아무런 문제가 없었다"고 썼다. 줄리아니가 죽은 친구들에게 "말을 더듬으며 가슴이 미어질 듯한" 사의를 표명한 것은 부시 대통령과 대비되어 호의적으로 받아들여졌다. 부시는 "참화에 직면하여 처음에는 경직되고 격식적"이었다. 하지만 시텔은 부시가 며칠 후에, "특히 그가 대통령 집무실에서 있은 즉석 기자회견에서 잠깐 감정을 억누르지 못했을 때" 그가 "훨씬 더 인간적임"을 보여주었다는 점을 들어 그를 칭찬한다.[25] 영국에서도 역시 정치인들은 그들의 감정 스킬에 입각하여 등급이 매겨진다. 아일랜드 평화협상 과정 이후로 민족주의 지도자들은 치료요법적 스타일을 채택하는 것을 칭찬해왔다. 신페인당Sinn Fein[북아일랜드와 아일랜드공화국의 통합을 원하는 아일랜드 정당 _ 옮긴이] 지도자 게리 애덤스Gerry Adams는 공화주의운동이 유발한 고통과 상처에 대해 반복해서 사과해왔지만, 다른 사람들은 민족주의 공동체 역시 고통을 받아왔음을 끊임없이 상기시킨다. 애덤스는 빌 클린턴의 선거 슬로건 "나는 당신의 고통을 느낀다"를 그대로 차용했다. 치료요법학의 채택에 저항할 것을 주장하는 통일당 정치인들은 영국의 문화 엘리트의 반대에 직면한다. 얼스터 통일당 Ulster Unionists의 지도자 데이비드 트림블David Trimble은 '개인적 변화'의 담론과 '감정'을 피하는 수수께끼 같은 인물로 묘사되어왔다.[26]

치료요법 정치의 제도화

오늘날의 분위기에서 개인적 치료요법 관행과 사회의 '힐링'에 요구되는 수단은 구별되지 않는 것으로 보인다. 블레어나 클린턴이 "나는 당신의 고통을 느낀다"고 말할 때, 그들은 정치인-치료요법사의 역할을 취함으로써 공감을 표하고 있는 중이다. 공적 제도들 또한 감정 관리를 위해 그러한 방침을 채택해왔다.

감정 관리와 개인적 관계의 관리는 국가기관의 핵심적 관심사가 되었다. 로즈는 "시민들의 개인적·주관적 능력이 공적 권력의 범위와 열망에 편입되어왔다"고 지적했다. 영국인의 내적 삶은 "이제 국가의 상황에 대한 정치세력들의 계산 속으로, 그리고 우선순위와 정책과 관련하여 나라가 직면한 문제들 속으로 들어와 있다(Rose, 1990: 1~2). 1980년대 이래로 공공기관이 치료요법의 목적과 관행을 받아들이는 속도는 급속히 가속화되어왔다. 현재의 신노동당 정부는 이러한 접근방식의 강력하고 의식적인 주창자이다. 아마르 아르나슨Amar Arnason이 지적하듯이, "카운슬링이 사용하는 것과 유사한 기술들이 현재 영국 정부가 국민들을 지배하는 방식에서 중요한 부분이 되었다." 아르나슨은 여론을 측정하기 위해 고안된 포커스 그룹과 여타 수단들에 정부가 집착하는 것은 "국민들의 주관성에 제약 없이 접근할 수 있는" 수단을 탐색하기 위함이라고 믿는다(Arnason, 2000: 194).

영국 국가의 핵심 기관들은 감정주의 이데올로기를 내면화하기 시작했다. 1999년 8월에 공무원 대학Civil Service College은 상급 공무원들이 자신들의 정치적 고용주와 관계 맺는 능력을 향상시키도록 하기 위해 감정지능 교육과정을 개설한다고 발표했다. 이 새로운 교육과정을 책임질 튜터 로이 하우얼스Roy Howells는 그 프로그램이 공무원들이 '소프트 스킬soft skill'을 발휘할 수 있게 하기 위해 설계되었다고 말했다. 빠른 승진 트랙을 추구하는 공무원들은 "자신들의 감정적 측면을 발전시키고 마초적 자세를 그만두라"는 권고를 받게 될 것이다.[27] 유사한 강좌가 다양한 공직에 있는 사람들을 대상으로 개설되어왔다.

신노동당 정책 중 많은 것이 국민의 감정을 표적으로 하고 있고, 그 프로그램의 일부로 카운슬링과 치료요법을 제공한다. 이러한 접근방식은 그간 교육정책 분야에서도 그 중요성을 인정받아왔다. 이제 학생들의 사회화도 감정훈련의 형태를 취하는 경향이 있음이 분명하게 드러나고 있다. '학교에서의 시민교육과 민주주의 수업'에 관한 영국 정부의 한 자문단이 자존감을 중요한 핵심적 스킬 중 하나로 간주하고 있다는 것은 지적할 만한 가치가 있다.[28] '섹스와 관계' 교육에 관한 교육부의 지침서는 학교에 학생들의 자존감을 고취하는 임무를 수행할 것을 지시하고 있다. 학교는 젊은이들에게 "자신과 다른 사람들을 평가하는 데서 확신과 자존감"을 갖도록 교육시킬 것을 권고받는다. 유사한 접근방식이 스코틀랜드 행정부의 교육학 관점에도 영향을 미치고 있다. 스코틀랜드의 국가 가이드라인은 학생들이 자존감을 결여하고 있을 경우 "학교수업을 통해 실력을 향상시킬 가능성이 별로 없다"고 주장한다. 따라서 스코틀랜드 학교는 아이들의 감정 스킬을 발전시키기 위한 특별한 집중 프로그램을 제공한다. 가장 널리 사용되는 기법이 "학생들이 동그랗게 둘러 앉아 어떤 특별한 문제에 대해 자기들이 느낀 어떤 것을 이야기하는" '모임활동시간'circle time이다. 그들은 "내가 행복하다고 느낄 때는" 또는 "내가 슬프다고 느낄 때는"으로 시작하는 문장을 완성할 것을 요구받기도 한다. 이 기법은 자주 감정지능의 목적, "즉 자기 자신의 감정을 이해하고 관리하는 능력"을 실현하는 것과 연계지어진다.[29]

국가 커리큘럼 내에서 감정교육의 발전은 아직 초기 단계에 있지만 일부 지역 기관들은 이미 의식적으로 치료요법적 접근방식을 채택해왔다. 1998년에 사우햄프턴 교육청은 감정지능에 '일반' 교양과 동일한 수준의 중요성을 할당하기로 결정했다. 사우햄프턴 교사들은 학생들이 감정교양을 계발하는 데 도움을 줄 수 있도록 학생들의 감정을 이해하기 위하여 "시간을 가지고 그들을 응시할" 것을 권고받는다.[30] 다양한 정부지원 시범사업들은 치료요법적 기법들이 교육도구로 효과적으로 사용될 수 있는지를 평가하는 것을 목적으로 했다. 런던 동부의 4개 중등학교와 2개 초등학교를 비롯한 여러 학교에서 시행되고 있는 한 프로젝트는 그것 자체를 "심리치료 기법들이 교실에서 아이들이 더 잘 공부하는 데 도움을 줄 수 있는지를 파악하는 하나의 실험"으로 제시한다. 이 프로젝트의 첫 단계는 각 학교에서 '감정교양 검사'를 실시하는 것을 포함하고 있다. 일단 문제영역을 확인하면, 행동계획을 수립하여 화 관리방안과 중재회의와 같은 계획안을 제출하게 된다.[31] 램버스Lambeth에서 실시된 '부모의 자녀교육 지원'이라는 이름의 또 다른 프로젝트는 아동정신과 의사 스티븐 스콧Stephen Scott에 의해 진행되었다. 이 3년 프로젝트는 어린아이들에게 자존감을 길러줌으로써 좋은 출발을 하게 하는 것을 목적으로 한다. 이 프로젝트의 목적은 또한 어린아이들의 부모에게 육아법을 가르치기 위해 그들이 치료요법에 참여하게 하는 것을 포함하고 있다.[32]

치료요법은 신노동당의 실업자 정책에서도 한 가지 중요한 역할을 맡았다. 실업자들을 대상으로 한 카운슬링이 비록 마음에 내키지 않는 비체계적인 방식으로이기는 하지만 대처시대 동안에 실시되었다. 1997년 블레어 정부를 수립시킨 선거 이래로 이 접근방식은 복지정책의 핵심적 구성요소의 하나가 되었다. 정부의 복지국가 현대화 프로젝트를 지원하기 위해 설계된 게이트웨이 프로그램Gateway programme은 가이던스와 카운슬링을 제공한다. 1998년 9월에는 사회보장성 공무원들의 역할이 공무원 역할에서 카운슬러 역할로 전환될 것으로 예측된다는 보도가 있었다. 이러한 진전 과정을 분석한 한 기사는 "공무원을 서류에 결박되어 있는 행정가에서 피와 살이 있는 카운슬러로 전환시키는 능력이 뉴딜의 가장 결정적 측면들 중 하나"라고 주장했다.[33]

정부는 노숙인 문제를 다루는 데서도 치료요법 기법을 이용할 것을 장려해왔다. 정부의 '거리노숙인과Rough Sleepers Unit'는 노숙인을 정신건강 서비스를 필요로 하는 취약한 사람들로 규정하는 견해를 채택해왔다. 스코틀랜드에서 에든버러 시의회는 노숙여성들에게 스트레스 방지를 위해 방향요법과 향수오일 사용법 강좌를 제공하는 정책을 채택해왔다.[34] 지방 당국들도 치료요법의 힘에 강한 믿음을 가지고 있는 것으로 보인다. 2001년 8월에 시의회는 에든버러 거리에서 혹사당하는 주차단속원들을 위해 그들

에게 드럼치기를 이용하는 샤먼적 묵상을 포함한 스트레스 관리 모임을
열어주기로 결정했다.[35]

양육관행을 변화시키고 반사회적 행동을 억제하기 위해 가족생활에 치
료요법적으로 개입하는 것은 신노동당 사회정책을 규정하는 특징들 중의
하나가 되었다. 치료요법 전문가가 대인관계를 관리하게 하는 것이 가족
생활과 관련한 문제에 대한 정부의 해법인 것으로 보인다. 실제로 많은 공
인이 실제로 시민을 환자로 변형시킬 수도 있는 정책을 추진하는 것에 대
해 여전히 주저한다. 영국 정부의 자문위원회 문건 『가족지원Supporting
Families』은 "정부는 우리의 가장 사사로운 관계에 영향을 미치는 정책을 입
안하는 데 매우 신중을 기해야만 한다"고 경고한다.[36] 『가족지원』은 돌봄
의 수행과 관련한 그것의 레토릭에도 불구하고, 가족생활의 사사로운 측면
에 직접적으로 영향을 미치는 영역에까지 침투한다. 그 문건은 정부가 왜
사람들의 결혼 준비를 돕는 프로그램을 제안하고자 하는지를 간략히 소개
하고, 가족관계를 체계적으로 관리하기 위한 기반을 마련한다.[37] 이 접근
방식의 핵심 목적 중의 하나는 부모를 치료요법 전문가의 고객으로 변형
시키는 것이다. 전 내무성 장관 잭 스트로Jack Straw는 "조언과 도움 구하기
가 양육 실패로 인식되는 것이 아니라 아이를 걱정하는 책임 있는 부모들
의 행위로 인식"되도록 양육 문화가 바뀔 필요가 있다고 진술했다.[38]

실패한 부모는 '양육명령' ― 아이들을 학교에 보내는 데 실패한 엄마와 아
빠를 다루기 위해 블레어 정부가 규정한 새로운 계획 ― 의 대상이다. 양육명
령이 핵심적으로 요구하는 사항은 법원이 명시한 "카운슬링이나 지도모임
에 부모가 참석하는" 것이다.[39] 이러한 접근방식은 반사회적 가족을 다루
는 치료모델을 실험해온 다수의 지역 시범사업들에 의해 예기되어왔다.

이를테면 1996년에 시작된 던디 가족 프로젝트Dundee Family Project는 지역 공공기관 주택단지의 반사회적 거주자들을 그들에게 가족 치료요법을 제공하는 방식을 통해 다루고자 했다. 영구 퇴거를 피하게 하기 위해 문제의 가족들은 주거단지로 보내지고, 그들은 그곳에서 평균 9개월을 산다. 이들 가족은 매일 3회 시찰을 포함하여 "개인적으로 견디기 힘든 감독체제"에 동의해야만 한다. 이들 가족은 거주기간 동안 가정관리와 화 관리, 중독 카운슬링, 부모/자녀 치료요법에 관한 교육과정을 제공받는다.[40]

치료 모델의 적용은 영국 형사사법제도에도 아주 깊이 확립되어 있다. 특정 유형의 범죄자, 이를테면 성 범죄자에 대한 치료 프로그램은 이전에도 한동안 시행되었다. 1991년에 시작한 성 범죄자 치료 프로그램은 성 범죄자들이 자신이 변화할 필요가 있음을 공개적으로 인정하게 하는 것에 기초한다. 그러한 범죄자들은 82시간의 치료요법 수업을 제공받으며, 그 강의에서 치료요법사들은 인지-행동 접근방식을 사용한다.[41] 최근에 치료 접근방식이 확대되어왔으며, 그것은 이제 내무성의 '상처 없는 처벌' 정책을 고안하기 위한 계획에서 중요한 역할을 맡고 있다. 전 내무성 장관 스트로가 명시적으로 밝힌 목적은 더 많은 범죄자들이 감옥을 떠나 전자 감시를 받게 하는 것이었다. 그러한 범죄자들은 또한 화 관리, 약물 및 알코올 중독 또는 섹스 치료요법 강의에 출석할 것을 강요받게 될 것이다.[42] 이러한 계획들은 미국의 정책혁신에 크게 의지하고 있다. 형사사법제도에서 미국의 약물법원운동은 치료요법 에토스 제도화의 전형적인 사례이다 (Nolan, 2001을 보라).

북아일랜드는 치료요법 정치 제도화의 중요한 시험장 중의 하나이다. 평화협상 과정 내내 영국 정부는 아일랜드 전쟁 희생자들과 접촉할 수 있는 지점을 확보함으로써 자신의 계획에 정당성을 부여하고자 했다. 1997년 11월 정부는 희생자위원회를 설립했고, 그 위원회는 1998년 4월 굿 프라이데이 협정Good Friday Agreement 직후에 보고서를 출간했다. 북아일랜드 희생자위원회 위원 케네스 블룸필드Kenneth Bloomfield 경이 쓴 「우리는 그들을 기억할 것이다」라는 제목의 보고서는 전적으로 치료요법 에토스에 의해 영감을 받은 것이다. 그 보고서는 희생자들의 '대변자'와 지원단체들을 위한 부서의 설립, 더 많은 조언과 카운슬링, 고통과 트라우마에 대한 더 높은 우선순위 부여를 제안했다. 북아일랜드 국무성 장관은 정부는 '희생자 장관'을 지명할 것이고 그가 그 자리에서 "듣고 이해할 것"이라고 신속하게 공표했다. 새로 지명된 '희생자 장관' 애덤 잉그럼Adam Ingram이 발표한 첫 번째 계획들 중의 하나가 그 사건으로 피해 입은 젊은이와 가족들을 위해 벨파스트에 트라우마 병동을 건립하는 데 70만 파운드를 할당하는 것이었다.[43] 그러자 토니 블레어는 "포괄적이고 효과적인 카운슬링 계획"을 보증하기 위해 수백만 파운드를 보조하겠다고 발표했다.

감정의 정치화는 현대 정치적 삶에서 하나의 중요한 모티브로 부상해왔다. 세상 사람들의 감정에 침입하는 일은 현재 발전 중에 있는 치료요법적 거버넌스 체계하에서 제도화되어왔다. 이러한 추세에 대한 반대는 거의 찾아볼 수 없다. 그리고 정부체계가 국민들에게 어떻게 느껴야 하는지를 말해주는 것을 업무로 할 때 그것에 잠재하는 권위주의적 함의에 대해서도 거의 관심이 없다. 탈정치화된 환경에서 국민의 감정에 대한 관심은 빈번히 발전된 사고방식을 보여주는 것으로 인식된다. 우리는 다음 장에서는 이러한 사태 전개가 국민들의 사생활에 대해 갖는 함의를 탐구할 것이다.

제3장

프라이버시와 비공식적 관계 겨냥하기

사적인 또는 자기충족적인 감정 스타일은 감정주의의 공개적 표현 그 자체를 찬양하는 문화에서는 그리 관심을 끌지 못할 것 같다. 그러나 치료요법 문화는 자기충족적인 감정 스타일에 불편해할 뿐만 아니라 공중의 시선 밖에서 표현되는 감정들을 심히 의심스러워한다. 감정의 공개적인 표현이 누리는 정당성은 좀처럼 사적 영역에서 개인적으로 이루어지는 감정 관리로까지 확장되지 않는다. 치료요법 문화가 자조 이데올로기를 조장하기는 하지만, 그것은 다양한 자기충족적인 감정의 관리에는 별 관심이 없다. 자조는 항상 도움과 지원을 구함으로써 스스로를 돕는다는 관념이 되고 만다. 감정의 개인적 관리에 반대하는 강한 기류는 사적 행동에 대해 의구심을 조장하는 문화적 분위기에 의해 뒷받침되고 있다. 감정이 하나의 문제가 된 까닭은 그것이 주로 사적 영역에서 일어나는 일이기 때문이다.

현재 감정을 공적으로 감시하라는 강한 압력이 일고 있다. 가족 내에서, 그리고 일상의 대인관계 과정에서 개인들이 체계적으로 감정적 손상을 입고 있다는 믿음이 오늘날의 치료요법적 상상력을 지배하고 있다. 그 결과 치료요법 문화는 사적 영역에 대해 강한 우려감을 드러낸다. 때때로 이러한 우려는 사생활이라는 비공식 세계에 대한 적대감으로 전환한다.

사생활에 숨어 있는 추악한 비밀들

사생활에 부정적 신호를 보내는 치료요법 문화의 감성은 언뜻 보기에도 당혹스럽다. 현대 치료요법학은 자아에 초점을 맞추고, 자주 개인적인 자기발견이라는 관념을 전파한다. 게다가 치료요법은 스스로 자신이 공적인 감시와는 별개로 사적인 업무를 수행한다고 밝힌다. 하지만 치료요법 문화는 매우 공적이고, 때때로 자신들의 개인적 감정들을 그저 개인적 감정으로 간직하고 싶어 하는 사람들을 그냥 놔두질 못한다. 이미 지적했듯이, 치료요법에서 금욕주의라는 고전적 덕목은 자주 자기치유, 자기발견의 장애물로 치부된다. 감정의 공개적 표현을 통해 자아를 확인하고자 하는 입장에서는 사생활과 친밀성은 거의 가치를 지니지 못한다. 그 결과 자기억제 프로젝트는 빈번히 웃음거리와 경멸의 대상이 되고 만다. 자기통제 노력은 점점 다양한 병리들을 은폐하려는 눈속임 시도라는 비웃음을 산다.

프라이버시 보호를 해체하는 것은 개인들로 하여금 자기통제라는 '망상'에 맞서게 하는 방법 중의 하나이다. 미디어는 프라이버시를 깨야 하는 하나의 상태로 간주하고, 그러한 일을 하나의 오락 형식으로 전환시켰다. 수

많은 사람들이 〈빅 브라더〉나 〈생존자Survivor〉를 보는 까닭은 그들이 TV 속에서 경쟁자들의 내밀한 개인적인 세세한 이야기에 빨려들기 때문이다. 영국에서는 2002년 9월에 1200만 명이 넘는 시청자들이 서바이벌 쇼, 〈나는 유명인사다, 나를 제거하라I'm a Celebrity, Get Me out of Here〉의 마지막 회를 시청했다. 리얼리티 텔레비전은 경쟁자들에게 계속해서 그들의 감정을 시청자에게 노출하도록 부추긴다. 매우 과장해서 감정을 표현하고 그들의 내밀한 개인적 문제들을 세세하게 이야기하는 경쟁자들은 관례적으로 '용감하고' '솔직하고' '강한' 사람으로 칭찬받는다. 항상 전문 카운슬러와 치료요법사들이 곁에서 그들이 드러내는 감정의 의미를 보다 광범한 공중에게 해석해준다.

외견상 프라이버시의 권리는 여전히 하나의 소중한 문화적 규범으로 견지된다. 그러나 치료요법 문화의 가치체계에는 프라이버시 권리에 대한 불만이 내재되어 있다. 치료요법 문화는 사적 영역을 바라보는 태도를 변화시키는 환경을 지속적으로 만들어낸다. 공인들의 사생활 침해가 하나의 용인되는 삶의 현실이 되어온 방식은 이러한 사태의 진전을 아주 잘 보여준다. 그러한 진전은 클린턴 대통령의 임기 동안에 제도화되었다. 그가 당선된 순간부터 그의 사생활의 모든 측면은 미디어의 정밀조사의 대상이 되었다. 그의 골프 게임이 자세히 조사되었고, 그의 식습관이 놀림감이 되었고, 공중은 그의 페니스에 '독특한 특징들'이 있다는 것까지를 알게 되었다. 그와 모니카 르윈스키의 정사에 관한 조사가 진행되는 동안에, 그의 성적 탈선에 관한 특별 검사의 453쪽짜리 보고서가 인터넷에 올라왔다. 클린턴의 개인적 삶에 대한 전 세계적 폭로는 프라이버시 침해의 극단적 표현 형태였지만, 그것은 또한 사회의 모든 사람에게 영향을 미치는 하나의 추세를 상징적으로 보여주는 것이기도 했다.

치료요법 에토스에 집착하는 사회들에서 공인들이 어떻게 느끼는가는 하나의 중요한 질문이 되었다. 공인들의 감정적 지향이 라디오와 텔레비전을 통해 사건을 규정한다. 데이비스 알데이드Davis Altheide는 미국의 미디어 뉴스들에 대한 흥미로운 연구에서 "꽉 찬 카메라 화상이 흐느껴 우는 것을 잡아내고 뺨을 타고 흘러내리는 눈물을 포착하고 인터뷰 대상자의 눈을 응시할 때, 그것들은 점차 그 메시지의 중요한 특징이 되고, 어떤 경우에는 그 보도의 가장 중요한 부분이 된다"고 쓰고 있다(Altheide, 2002: 108). 공인들의 감정에 대한 이러한 집착은 그들의 개인적인 삶에 대해 보다 모욕적인 질문들을 던지는 것으로 치달아왔다.

이러한 사생활 침해적 감상은 대중문화를 통해 활발하게 소통된다. 전기 작가와 영화감독들이 취하고 있는 새로운 종류의 '비밀의 삶' 접근방식은 자신들이 그들의 표적의 사생활의 모든 세세한 점들을 조사할 권리를 가지고 있다는 전제에 기초해 있다. 몇몇 경우에 전기 작가들은 그들이 대상으로 삼은 고인의 삶을 재구성하기 위해 의료기록과 정신과 의사들의 메모와 테이프를 사용해왔다. 시인 앤 섹스턴Anne Sexton의 전기 작가에게 자신의 메모들을 넘겨준 정신과 의사는 다음과 같이 주장했다. "다른 사람들을 위해 그녀의 가장 내밀한 생각과 느낌들을 공유하는 것은 그녀의 분명한 목적과 욕망이었을 뿐만 아니라 그녀가 사는 목적이었다." 그는 "프라이버시는 그녀에게 전혀 관심사가 아니었다"고 덧붙였다.[1] 자신이 한 차례 겪은 우울증을 자세히 이야기함으로써 문학적 명성을 얻은 엘리자베스 워첼에게 프라이버시는 거의 관심사가 아니었다. 워첼은 "우리가 그렇게도 필사적으로 보호하는 프라이버시는 또한 우리가 그렇게도 몹시 벗어나

길 원하는 혼자임"을 의미하기 때문에 우리는 고백실을 만들 필요가 있다는 견해를 취한다.[2] 어떤 다른 사람들의 내적 삶을 마치 자신의 일처럼 다룰 도덕적 권위를 가지고 있다고 믿는 전기 작가들에게 누군가의 프라이버시는 그렇게 중요한 것이 아니다.

꼭 10년 전에 미국 비평가 조이스 캐럴 오츠Joyce Carole Oates는 프로이트의 표현을 빌려 이 새로운 저술 장르를 '병력전기pathography'라고 불렀다. 오츠는 병력전기 작가들은 "기능장애와 참사, 질병과 숨어 있는 위험, 실패한 결혼과 실패한 경력, 알코올 중독과 쇠약, 그리고 포악한 행동"에 초점을 맞춘다고 지적했다. 오츠가 던진 한 가지 질문은 이 장르가 어떻게 나타났는가 하는 것이었다. 그녀는 노골적인 악의가 때때로 주요 동기였지만, 또 다른 영향들이 작동하고 있음이 틀림없다고 지적했다.[3] 아마도 1990년대에 병력전기가 등장한 것을 설명해주는 가장 중요한 사태는 신성한 사적 영역이라는 관념에 대한 불신이었을 것이다. 한때 덕행의 장소로 추켜세워지던 사생활은 이제 억압, 가정폭력, 유독한 관계들과 더 연관지어질 가능성이 크다.

감정적 취약성에 그토록 많은 프리미엄을 부여하는 문화에는 영웅에 대한 주장이 자리할 여지가 거의 없다. 예외적인 위업과 용감한 행동들은 더 이상 개인들이 영웅 칭호를 얻기에 충분하지 않다. 거기에는 영웅적 행위에 관한 주장을 심리학적 정밀조사의 대상으로 삼고자 하는 파괴적인 문화적 충동이 존재한다. 역사적 인물과 주요한 저명인사들의 사생활에 대한 집착이 현대문학과 대중문화에 널리 퍼져 있다. 사생활에 대한 관심 집중은 실제로는 유명인들이 다른 모든 사람들보다 더 낫지 않고 어쩌면 더 나쁠 수도 있다는 것을 보여주려는 욕망을 그 동기로 하고 있다. 이러한 경향은 전기 쓰기라는 문학 장르에서 특히 분명하게 드러난다. 과거에 전기가 그 대상의 위업을 무비판적으로 찬양하는 경향이 있었다면, 오늘날은 그 목적이 주인공의 명성을 무조건 훼손하고자 하는 데 있는 것처럼 보인다. 사람들의 성생활에 대한 문학적 가십 취향이 옛 방식의 전기를 대체해 왔다. 문학평론가 미치코 가쿠타니Michiko Kakutani가 논평했던 것처럼, "이전에 우리는 우리의 영웅들을 성자의 반열에 올려놓곤 했"지만, "요즘의 방식은 그들의 품위를 떨어뜨리는 것이다." 가쿠타니는 전기가 그것의 대상을 무자비하게 헐뜯는 것을 지향하는 유혈 스포츠가 되었다고 믿는다.[4]

물론 전기 작가들이 그 대상의 감정적·심리적 측면을 강조하는 것에는 본질적으로 반대할 만한 것은 전혀 없다. 프로이트의 레오나르도 다빈치 연구는 한 중요한 인물의 내적 삶에 대한 고전적인 연구이다. 그러나 그가 말했듯이, 그의 목적은 "숭고한 것을 하찮은 것으로 끌어내리는 것"이 아니라, "위대한 인간의 위업들을 이해할 수 있게" 만드는 것이었다(Freud, 1985: 151). 오늘날의 전기 작가들은 자주 보다 파괴적인 의제에 이끌리고 있다. 로버트 프로스트Robert Frost와 테드 휴스Ted Hughes 같은 탁월한 시인들이 전기 작가들에 의해 말 그대로 재판에 부쳐져서 유죄판결을 받는다. 엘리스 앰번Ellis Amburn이 쓴 잭 케루악Jack Kerouac의 전기는 전형적인 방식으로 『잭 케루악의 숨겨진 삶The Hidden Life of jack Kerouac』이라는 제목이 붙어 있다. 이 저자가 케루악의 삶을 면밀히 조사하는 데에는 어떠한 문학적인 의도도 없다. 대신에 앰번은 케루악을 음주와 명성에 의해 망가진, 근본적으로 불성실한 사람이자 동성애 공포적 동성애자, 반유대주의자, 그리고 인종차별주의자였다고 제시하고 싶어 한다. 루이즈 콜레Louise Colet의 페미니즘적 전기 『격분과 격정Rage and Fire』에서 저자는 플로베르Flaubert를 "페티시즘, 사도마조히즘 그리고 자위"를 즐기는 편협하고 정직하지 못한 성차별주의자로 묘사한다. 그레이엄 그린Graham Greene이 쓴 마이클 셸던Michael Sheldon의 전기 『그 남자의 내면The Man Within』은 주인공의 애널 섹스에 특히 집착한다. 미첼 리스카Mitchell Leaska의 『화강암과 무지개: 버지니아 울프의 숨겨진 삶Granite and Rainbow: The Hidden Life of Virginia Woolf』은 울프의 어린 시절 아버지에 대한 근친상간 갈망이 그녀를 인생 후반에 죄의식에 시달리는 신경과민 여성으로 만들었다고 주장한다. 그리고 스콧 버그의 『린드버그Lindbergh』는 이 영웅을 전적으로 악의에 찬 불쾌한 남성이라고 폭로한다. 잘 알려진 영국 우파 비평가 폴 존슨Paul Johnson은 자신의 연구 『지식인들Intellectuals』을 통해 좌파와 급진적 인물들의 개인적 명성을 철저하게 짓밟는다. 이 책에서 칼 마르크스의 목욕하지 않기와 루소의 자녀들에 대한 냉담한 행동이 급진적 인텔리겐치아의 부정한 마음의 증거로 제시된다.

주인공을 파멸시키고자 하는 오늘날의 전기들은 때때로 주인공의 어두운 비밀이 우리에게 그의 공적인 위업보다 그에 관해 더 많은 것을 말해준다는 이유로 정당화된다. 전기 작가들은 자주 유명한 공적 영웅들이 어떤 상처나 굴욕에 대한 심리적 반응에서 얻은 성과들을 격하시킨다. 이것이 함축하는 것은 자신들이 겪은 감성적 혼란이 많은 사람들로 하여금 자신들의 성과를 공적으로 인정받고 싶어 하게 만든다는 것이다. 한 텔레비전 프로그램에서 마운트배튼Mountbatten 경이 군의 영웅으로 성공할 수 있었던 요인은 그의 아내가 저지른 부정에 대한 반발에서 비롯되었다고 제시한 것도 이러한 맥락에서였다. 인간의 성과의 심리학화는 어쩌면 그 대상자의 마음 상태보다는 전기 작가에 관해 더 많은 것을 말하는지도 모른다.

공적 영웅을 헐뜯고 싶어 하는 이러한 충동은 위대함을 열망하는 것에 대해 갖는 적대감을 나타낸다. 그것의 배후에 자리하고 있는 의미는 영웅적 인물을 신봉하는 것은 건강에 해롭다는 경고이다. 이러한 관점에서 볼 때, 영웅은 어둡고 파괴적인 동기로 인해 위업을 이룬, 슬프고 기능장애를 지닌 사람일 가능성이 아주 크다.

영화 제작자들과 텔레비전 감독들도 영웅의 어두운 면에 매료된다. 영국의 채널 4에서 방송되는 〈비밀의 삶Secret Lives〉이라는 제목의 최근 다큐멘터리 시리즈는 시청자들에게 에롤 플린Errol Flynn 같은 할리우드 아이콘들의 영웅적인 남성 이미지가 단지 슬프거나 부적절하거나 아픈 개인들의 실생활을 숨기기 위한 은폐물이라는 것을 알리기 위해 무진 애를 썼다. 보이 스카우트 운동의 창시자인 로버트 베이든 파월Robert Baden-Powell을 다룬 프로그램은 그를 자신의 섹슈얼리티에 대해 매우 혼란스러워 했던 슬프고 애처로운 인물로 제시했다. 대영제국의 이 영웅은 강한 사디스트적인 성향을 지닌 미숙한 동성애자로 그려졌다. 월트 디즈니Walt Disney, 프로이트, 이니드 블라이튼Enid Blyton 같은 사람들은 부정직한 인종차별주의적 아동학대자들로 묘사되었다. 〈비밀의 삶〉에 따르면, 생식권reproductive right 분야의 선도적인 주창자인 마리 스톱스Marie Stopes는 끔찍한 성생활을 했고 아주 부적절한 엄마였다. 그리고 제2차 세계대전의 영웅인 조종사 더글러스 베이더Douglas Bader는 성질이 고약하고 무례하고 부정직했다. 그는 자신이 격추한 비행기 수에 관해 거짓말을 했고 다른 사람들의 삶을 위험에 빠뜨렸다. 영국의 프로그램 제작자들은 그들의 작품 소재의 부정적인 측면을 폭로하는 것에 또다시 너무나도 사로잡혀서, 심지어 옛 추태 코미디 영화들Carry On comedy films의 어두운 측면에 대한 다큐멘터리를 제작하기도 했다.

오늘날의 문화 엘리트들에게 영웅적 행위는 확실히 유행에 뒤떨어진, 심지어 불쾌한 특성이 되었다. 그들은 심각한 결점이 있는, 그리고 비난받기 쉬운 영웅은 그런대로 참을 수 있지만, 단호하고 자족적이고 자신감이 있는 형태의 영웅은 다소 시대착오적이라고 생각한다. 보스니아 전쟁에서 격추된 미국 전투기의 조종사였던 기장 오그래디O'Grady는 세기말 반영웅anti-hero의 상징이다. 오그래디는 격추된 이후 가까스로 그의 비행기에서 긴급히 탈출했고 현장에서 세르비아 군대를 피해 숨었다. 그는 그의 구조를 축하하는 기자회견 동안 울고 나서 "티슈 좀 주시겠어요?"라고 부탁했다. 그는 "모두가 '당신은 영웅입니다, 당신은 영웅입니다'라고 말하지만 저는 살아남으려고 애쓰는 겁먹은 작은 어린 토끼였습니다"라고 미디어에 말했다. 비록 다른 조종사들이 오그래디가 기본적인 절차를 따르지 않은 것에 대해 비난했지만, 미디어는 이 눈물 흘리는 군대의 영웅을 찬양했다. 오그래디는 성격 면에서도 전혀 특이하지 않았기 때문에 그 배역에 아주 적합했다. 과거에는 영웅이 다른 사람들을 구했기 때문에 찬양받은 반면, 오그래디는 단지 그 자신을 구하는 것만이 필요했다. 오그래디는 군사적 충돌의 믿기 어려운 사상자이기는커녕 평범한 감정적 사상자로서 치료요법 문화의 가치를 구현했다.

비록 철학자와 사회이론가들이 사적 영역과 공적 영역의 관계에 대해 오랫동안 논쟁해왔고 그들이 선호하는 것과 관련하여 자주 충돌해왔지만, 사생활에 대한 전통적인 애착에 반하는 합의가 압도적으로 이루어진 것은 1980년대에 들어서서였다. 과거에는 가족생활을 쓸모없는 것으로 간주했던 급진적인 사상가들조차 사생활이 사람들의 도덕발달에 필수적이라고 믿었다.5 1970년대경 사적 영역, 특히 가족생활은 지식인과 여타 여론 형성자들 사이에서 공공연하게 부정적인 함의를 얻었다. 10년이 지나지 않아 사생활에 대한 그러한 부정적인 감상들은 학계 훨씬 너머로 확산되었다. 사적 영역에 대한 사회적 태도의 변경은 가족생활을 개인의 감정적 고통의 원천으로 간주하는 새로운 합의가 등장한 것과 병행하여 이루어졌다. 이러한 태도 변화는 아마도 지난 20년 동안 서구 사회의 가치체계에서 일어난 가장 중요한 변화 중 하나일 것이다.

많은 보수적 사상가들은 프라이버시와 연관된 가치 및 관행들의 쇠퇴를 1960년대 지식인들에 의한 의식적인 가족 파괴행위 탓으로 돌려왔다. 그것은 오해였다. 사실 사적 영역에 대한 불신 분위기는 오늘날의 감정 각본을 인도하는 것과 동일한 문화적 영향력의 산물이다. 사적 영역에 가해지는 비난들 중 하나는 그것이 사람들을 감정적으로 병들게 한다는 것이다. 이 시나리오에 따르면, 감정적으로 혼란에 빠진 사람들은 자신의 격정을 자신들과 가장 가까운 사람들에게 발산하기 때문에 그들과 친밀한 사람들에게 하나의 위험이 될 우려가 있다. 그 결과 사적 영역은 주기적으로 학대 제도로 묘사된다. 프라이버시에 대한 공중의 인식에서도 중요한 변화가 일어났다. 한때 일상생활의 요구로부터 안전한 피난처로 여겨졌던 것이 이제는 감정적 고통의 한 원천으로 제시될 가능성이 아주 크다.

현대 문화는 프라이버시와 가족생활에 대한 존중과 관련하여 여전히 탄력적인 긴장을 유지하고 있다. 그러나 대중문화를 틀 짓는 중요한 세력들은 이들 제도의 해로운 효과를 끊임없이 '폭로'하고자 한다. 가족의 '어두운 면'과 같은 용어들은 사적이고 비가시적인 관계들에 대한 공포감을 불러일으킨다. 피해자 연구가들은 선두에 서서 사생활에 대한 보다 많은 공적 감시를 허용할 것을 외치고 있다. 페미니스트 사상가들은 프라이버시에 점점 더 신랄한 비판을 가해왔다. 많은 페미니스트들은 사적 영역에서 여성들은 보이지 않게 되고 그들의 일은 가치를 인정받지 못하게 되고 그리하여 평가절하되면서 그들의 삶이 남성폭력의 대상이 되고 있다고 주장한다. 캐서린 맥키넌Catherine MacKinnon은 "여성들에게 사적 영역은 내밀한 폭행과 학대가 일어나는, 자유롭지도 특별히 사적이지도 않은 독특한 영역"이라고 주장해왔다(MacKinnon, 1989: 168). 친밀성과 폭행 연계짓기는 "가정폭력에 관한 방대한, 그리고 점점 더 늘어나는 문학"에서 더욱 진전되어왔다.

사적 영역이 특히 여성과 어린아이들에게 심히 위험한 장소라는 견해는 학계에서 논쟁의 여지가 없는 진실의 성격을 획득해왔다. 그 주제에 대한 주류 기고문들조차도 가족생활의 폭력적 특징들을 강조한다. 한 권위 있는 설명에 따르면,

새롭고 놀라운 것은 미국 가족과 미국 가정이 어쩌면 어떤 다른 단일한 미국 제도나 환경(군대 그리고 그다음으로는 오직 전쟁 시기만을 제외하고는)만큼 또는 그 이상으로 폭력적이라는 것이다. 미국인들은 그들 자신의 집에서 그들 자신의 가족 성원들에 의한 폭행, 신체적 상해 그리고 심지어 살인이라는 매우 큰 위험을 무릅쓰고 있다(Strauss et al., 1980: 3).

보다 급진적인 다른 설명들은 훨씬 더 나아가서 사적 영역이 공중의 눈으로부터 부모와 자녀 간의 이해갈등을 가리고 있다고 시사한다. 영국의 아동권리 운동가인 밥 프랭클린Bob Franklin은, 세간의 이목을 끈 아동학대 사

건들은 "가족 성원들에게 보호와 안전을 제공했던 제도로서의 가족이라는 신화를 폭파시켜"왔다고 주장한다. 그는 이제 공중이 가족을 "잠재적으로 위험한 영역"으로 인식하고 있다는 것을 매우 기뻐한다(Franklin, 1995: 4).

내가 다른 곳에서 주장했듯이, 전문가들은 부모들에 대한 경멸의 태도를 전혀 숨기지 않는다(Furedi, 2002). 치료요법 옹호단체들은 부모가 자녀의 감정적 욕구에 응답할 수 없음을 입증하는 보고서와 조사들을 계속해서 발간한다. 미국 아동학대방지협회Prevent Child Abuse America가 위탁하여 1998년에 완수된 그러한 조사 중의 하나는 미국 부모들의 37%가 지난 12개월 이내에 자녀들을 모욕하거나 그들에게 욕을 퍼부었고, 50%가 자녀들의 감정적 욕구들을 무시해왔고, 6%가 자녀를 때렸거나 때리려고 한 적이 있다고 말했다고 주장했다.[6] 이 조사가 전달하는 메시지는 아주 분명했다. 그것이 말하고자 하는 것은 바로 부모들이 자녀들의 감정적 욕구에 주의를 기울일 것이라고 믿기 어렵다는 것이었다.

가족생활에 대한 문화적 인식에서 일어난 변화는 오늘날의 사회과학 문헌들에 반영되어 있다. 그 문헌들에 따르면, 프라이버시와 가족생활에 대한 어떤 체계적인 방어수단을 발견하기란 사실상 불가능하다.[7] 그 주제에 대한 대부분의 논문이 채택한 일반적인 접근방식은 끔찍한 일들이 프라이버시라는 미명하에 일어난다는 점에 근거하여 사적인 것에 비해 공적인 것에 특권을 부여하는 것이다. 그 논문들이 자주 제시하는 바에 따르면, 문제는 프라이버시의 침해가 아니라 공적 당국이 가족생활의 취약한 희생자들을 보호하기에 충분할 만큼 그것에 개입하지 않는다는 것이다. 항상 부단히 경계하는 공공기관만이 성인 약탈자로부터 어린이를 보호할 수 있다는 주장은 사적 영역의 자율성 주장과 관련하여 가장 자주 반복되는 반론들 중 하나이다(Lafontaine, 1990; Sapford, 1993).

친밀한 가족관계를 특징짓는 감정 형태들은 자주 건강에 해롭다는 경고와 함께 일축된다. 개인들은 "감정적 결합 내에서 쉽게 덫에 빠질 수 있다"고 주장된다. 특히 여성들은 어머니 역할의 노예가 되는 위험을 무릅쓴다고 지적된다. 아이에 대한 사랑의 감정조차 의심받는다. 왜냐하면 "어린아이들의 웰빙을 책임지기 위해 사랑에만 의지하는 것은 그릇되고 위험한 낙관주의를 보여주는 것"이기 때문이다(Archard, 1993: 92). 이것이 바로 "부모 입장에서의 프라이버시 권리가 자녀들에게 매우 심각한 해를 끼치는 행위와 긴밀하게 결부되어 있을 수도 있다"고 주장되는 이유이다(Archard, 1993: 125). 공동의존성을 전문으로 하는 치료요법 분야가 깔고 있는 전제는 "가족은 외부인들에게 자신들의 비밀, 곤란, 그리고 집안의 골칫거리를 숨기기 위한 규칙들을 개발한다"는 것이다. 자녀들은 그들의 부모를 기쁘게 하기 위해 그러한 규칙을 학습하고 내면화하며, 후일 성인이 되었을 때 동일한 각본을 재현한다(Irvine, 1999: 20).

프라이버시를 '은폐 수단' 또는 '덮개'로 묘사하는 경향은 유독한 감정이 가족생활을 지배한다는 전제에 기초해 있다. 공중의 눈을 피해 자기들 멋대로 하는 사람들은 파괴적인 감정에 지배되는 경향이 있다고 가정된다. 특히 남성들은 프라이버시라는 특권을 이용하여 여성과 아이들을 위협한다고 비난받는다. 친밀한 관계에 대한 이러한 호의적이지 않은 표현은 곧 닥칠 피해를 경고한다. 이러한 관점에서 볼 때, 프라이버시는 결점을 벌충해줄 어떠한 장점도 지닐 수 없다. 도리어 일부 사람들, 특히 문화적 페미니스트들이 보기에, 친밀성은 정의상 폭력관계를 나타낸다. 치료요법 문화의 관점에서 볼 때, 그렇기에 사적 영역을 여론의 규제에 맡기는 것은 바람직한 결과를 가져온다.

　사생활이 어떤 경우에서는 폭력적이고 비열한 것이 될 수 있다는 데에는 의심의 여지가 거의 없다. 프라이버시가 파괴적 행동을 실행하는 숨은 장소를 제공할 수도 있다. 그러나 노상범죄의 횡행이 공적 영역의 제거를 위한 논리적 논거를 제공하지 않는 것처럼, 사생활의 이러한 부정적 측면들이 사적 영역을 뿌리째 뽑기 위한 논리적인 논거를 제공하지는 않는다. 사적 영역을 무심코 추방하는 것은 인간경험의 가장 중요한 장소들 중 하나에 대한 심히 오만한 태도이다. 공적 영역과 사적 영역의 구분은 근대적 개인의 출현에 필수적인 것이었다. 자율성과 정체성에 대한 열망은 공적 영역 속에서 완전히 해결될 수 없다. 사적 영역은 성찰을 위한 공간뿐만 아니라 퍼스낼리티의 발전을 위한 공간을 제공할 수 있다. 친밀한 관계가 공적 감시의 압력하에서 해체되지 않으려면, 그것은 프라이버시를 필요로 한다. 사적 영역에서 어떤 왜곡이 일어난다고 하더라도, 사적 영역은 친밀성과 자기표현, 그리고 자기탐색이 진전되는 장소이다. 이러한 속성 — 이는 공적으로 책임 있는 개인을 구성하는 것의 일부이다 — 은 공개적인 장으로 옮겨질 경우 온전히 유지될 수 없다. 마음이 통하는 친한 친구에게 표현한 생각, 감정, 열정이 공중에게 드러났을 때, 그것들은 다른 어떤 것이 된다. 철학자 한나 아렌트Hannah Arendt가 주장했듯이, 사랑은 "공개되는 순간 약해지거나 다소 그 빛을 상실한다." 만약 사생활의 조직에 문제가 있다면, 그것은 도전될 필요가 있는 문제이지 프라이버시 그 자체의 문제는 아니다 (Arendt, 2000: 200).

그리고 공적인 것의 놀라운 타락

얄궂게도 사적 영역의 평가절하가 공적 영역의 긍정적인 발전을 약속하는 것은 아니다. 사적 영역의 악마화는 공적 책임의 에토스가 쇠퇴하는 것과 병행한다. 사적 영역과 공적 영역에 대한 치료요법 문화의 태도는 모순적이다. 감정을 공유하라는 요구와 자기도취의 신성화가 공존하고 있다. 오늘날에는 자기도취의 성장에 비옥한 문화적 지형이 존재한다. 현대 문화는 자기 자신의 욕구충족이라는 이상과 자기표현의 우위성을 계속해서 추켜세운다. 앤티도트 같은 치료요법 옹호단체들은 세기말에 영국에서 "정치가 자기표현의 한 형태가 되었다"는 사실을 환영한다(Samuels, 2001). 정치가 자기충족에 관한 것이라는 관념은 더 광범위한 공적 결합관계의 지위를 부차적인 역할로 떨어뜨린다. 호감이 목적 자체가 된다. 그리고 개인과 더 광범한 도덕적 또는 정치적 틀의 관계는 중요하지 않은 부차적인 문제가 될 우려가 있다. 옳고 그름의 문제는 열성적 감정숭배자들에게는 자의적인 문제가 된다. 옳고 그름 대신 단지 세계에 대해 느끼는 서로 다른 방식들만이 존재한다. 에바 모스코비츠는 그녀의 책 『우리가 신뢰하는 치료요법 속에서: 미국의 자기실현에 대한 강박』에서, 치료요법적 도덕은 "사생활에 우리의 주의를 집중하게 함으로써 우리가 더 큰 공익에 눈멀게 한다"고 쓰고 있다(Moskowitz, 2001: 7을 보라).

자아지향은 자존감 교육과 감정주의에 의해 정당화된다. 놀런에 따르면, 학생들의 자존감 높이기라는 목표는 그것이 그들의 책임의식을 강화한다는 이유로 자주 장려된다. 그러나 감정 교육자들이 주창하는 책임 개념은 어떤 공익 관념과도 거의 아무런 관계가 없다. 놀런은 "자존감과 같은 책임 개념의 준거점은 공공선이라기보다는 자신"이라고 쓰고 있다. "자신의 의무들을 이행하는" 주요한 이유 중 하나는 그렇게 하는 것이 그 사람의 자존감을 고취시켜줄 것이기 때문이다(Nolan, 1998: 165). 이처럼 책임을 자기 자신에 대한 책임으로 재정의하는 것은 감정주의에 도덕적 의미를 제공하는 데 일조한다.

　치료요법 직업을 가진 사람들에 따르면, 감정교양에 필수적인 것은 자기 자신과 소통하고 자신에 대해 호감을 가지는 능력이다. 이것이 바로 자기도취가 좀처럼 나르시시즘적인 것으로 인식되지 않고, 의식을 고양하는 수단으로 여겨지는 이유이다. 새로운 심리치료요법들은 자기 모니터링에 대한 이러한 편애를 의식적으로 부추긴다. 환생 치료요법과 전생 치료요법 같은 원초적 치료요법들primal therapies의 인기는 사회가 나르시시즘 쪽으로 나아가고 있음을 생생하게 보여준다. 미국에서 공동의존성 운동은 알코올 중독자와 여타 중독자들의 성인아이adult child[부모의 학대 등 유아기에 받은 마음의 상처를 회복하지 못한 채 성장한 사람들_옮긴이]가 개인적으로 회복하는 것을 목적으로 할 것을 권고한다. 공동의존자들은 "아이를 마음속으로 받아들이고" 유아의 눈을 통해 세상을 보라는 충고를 받는다. 이 모든 치료요법들은 감정 또는 감정능력을 되찾기 위해 개인의 과거에서 어떤 것을 발견하는 쪽을 지향한다. 원초적 치료요법을 대중화한 것으로 잘 알려진 아서 야노프Arthur Janov 같은 사람은 자신의 접근방법이 "감정을 되찾는" 방식이라고 주장해왔다(Janov, 1993: 284).[8] 이러한 자기준거적 지향에는 자아의 확인을 넘어서는 대의 또는 믿음은 전혀 있을 수 없다. '나의 고통', '나의 화', '나의 상처', '나의 느낌'이라는 말은 새로 '자각한' 대중 치료요법의 결과이다.

치료요법 에토스는 그것이 '자각'으로 특징짓는 것을 장려한다. 자각은 치료요법 에토스를 규정하는 특징 중의 하나이다. 그렇다면 무엇을 위한 자각인가? "나는 자각한다"는 진술은 실제로는 대상이 없는 명제이다. 자각은 공적 세계 전반에 대해서는 무관심한 상태에서 자신의 감정을 깨달은 상태를 의미한다. 그것이 수사학적 장치 이상의 어떤 것을 의미할 경우, 그것은 자아하고만 관련되어 있다. 사람들은 자아에 대한 찬양을 프라이버시 쪽으로의 긍정적 전환을 의미하는 것으로 혼동하기 쉽다. 하지만 치료요법적으로 구성된 자아는 사적 영역에서 친밀한 사람들이 요구하는 의무들에 의해 방해받지 않는 자아라는 점을 깨닫는 것이 중요하다. 이것이 바로 치료요법적 자아의 긍정affirmation[있는 그대로의 승인 _ 옮긴이]이 공적 생활뿐만 아니라 사적 영역으로부터의 소외를 의미하는 이유이다. 치료요법 옹호자들의 관점에서 볼 때, 실제로 중요성을 지니는 것은 그 자신과의 관계이다. 일부 설명들에서는 친밀성이 어떤 사람이 자기 자신과 맺는 관계로 재정의되기도 한다(Wilson Schaef, 1989: 43, 105).

우리 시대를 특징짓는 것은 공적 영역에 대한 찬양이라기보다 공적 영역과 사적 영역 간의 구분의 침식이다. 치료요법 문화는 공적 이상의 강력한 옹호자가 아니다. 전기 정치the politics of biography의 부상은 공적 활동에 부여된 도덕적 중요성의 쇠퇴를 생생하게 예증한다. 정치가들은 점점 더 그들의 성격에 입각하여 평가되고, 스캔들은 공적 논쟁의 중요한 주제가 되어왔다. 정치가들의 사생활은 공적인 문제로 간주되고, 사적 문제들은 한 정치가의 가치를 규정하는 진술로 해석된다. 미국의 빌 클린턴이나 영국의 피터 맨덜슨Peter Mandelson처럼 논란을 불러일으키는 정치가들은 그들의 정치적 견해보다도 그들이 개인적 일들을 행하는 방식에 의해 더 비판받는다. 우리가 제2장에서 지적했듯이, 공중의 무관심은 치료요법 정치의 이면이다.

중요한 정치적 쟁점들에 대한 논쟁과 탐구는 점차 공인들의 사적 문제에 대한 거의 포르노적 매혹에 자리를 양보해왔다. 사회학자 지그문트 바우만Zygmunt Bauman이 지적하듯이, 공중의 관심은 점점 더 "공인들의 사생활에 관한 호기심으로 축소되고, 공적 삶의 기술the art of public life은 사적인 일의 공개적 표현과 사적 감상의 공개적 고백들로 협소화되고 있다." 그리고 그는 "그러한 축소에 저항하는" 공적 논쟁은 "거의 이해할 수 없는 일이 된다"고 덧붙인다(Bauman, 2000: 67).

치료요법 문화는 자신들의 성과와 공적 행동에 기초하여 권위를 획득해 온 사람들과 함께할 때 불편해한다. 공적 성과와 탁월한 공적조차 이제는 매우 사생활 침해적인 공적 감시의 대상이 된다. 사람들의 사생활에 대한 조사들 — 자주 사후에 전기 작가들과 저널리스트들에 의한 — 은 누구라도 상처 입을 수 있다는 것을 확실하게 보여준다. 내밀한 세세한 일에 대한 조사는 항상 집안의 비밀을 폭로할 것이고, 중대한 공적인 일과 관련한 어느 누구의 명성도 있는 그대로 남아 있지 못하게 할 것이다. 사생활을 파괴하려는, 즉 난처한 에피소드들을 '들추어내어' '폭로'하려는 강박충동은 개인적인 문제들을 부각시키기 위해 공적인 문제들을 격하시키는 경향을 반영한다. 텔레비전이라는 매체는 계속해서 공중이 사적 문제들에 집착하게 한다. 이러한 접근방식은 이른바 트래시 TV에 국한되지 않는다. 이를테면 명성 있는 영국 채널 BBC 1에서 방영하는 프로그램 〈왓 나우What Now〉의 잠재적 게스트들에게 유포된 리플릿을 살펴보자(다음 쪽의 상자 안 내용을 보라).

TV쇼가 당신을 원한다.

당신의 관계는 당신을 우울하게 하는가?

당신은 직장에서 곤란을 겪고 있는가?

당신의 아이들이 당신을 미치게 만들고 있는가?

당신은 당신의 부모와 소통하는 것이 어렵다고 느끼는가?

당신의 이웃들이 끔찍한가?

당신의 섹슈얼리티는 하나의 문제인가?

당신은 자신이 게이일지도 모른다고 생각하는가?

당신의 문제가 무엇이든 우리는 당신의 이야기를 듣고 싶다.

〈왓 나우〉는 당신과 당신의 딜레마에 관해 조언해줄 패널을 주인공으로
하는 BBC 1의 새로운 TV 프로그램이다.

문제를 털어놓는 것은 문제를 공유하는 것이라는 점을 …… 기억하라.

개인들에게 그들의 개인적인 문제를 수많은 시청자들과 '공유'하도록 부추기는 것은 개인적인 문제의 폭로를 공적인 서비스로 가장하는 문화의 오락공식이다. '문제 공유하기'는 "함께 해줘서 고마워요"라는 말에서 확인되는 시민적 미덕의 성격을 취해왔다. 실제로 오늘날의 공동체는 사적인 생각의 공유를 통해 일체감을 획득하는 것을 하나의 이상으로 추구하고 있다.

감정의 공유는 자주 시민동원을 위한 구심점으로 의식적으로 추구된다.

영국예술위원회의 위원장 피터 휴잇Peter Hewitt은 "사회에서 예술이 수행하는 지극히 중요한 기능들 중 하나가 비통함과 슬픔 등 아주 내밀한 감정을 공유하기 위한 공통의 언어를 제공하는 것"이라고 주장했다. 그는 "예술은 사적인 것과 내밀한 것을 공유된 공적인 환경으로 끌어내는 가교"라고 부언했다. 치료요법적 관리의 관점에서 볼 때, 사적이고 내밀한 감정들을 공개적인 장으로 '끌어내는' 것은 시민적 미덕의 행동으로 보일 수도 있다. 그러나 공중에게서 성장하고 있는 감정주의는 단지 사회가 공공선을 어떻게 숙고할 것인가 하는 문제를 성찰하는 것으로부터 주의를 딴 데로 돌리게 할 뿐이다.

사적인 것과 공적인 것의 관계에 대한 오늘날의 문화적 규범들은 일관성이 없고 산만하며 자주 혼란스럽다. 자아가 찬양되지만, 동시에 사생활은 자주 노출되어야 어떤 것으로 간주된다. 감정의 공개와 공유가 적극적으로 장려되면서도, 분명히 모순되게 개인들은 그들의 욕구에 주의를 기울이라고 조언받는다. 이러한 명백히 상충하는 요구들을 이해하기 위해서는 개인적인 관계 행동을 바라보는 문화적 태도에서 일어나고 있는 변화를 면밀하게 살펴볼 필요가 있다.

비공식적 관계 겨냥하기

치료요법 문화의 독특한 특징들 중 하나는 그것이 가족과 비공식적 관계에 대해 심히 혐오한다는 것이다. 이러한 태도는 놀랄 만한 것이 아니다. 왜냐하면 치료요법적 관계를 정당화하는 주장들 중 하나가 감정의 문제는 가족에 바탕을 둔 병리에서 기인하고, 그것은 친족관계와 교우관계의 유대를 통해서는 해결될 수 없다는 것이기 때문이다. 한 독특한 치료요법 전문직은 그것이 개인들로 하여금 그들이 비공식적 네트워크 밖에서 관계를 맺을 수 있게 해준다는 점을 들어 그 직업을 정당화한다. 사회학자 탤컷 파슨스Talcott Parsons는 다음과 같이 설명했다. "현재의 목적에서 볼 때, 정신의학 발전에서 중요한 특징은 가족 내의 부모 또는 배우자의 역할로부터 구조적으로 분화된 (그리하여 어떤 의미에서는 분리된) 전문적 역할 — 가족에 뿌리를 두고 있지만 솔직히 가족의 역할에 속하는 기능으로는 효과적으로 다룰 수 없는, 개인의 퍼스낼리티 문제를 다루는 일에 적합한 전문적 역할 — 이 출현한 것이다." 파슨스가 볼 때, 치료요법 과정이 지닌 장점들 중 하나는 그것이 "자주 정신병리학적 상태의 징후이자 결정인자인 가족문제와 관련된 악순환들에서 벗어나는 데 필요한" 수단이 될 수 있다는 것이었다(Parsons, 1964: 317).

개인적 고통과 가족병리 간의 상호관계는 정신건강 문제를 관리하는 데 유용한 통찰을 제공할 수 있다. 하지만 지난 몇십 년 동안 이러한 통찰은 정신질환의 원인이 항상 가족갈등의 궤도 안에 있다는 도그마로 점차 변형되었다. 1960년대경 급진적인 치료요법들은 "가족의 의사소통적 상호작용"에 초점을 맞추었다(Jacoby, 1975: 142).[9] 그 결과 가족과 정신건강 문제 간의 무매개적·직접적 인과관계가 날조되었다. 치료요법 문화가 지배하면서, 심리적 문제의 원인이 가족 내에서 발견될 것이라는 주장이 친밀한 가족관계가 개인에게 유독한 위협이라는 단언으로 점차 변형되었다.

수전 스미스Susan Smith가 그녀의 연구『생존자 심리학Survivor Psychology』에서 지적했듯이, 1980년대 중반경 가족이 "기능장애를 옮기는 유독한 매개물"이라는 생각이 미국 대중문화 안에서 상당한 영향력을 획득했다. 이러한 사태의 진전을 분명하게 보여주는 것이 사회가 "병리학적 꼬리표 붙이기에 점점 더 둔감하게 되었다는 것"과 대중적 인물들과 유명 인사들의 언어가 치료요법 전문용어들로 가득 차게 되었다는 것이었다(Smith, 1995: 23을 보라).[10]

『유독한 양육Toxic Parenting』의 저자 수전 포워드Susan Forward는 치료요법 문화가 비공식적 관계에 대해 드러내는 혐오를 정확하게 포착해내고 있다. 그녀는 나쁜 양육이 초래하는 결과를 "당신이 결코 꿈에도 생각하지 않았던 방식으로 당신의 삶에 침입했던 보이지 않는 잡초들"과 유사한 것으로 간주한다. 오늘날의 문화적 상상력에서 그들의 취약한 후손을 오염시키는 보이지 않는 유해물질을 옮기는 부모들은 악을 상징한다. 포워드가 지적했듯이,

내가 이러한 해로운 부모들이 공유하는 공통의 근거를 묘사하는 표현을 탐색했을 때, 내 머릿속에 계속해서 떠오르는 단어는 '유독한'이었다. 화학적 독소처럼 이러한 부모들이 입힌 감정적 손상은 그 아이의 삶 도처에 퍼지고, 그 아이가 성장함에 따라 고통도 커진다. 계속해서 아이들에게 정신적 외상을 입히고 학대하고 모욕하는 부모들을 묘사하고자 할 때, '유독한'이라는 단어 말고 그 어떤 더 좋은 단어가 있겠는가?(Forward, 1990: 5~6)

가족 상호작용과 그 오염, 그리고 감정 모독이 결합되면서 책과 영화에서 고통받은 유년 시절이라는 테마를 자세히 다루는 새로운 장르가 만들어졌다. 데이브 펠저Dave Pelzer의 베스트셀러들, 『그것이라고 불린 아이A

Child Called It』와『잃어버린 소년The Lost Boy』은 유독한 관계에 대한 그러한 병적인 집착을 생생하게 담아낸다.

오늘날의 치료요법적 감성에 따르면, 개인의 자아에 잠재적으로 유독한 것은 부모와 자녀 간의 관계만이 아니다. 모든 가까운 의존관계가 몸을 쇠약하게 만드는 감정적 상처의 원인이 될 수 있다. '유독한'의 은유는 애정관계, 친구관계 그리고 직장에서의 관계들을 묘사하는 데까지 확대되어왔다. 해리엇 브레이커Harriet Braiker의『치명적인 연인과 유해한 사람들: 당신을 병들게 만드는 관계들로부터 당신의 건강을 지키는 방법Lethal Lovers and Poisonous People: How to Protect Your Health from Relationships That Make You Sick』 (2001)의 첫 번째 장 제목「경고: 이 관계는 당신의 건강에 해로울 수도 있다」는 그러한 관계들에 대한 그 책의 태도를 요약적으로 보여준다. 플로렌스 아이작스Florence Isaacs의『유독한 친구/진정한 친구Toxic Friends/True Friends』(1999)는 '유독한'이라는 은유를 친구관계의 영역으로까지 확대하여 사용한다. 그리고 피터 프로스트Peter Frost가 쓴『직장에서의 유독한 감정들Toxic Emotions at Work』(2003)은 직장에서의 관계들에 의해 발생하는 감정적 고통을 설명하기 위해 이 은유를 사용한다. 잘 알려진 정신의학 신비주의자 디팩 초프라Deepak Chopra는 유독한 감정들이 당신의 몸을 오염시키는 것에 대해 경고한다. 유독한 감정이라는 말이 단순히 부정적 감정의 동의어로서만 사용되는 것은 아니라는 점은 지적할 만한 가치가 있다. '유독한 감정'이라는 용어는 다른 사람에 대한 의존을 가정하고 있다. 해독은 의존관계로부터 벗어나는 것을 포함한다. 디팩 초프라는 "외부의 승인을 받고자 하는 욕구를 버려라"라고 조언한다. 무엇 때문인가? 그 이유는 "당신만이 당신의 가치를 심판할 수 있는 사람이고, 다른 누군가가 어떻게 생각하든 간에 당신의 목표는 당신에게서 무한한 가치를 발견하는 것이기 때문이다."[11] 다른 사람들의 승인을 받고 싶은 욕구에서 벗어나는 것을 목적으로 삼으라고 설파하는 것은 소수의 대중심리학자들만이 아니다. 신문, 여성잡지 그리고 부모와 십 대를 대상으로 하는 출판물의 조언 칼럼은 의존관계를 약화시킬 것을 계속해서 요구한다.

1960년대 이후로 영국과 미국의 조언 칼럼들은 감정표현을 옹호하기 시작했다. ≪우먼≫이라는 잡지를 분석한 아말 트리처Amal Treacher의 연구는 1950년대에 칼럼니스트들이 독자들에게 그들의 감정을 통제하라고 조언했던 반면, 1970년대경에는 감정을 쏟아내라고 권고했다고 지적한다. 이처럼 감정표현 쪽으로 접근방식이 이동하는 것과 나란히 자아에 대한 태도에서도 변화가 일어났다. 1950년대에 그 잡지는 자신보다 타인들을 중시하고 다른 사람들을 만족시키라는 견해를 장려했다. 트리처는 "자기 자신을 마음에 품고 곰곰이 생각하는 것은 죄였다"라고 쓰고 있다. 1970년대 즈음에 그리고 1980년대에 들어서는 분명하게 독자는 그들의 자아를 되찾으라고 조언받았다. 자신을 끌어안으라는 요구와 함께 관계와 관련한 행동에 대한 태도에서도 중대한 변화가 일어났다. 다른 사람보다 자신을 중시하라는 요구는 의존을 질병의 한 형태로 표현하게 했다. 트리처는 조언 칼럼들이 이처럼 의존을 병리화한 것은 보다 광범위한 문화적 힘을 반영하는 것이라고 주장한다. 트리처는 "대중적인 심리학 텍스트에서부터 많은 정치적 담론들에 이르기까지에서 의존은 새로운 악, 유독하고 유해한 어떤 것, 억센 잡초, 그리고 사람들의 정신을 죽이는 것으로 인식되고 있다"고 진술한다(Treacher, 1989: 131~146).

공동의존성과 회복에 관한 운동들은 중독된 사람들이 겪는 감정적 고통을 이유로 의존관계를 계속해서 비난한다. 회복운동의 지침을 이루고 있는 원리는 건강하지 않은 관계들이 중독과 다른 감정적 기능장애의 직접적 원인이라는 것이다. 캐슬린 로우니는 회복운동에 대한 자신의 연구에서 "건강하지 않은 관계 — 개인들이 도달할 수 있는 최상의 상태에 이르는 것을 방해하는 관계 — 는 심지어 중독의 신체적 영향보다도 더 해롭다"고 쓰고 있다 (Lowney, 1999: 23).

치료요법 세계관에서 강한 의존관계에는 항상 건강에 해롭다는 경고가 따라붙는다. 그러한 의존은 새로 발명된 많은 감정중독 중 하나의 조짐으로 제시된다. ≪레즈비언 뉴스Lesbian News≫의 한 조언 상담 칼럼니스트는 독자에게 "만약 당신이 당신의 관계를 통해 당신의 모든 욕구를 충족시키고자 한다면 당신은 그 관계를 말라비틀어지게 하고 당신의 파트너에 완전히 중독되어 갈 수도 있다"고 전한다.[12] 한때 열정적인 사랑으로 묘사되었던 강렬한 감정들은 이제 관계 중독의 한 형태로 낙인찍힌다. 이 질병과 관련된 많은 증상은 열정적 사랑의 정상적 표현으로 볼 수 있는 감정들이다. 낸시 조이 캐럴Nancy Joy Carroll은 그녀의 책 『싱글들을 위한 사랑 핸드북The Love Handbook for Singles』에서 '낭만적 중독의 위험 신호' 목록을 제시한다. 거기에는 다음과 같은 것들이 포함되어 있다.

• 관계가 선택이라기보다는 욕구에 기초할 정도로 사랑에 대한 강박충동이 있다.
• 다른 사람에 대해 생각하는 데 상당한 시간을 보낸다. 즉, 그 또는 그녀에게 과도한 시간을 쓰고 관심을 쏟는다.
• 파트너가 비현실적인 방식으로 사랑을 증명하기를 원한다. 즉, 파트너가

자신의 모든 욕구를 충족시켜주기를 원한다.
• 관계가 끝날 때 처참하다고 느낀다(Carroll, 1998).[13]

물론 낭만적 애착에서 개인들이 드러내는 비현실적 기대에 대해 경고하는 것에는 새로운 것이 전혀 없다. 공동의존성 진단에서 특징적인 것은 그것이 친밀한 파트너를 잃는 데 따른 고통스러운 낙담뿐만 아니라 열정적인 사랑에 대한 열망, 그리고 친밀성이 주는 흥분감까지도 하나의 질병의 증상으로 재조명해왔다는 것이다.

1985년 출간 이후 북미에서 300만 부 이상 팔린 로빈 노우드Robin Norwood 의 책 『지나치게 사랑하는 여자』는 '공동의존성'과 '관계 중독'을 치료요법 문화에서 피할 수 없는 삶의 현실로 자리 잡게 했다. 노우드에 따르면, 여성들은 선택을 통해서가 아니라 중독을 통해서 건강하지 않은 관계에 들어간다. 감정적으로 중독된 여성들은 결국 학대관계로 끝이 난다는 믿음은 우리 시대의 도그마들 중 하나가 되었다. 잘 알려진 영국의 심리학자 올리버 제임스Oliver James는 "여성 학대 피해자들은 학대자와 결혼할 가능성이 훨씬 더 크다"고 주장한다.[14] 관계 중독은 가족구조 내에서 번성하고 한 성원에서 다른 성원에게 옮길 수 있는 하나의 질병이다. 앤 윌슨 셰프는 "이 분야의 권위자들 대부분은 어릴 때 괴롭힘을 당하는 것은 개인들로 하여금 그들 스스로 섹스 중독자와 치한이 되게 만든다고 믿는다"고 지적한다(Wilson Schaef, 1990: 31). 미국국립정신건강협회는 공동의존성이 "한 세대에서 다른 세대로 전해 내려갈 수 있는 학습된 행동"이라고 주장한다. 그것은 "그러한 유형의 행동을 보이는 다른 가족 성원들을 지켜보고 모방함으로써" 학습된다.[15]

가족과 비공식적 관계들에 대한 혐오가 증가함에 따라, 중독과 공동의 존성이라는 용어의 의미는 많은 당혹스러운 경험들을 설명하는 데로 확대 되었다. 감정중독이라는 질병의 주창자들은 공동의존성이라는 병리상태 가 1980년대 알코올 중독자 가족들의 대인관계에 관한 연구의 결과물로 '발견'되었다고 주장한다. '공동의존적인'이라는 용어는 처음에는 약물의존 상태에 있는 파트너들, 즉 중독된 사람과 함께 사는 또는 관계를 맺고 있는 사람들을 묘사하기 위해 사용되던 말이었다. 얼마 되지 않아, "이 용어는 어떤 기능장애가 있는 가족과 공동의존 관계에 있는 사람을 묘사하는 데 까지 확장되었다."[16] 그 결과 공동의존성은 사실상 모든 의존관계에도 적 용될 수 있는 하나의 진단이 되었다.

말 그대로 사랑, 우정, 충성의 어떤 표현도 중독행동의 한 형태로 낙인찍 힐 수 있다. 영국에 본거지를 둔 문제중심의학정보시스템 회복센터PROMIS Recovery Centre는 이전에는 이타적 행동의 형태로 간주되었던 행동들이 이 제는 '강박적 돕기' 중독으로 진단될 것이라고 주장한다. 강박적 도우미들 은 그들 자신의 욕구와 감정을 무시하고 다른 사람 돕기에 초점을 맞춘 다.[17] 이 정의에 따르면, 나이든 부모나 친척들을 돌보기 위해 큰 희생을 치르는 개인 또는 다른 사람을 돕는 데 그들의 에너지를 쏟는 개인들은 아 마도 강박적인 돕기로 고통받을 것이다. 다른 사람들을 최우선으로 생각 하거나 적어도 다른 사람과의 관계를 자신의 개인적 욕구보다 우선시하는 것은 또 다른 중독의 한 증상일 수 있다.

감정중독은 긴밀한 관계를 바라는 개인의 열망을 표적으로 삼는다. "영 적 스승, 공동의존성 카운슬러, 슬픔 치료요법사이자 저술가"인 로버트 번 리Robert Burnley의 웹사이트는 우리가 행복하기 위해서는 우리의 삶에서 다른 누군가와 관계를 맺어야만 한다고 믿는다면 우리는 실제로 단지 우리의 필수품을 지키려는 — 다른 사람을 우리가 선택한 마약으로 사용하는 — 중독자일 뿐이라고 진술하고 있다.[18]

책임감과 충성심은 여전히 공적 미덕으로 떠받들어지지만, 실제로 이러한 이상들은 자신을 다른 사람들보다 중시하라는 권고에 의해 손상받고 있다. 그 결과 다른 사람에 대한 책임감이라는 이상과 사교성, 충성심의 감상은 이제 관계 중독의 증상들로 특성화되기도 한다. 의존관계가 감정중독의 근본 원인일 수 있다는 생각 그 자체는 사생활이라는 비공식적 세계에 대한 심히 비관적인 진술이다. 그것은 사람들이 전문적인 지원 없이는 개인적 관계들을 이끌어갈 것으로 기대할 수 없다는 결론의 서문일 뿐이다. 여성잡지의 고민 상담란을 분석한 메리 루이스 호Mary Louise Ho의 연구는 1980년에 138통의 상담편지 중 97통의 편지가 전문적인 도움을 구하라는 권고를 받았다고 진술한다(Treacher, 1989: 145에서 인용함).

인류 역사를 통해 사람들은 다른 사람에 대한 감정적 집착이 괴로운 것이 될 수 있고 고통을 초래할 수 있다는 것을 알아왔다. 섹슈얼리티와 밀접한 관계가 있는 감정과 열정들은 항상 골치 아픈 것으로, 그리고 잠재적으로 지배적인 도덕적 질서를 위협하는 것으로 간주되어왔다. 성적 열정은 그것이 사회생활의 관례적 경계를 전복할 우려가 있기 때문에 전통적으로 파괴적인 것으로 묘사되었다. 이와 반대로 오늘날에는 열정 자체가 감정적 자아를 해칠 수 있다는 이유에서 공공연히 비난받는다. 그 결과 섹스는 자주 많은 감정적 손상의 근원으로 해석된다. 이러한 우려들은 성행위를 위험하고 감정을 해치는 것으로 간주하는 도덕적 전망을 축으로 하는 보다 전통적인 청교도적 에토스와 융화되었다. 오락적 섹스는 비도덕적이라

던 전통적 비난이 그러한 열정들이 감정에 미치는 위험과 관련한 치료요
법적 건강경고로 변형되었다. 섹스는 자주 그것이 건강과 감정에 좋지 않
다는 이유로 공공연히 비난받는다. 섹스가 개인의 활력을 서서히 빼앗는
방식과 관련한 19세기의 도덕화는 섹스가 감정을 불안정하게 만드는 방식
에 관한 치료요법 담론에서 재생된다. 어린 소녀들은 성행위가 그들의 자
존감을 떨어트릴 위험이 있다는 것에 근거하여 "안돼요"라고 말하라고 충
고받는다. 최근 스코틀랜드 건강교육위원회가 시작한 캠페인은 십 대들에
게 "너무 어린 나이에 첫 성경험을 하는 것이 지닌 감정적 위험들"을 인식
시키는 일에 전념했다. 그 캠페인은 십 대들에게 '섹스 트라우마'에 대해,
그리고 섹스가 괴로움과 후회를 통해 후일의 삶에서 유발할 수 있는 문제
들에 대해 경고했다.[19]

이전 시대와 대조적으로 치료요법적 도덕화가 단지 섹스만을 대상으로
하는 것은 아니다. 기본적으로 그것은 섹스와 다른 형태의 친밀한 관계를
통한 감정적 몰입에 대해서도 우려한다. 섹스를 중독의 한 형태로 표현하
는 것은 중독 개념이 크게 부풀려지고 있음을 보여준다. 감정적 투자의 가
장 중요한 장소 중 하나인 섹스는 인간행동의 모든 측면과 관련되어 있다.
하지만 담배, 알코올 또는 마약과는 달리 섹스는 하나의 사물이 아니라 하
나의 관계이다. 마틴 레빈Martin P. Levine과 리처드 트로이덴Richard R. Troiden
이 섹스 중독 신화를 비판하며 쓴 것처럼, "섹스는 물질이 아니라 경험이
다"(Levine and Troiden, 1988: 357). 그리고 일단 이 경험이 의료화되면, 사
람들이 친구관계나 인간의 따뜻함에 중독되지 말아야 할 아무런 이유도
존재하지 않는다.

이전의 도덕적 규약들은 도덕적 질서의 위반을 막기 위해 성행위를 통

제하고자 했다. 오늘날의 치료요법 세계관은 모든 형태의 비공식적 관계를 관리할 필요성을 정당화하고자 한다. 사생활에 대한 그러한 지향은 그것이 우리 시대의 경향을 반영하지 않았다면 성행할 수 없었다. 크리스토퍼 라시가 지적했듯이, 치료요법 문화는 "개인적 관계들에 대한 철저한 환멸"로 특징지어진다(Lasch, 1979: 103). 트리처는 이러한 논지를 되풀이하여, "의존에 관한 많은 생각을 뒷받침하는 것은 당신이 타인에게 의지한다면 그들은 필시 당신을 실망시킬 것이기 때문에 독립적이고 자기의존적이 되는 것이 매우 중요하다는 시각"이라고 주장한다(Treacher, 1989: 145). 비공식적 관계 겨냥하기는 이러한 환멸을 먹이로 삼고 있다. 그것은 관계에 대한 만연한 불안을 먹고 살고, 관계에 대한 공중의 공포를 강화한다. 비공식적 관계 겨냥하기의 실제적인 결과는 그것이 타인에 대한 의존의식을 약화시킨다는 것이다. 비공식적 관계들에 대한 의존이 줄어드는 만큼, 전문가에 대한 우리의 예속은 증가한다. 비공식적 관계의 약화는 치료요법적 관계의 증가하는 힘과 비례한다. 타인들에 대한 의존의식의 부식이 개인의 독립심을 증대시키지는 않는다.[20] 그것은 단지 하나의 의존 형태를 다른 의존 형태로 대체할 뿐이다. 물론 비공식적 의존관계들은 여전히 우리의 삶에서 중요한 역할을 하지만, 그것은 이제 새로운 종류의 전문적 지원 또는 조언에의 의존과 경쟁한다.

대인관계 범죄화하기

제1장에서 우리는 오늘날 범죄가 점점 더 파괴적인 감정이 유발한 행동의

한 형태로 이해되고 있다고 언급했다. 이러한 감정 범죄들은 자주 대인관계 영역에서 저질러지는 범죄들이다. 최근 몇 년 동안 범죄는 점점 더 사람들이 아는 사람, 동료, 가족 성원에게 행하는 어떤 것으로 인식되고 있다. 또한 강조점도 공개적인 노상범죄에서 사적 영역에서 사람들이 직면하는 위협들로 이동해왔다. 친숙한, 심지어 친밀한 약탈자가 저지르는 범죄로의 방향 전환은 형사사법제도에서 하나의 중요한 사태 — 대인관계를 범죄화하려는 성향 — 를 진전시켰다. 최근 세간의 주목을 끄는 범죄들 — 가정폭력, 아동학대, 강간, 데이트 성폭행, 여타 형태의 희롱, 약자 괴롭히기 — 은 대인관계 행동과 결부되어 있는 위험들을 일깨우고 있다.

그것들 모두는 대인관계가 갖는 잠재적 위험성을 지적하고, 타인을 너무 신뢰하는 것은 건강에 해롭다고 경고한다. 이러한 과정을 통해 전달되는 메시지는 어느 누구도, 특히 이미 당신과 가까운 어떤 사람도 신뢰할 수 없다는 것이다. 영국 가정학대 자선단체 레퓨지Refuge는 여성들에게 그들의 연인이 폭력적 약탈자가 될 수 있기 때문에 밸런타인데이에 능수능란한 로미오에게 넘어가서는 안 된다고 경고했다. 레퓨지는 정중하고 매력적인 남성은 단지 폭력을 행사하기에 앞서 여성들을 속이고 있는 것일 뿐이라고 경고했다.[21] 사회는 일상적이고 평범하고 틀에 박힌 인간관계들에 우리에게 피해를 줄 수 있는 것이라는 새로운 낙인을 찍음으로써, 우리 모두가 서로를 경계해야만 한다는 신호를 보내왔다. 대인관계에 대한 제도화된 불신은 자주 그것의 범죄화로 이어진다.

비공식적 영역에 대한 불안감 증대가 개인들이 자신들이 직면하는 위험을 인식하는 방법을 틀 지어왔다. 우리와 가장 가까운 사람들을 믿는 것은 의존성이 초래하는 위험에 관한 경고들에 의해 자주 의문을 제기받는다.

신뢰관계가 경험되는 방식 자체가 중요한 변화를 겪어왔다. 과거에는 불신이 자신들과 다르다고 생각되었던 특정 집단 ― 외국인, 범죄자, 정적政敵 ― 을 향하는 경향이 있었다. 범죄자와 다른 의심스러운 인물들이 사람들의 삶에 위협이 되는 것으로 인식되는 까닭은 바로 그들이 법을 준수하는 통상적인 사람들과 다르기 때문이었다. 그러한 의심의 대상들이 반감을 사는 것은 그들이 사회의 제도와 사람들의 경제적 안전에 하나의 위협으로 보였기 때문이었다. 오늘날 불신은 더 이상 낯선 사람들에게 한정되지 않는다. 우리가 인격적인 만남을 갖는 개인들에 대한 의심이 커져가고 있으며, 그러한 관계들은 자주 잠재적으로 위협적인 것으로 특징지어진다.

앞서 지적했듯이, 한때 무정한 세계로부터의 안식처로 이상화된 가족생활은 이제 가정폭력과 학대의 장소로 널리 묘사되고 있다. 아동보호 전문가와 언론 해설자들은 아이들이 그들의 '평범한' 부모로부터 직면하는 위험에 관해 계속해서 경고한다. 차례로 아동학대의 정상화는 말 그대로 한 가족 내의 모든 사람이 다른 가족 성원 모두로부터 위험에 처해 있다는 주장을 낳았다. 가정폭력 문헌들의 일관된 테마는 '모든' 아이가 잠재적으로 위험에 처해 있고 모든 남성이 잠재적인 아내 학대자라는 것이다. 어떤 아이와 여성도 가정폭력의 가능한 표적에서 벗어나 있지 않다. '노인학대'라는 용어의 발명은 요람에서 무덤까지의 가족생활에서 피해가 일관되게 발생하고 있다는 것을 말해준다. 가정폭력에 대한 미국의 한 선도적 전문가는 아이들 간 및 형제 간의 관계조차 문제로 설정해왔다. 데이비드 핑켈러 David Finkelhor에 따르면, 형제 간 학대는 아이들이 마주치는 가장 "흔한 종류의 피해"이다. 핑켈러는 그러한 폭행이 아이들의 80%에 어떤 형태로든 악영향을 미치고 있다고 주장한다. 그는 이러한 형태의 아동학대의 빈도를 강조하기 위해 '널리 퍼져 있는 피해pandemic victimisation'라는 용어를 사용한다(Finkelhor, 1997: 89, 91). 이러한 경고는 어린아이가 낯선 사람에 의해서 만큼이나 형제나 자매에게 살해될 가능성이 있다고 제시하는 보고서들에 의해 영국에서도 되풀이되었다.[22]

대인관계를 이를테면 형제 간 학대와 같이 하나의 문제로 구성하게끔 하는 것이 바로 사적 영역의 병리화이다. 이 문제를 제창하고 나서는 사람들은 형제 간의 일상적 다툼을 학대의 언어로 재조명함으로써 평범한 경험을 감정적 고통의 원천으로 전환시킨다. 캐럴 윌슨Carol Wilson과 메리 엘렌 프로마우스Mary Ellen Fromouth가 수행한 한 연구는 유년 시절 형제 간 학대가 일반적임에도 불구하고 대부분의 성인이 "그것을 그런 식으로 기억하지 않는다"는 점에 우려를 표명한다. 그 연구의 근본적인 목적은 형제 간 대립에 대한 성인들의 인식을 바꾸고 그것을 학대관계로 전환하는 것이다.[23] 이를 옹호하는 조사는 일상적인 형태의 형제 간 다툼을 가정폭력의 한 형태로 재해석함으로써, 그 비율이 극적으로 증대하고 있다고 주장할지도 모른다. 켄터키 대학교 사회사업학과 교수이자 『위험한 대립관계: 형제들이 학대자가 될 때Perilous Rivalry: When Siblings Become Abusive』의 저자인 버넌 비에Vernon Wiehe 박사는 100명의 아이들 중 무려 53명이 형제 또는 자매를 학대한다고 말한다. 이 문제에 대한 공중의 '인식'을 끌어올리려고 시도하는 도덕 기업가들은 "형제 간 학대의 모든 형태에 감정적 학대가 존재한다"고 주장한다. 그들은 형제 간 학대의 생존자들이 자주 외상 후 스트레스 장애, 복합적 외상 후 스트레스 장애 그리고 해리성 정체성 장애dissociative identity disorder의 증상을 드러낸다고 제시한다.[24] 형제관계가 감정적 질병의 중요한 한 원천으로 간주될 수 있다는 것은 모든 유형의 개인적 관계가 문화적 논쟁의 주제가 되어왔음을 말해준다.

가족 내의 피해가 만연해 있다면, 우리가 우리와 가장 가까운 사람들조차 믿을 수 없다는 것은 아주 당연해진다. 불안의 대상은 이제 더 이상 다른 낯선 사람이나 범죄자가 아니라 우리와 가장 가까운 가족관계에 있는 사람, 이웃, 친구, 연인 그리고 직장동료들이 될 수 있다. 일상생활에 대한 이러한 태도는 사람들이 자신들과 물리적으로, 그리고 감정적으로 가장 가까운 사람들과 관계 맺는 방식이 중요하게 재정의되고 있음을 의미한다. 과거에 사람들은 국가와 당시의 권력자를 두려워했다. 오늘날 사람들은 비공식적 환경과 보다 공식적인 제도적 환경 모두에서 다른 사람들을 불신할 가능성이 더 크다. 대중문화에 강한 불안을 불러일으키는 것은 관료적인 비밀주의보다도 공중의 감시로부터 가족관계를 숨기는 닫혀 있는 문이다.

닫힌 문은 사적인 만남에 대한 의심을 상징한다. 가정폭력을 설명하는 고전적 저작의 제목 『닫힌 문 뒤에서: 미국의 가정폭력Behind Closed Doors: Violence in the American Family』(1980)은 기본적인 사적 만남에서의 불신을 분명하게 보여준다. 닫힌 문 뒤에서 일어날 것 같은 일에 관한 의심은 오늘날의 문화에서 중요한 주제가 되었다. 미국의 예술가 저스틴 노이만 그리프Justine Nauman Greif는 「닫힌 문의 뒤에서」라는 통찰력 있는 제목의 세 폭 병풍을 전시했다. 이 작품에 대한 한 비평에 따르면,

얼핏 보기에 그 병풍은 미국의 전형적인 마을을 묘사한 것처럼 보인다. 어떤 집은 수수하고, 어떤 집과 정원은 호화롭다. 그것들 모두는 평온을 상세히 묘사하고 있는 것으로 보인다. 닫힌 문들 뒤에서 일어나는 일의 실상과 마주

치는 것은 관람객들이 각 집의 겉면을 뜯어내고 서로 관련된 메시지들을 읽고 나서이다. 저스틴 노이만 그리프의 창작물은 우리가 우리 자신의 안전한 환경의 안식처로 숨어들 때마다, 우리는 우리의 지역사회의 닫힌 문들 뒤에서 그들의 삶을 위해 싸우고 있는 무수한 희생자들을 잊어서는 안 된다는 것을 우리에게 상기시키는 강력한 수단이었다.[25]

닫힌 문이 상징하는 위험을 '인식'시키고자 한다는 것은 사회가 사적인 일대일 관계들에 신뢰하지 않는다는 것을 상징적으로 보여준다.

결론

사적 영역에 대해 치료요법이 드러내는 반감은 사람들의 감정을 관리하고 궁극적으로는 단속하려는 그것의 목표에 의해 실증된다. 치료요법이 요구하는 감정적 솔직함은 사람들이 공개적으로 느끼는 방식에만 국한된다. 사람들이 서로에 대해 사적으로 갖는 감정들은 공개가 아니라 신중한 처리가 요구되는 감정들로 간주된다. 감정표현에 행사되는 이 이중 기준은, 사람들은 자신들의 개인적 관계가 이루어지는 과정 동안에 발생하는 감정 문제들을 스스로 해결할 수 없다는 믿음에 근거한다. 사람들이 자신의 개인적인 일을 처리하는 능력에 대한 이러한 비관적 관점은 실제로 사람들의 감정적 삶의 축소에 기여한다. 사회가 감정표현에 점점 더 관대해져왔다는 주장이 자주 되풀이되고 있지만, 바로 그 사회가 우리에게 친밀한 사람들에게 신중하게 대응할 것을 요구한다는 사실에 의해 그 주장은 부정되고 만다.

사적 영역은 대부분의 사람이 남 앞에서 드러내기 어렵고 심지어는 그렇게 할 수 없다고 생각되는 감정들을 위한 중요한 장場을 제공한다. 프라이버시에 독특한 성격을 부여하는 까닭은 그것이 친밀한 관계들을 구성하는 유일한 장소이기 때문이다. 프라이버시가 친밀한 관계의 형성에 필요한 이유는 그것이 사람들로 하여금 감정과 느낌을 통해 친구, 가족 성원, 연인에게 그들 스스로를 드러낼 수 있게 해주기 때문이다. 그러한 감정표현들이 내밀한 까닭은 바로 그것들이 세상의 다른 사람들에게 알려져 있지 않아서이다. 그러한 감정을 규제 없이 드러내는 것을 통해 우리의 삶 대부분을 규정하는 특정한 관계들이 만들어진다. 그처럼 무의식적으로 표출되는 감정은 수용하기도 또 통제하기도 쉽지 않다. 그러한 감정표현은 치료요법적 관리의 요구를 기꺼이 따르지 않는다. 이것이 바로 기본적으로 비공식적으로 이루어지는 관계들을 공식화하려는 압력이 강하게 존재하는 이유이다. 벨라가 지적했듯이, 치료요법학은 "우리의 친밀성에 사회계약의 성격을 부여한다"(Bellah et al., 1996: 127).

친밀한 관계에 계약의 성격을 부여하는 것은 "경제적·관료적 세계의 계약구조"가 "개인의 삶의 이데올로기적 모델"이 되고 있음을 의미한다 (Bellah et al., 1996: 127). 하지만 대인관계 영역에 계약적 규범을 도입하는 것은 단지 사적 영역의 해체에만 기여할 뿐이다. 이해관계의 충돌이라는 전제에 기초한 계약은 사람들이 자신들의 전 범위의 감정을 솔직하게 표현하는 능력을 불가피하게 훼손한다.

사적인 비공식적 관계의 해체가 공적 영역의 번영을 촉진하지는 않는다. 사적 영역의 해체가 단지 사생활에만 영향을 미치는 것은 아니다. 그것은 또한 친구와 직장동료들 사이에서 의존관계가 형성되는 것을 방해한다. 타인에 대한 의심과 불신 — 라시가 "만인에 대한 만인의 전쟁"으로 묘사해왔던 것(Lasch, 1979: 62) — 은 공적인 일의 수행을 어렵게 한다. 직장동료들간의 소송과 갈등의 증가는 라시의 비관적 예측을 확증해주고 있다.

치료요법 에토스의 옹호자들은 감정적 솔직함과 감정교양이 타인과의 유대감을 만들어내는 데 일조한다고 주장한다. 그들은 우리의 감정을 인정함으로써 우리가 직면하는 문제들을 더 많이 공적으로 이해할 수 있고 갈등과 폭력이 줄어들 수도 있다고 믿는다. 한 치료요법 옹호단체는 감정교양사회를 위한 선언을 요구하면서, "감정교양은 우리 자신의 내적 경험을 인식할 수 있게 하는 것만큼이나 다른 사람들을 더 잘 이해하고 그것을 통해 더 넓은 공동체와의 유대감을 더 많이 경험할 수 있게 해준다"고 선언한다.[26] 슬프게도 치료요법적 감성이 성장할 경우, 그러한 칭찬할 만한 목표가 달성될 것 같지는 않다. 그와는 반대로 자아에 대한 치료요법적 에토스의 지향은 작은 다툼과 분함을 조장하는 분위기, 그리고 공적 영역으로부터의 소외감을 낳는다.

제4장

우리가 어쩌다가 이 지경이 되었는가?

지금까지 논의한 경향들 중 많은 것 ─ 감정결정론의 성장, 공중의 감정문화의 부상, 사적인 비공식적 관계에 낙인찍기 ─ 은 비교적 최근에 전개된 사태들이다. 앞서 지적했듯이, 치료요법 문화가 사회에 지배적인 영향력을 행사하게 된 것은 1980년대에 들어서였다. 1980년대 이전에 증후군, 자존감, 외상 후 스트레스 장애, 섹스 중독, 카운슬링 같은 용어들은 아직 공적인 어휘가 아니었다. 물론 치료요법 문화는 어디에서도 출현하지 않았다. 1980년대에 치료요법이 크게 유행하기에 앞서 심리학이 한 세기 동안 그 영향력을 확대해왔다. 이러한 사태의 진전을 역사적으로 설명하는 사람들은 19세기말경에 마음의 과학을 제시하려는 이 새로운 전문직의 주장이 큰 주목을 받았다고 지적한다. 20세기 전반기에는 정신분석학 전통의 위세가 꾸준히 높아졌다. 그 시기 동안에 실험심리학, 심리측정학, 행동주의가 장족의 발전을 이루었다. 감정의 전문적 관리는 사적 영역과 공적 영역 모두에서 점점 더 중대한 일로 받아들여졌다. 1950년대경에, 그리고 1960년대경에는 치료요법학이 영미 주류 문화에서 하나의 뚜렷한 특징으로 부상했다.

치료요법 문화의 초기 표현들은 예지력 있는 많은 논평자들의 주목을 받았다. 1950년대 후반에 저술활동을 한, 잘 알려진 영국 사회과학자 바버라 우턴Barbara Wootton은 이렇게 말했다. "지금까지 정신과 의사는 광범위한 영역에서 정신의학적으로 지향된 그의 추종자들과 함께 한때 (실제로 판사까지는 아니지만) 사회개혁가와 행정가들이 차지했던 자리를 찬탈해왔다"(Wootton, 1959: 17). 그녀의 견해는 몇 년 후 토머스 사스Thomas Szasz가 미국에서 '치료요법적 국가'의 등장에 주목했을 때 대서양 저편에서도 되풀이되었다(Szasz, 1963). 사회학자 피터 버거가 1965년에 "정신분석학이 미국의 풍경의 일부가 되었다"고 썼을 때, 그는 독자들이 그의 진술을 하나의 사실로 간주할 것이라고 확신했다. 버거는 정신분석학이 미국의 법체계, 종교, 문학, 대중문화에 영향을 미치는 하나의 문화적 현상이 되었다고 논평했다. 그는 일상생활의 적어도 세 영역 — 섹슈얼리티, 결혼생활, 육아 — 이 정신분석학에 '상당한' 영향을 받아왔다고 주장했다(Berger, 1965: 26~28). 그해에 폴 할모스는 그러한 현상이 영국 사회에 미치는 영향에 대한 최초의 체계적 연구결과를 발표하면서, 그것의 영향력이 "급속히 성장하는 과정에" 있다고 결론지었다(Halmos, 1973; 초판은 1965). 일 년 후에는 미국 사회학자 필립 리프가 『치료요법적인 것의 승리The Triumph of the Therapeutic』를 출간했다. 치료요법 에토스의 점점 커지는 영향력에 대한 논의는 영미 세계에 국한되지 않았다. 프랑스에서는 세르주 모스코비치Serge

Moscovici가, 그리고 독일에서는 토마스 루크만이 그러한 추세가 유럽 대륙에 미치는 영향을 증명했다(Moscovici, 1961; Luckmann, 1967).

치료요법학이 문화에 미치는 영향을 논의한 이러한 선구적인 비평가들은 여전히 상대적으로 초기 발전 단계의 추세를 탐구하고 있었다. 리프가 그의 책에『치료요법적인 것의 승리』라는 도발적인 제목을 붙였음에도 불구하고, 그가 논의했던 현상이 사회에 미친 영향은 여전히 그리 크지 않았다. 1960년대에 치료요법적 감성은 문화의 지배적인 특징이 되지는 못했다. 그것은 공직자, 여론 형성자, 그리고 중간계급 분파들에 중대한 영향을 미쳤지만, 아직 일상생활을 규정하는 특징들 중의 하나가 되지는 않았었다. 그렇다면 치료요법적 감성을 하나의 강력한 문화적 힘(비록 지배적인 문화적 힘은 아니지만)으로 변형시킨 것은 무엇인가? 그러한 일이 일어난 것은 부분적으로는 20세기의 마지막 4반세기 동안에 개인적 관계의 양식과 행위에서 중대한 변화가 일어난 결과이다. 사람들 간의 관계의 당연한 것으로 간주되던 차원이 그 중요성을 잃어왔다. 공유된 의미가 쇠퇴한 결과, 불확실성이 인간관계와 관련한 행동에 지나치게 영향을 미치고 있다. 이러한 상황에서 전문가들은 그러한 관계들을 조정할 수 있는 상당한 여지를 가지게 된다. 이와 같은 일상생활의 뚜렷한 전문화 경향은 개인적 관계와 관련된 행동에 엄청난 영향을 미쳐왔다. 최근 몇십 년 동안 일상생활은 점점 더 전문화되어왔다. 전문가들은 이제 공중에게 그들의 관계를 이끌어가는 방법, 양육하는 방법, 가정과 직장에서 문제를 처리하는 방법, 슬퍼하는 방법에 대해 가르친다. 자신의 쇼핑과 몸단장을 돕는 '라이프스타일 전문가'를 고용하는 것은 단지 영국 총리의 부인만이 아니다.

전문가의 개입은 사람들 간의 관계를 점점 형식화하고 부호화하는 과정을 부추겼다. 관계의 형식화는 행동규약을 통해 사람들 간의 관계를 규제하는 제도들 ― 직장, 학교, 대학 ― 내에서 특히 현저하게 드러난다. 놀랄 것도 없이 이러한 경향은 사람들을 하나로 묶어주는 비공식적 유대들을 희생하여 이루어져왔다. 개인이 보다 광범한 비공식적 관계의 네트워크와 맺는 연계가 점점 더 그 중요성을 상실해왔다. 그리고 이러한 추세가 한동안 뚜렷하게 드러나기는 했지만, 그것이 상당한 추진력을 획득한 것은 1980년대 동안이었다. 공적 생활에 대한 환멸이 확산되고 일반적인 의미체계가 부식된 이 기간은 치료요법이 개인적 삶의 새로운 영역들에 개입할 수 있게 해주었고 또 사적 영역의 해체에 한몫했다. 이러한 해체된 사적 영역은 다시 전문가의 개입을 더 많이 요구하게 한다. 다양한 해석들이 치료요법 문화의 등장을 설명하기 위해 제시되어왔다. 전통의 쇠퇴, 종교의 쇠퇴, 정치의 쇠퇴가 이 주제를 다룬 논문들에서 제시되는 핵심 테마들이다. 이 장에서는 이러한 해석들의 적실성을 평가하고, 치료요법 문화의 부상에 대한 하나의 설명을 제시할 것이다.

전통의 쇠퇴

필립 리프, 피터 버거, 크리스토퍼 라시, 리처드 세넷Richard Sennett과 같은 미국에서 활동하는 선구적인 문화분석가들은 사회적 연대와 공동체적 규범의 부식, 그리고 전통적 권위가 일상생활의 행동에 미치는 영향력 약화를 강조함으로써 치료요법 문화의 부상을 설명했다. 그들은 그러한 과정들이 사회생활을 파편화하고 심히 개인화된 사적인 존재를 만들어냈다고 믿었다(Berger, 1965; Lasch, 1979, 1984; Rieff, 1966; Sennett, 1976을 보라).

전통은 과거의 권위의 제도화를 의미한다. 전통은 과거의 집합적 기억과 그것을 구현하고 있는 제도들에 의지하여, 개인에게 행위 모델과 우리가 쉽게 이해할 수 있는 정체성을 제공한다. 근대세계의 개막 이래로 전통은 항상 우려의 한 원천이 되었다. 일단 변화가 사회의 정상적 특징이 되고 나면, 과거와 현재의 관계는 변화를 겪게 된다. 그러한 상황에서 전통의 힘은 약화되고, 인간행동에 기준을 제공하는 그것의 능력도 약화된다. 탈전통화를 향한 이러한 경향이 누적된 결과, 개인과 외부의 권위의 관계에 변화가 발생한다. 한 설명에 따르면, 전통의 쇠퇴는 권위를 외부로부터 내부로 이전시킨다(Heelas, 1996: 2를 보라). 전통의 약화된 지배력은 처세에 대한 분명한 지침이 없다는 것을 걱정하게 한다. 이는 또한 전통의 효력이 쇠퇴하는 상황에서 개인들이 상당한 정도의 권위를 행사할 수 있게 해준다.

전통의 쇠퇴는 문화에 대해 중요한 함의를 지닌다. 문화적 전환은 인간행동에, 그리고 개인이 자신과 타인 및 공동체의 관계를 인식하는 방식에 반영되어 있다. 전통의 쇠퇴는 의미체계의 부식으로 해석되기도 한다. 사람들은 의미체계를 통해 자신들의 삶을 이해한다. 그러한 의미체계는 사람들이 용인되는 방식으로 일을 수행하게 해줄 뿐만 아니라, 자아를 보다 광범위한 목적의식 안에 위치시키는 것을 도와준다. 한 설명에 따르면, 전통의 쇠퇴는 보다 광범한 공동체의 목적으로부터 이탈하게 하고, 이는 더욱 자기지향적인 유형의 행동을 낳는다. 이러한 분석에 따르면, 대체로 도덕적 합의에 의해 확증된 요구들을 통해 이루어지던 방식의 사회통제가 사적 문제를 보다 개인화된 방식으로 관리하는 것에 길을 내줄 수도 있다(Rieff, 1966: 22). 전통의 쇠퇴는 불안의 증대 및 불확실성의 인식과도 연관지어진다. 이 주장에 따르면, 삶을 지배하는 규칙과 규범의 불확실성은 심리학적 해답에 더욱 관심을 가지게 한다. 또한 "계속되는 개인적·도덕적 불확실성의 상태"에 놓인 사람들에게서는 "심리치료요법 이데올로기가 확신을 대신해주며", 도덕적 연대가 '심리적 연대'의 형태로 재창출된다(North, 1972: 26).

최근 몇십 년간 이러한 노선의 주장은 우리가 위험사회에 살고 있다고 믿는 사회학자들에 의해 발전되어왔다. 선도적인 영국 사회학자 앤서니 기든스에 따르면, 불확실성과 위험의 강화는 성찰적 자아 프로젝트를 출현시켰다. 그 결과 계속해서 불확실성을 낳는 조건 속에서 치료요법이 생애 과정의 자의식적 계획의 도구로 사용되게 된다. 당연하게 간주될 수 있는 것이 거의 없는 상황에서 정보는 불충분하고 예측 가능성은 극히 미미하다(Giddens, 1991). 위험사회 이론가들의 주요한 공헌은 전통과 당연한 것으로 간주되던 관계와 관행들의 침식을 개인의 정체성 분열과 연결시킨 것이다. 기든스는 심리적 증후군들의 증가는 '탈전통적 질서', 즉 연속성 의식이 부식되고 또 개인들이 "라이프스타일 선택지들과 협상할 것을 강요당하는" 질서의 산물이라고 주장한다. 기든스는 공동의 신념체계의 부식과 자아 정체성의 분열 간의 연관성을 강조함으로써 전통의 부식이 미치는 영향에 관한 주장을 한 단계 더 진전시킨다(Giddens, 1995: 특히 ch.5를 보라).

전통의 약화가 단지 지배적인 도덕적 질서에 영향을 미치는 것만은 아니다. 그것은 또한 공동체의 단합에 초점을 맞추는 것을 그만두게 한다. 이 공동체적 연대의 쇠퇴는 개인화 과정을 가속화하는 데 일조한다. 개인들이 자신들의 공동체로부터 추방됨에 따라, 그들을 함께 묶어주던 유대가 그 중요성을 상실하면서 사회적 고립이 증대한다. 고립된 자아에게 사생활과 개인적 관계 모두는 문제 있는 것이 된다. 어니스트 겔너Ernest Gellner는 이전 시대의 생존을 위한 물질적 투쟁이 "관심과 승인"을 위한 개인적 투쟁으로 대체되어왔다고 추측했다. 사람들은 "정신분석을 받는 것이 자신이 전적인 주목을 받을 수 있는 얼마 안 되는 시간들 중 하나"이기 때문에 치료요법을 받아들인다(Gellner, 1993: 62~63). 그는 또한 이러한 추세가 사회가 보다 번영하게 됨에 따라 추동력을 얻는다고 믿는다. 겔너는 다음과 같이 쓰고 있다. "풍요한 사회에서 살아가는 근대적 삶은 확고한 물질적 웰빙 의식을 수반하기는 하지만, 다른 걱정들 – 과거에는 전혀 없었던 불안, 그러나 물질적으로 덜 안락한 시대에 살았던 사람들은 그들의 관심의 중심에 놓을 여유가 없었던 걱정들 – 로 가득하다는 것은 널리 알려진 사실이다"(Gellner, 1993: 33).

전통의 쇠퇴라는 테마의 탐구는 세상을 이해하는 새로운 방식들이 왜 요구되는지를 보여주는 데 도움을 준다. 하지만 그것만으로는 오늘날 치료요법 문화가 부상한 것을 설명할 수 없다. 전통의 약화를 강조하고 치료요법적인 것의 부상을 근대성의 변화하는 문화적 요구들과 연관짓는 주장들은 과도하게 초시간적인 특성을 지니고 있다. 산업화 이래로 전통적 믿음이 행사하던 영향력의 쇠퇴는 자주 도덕성과 공동체의 위기로 경험되어 왔다(Furedi, 1992: 91~93을 보라). 전통의 문제가 19세기 초 이래로 광범한 불안의 초점이 되어왔다는 점은 지적할 만한 가치가 있다. 몇몇 전통적 가치 또는 제도에 부여되었던 "존중이 사라진 것"과 관련한 한탄들은 지난 세기 동안 공적 논쟁 속에서 거듭 되풀이되었다. 하지만 치료요법 정명의 중요성은 단지 1960년대 이후로 진지한 논의의 주제가 되었을 뿐이었고, 그

것이 문화에 영향을 미치는 요인 중 하나로 규정된 것은 훨씬 더 최근에 일어난 일이다.[1]

최근까지 전통의 문제는 사회의 중요한 분파들을 고무시킬 수 있는 이데올로기와 집합적 비전의 등장으로 인해 가려져 있었다. 그 결과 일상생활의 개인화와 점점 더 많은 자아에의 몰두를 통해 진전된 파편화 경향이 보다 광범한 집합적 정체성 의식에 의해 진정되었다. 자아 외부에 자리하고 있던 이상과 가치들이 개인들에게 동기를 부여하고 그들의 헌신을 끌어낼 수 있었다. 얼마 전까지만 해도 수많은 사람이 다양한 대의를 진전시키기 위해 희생을 감수할 준비가 되어 있었다. 심지어 미국 — 이데올로기의 영향이 상대적으로 약했던 — 에서조차 더 고귀한 대의를 위해 희생해야 한다는 믿음이 공중의 상상력에 영향을 미쳤다.

전통과 사회의 관계는 경험에 의해 계속해서 틀 지어지고 또다시 틀 지어진다. 과거 및 전통의 중요성에 관한 견해들은 모든 시대에 문화적·사회적 경험을 통해 조정된다. 치료요법 에토스의 '강력한 영향'을 해명하는 데 도움을 줄 수 있는 것은 전통 일반의 상실이 아니라 현대사회가 전통에 할당한 특정한 역할이다. 우리 시대의 독특한 특징들 중 하나는 전통에 대한 문화적·제도적 긍정이 약하다는 것이다. 정부는 여전히 과거 사건들의 찬양과 국기 흔들기를 통해 공동의 전통 의식을 재차 확인하고자 한다. 그러나 전통적 상징성의 이러한 과시는 상대적으로 피상적이고 그 효과가 미약하다. 이러한 경향은 이른바 현대화를 추구하는 정부가 '새로운 영국'이라는 말을 이용하여 의식적으로 국민들이 과거와 거리를 두게 하려고 하는 영국에서 특히 현저하다. 미국에서는 국기와 같은 전통적 상징들이 공적 삶에서 더 큰 의미를 가지고 있다. 하지만 이른바 미국적 생활 방식과 관련된 전통들은 공중이 그것들과 소원해짐에 따라 번번이 그 영향력을 제대로 발휘하지 못하고 있다. 최근의 '문화전쟁'으로 인해 부상된 논쟁들은 과거의 권위가 지난 몇십 년간 크게 약화되었다는 것을 말해준다. 문화적 권위에 대한 논쟁과 도덕적 규범들을 둘러싼 합의의 부족은 영국 못지않게 미국에서도 뚜렷하다.

전통과 권위 간의 소원함은 과거에 대한 관심이 증가하는 것과 동시에 발생한다. 표면적으로는 과거에 대한 사회의 집착 ― 왕실 축제, 제2차 세계대전 기념식, 텔레비전에서 방영되는 팝의 역사, 옛 시절에 대한 향수의 광범위한 소비 ― 은 전통에 기초한 권위가 주변화 과정을 겪어왔다는 주장을 의문시하게 하는 것으로 보인다. 비록 그러한 기획들이 과거와의 연결을 유지하고자 하는 열망을 반영하는 것이기도 하지만, 그것들은 좀처럼 공중 오락의 형태 이상의 것을 만들어내지 못한다.

전통을 공개적으로 옹호하는 사람들에게서 눈에 띄는 점은 오히려 그들이 사회적 영향력이 없고 주변적이라는 것이다. 그들이 여론 관리자들로부터 고립되어 있다는 점은 이전 시대의 경험과는 현저한 차이가 있다. 최근까지 지배 엘리트들은 자신들의 권위에 전통적 가치의 힘을 부여하고자 해왔다. 심지어 그것의 중요성이 약화되었을 때조차, 전통은 체계적으로 긍정적 속성을 부여받아왔다. 실제로 전통과 권위는 지배 엘리트들의 상상력 속에서 하나로 연결되었다. 말하자면, 전통적 도덕성이 그것의 높은 도덕적 근거를 상실해온 것은 단지 최근에 들어서일 뿐이다. 비록 전통이 살아남아 있기는 하지만, 방어적인 형태로, 그리고 사회에서 영향력이 가장 작은 부분들에 살아남아 있다. 정계, 언론계, 학계에서 이른바 여론 형성자들은 전통과 철저하게 거리를 둔다. 실제로 가장 활동적이고 영향력 있는 엘리트 분파들은 분명하게 반전통적인 문화양식을 선택해왔다.

과거에 전통은 노골적으로 거부되기보다는 무시되는 경향이 있었다. 오늘날 많은 전통적 가치들은 부정적 측면에서 재조명되어왔다. 가족과 같은 핵심적인 전통적 제도들은 가정폭력과 학대의 장소로 공공연히 비난받고 있다. 애국심은 자주 차별적이고 비포용적인 것으로 제시된다. '충성'이라는 용어는 빈번히 '맹목적인' 또는 '어리석은' 같은 말과 결합된다. 영웅적 행위는 자주 비웃음을 사거나 믿기 어려운 것으로 일축된다. 대중문화의 한 새로운 장르는 과거 영웅들의 많은 결점을 폭로하기 위해 그들의 '숨겨진 삶'을 들추어내는 데 전념한다. 온정주의적·위계서열적·엘리트주의적·배타적이라는 말은 전통적 제도들을 혹평하기 위해 사용되는 용어들의 일부이다.

오늘날 전통에 대한 부정적 태도가 일게된 데 가장 중요한 책임이 있는 사태는 아마도 엘리트들이 자신들의 권위가 전통으로부터 벗어나게 하려고 시도했던 일일 것이다. 전통에 대한 전면적 거부와 치료요법학의 수용 같은 심대한 문화적 변화들이 최소한 엘리트들의 묵인 없이 발생할 수 있을 것이라고 상상하기란 어렵다. 리프에 따르면, 치료요법적인 것의 승리는 권위의 위기와 뗄 수 없게 연결되어 있다. 1960년대로 돌아가보면, 리프는 지배 엘리트들이 용기 부족으로 고통받고 있었다고 진단했다. 그는 "문화의 죽음은 그것의 규범적인 제도들이 무엇보다도 문화 엘리트들에게 여전히 그들을 내적으로 강제할 수 있는 이상들을 전달하는 데 실패할 때 시작된다"고 선언했다. 심각한 방향감각 상실감에 의해 강화된 자기확신의 결여는 미국 정치 엘리트들이 문화적 전통의 서사를 전달하는 능력을 훼손했다. 리프는 "기존의 규범적 제도의 많은 대변인이 그들의 실패를 알고 있지만 그들 스스로가 신념이라는 이름에 걸맞은, 그들 문화에 필수적인 부분을 부지불식간에 만들어내기에는 여전히 무력했다"고 비난했다(Rieff, 1966: 18~19). 리프는 엘리트들이 하나의 '도덕적 요구체계'로서의 전통적 문화를 지지하기를 중단했을 뿐 아니라 그것에 비판적이 되었다고 주장했다. 그는 전통에 대한 이러한 거부가 광범위한 결과를 초래한 하나의 문화혁명을 표상한다고 믿었다(Rieff, 1966: 15).

물론 개인과 단체들은 여전히 전통의 주장에 호소하고 있다. 그리고 그러한 개인과 단체들을 비판하는 사람 중 상당수가 자주 그들과 그러한 단체들이 자신들의 '비전통적 프로젝트'를 실현하는 데 엄청난 방해물이라고 믿는다. 자유주의적 논평자들은 자주 이른바 종교적 우파와 보수주의 세력의 권력에 대해 경고한다. 하지만 우리의 경험은 "기본으로 돌아가려는" 또는 '가족가치'를 재확인하려는 또는 "그냥 아니라고 말하려는" 최근의 시도들이 항상 문화적 삶에 아주 작은 영향만을 미치고 있음을 보여준다. 이와 반대로 교회와 같은 제도들은 그들 스스로에게서 자신들의 전통적 이미지를 제거하고 치료요법학의 보다 개인주의적인 지향을 수용할 가능성이 훨씬 더 크다.

종교와 공유된 도덕적 규범의 쇠퇴

치료요법 문화의 등장에 대한 초기의 사회학적 설명들은 사회적 연대의 부식, 일상생활의 파편화, 그리고 전통적인 도덕규약들에 부여된 중요성 축소가 초래한 불안전성에 초점을 맞추었다. 치료요법 에토스는 자주 조직화된 종교와 전통적 도덕의 쇠퇴가 초래한 사회적 욕구를 채워주는 것으로 제시되었다. 도덕적 합의의 파편화가 개인들에게 그들 자신의 의미체계를 찾도록 강요해왔다고 주장되었다. 사람들이 직면하는 문제들을 잘 처리하는 것을 돕는, 사회적으로 인정된 도덕적 나침반이 없을 경우, 우리의 존재방식을 이해하는 문제는 모호함과 혼란으로 둘러싸인다. 공유된 가치의 약화는 그와 같은 의미의 탐색을 파편화한다. 이러한 의미 찾기의 파편화는 의미를 사사화하고 그것에 개인화된 성격을 부여한다. 치료요법학은 개인들이 추구하는 삶의 의미에 해답을 제공하겠다고 약속한다. 이것이 바로 중요한 삶의 사건들을 둘러싼 혼란들이 심리학적 답변에 대한 수요를 창출하게 되는 이유이다. 치료요법학은 원자화된 개인들의 경험을 지향하고, 소외라는 고립된 경험에 의미를 부여하기 위해 노력한다. 치료요법 문화가 우리가 슬퍼하는 방식에 미치는 영향을 분석한 연구들은 심리학적 전환psychological turn을 종교의 대체품을 발견할 필요성에서 나온 하나의 반응으로 간주한다(Walter, 1999: 196). 사회학자 제임스 헌터James Hunter는 "왜 심리학이 그렇게 지배적이 되었는가"라고 묻는다. 그리고 그는 "모든 형태의 신학이 공개적으로 불신받는 상황에서 심리학은 표면적으로는 인간 퍼스낼리티의 최고 자질들을 이해하고 계발하는 중립적인 방법을 제공해왔다"고 쓰고 있다(Hunter, 2000: 82).

많은 사람들은 또한 종교적 도덕이 의학과 심리학의 과학적 주장과 경쟁할 수 없다는 점을 치료요법 혁명의 중요한 원인으로 간주한다. 우턴은 치료요법 에토스가 부상한 이유를 의학과 정신의학의 위세가 높아지면서 의학적 문제와 도덕적 문제를 구분하는 경계선에 변화가 발생한 결과라고 설명했다. 그녀는 "의학과 도덕이라는 서로 경쟁하는 제국"의 싸움을 "19

세기에 우주의 사건들과 지구의 진화를 놓고 과학적 설명과 종교적 설명이 벌인 전쟁"의 현대적 등가물로 보았다(Wootton, 1959: 338~339). 다만 이번에는 전쟁이 개인들의 영혼의 충성에 관한 것에 국한되어 있을 뿐이다. 노스도 유사한 접근방식을 취했다. 그는 "치료요법 전문가가 본질적으로 도덕적 쟁점을 둘러싼 논쟁들에 거의 유일하게 기꺼이 귀를 기울이는 중재자가 되었다"고 지적했다(North, 1972: 52).

피터 버거는 종교쇠퇴 테제에 대한 하나의 흥미로운 설명을 제시한 바 있다. 버거에 따르면, 종교의 쇠퇴는 개인의 정체성의 사사화와 뗄 수 없게 연관되어 있다. 버거는 개인들이 점점 이분화된 존재가 되고, 그리하여 그들은 공적 영역보다는 사적 영역에서 행하는 그들의 활동을 통해 의미를 획득한다고 주장한다. 그러한 상황에서 공중도덕과 종교는 개인의 사적 정체성 추구와 공명하기를 그만둔다. 버거는 "제도화된 심리학주의가 이분화된 삶을 극복한다"고 믿는다. 게다가 "그것은 제도화된 종교가 하고 싶어 하지만 점점 더 할 수 없는 바로 그것 — 개인과 그의 이분화된 삶의 양쪽 영역 모두에서 함께하는 것 — 을 할 수 있다"(Berger, 1965: 39). 이 접근방식의 노선을 따라, 놀런은 "따라서 치료요법 윤리는 이 이분화된 오늘날의 상황을 구제하기 위해, 또는 최소한 그것을 인지적으로 덜 부조화되게 하기 위해 독특하게 구성된다"고 지적한다(Nolan. 1998: 18). 이 분석에 따르면, 치료요법 에토스는 사적인 정체성 추구를 보다 광범한 공적으로 인정된 인생관과 묶어주는 문화 각본을 제공한다.

전통적 권위와 도덕의 부식에 따른, 세계의 '탈주술화'는 종교의 쇠퇴에 대한 논의에서 강조되는 또 다른 테마이다. 원래 독일의 유명한 사회학자 막스 베버Max Weber가 개진한 탈주술화 개념은 합리화 과정이 심령, 주술,

종교가 사회에 미치는 영향을 서서히 약화시키고 그리하여 삶에서 의미를 박탈하는 것을 가리키는 용어였다(Weber, 1977: 139를 보라). 이러한 맥락에서 자신들의 삶을 이해하려고 노력하는 사람들에게서, 탈주술화가 주관적 경험을 이해하고 싶어 하는 강렬한 욕구를 만들어낸다고 주장된다. 치료요법 이데올로기는 주관적 경험을 재주술화해 주겠다고 약속한다. 치료요법은 개인의 감정적 삶에 특별한 의미를 부여한다. 치료요법은 개인의 내적 삶에 대한 독특한 통찰력을 제공하겠다고 약속하는 방식으로, 사람들로 하여금 그들의 '진정한' 자아와 교류하게 한다. 감정주의 이데올로기는 자아의 정당함을 인정함으로써 개인을 관심의 초점으로 하는 형태의 영성을 재구성하는 데 일조한다. 이것이 바로 자기표현, 자기인식, 자아발견의 가치를 강조하는 뉴에이지 종교 및 여타 종파들이 개인화된 문화적 분위기 속에서 그렇게도 유행하는 이유이다. 이러한 추세를 가장 인상적으로 보여주는 것 중 하나가 바로 미국에서 천사가 유행한 것이다. 수많은 책과 텔레비전 프로그램이 우리를 지켜주는 천사들에 관한 이야기에 사로잡혀 있다. 그 천사들은 우리를 지켜주고 우리 자신의 정당함을 입증하는 것을 도와주기 위해 존재하는 우리의 천사들이다.

전통적으로 종교는 공동체에서 타인들과 공유하고 있는 어휘를 통해 개인의 주관적인 내적 경험을 이해하고자 했다. 이러한 방식으로 종교는 삶의 이해를 도왔고 또 냉혹한 현실의 충격을 완화시키는 것을 도왔다. 경제적 합리화 과정은 인간의 목적에 대해서는 분명하게 이야기하지 않은 채삶을 개인적 통제를 넘어서는 강한 힘에 예속시키는 것으로 보인다. 이것이 바로 주관적 경험의 긍정이 자주 합리화에 대한 감정적 반발의 형태를 띠는 이유이다. 데버러 럽턴Deborah Lupton은 감정주의의 호소를 규제와 도구주의에 대한 이러한 반발과 연계시킨다. 그녀는 다음과 같이 쓰고 있다. 공적 삶의 도구주의적 정명과는 대조적으로 "사랑, 공포, 화와 같은 살아 있는 강렬한 감정은 경험의 깊이를 말해준다. 그러한 감정들은 우리에게 우리가 살아 있다는 것을 깨닫게 하고 우리의 인간성을 보여준다"(Lupton, 1998: 170).[2]

치료요법학이 개인들이 추구하는 의미를 이해하는 것을 내세우지만, 그 것은 종교와 공통점이 거의 없다. 종교가 사회생활에 기여한 가장 중요한 점은 종교가 제시하는 삶에 대한 해석이 아니라 종교가 전체 공동체에 하나의 의미망을 제공하는 능력이라고 주장할 수 있다. 종교는 공동체의 응집 및 집합적 행위에 중심점을 제공한다. 이와 반대로 치료요법학은 자아에 각본을 제공한다. 우리가 앞서 지적했듯이, 종교와 달리 치료요법 에토스는 자아보다 더 높은 어떠한 가치도 상정하지 않는다. 그것은 사람들이 집합적으로 의미를 공유할 수 있는 세계관을 제공하지 않는다. 치료요법학은 종교에 대한 하나의 대안을 제공하기는커녕, 개인화된 위안을 제공함으로써 어떻게 사람들이 하나의 공유된 세계관으로 묶일 수 있을지의 문제를 회피하고자 한다. 놀런이 지적했듯이, 치료요법 문화는 "개인들이 사회생활 속에서 자신들의 길을 찾는 데 의지하는 도덕적 준거점"을 제공한다(Nolan, 1998: 301). 그러나 그것은 연대를 이룰 수 있는 지침을 제공함으로써가 아니라 연대 결여의 경험에 의미를 부여함으로써 그렇게 한다. 사실상 치료요법 에토스는 개인들로 하여금 도덕적 방향감각 상실에 적응하게 하는가 하면, 그 자체가 목적인 자아계발을 찬양함으로써 결속을 약화시킨다.

종교는 쇠퇴해왔을 뿐만 아니라 치료요법 문화의 중요한 요소들을 받아들일 것을 강요받아왔다. 이러한 사태는 전 캔터베리 대주교 조지 캐리 George Carey가 "품격이 떨어진 설교 속에서 '구세주 그리스도'가 '카운슬러 그리스도'가 되었다"고 한탄했을 때 분명하게 자인되었다. 미국에서는 치료요법적 접근방식이 스스로를 정신건강 단체로 홍보하는 미국목회상담사협회American Association of Pastoral Counselors 같은 서로 다른 신앙 공동체 및 단체들에 의해 의식적으로 채택되어왔다.[3] 그러나 종교의 쇠퇴와 변형은 치료요법 문화가 부상하게 된 요인들 중의 하나이기는 하지만, 그것을 유발한 원인은 아니다. 세속주의의 부상과 종교의 쇠퇴는 지난 두 세기 동안 널리 주목받아왔다. 종교의 쇠퇴와 도덕률의 호소력 약화에 관한 우려들은 거의 두 세기 동안 서구의 상상력을 늘 따라다녔다. 상실감, 그리고 옛날의 확신을 대체할 것이 아무 것도 없다는 인식은 20세기 서구사상에서 중심적인 주제가 되었다. 과거에 '신의 죽음'은 감정의 가치화valorisation of emotion가 아니라 과학과 이성에 부여된 중요성의 증대와 연관되었다. 20세기에 공산주의, 사회주의, 파시즘이라는 새로운 이데올로기들이 등장한 것은 종교의 쇠퇴가 만들어낸 욕구를 충족시키기 위한 것으로 제시되었다. 치료요법학이 중요한 문화적 힘으로서 등장할 때까지, 종교는 한동안 쇠퇴해왔다.

종교의 쇠퇴를 새로운 의미체계와 연관시키는 것은 왜 사람들이 서로 다른 역사적 시기에 서로 다른 유형의 세계관을 받아들이는지를 설명하지 못한다. 과학적 세계관은 합리성과 이성에 호소한다. 공산주의와 사회주의 같은 이데올로기들은 세속적 토대 위에서 연대를 재조명하고자 한다. 이와 반대로 치료요법 문화는 과학이 선언한 합리성의 에토스와 20세기 이데올로기들이 장려한 집단적인 것의 지향 모두를 거부한다. 이 고도로 개인화되고 감정주의적인 치료요법 문화는 단지 전통적인 종교의 쇠퇴가 낳을 수 있는 결과들 중의 하나일 뿐이다.

정치의 사망

치료요법 에토스는 종교에 대한 대안이라기보다는 근대시대의 특정한 사회적·도덕적·정치적·경제적인 제도적 이해관계와 약속을 반영하고, 그것에 대해 이의를 제기하고 또 그것을 옹호하는 정치적 이데올로기이다. 세속주의의 부상 이후 근대 거버넌스의 구성요소로서 종교가 수행한 역할은 상대적으로 그 중요성을 상실해왔다. 19세기와 20세기의 대부분은 이데올로기 경쟁이 현상現狀에 대한 옹호자와 반대자 모두의 행위에 영향을 미치던 시기였다. 이것이 바로 이데올로기의 중요성 쇠퇴가 오늘날의 정치적 풍경에 그처럼 엄청난 영향을 미치는 이유이다. 이러한 사태는 널리 언급되어왔다(Bell, 1964; Fukuyama, 1992; Furedi, 1992를 보라). 사회참여의 감소가 정치적 삶의 개별화 쪽으로 초점이 이동한 것과 연관되어 있다는 것은 일반적으로 합의가 이루어진 사항이다. 개인적 관심사와 사적 문제에 부여된 중요성은 이데올로기의 쇠퇴와 밀접하게 연관되어 진행되는 사태로 인식될 수 있다. 1980년대 이래로 정치에 대한 민심이반political disaffection이라는 테마가 사적 문제의 추구에 의해 가려져왔다.

정치의 사망과 치료요법학의 등장 사이의 긴밀한 연관성은 앞 장에서 논의했던 일부 선구적 연구들에 의해 지적되었다. 폴 할모스는 치료요법학의 등장을 정치의 사망과 명시적으로 연계시켰다. 그는 정치에 대한 관심의 쇠퇴가 "카운슬링 활동의 확산과 그것들의 더 광범한 확산에 유리한 사회적 상황 둘 다의 결과"라고 기술했다. 할모스는 이러한 사태가 당시의 지적 분위기에 직접 영향을 미쳤다는 견해를 취한다. 그는 다음과 같이 결론지었다. "'정치적 시대'를 지배한 사회과학은 정치적 사회과학이었고, 그러한 사회과학은 정치의 우위성을 강조하는 데 크게 기여했다. 반면 오늘날의 사회과학은 소집단 지향적이고, 치료요법적 행위를 강조한다"(Halmos, 1973: 8, 24). 1970년대 후반에 크리스토퍼 라시는 그가 나르시시즘적 정치의 성장으로 보았던 것에 대해 통렬하게 비판했다. 그는 "미국 문화를 조직화하는 틀로서의 종교를 추방한 치료요법적 사고방식이 이데올로기의 마지막 피난처인 정치까지 추방하겠다고 위협한다"고 논평했다. 라시는 이러한 정치의 사망이 국가관료들이 "집합적 불만을 치료요법적으로 치유할 수 있는 개인적 문제로" 변형시킬 수 있는 문화적 분위기를 조장했다고 믿었다(Lasch, 1979: 43).

이러한 상황은 집합적 불만이 개인적 문제로 변형된 것을 엘리트의 기획의 결과로 해석하라고 부추긴다. 치료요법적 정명에 대한 일부 급진적 비판가들은 그것을 의식적인 정치적 전략에 의해 추동된 것으로 간주한다. 다나 클라우드는 치료요법적인 것은 "그들의 정치적 맥락 속에서 묘사되고 설명되고 평가될 수 있는, 정치적으로 동기화된 일단의 도구적 담론으로 이해될 수 있다"고 주장한다(Cloud, 1998: xiv). 이러한 관점에서 볼 때, 치료요법적인 것은 개인책임 또는 가족책임의 담론을 통해 이견을 억누르기 위한 '현대 자본주의의 정치전략'으로 인식될 수 있다(Cloud, 1998: xiii). 그렇다면 그것은 대중을 세뇌시키는 빅 브라더의 또 하나의 사례인가? 클라우드는 음모이론적 형태의 설명을 피하기 위해 "치료요법 담론들이 잘 속아 넘어가는 대중의 마음을 통제하려는 엘리트의 음모 장치의 산물이 아니라고" 주장한다(Cloud, 1998: 13). 그럼에도 불구하고 치료요법학에 대한 많은 급진적 비판가들은 그것의 영향력이 커진 까닭은 특히 1980년대에 정치적 우파들이 그러한 에토스를 의식적으로 조장했기 때문이라고 믿는다.

자유시장 자본주의에 대한 일부 비판가들은 치료요법이 개인적 책임에 대한 레이건주의자와 대처주의자의 생각을 전하는 매개수단을 제공한다는 견해를 진전시켜왔다. 폴 힐라스Paul Heelas는 기업 문화의 옹호자들이 우파적 사리 추구 관념을 조장하는 자아 관념을 계발해왔다고 말한다(Heelas, 1991). 재니스 러셀Janice Russell은 영국 토리당원들(보수당원들)이 개인의 자율성을 찬양하는 것은 "카운슬링의 윤리적 정당화와 원리, 특히 '고객 중심적' 접근방식이 지지하는 원리와 놀랄 만큼 유사하다"고 주장한다(Russell, 1991: 347). 영국 정신질환자들의 권리 옹호자인 조안나 몬크리프Joanna Moncrief는 의료화가 "현대의 삶을 매우 힘들고 고통스럽게 만들 수 있는 정치적·환경적 요인들로부터 주의를 다른 데로 돌리게 한다"고 진술한다. 그녀는 또한 치료요법 문화의 성장은 1980년대와 1990년대 경제 자유화의 파괴적 결과로부터도 주의를 다른 데로 돌리려는 시도라는 견해를 취한다(Moncrieff, 1997를 보라). 북미의 '심리산업psychology industry'에 대한 타나 디닌Tana Dineen의 연구 또한 치료요법학의 성장을 "보수적이고 우파 지향적이고 이기적인 형태의 레이거노믹스"가 만들어낸 분위기와 연관 짓는다(Dineen, 1999: 238). 치료요법 관행의 이러한 조작적 차원은 또한 미국 학자들에 의해서도 강조되어왔다. 그들은 치료요법이 책임의 개인화를 통해 사회를 통제하기 위해 이용되어왔다고 주장한다. 치료요법 에토스가 소비의 찬양을 통해 개별화된 정체성을 조장하는 데 이용되어왔다고 주장되기도 한다(Cushman, 1995; Herman, 1995를 보라).

우리가 제2장에서 지적했듯이, 주체성의 관리가 현대 정치의 중요한 특징이라는 것은 의심의 여지가 거의 없다. 여러 시대에 심리학은 산업현장에서 그리고 전쟁 동안에 사람들이 그들의 불안전한 생활을 감수하게 하기 위해 '이용'되어왔다. 하지만 정치세력이 치료요법적인 것을 도구적으로 이용한 것은 그것이 사회적 삶에 미치는 영향이 확대되어온 것을 설명하지 못한다. 개별 행위자와 정치적 행위자들은 문화와 개인의 주체성을 변화시킬 수 있는 힘을 가지고 있지 못하다. 정치가들은 항상 군중심리를 틀 짓고자 해왔다. 20세기로의 전환기 이래로 여론을 관리하려는 수많은 시도들이 있었다.[4] 따라서 여론 관리를 위해 심리학을 이용하는 것에는 어떠한 새로운 것도 없다. 답변이 필요한 질문은 왜 그러한 전략이 현대 정치 문화 안에서 그렇게 두드러진 역할을 획득해왔는가, 그리고 왜 그것이 오늘날 공중의 사고방식과 공명하는 것으로 보이는가 하는 것이다.

실업자 카운슬링을 하나의 예로 들어 보자. 1980년대 초로 돌아가보면, 대처 정권은 일자리를 잃었거나 이제 막 잃게 될 사람들에게 카운슬링을 제공하고자 하는, 지방에서 수립한 계획을 지지했다. 많은 논평자가 그러한 계획을 실업자들이 그들의 불안한 생활에 적응하게 함으로써 실업자들의 반발을 억누르고 완화시키려는 냉소적인 시도로 간주했다. 정부는 새로운 일자리를 창출하는 것보다 실업자들이 '실업이라는 곤경'에 '대처'하도록 돕는 쪽에 훨씬 더 많은 힘을 쏟았다.[5] 그 당시에도 그러한 계획을 비판하는 논평들이 쏟아져 나왔다. 많은 카운슬러가 실업자들은 그들의 도움에 관심이 없었다고 털어놓았다. 하지만 1980년대 후반과 1990년대까지 그러한 카운슬링 계획들이 널리 제도화되었고, 노동시장과 불안정한 관계에 있는 사람들이 그것을 자주 찾았다. 오늘날 영국과 미국의 작업장에서 치료요법의 지원을 가장 큰 소리로 외치는 옹호자들은 '자본가'가 아니라 노동조합이다(제9장을 보라). 미국에서는 피고용자지원 프로그램Employee Assistance Programmes을 통해 제공되는 치료요법 서비스들을 이용하는 피고용자의 대부분이 감독자의 소개에 의해서라기보다는 스스로가 그것을 찾는다고 지적되어왔다. 비록 그러한 계획이 자주 노동을 통제하려는 우회적 시도로 제시되어왔지만, 노동자들이 그것을 받아들이고 있다는 사실은 그것을 "기업의 사회통제 수단으로 분류할 수 있는가"라는 의문을 제기하게 한다(Conrad, 1992: 216). 여러 요소들이 작업장에서 카운슬링 수요가 이처럼 폭발한 것을 설명해준다. 중요한 요소 중의 하나가 이데올로기의 쇠퇴가 작업장과 노동조합주의에 미친 영향이었다. 우리가 다른 곳에서 지적했듯이, 노동조합이 치료요법 에토스를 받아들인 것은 이데올로기가 쇠퇴한 것과 동시에 발생했다. 역설적이게도 일자리 상실 문제가 사회심리적 이행의 문제로 변형된 것을 설명해주는 것은 우파의 전략이 아니라 치료요법적 노동조합주의이다.[6]

급진적 학자들이 치료요법 에토스를 독특한 경제적 또는 계급적 이해관계와 연결시키고자 시도했음에도 불구하고, 그것은 다양한 일련의 동기들을 표현하는 데 이용할 수 있는 문화 각본을 제공한다. 실제로 치료요법의 언어와 감정주의는 현상現狀에 대한 반대자들에 의해서도 비록 더 광범위하게는 아니지만 정치 엘리트에 의해서만큼 이용된다. 클라우드의 연구는 감정주의가 반체제운동에 미치는 광범한 영향을 상세하게 설명한다. 그녀는 1968년 이래로 미국에서 "치료요법이 아래로부터의 정치활동에 점점 더 설득력 있는 대안이 되어왔다"고 쓰고 있다(Cloud, 1998: xii). 럽턴 또한 이와 견해를 같이한다. 그녀는 격분이 주변화된 사람들의 삶을 규정하는 중심적 구성물의 하나가 되었다고 논평했다. 실제로 어떤 것에 대한 반발이 격분의 형태로 표현될 수도 있다(Lupton, 1998: 171). 저항운동은 대중동원 과정에서 그들의 불만을 표현하기 위해 자주 치료요법 어휘를 채택한다. 에바 모스코비츠가 1960년대 미국의 급진적 저항을 설명하면서 지적하듯이, "이 소란스러운 시대의 사회운동은 심리전문가들의 권위와 치료요법적 복음의 교의에 크게 의존한다"(Moscowitz, 2001: 179). 이러한 진전을 이해하기 위해서는 이 장에서 논의한 변화들이 어떻게 사람들의 개인적 삶과 일상생활에 영향을 미쳐왔는지를 검토할 필요가 있다.

물론 치료요법적 전환은 상당한 제도적 지원을 받고 있으며, 근대 국가 관료제가 채택한 개인화 지향과도 부합한다. 정책 입안은 점점 더 개인적 불만에 대한 제도적 대응과 맞물린다. 그러나 제도화된 개인주의적 스타일의 정책 입안이 국가와 공중의 관계를 틀 지을 수 있지만, 그것이 치료요법적 감성이 지배적이 되게 했다고까지 말할 수는 없다. 이러한 진전을 이해하기 위해서는 치료요법적 상상력을 틀 짓는 여타 요소들을 살펴볼 필요가 있다.

사회통제

정치당국이 치료요법학을 받아들여온 이유 중의 하나는 그것이 정부가 그렇게 하지 않았다면 파편화되었을 공중과의 접점을 만드는 데 일조하기 때문이다. 공공제도들이 개인 쪽으로 방향을 전환하는 것은 또한 당국에 중요한 사회통제 도구를 제공할 수 있는 여지를 마련해줄 수 있다. 치료요법이 사회통제 메커니즘으로 기능한다는 생각은 전후 시대 동안에 탤컷 파슨스에 의해 체계적으로 다듬어졌다. 파슨스에 따르면, 치료요법은 개인들이 그것에 접근할 수 있게 했을 뿐 아니라, 여타 형태의 상호작용을 통해서는 행사될 수 없었던 영향력에 개인들을 예속시킬 수 있게 했다(Parsons, 1965: 115). 통상적 형태의 제도적 개입들은 자주 개인들의 주체성에 대해서는 손대지 않는다. 그와 대조적으로 치료요법적 개입은 개인의 저항을 우회할 수 있고 또 사람들의 내적 삶에 영향을 미칠 수 있다. 사회통제의 유지를 담당했던 다른 권위자들 ― 공무원, 종교 지도자, 교사 ― 과 달리 치료요법사들은 도덕적 질서의 유지를 떠맡지 않는다. 판사보다 치료요법사가 개인의 곤경에 공감하고 환자와 '관대한' 관계를 맺을 수 있다(Parsons, 1965: 317). 치료요법사들은 관대한 관계 ― 오늘날이라면 비(非)판단적이라고 불렀을 것 ― 를 통해 사람들의 주체성에 특권적으로 접근할 수 있다. 치료요법사들은 또한 개인들에게 진단을 해줌으로써 순응이라는 보상을 받을 수도 있다(제8장을 보라).

치료요법사들은 진단을 통해 환자에게 병자의 지위를 부여할 수 있다. 파슨스의 '병자 역할' 개념은 사회통제의 한 형태로서의 치료요법학의 역학에 흥미로운 통찰을 제공한다. 병자 역할은 개인들이 지배적인 사회적·도덕적 기대에 따라 행동하는 것을 면제해준다. 왜냐하면 "아픈 상태는 보통 아픈 사람의 잘못으로 생각될 수 없고" 또 "질병이 그에게 통상적인 성과를 기대할 수 없다는 것을 정당화해주기" 때문이다(Parsons, 1978: 77~78을 보라). 병에 걸린 개인들은 그러한 면제를 받는 대신에 그들의 상태를 바람직하지 않고 정도를 벗어나 있는 것으로 규정할 것을, 그리고 건강을 회복하게 해줄 모든 것을 수행할 것을 기대받는다. 파슨스는 병자 역할을 일시적인 것으로, 그리고 그동안에 치료요법사는 사심 없는 공감을 통해 환자와 중요한 감정적 관계를 맺을 수 있을 것으로 보았다. 그러한 관계를 맺고 있는 동안에는 치료요법사의 질병 진단이 개인이 그 또는 그녀의 상태를 이해하는 방식을 틀 짓는다. 질병이 지배적인 문화적 규범과 기대들에 의해 정의되기 때문에, 병자 역할의 할당은 환자가 더 넓은 사회체계에 재통합되게 할 수 있는 역할을 한다.

파슨스식의 시각에서 볼 때, 치료요법적 관계는 개인의 일시적 분리와 사회체계로의 재통합의 변증법을 실행한다. 관대한 공감이 하나의 사회통제 도구로서 갖는 효능에 대한 통찰들은 노사관계 분야에서 수행된 실험들에서 확인되어왔다. 치료요법 형태의 사회통제는 노동의 효율성을 높이기 위해 산업 속에서 혁신되어왔다. 영국과 미국에서 수행된 여러 산업실험들은 만약 노동자들이 전문가의 관심과 인정을 받고 누군가가 그들의 작업장 경험을 돌보고 있다고 느낄 때 생산량과 생산성이 증가한다는 것을 보여주었다. 양차 세계대전 사이에 미국의 심리학자 엘튼 메이요Elton Mayo가 개발한 산업용 치료요법 기법들은 웨스턴 일렉트릭 컴퍼니의 호손 공장에서 수행된 연구들을 기반으로 한 것이었다. 그 실험에서 연구자들은 인터뷰를 통해 예기치 않게 노동자들의 감정적 삶에 접근할 수 있었다. 피터 밀러Peter Miller가 지적했듯이, "면접자들이 말하기보다는 듣는, 비非유도적이고 중립적인 질문들이 사람들로 하여금 그/그녀의 진짜 느낌과 불만을 드러내게 했다." 밀러는 이 기법이 "지금까지 분명하지 않았던 산업적 삶의 차원들에 접근할 수 있게 해주는 이점이 있었고 그 자체로 기초적인 치료요법학을 제공했다"고 덧붙인다(Miller, 1986: 1~2를 보라). 놀랄 것도 없이 피고용자들에게 불만을 늘어놓을 기회를 제공하는 것은 인적자원관리의 중요한 특징이 되었다. 그리고 다양한 형태의 비유도적 인터뷰는 관리감독의 중요한 도구가 되었다.

관대한 치료요법학에 대한 파슨스의 생각은 비유도적 인터뷰의 한 변종일 뿐이다. 관대한 치료요법학은 미리 계산된 공감을 제공하고 개인들의 고통을 인정하는 것을 통해 그렇지 않았더라면 소원해졌을 개인들과 관계를 맺거나 접점을 가질 수 있게 해준다. 개인들은 치료요법사의 권위를 인정함으로써 의존관계를 받아들인다. 그리고 그러한 예속적 지위의 묵인이 하나의 삶의 방식이 된다. 억압의 위협에 기초한 사회통제 형태들과는 달리 관대한 치료요법은 간접적인 방식으로 작동한다. 울포크Woolfolk는 다음과 같이 논평한다. 치료요법 문화는, 많은 충동이 처음에 생각되는 것보다 덜 해로운 반면 다른 충동들은 통제된 카타르시스적 방출을 통해 위험하지 않게 만들어질 수 있다는 가정에 입각하여, "억압적인 통제들을 통해서가 아니라 관대한 용서를 통해 사회질서에 적대적인 충동뿐만 아니라 다른 반제도적·반문화적 충동들을 통제하고 이용하고자 한다"(Woolfolk, 2001: 27).

관대한 치료요법학을 통해 사회통제를 하는 것은 최근 들어 점점 더 중요해졌다. 그것은 오늘날의 정치문화에서 두드러진 역할을 수행하며 현재의 통치 스타일을 특징짓고 있다. 정치의 사망과 함께 그것은 새로운 토대 위에서 이데올로기에 기반한 권위를 재구성하는 데 필수적인 것이 되었다. 우리가 제8장에서 논의하듯이, 국가는 치료요법 관행의 제도화를 통해 개인들로서의 공중과 재접합함으로써 일반적인 정당성 문제를 우회하고

자 한다.

파슨스는 "우리 사회에서 '도덕적 고결성'을 구성하는 요소"에 관한 '제도화된 합의'가 널리 이루어져 있는 한, 관대한 치료요법학을 통한 사회통제의 행사는 유효할 것이라는 견해를 취했다. 그는 그러한 합의가 존재한다고 믿었다. 왜냐하면 그것 없이는 "우리 사회가 지금까지 보여온 안정성의 정도를 이해할 수 없을 것이기" 때문이다(Parsons, 1965: 323~324). 이러한 치료요법의 통합적 사회통제 모델은 사회에 도덕적 합의가 널리 퍼져있다는 가정에 의거한다. 냉전의 정점에서는 그러했을 수도 있지만, 이 가정은 더 이상 당연한 것으로 간주될 수 없다. 지난 30년 동안 사회에서 '도덕적 고결성'을 구성하는 요소와 관련하여 합의된 가정을 서서히 약화시키는 중요한 문화적 변화들이 발생해왔다. 도덕적 합의의 약화는 질병과 건강의 의미에 관한 논쟁들에 뚜렷하게 반영되어 있다. 그 결과 질병과 건강을 구분하는 선이 점점 더 흐려져 왔다.

파슨스는 치료요법적 관계가 "치료요법을 시행하는 사람과 병에 걸린 사람이 건강에 대한 긍정적 평가와 질병에 대한 부정적인 평가"를 공유하는 것에 의해 뒷받침된다고 가정했다(Parsons, 1978: 76). 하지만 오늘날에는 질병의 정의가 심각한 논쟁거리이고, 질병에 대한 부정적인 평가 그 자체가 논쟁의 주제가 되고 있다. 병에 걸렸다는 것은 이제 개인의 정체성을 규정하는 특징이 되기도 한다. 일레인 쇼월터Elaine Showalter는 "일부 사람들의 경우에는 환자 이력이 친구, 활동가, 의사, 치료법으로 구성된 자활 네트워크를 갖춘 항구적 생활방식이 될 수도 있다"고 기술한다(Showalter, 1997: 19). 치료요법 문화는 질병과 연관된 정체성을 자주 긍정적으로 조명한다. 어떤 사람들은 귀가 안 들리거나 눈이 안 보이는 것을 긍정적으로 평가한다. 섬유근육통이 있는 여성들의 경험에 대한 한 연구는 그 질병이 친밀함과 동류의식을 만들어낼 수 있다고 주장한다. 그 연구는 그러한 경험이 "어떤 사람에게는 자기 자신을 알 수 있는 기회를 제공한다"고 말한다. 암과 관련된 정체성에 대한 또 다른 연구는 그 질병이 어떻게 "잠재적으로 긍정적인 경험"이 될 수 있는지에 관해 사색한다(Soderberg, Lundman and Norberg, 1999: 584; Zebrack, 2000: 241를 보라). 질병에 '긍정적' 가치를 부여하는 것은 병자 역할에 대한 원래의 개념화에 의문을 제기하게 한다. 병자 역할의 원래의 정식화에 따르면, 그것은 일시적인 에피소드로 개념화된다. 하지만 만약 오늘날처럼 병자 역할이 정체성의 확인으로 경험된다면, 보다 영속적인 성격을 가지게 될 가능성이 크다. '암 생존자'와 '회복 중인 알코올 중독자' 같은 용어들은 질병을 정체성에 장기적인 영향을 미치는 것으로 제시하는 경향이 증대되고 있음을 입증한다.

질병과 정체성에 대한 변화하는 태도는 점점 더 병자 역할을 수용하는 경향을 보인다. 오늘날 영국과 미국에서 관대한 치료요법학이 제도화되면서 책임에 대한 통상적 기준의 적용을 면제받는 경험이 확대되어왔다(Fox, 1977: 15를 보라). 그것은 질병, 특히 심리적 질병에 대한 정의를 계속해서 넓히는 것에 호의적인 분위기를 조장해왔다. 치료요법 관계 내에서 허용되는 관대함이 정당화되면서, 그러한 관대함이 삶의 다른 영역으로 확대될 수 있는 길을 열어왔다. 그러한 관대함의 정당화는 지배적인 도덕적 형식들을 대체하거나 또는 변형시키는 데에도 기여한다. 역설적이게도 치료요법학의 관대하고 비판단적이고 긍정하는 속성들은 지배문화의 감성을 규정하는 특징이 되었다. 이러한 진전은 중간계급 미국인들이 정치적·문화적·사회적 쟁점들에 대해 어떻게 생각하는지에 대한 앨런 울프Alan Wolfe의 연구에 잘 입증되어 있다. 울프는 중간계급 미국인들이 "다른 사람들이 어떻게 행동하고 생각하는지에 대해 판단하기를 꺼린다"고 쓰고 나서, "판단하지 말라"는 것이 그들의 11번째 계명이 되었다고 시사한다(Wolfe, 1998: 54).

관대한 치료요법학과 지배적인 규범적 질서 간의 관계는 오랫동안 지속되어온 긴장 관계 중 하나이다. 일단 몇몇 개인들이 일정 시간 동안 관대한 대우를 받고 나면, 지배적인 규범적 질서로부터 또 다른 면제를 요구하는 것을 막기가 어렵게 된다. 라시가 결론 내렸던 것처럼, "부적절하게 상담실 너머로까지 확대된 …… 치료요법 도덕은 도덕의식을 항구적으로 정지시키게 한다"(Lasch, 1979: 389). 병에 걸린 사람들에게는 중대한 판단을 하거나 자신들의 행동에 도덕적 책임을 질 것으로 기대할 수 없다. 그리고 이러한 태도가 "상담실 너머로까지" 확대될 때, 그것은 단지 병자에 대한 처우가 아니라 개인의 행위에 대한 하나의 지침이 된다. 이것이 바로 치료요법 문화의 장려자들이 치료요법을 병자를 치료하는 데 필수적인 것일 뿐만 아니라 건강한 관계와 통상적 삶의 행동에 불가피한 것으로 간주하는 이유이다. 1973년에 두 미국인 심리학자 어빙 폴스터Erving Polster와 미리엄 폴스터Miriam Polster는 "치료요법은 너무나도 좋은 것이라서 환자에게만 국한되지 않는다"고 기술했다(Dineen, 1999: 233에서 인용함). 치료요법의 정상화는 병자 역할의 사회적 의미를 이해하는 데 중요한 함의를 지닌다. 그것은 건강한 상태와 병든 상태를 구분하는 선을 흐리게 하고, 잠재적으로 모든 사람이 지배적인 규범적 질서를 면제받을 수 있게 한다.

관대함이 정상화되고 병자 역할의 의미가 논의의 주제가 될 때, 치료요법학이 여전히 사회통제를 유지하는 데 일조할 수 있을까? 관대한 치료요법학의 제도화는 시민들의 열망을 보다 광범하게 억누르는 것에 기초하여 질서를 재확립하면서도 규범적 질서의 토대를 더 광범하게 약화시키는 모순된 결과를 초래한다. 순종적인 공중과 약한 도덕적 합의의 공존이라는 역설은 치료요법적 통제형태의 행사가 초래하는 불가피한 결과이다. 개인들이 병자 역할을 택할 때, 자신들의 역할을 다하는 능력이 손상되고, 그리하여 그들의 개인적 자율성을 발휘할 수 있는 능력도 크게 손상된다. 그것의 파괴적 결과에도 불구하고, 질병의 정상화는 전문가들에 대한 예속의식을 조장한다.

일상생활의 전문화

근대사회의 발전은 일상생활의 수행에 심대한 영향을 미쳐왔다. 전통적인 환경에서와는 달리 근대적 개인이 타인에게 드러내는 애착은 분명하게 약하고 일시적이다. 사람들의 서로에 대한 의무과 기대는 자주 모호하고 혼란스럽다. 공동체적 유대의 계속된 약화는 자아상실감을 조장하는 데 일조한다. 이러한 사회적 경험의 파편화는 처세에 관한 지식이 더 이상 공동체에 의해 그 성원들에게 자동적으로 전달되지 않는다는 것을 의미한다. 수많은 사회학자들이 개인들은 점점 더 가족, 공동체, 종교, 그리고 (세계적인 일과 관련된) 다양한 공식적·비공식적 단체들이 제공하는 지원 네트워크 없이 그들의 길을 열어 나갈 것을 강요받는다고 지적해왔다.[7] 사람들이 지원제도로부터 고립되는 것은, 그렇다면 개인들이 어떻게 그들의 행동 및 타인과의 관계와 관련한 통찰과 지침을 얻는가라는 중요한 의문을 제기하게 한다.

근대시대의 독특한 특징 중 하나는, 일을 수행하는 당연한 방식으로 간주되던 것들이 줄어들면서, 개인들이 전문가의 지도 없이는 그들의 삶의 중요한 측면들을 관리할 수 없다고 인식하게 되었다는 것이다. 오늘날 일상적 형태의 사회적 상호작용의 수행은 자주 어렵고 복잡한 것으로 제시된다. 이것이 바로 육아가 하나의 과학으로 취급될 수 있는 이유이고, 또 우리가 자주 양육 스킬, 사회적 스킬, 의사소통 스킬, 그리고 관계 스킬에 대해 이야기하는 이유이다. 일상적인 만남의 행동이 특별한 스킬을 필요로 한다는 믿음이 '전문가'가 개인적 관계의 영역을 식민화할 수 있는 기회를 창출해왔다.[8] 이러한 일상생활의 전문화는 근대세계의 시작부터 하나의 뚜렷한 추세를 보여왔다. 그러나 1960년대 이래로 개인적 문제의 전문화는 놀랄 만한 속도로 가속화되었다. 19세기 후반 전문가들이 육아와 양육에 자신들의 조언이 필요하게 되었다고 선언한 이래로, 그들은 전문가의 지식을 요구하는 사적 문제의 범위를 체계적으로 확대해왔다. 오늘날에는 전문가들이 결혼생활을 비롯해 다른 친밀한 관계들에 관한 지침을 제공하고 있다. 출생에서부터 학교교육과 직업상의 경력을 거쳐 사망에 이르는 삶의 모든 측면이 전문적 카운슬링의 대상이 되었다. 우리는 개인 트레이너, 멘토, 퍼실리테이터의 시대에 살고 있다. 이러한 전문화 과정은 하나의 중요한 치료요법 차원을 포함하고 있다. 관계에 관한 전문기술들은 의식적으로 '고객'의 감정을 관리하는 쪽을 향해 있다.

20세기 중반 동안 '전문직 복합체professional complex'의 성장 ─ 탤컷 파슨스가 관계 전문가의 부상으로 특징지었던 ─ 이 널리 주목받았다. 피터 버거는 미국에서 이러한 진전이 그가 '카운슬링과 테스트 복합체the counselling and testing complex'라고 불렸던 것의 발전으로 이어진 방식에 주목했다 (Berger, 1965: 27). 전문직 복합체에 관한 생각들이 다듬어지고 논의되었던 1960년대 이래로, 그것의 규모와 영향력이 크게 확대되어왔다. 오늘날 이 복합체는 산업의 특징과 닮아 있다. 한 영국 정신건강 전문가가 지적하듯 이, "전문가, 변호사, 클라이언트 그리고 여타 이해당사자들로 구성되는 진 정한 트라우마 산업이 존재한다. 그것은 의학적 성명의 권위를 이용하는 일종의 사회운동이다"(Surpmerfield, 2001). 미국에서는 일상생활의 전문화 역시 널리 발전하고 있다. 타나 디닌은 "인간의 경험에 심리학을" 성공적 으로 주입해온 미국의 '심리산업'에 대해 기술한다(Dineen, 1993: 244).

비교적 최근에 이르기까지 일상생활의 전문화는 사적 영역의 문제들은 공동체 내의 사람들이 만들어낸 비공식적 해결책에 맡겨놓는 것이 최선이 라는 믿음에 의해 억제되었다. 전문가가 가장 잘 알고 있다는 주장이 드물 게 논쟁의 대상이 되기는 했지만, 도움 전문직이 사적 삶을 식민화할 기회 는 오늘날보다 훨씬 적었다. 이른바 도움 전문직들이 사회의 가장자리에 서 살고 있는 사람들의 삶에는 마음대로 침입해 들어갔지만, 1960년대까 지 전문가들이 '보통' 사람들, 특히 중간계급 사람들의 사적 세계에 침입해 들어갈 기회는 거의 없었다. 그때는 자신들이 가장 잘 안다고 믿는 전문가 들의 거만한 주장에 많은 사람이 정말로 격분하던 시대였다.

관계 전문기술의 성장은 단지 새로운 전문가들의 활동 결과만이 아니었 다. 그것은 인간관계와 개인적 경험의 문제화를 부추겨온 중요한 문화적 변화들을 반영한다. 전문가들의 힘을 강화시켜온 중요한 발전 중의 하나 가 사회학자들이 의료화의 진전으로 특징짓는 사회문화적 과정이다. 의료 화란 일상생활의 문제들이 일반적으로 질병, 장애 또는 증후군과 관련한 의료적인 문제들로 취급되는 과정을 말한다. 의료화 과정은 신체와 연관된 문제들을 진단하는 것에 국한되지 않는다. 문화적 측면에서 그것은 명백히 문화적이고 사회적인 상태와 경험들을 이해하기 위해 건강하지 못한 상태 및 질병에 관한 관념들을 신체 너머로까지 확장한다. 20세기 후반 동안 의료화가 진전되어온 가장 중요한 방식들 중 하나는 비신체적인, 그리고 감정 문제와 관련된 질병 '발견하기'를 통해 이루어졌다. 스트레스, 격분, 트라우마, 낮은 자존감 또는 중독과 관련된 심리적 문제들은 사실상 모든 인간 경험의 해석에 점점 더 의료적 꼬리표를 붙이게 하고 있다. 엄밀히 말하면, 우리가 기술하는 과정은 의료화보다는 심리학화의 과정으로 더 정확하게 표현될 수 있다. 하지만 전자의 광범위한 용법을 감안하여, 우리는 개인적 문제들이 의료적 또는 심리적 상태들로 재조명되는 과정을 기술하기 위해 의료화라는 용어를 사용할 것이다.

의료화 과정은 전문화 과정과 뗄 수 없는 관계에 있다. 제임스 크리스James Chriss가 기술하듯이, "전문가 단체들 ― 그것이 의료, 법률, 경영, 사회과학 또는 신생 도움 전문직들 중 무엇을 축으로 하여 조직되었든 간에 ― 은 항상 그 구성원들의 전문기술이 분명하게 적용될 수 있는 대상과 현상의 범위를 확대하고자 한다"(Chriss, 1999: 6). 그러한 단체들이 그 범위를 확대할 수 있는 힘은 부분적으로는 경제적 편의에 의해, 그리고 근대 국가가 만들어낸 기회들에 의해 만들어진다. 디닌이 주장하듯이, 심리산업은 "무엇보다도 그것의 서비스를 판매하고 그것의 시장을 넓히는 것에 전념하는 하나의 사업이다"(Dineen, 1999: 250). 19세기 이래로 전문가들은 그들의 서비스에 대한 수요를 창출하는 데서 놀랄 만한 성공을 거두어왔다. 라시는 "새로운 전문직들은 그들이 충족시킬 것이라고 주장했던 많은 욕구들을 발명했다"고 주장한다. 그는 이렇게 덧붙인다. "그들은 장애와 질병에 대한 공중의 공포를 이용했고, 의도적으로 신비화한 전문용어를 채택했고, 민간의 자조 전통을 뒤떨어지고 비과학적인 것이라고 비웃었고, (반발이 없었던 것은 아니지만) 그런 식으로 그들 자신의 서비스에 대한 수요를 창출하거나 증대시켰다"(Lasch, 1979: 383). 하지만 전문가의 자기이익 추구만으로는 사회적 경험의 의료화라는 만연하는 경향을 다 설명할 수 없다. 혹실드가 지적하듯이, "새로운 치료요법의 성장이 갖는 의미는 그것들이 단지 서비스 영역에서 새로운 욕구를 창출함으로써 일자리를 늘리는 하나의 방법이라는 주장으로 일축될 수 없다." "왜 그러한 욕구들인가"라는 질문이 여전히 남아 있다(Hochschild, 1983: 192).

그러나 무엇보다도 의료화에 대한 수요는 개인화와 무력함의 의미를 부풀리는 문화적 변화들에 의해 유발된다. 이러한 문화적 변화들 — 공동체에 대한 애착의 약화, 도덕적 의미체계의 쇠퇴 — 은 1980년대에 정치와 사회적 연대의 사망에 의해 다시 강화되어왔다. 사회적 경험의 개인화는 개인이 취약하다는 의식을 강화해왔고, 이는 다시 시장이 사회적 경험의 영역에 침입할 수 있는 기회를 더 많이 만들어냈다. 영국 심리학자 데이비드 스마일에 따르면, "영국에서 치료요법과 카운슬링 산업이 급격히 팽창했다." 이러한 폭발적 증가는 개인적 어려움을 전문적 관리가 요구되는 병리로 재정의하는 문화적 경향의 만연에 의해 가능해졌다. 스마일은 다음과 같이 지적한다. 이 과정의 일부로서 "시장이 새로운 여러 방면으로 확장되었고, '카운슬링' — 이전에는 소수가 행하는, 그 유효성이 의심스러운 관행으로 간주되었던 — 이 갑자기 (그때까지는 사람들이 자신들이 할 수 있는 최선을 다해 그럭저럭 헤쳐 나가야만 했던) 고통스러운 일들에 필수적인 자명한 해결책이 되었다." 스마일은 "이전에는 비상업적이었던 일상적인 사회적 교류의 영역에까지 시장의 변경이 확장된 것"의 실례로 참사 카운슬링의 사례와 외상 후 스트레스 장애 개념의 발전을 제시한다(Smail, 2001).

1980년대의 경험은 의료화의 역사에서 하나의 독특한 국면이다. 지난 두 세기 내내 특정 형태의 행동과 사람들을 의료화하고자 하는 시도들에 맞서 수많은 투쟁이 벌어졌다. 1960년대 동안에는 정신의학 반대운동이 선봉에 서서, 사람들을 정신질환을 앓고 있는 것으로 규정했던 다양한 주장들에 이의를 제기했다. 1970년대에는 동성애 관계의 질병화에 반대하는 운동이 동성애의 탈의료화에 성공했다. 1980년대까지 여성의 경험, 특히 생식영역에서 겪은 경험의 의료화가 격렬한 논쟁의 대상이 되었다. 페미니스트와 여타 비평가들은 출산과 낙태의 의료화에 이의를 제기했다. 그에 반해서 오늘날에는 나오미 울프Naomi Wolf 같은 선도적인 페미니스트의 발언이 산후 우울증이라는 진단을 대중화함으로써 출산의 의료화를 최전선에서 이끌고 있다. 울프는 "미국에서 매년 40만 명의 어머니들이 산후 우울증을 겪고 있다"고 주장한다(Wolf, 2001: 185를 보라). 여성의 행동을 의료화하려는 최근의 시도들 – 생리 전 증후군, 매 맞는 여성 증후군, 새엄마 증후군 – 은 이제 좀처럼 이의를 제기받지 않는다.

1980년대 이후 의료화에 대한 반대는 크게 줄어들었다. 또한 이 시기에 전례 없는 수준으로 사회적 경험이 의료화되었다. 이 시기는 독서 장애, 섹스 중독, 주의력 결핍 장애, 사회공포증 그리고 공동의존성의 시대이다. 자신들의 상태에 의료적 꼬리표를 붙여서 기술하고자 하는 데 선봉에 서는 사람은 점점 더 전문가 단체들이 아니라 풀뿌리 운동가들이다. 만성피로 증후군이나 섬유근육통의 인정을 요구하는 단체들은 자신들의 의료적 꼬리표 요구를 인정하기를 꺼려하는 의사들에 대해 매우 비판적이다. 걸프전 증후군의 원인을 홍보하는 운동가들은 그들이 신체에 기초한 질병으로 고통받는 것이 아니라는 제안을 모욕으로 보고 거부한다. 만성피로 증후군의 의료적 인정을 촉구하는 단체들은 "그들이 경험하는 일단의 증상들을 정당화하고 실제로 의료화할 진단표지와 치료법의 발견"을 재정적으로 지원할 자금을 마련하기 위해 애써왔다(Clarke, 2000: 74를 보라).

인간행동의 병리화가 기꺼이 받아들여지는 것은 삶의 의료화가 기정사실이 되어왔음을 말해준다. 인간행동을 전문화하기 위한 새로운 기회들이 생겨나고, 다시 전문가의 개입은 일상적 삶의 문제의 의료화에 대한 수요를 더욱 창출한다. 카운슬링 조언 ― 그것이 아무리 건전하고 상식적이라 할지라도 ― 의 제공은 사람들이 그들이 직면하는 문제들을 뚫고 나아갈 수 있는 능력을 더욱 약화시킨다. 문제는 전문가의 조언이 항상 잘못된 방향으로 이끈다는 것이 아니라, 그것이 사람들로 하여금 그들 자신의 경험을 통해 문제를 처리하는 방법을 배울 수 있는 과정을 회피하게 만든다는 것이다. 개인적 경험으로부터 얻어지는 직관과 통찰이 전문지식에 의해 계속해서 약화된다. 이것은 사람들로 하여금 그들 자신의 감정과 본능을 (그러한 반응이 전문가의 승인을 요구하기 때문에) 멀리하게 하는 것의 의도하지 않은 결과이다. 이러한 상황에서는 사람들이 관계를 다룰 수 있는 능력, 그리고 그들의 관계를 확신할 수 있는 능력은 더욱 감소한다.[9] 이는 단지 일상생활에 전문가가 개입할 수 있는 새로운 기회를 만들어낼 뿐이다.

전문가의 개입은 개인이 점점 더 전문가에게 체계적으로 의존하게 하는 과정을 부추긴다. 전문가에 의한 경험의 중재는 사람들이 서로를 멀리하게 하는 결과를 초래하고, 그것에 의해 관계 네트워크의 파편화는 한층 더 진전된다. 비록 파편화 과정이 근대세계의 진전 과정과 밀접한 관련이 있기는 하지만, 그것이 전문가에 의해 매개되는 형태는 비교적 최근에 일어난 것이다. 게다가 전문가를 통한 경험의 중재는 인간관계의 성격 자체를 변화시킨다. 경험의 중재는 관계를 떠받치는 유기적 연대의 토대를 침식한다. 문제는 관계가 실생활의 맥락에서 멀리 떨어지게 되고 또 전문적인 관리의 대상으로 재구성된다는 것이다. 경험의 중재자로서의 전문가들은 사람들 간의 관계를 변경시키지 않을 수 없다. 자신들의 카운슬러와 친밀하게 소통하는 커플은 결국에는 서로 다른 방식으로 상대방과 소통하게 된다. 전문가와의 논의를 통해 자녀의 문제를 발견하는 부모는 자발적 상호작용을 통해 자녀와 의사소통하는 방식을 개발하는 것에서 관심이 멀어지게 된다. 사람들 간의 상호의존이 전문가에 대한 의존과 경쟁하고, 그리하여 관계의 수행이 복잡해진다. 치료요법학은 거의 반＃의식적으로 사람들 간의 의존관계를 표적으로 삼는다. 그러한 접근방식은 공동의존성 운동의 에토스 속에서 가장 현저하게 드러난다. 그것은 타인들에 대한 의존이 질병과 유사하다는 것에 근거하여 관계를 낙인찍고자 하는 운동이다 (Rice, 1996: 78~79).

아마도 관계의 전문화의 가장 중요한 유산은 그것이 관계를 형식화하게 한다는 것일 것이다. 로버트 벨라와 그의 동료들이 수행한 한 독창적인 연구는 치료요법적 태도가 미국인들이 그들의 "사회적 역할, 관계, 관행들"과 거리를 두게 만드는 방식에 주목한다. 친구, 이웃, 연장자, 그리고 이름 없는 많은 비공식적 역할 대신에 우리는 또래집단, 멘토, 사정관, 생활양식 전문가, 개인 트레이너 그리고 수많은 카운슬러들을 가진다. 친밀한 관계조차도 계약과 유사한 절차에 의해 영향받아왔다. 벨라가 그렇게도 우려한 것은 사생활에 대한 전문가의 지배가 갖는 위험이 아니다. 그가 두려워한 것은 "전적으로 계약적인 경제적·관료제적 세계의 구조의 지나치게 많은 것이 개인적 삶의 이데올로기적 모델이 되고 있다는 것이다." 그는 "회의실에서 침실로 갔다가 다시 제자리로 돌아오는 계약적 친밀함과 절차적 협력의 만연은 개인적 미덕과 공공선 둘 다의 이상을 모호하게 할 우려가 있다"고 결론짓는다(Bellah et al., 1996: 127). 앞서 우리는 세계의 탈주술화를 낳는 합리화 과정이, 치료요법학이 답할 수 있는 의미에 대한 수요를 만들어낸다고 지적했다. 많은 사람들로 하여금 전문적 지원을 구하게끔 하는 것이 바로 사회적 경험을 개인적인 의미로 재해석하는 치료요법의 능력이다. 하지만 치료요법을 통해 합리화의 심적 결과를 억제하고자 하는 시도는 합리화를 친밀한 관계의 영역으로 확장하는 잘못된 결과를 낳는다. 일상생활의 전문화를 통해 공식적 절차들이 개인적 관계의 영역에 도입된다. 관계의 형식화는 사리 추구, 계산, 불신의 관념을 친밀함의 영역으로 들어온다. 그 결과 관계가 비인격화되고, 그리하여 치료요법학이 제공하는 개인화된 치료의 약속에 대한 수요가 크게 증가한다.

결론: 사적 영역의 해체

엘렌 허먼Ellen Herman에 따르면, 치료요법이 모든 사람에게 유익하다는 생각이 미국에서 탄력을 받은 것은 "그것이 치료요법의 도움이 일반사람들에게 받아들일 만한 것으로, 심지어는 매력적인 것으로 보이게 만드는 문화적 경향과 순조롭게 맞물렸기" 때문이었다(Herman, 1995: 262). 오늘날 치료요법의 정상화는 하나의 기정사실이다. 미국심리학회에 따르면, 1995 년경 인구의 46%가 정신건강 전문가를 만났다. 어떤 사람들은 머지않아 미국 인구의 80%가 정신건강 서비스를 이용할 것이라고 예견했다(Dineen, 1999: 7에서 인용함).

최근의 사회적·문화적 추세들은 개인들이 자신들의 삶을 통제하는 능력을 결여하고 있다는 인식을 강화해왔다. 치료요법학은 병자 역할의 정상화를 통해 이 통제문제를 설명한다. 즉, 우리는 병들었고, 따라서 우리의 일을 수행하기에 적합하지 않다는 것이다. 치료요법학은 또한 이해와 지원을 약속한다. 하지만 병자 역할의 정상화 자체는 사람들로부터 능력을 박탈하여 어떠한 조치도 취할 수 없게 만든다. 건강한 것과 병든 것의 구분선의 부식은 인간의 자기결정의 이상에 근본적인 의문을 제기하게 한다. 현대 문화는 모든 사람들이 도움과 지원을 필요로 한다고 말함으로써 그 의문에 답한다. 이것이 바로 자립과 자족의 이상들이 문화적으로 재가된 의존상태에 길을 내주어온 이유이다. 라시는 "치료요법적 관점과 관행들이 일반적으로 받아들여짐에 따라, 점점 더 많은 사람들이 실제로 자신들이 성인의 책임을 수행할 자질이 없음을 발견하고 일정 형태의 의료 권위자들에게 의존하게 된다"고 기술한다(Lasch, 1979: 389).

치료요법의 정명은 매우 소원해진 파편화된 세상에 대한 하나의 문화적 반응이다. 그러나 치료요법학이 파편화 상태의 단순한 반영은 아니다. 치료요법학은 개인화 과정에 순응함으로써 사람들을 서로 묶어주는 개인적 유대를 더욱 부식시키는 경향을 내재하고 있다. 치료요법학은 개인들이 전문가에게 의존하도록 부추기는 반면, 사람들을 함께 묶어주는 의존관계들에 대해서는 단호하게 적대적이다. 치료요법학은 사람들이 일상생활의 도전들을 헤쳐 나가기 위해 의존하는 비공식적 지원 네트워크를 계속해서 손상시킴으로써 자신에 대한 수요를 창출한다. 우리가 치료요법 문화에 대한 논의에서 지적했듯이, 그것은 도움 구하기를 덕행으로 전환시킨다.

관계의 전문화가 초래하는 직접적인 결과들 중 하나는 우리가 서로에 의존하고 있다는 의식을 약화시키는 것이다. 전문가의 개입은 관계를 복잡하게 만들 뿐만 아니라 서로 소통하고 상호작용하는 사람들의 능력을 손상시킨다. 이것은 치료요법 정명의 우연한 결과가 아니다. 현대 치료요법 문화는 사람들을 함께 묶어주는 비공식적 네트워크들에 분명히 적대적이다. 현대 치료요법학의 이데올로기는 노골적으로 일상의 비공식적 네트워크들을 표적으로 삼는다. 미국에서의 이른바 해방 치료요법과 영국에서의 정신의학 반대운동은 사람들에게 병을 주는 문화와 사회에 대해 자주 비판적이다. 하지만 그것들의 교의에 대한 보다 면밀한 조사는 그것들이 실제로 반대하는 것은 사회 그 자체가 아니라 가족과 대인관계라는 것을 보여준다. 러셀 자코비Russell Jacoby가 주장하듯이, 급진적 치료요법은 "대인분석, 가족분석, 그리고 사회분석을 자주 혼동한다." 급진적 치료요법사들은 자주 더 넓은 사회적 과정보다는 "가족의 의사소통적 상호작용"이 문제라고 본다(Jacoby, 1975: 134, 142).

미국의 해방 치료요법에 대한 라이스의 분석은 영국의 정신의학 반대운동에 대한 자코비의 비판과 아주 닮아 있다. 라이스는 해방 치료요법이 문화를 비판함에도 불구하고 그것이 실제로 초점을 맞추고 있는 것은 사람들 간의 비공식적 의존관계라고 지적한다. 그는 다음과 같이 쓰고 있다. "해방 치료요법의 반(反)제도주의가 집중적으로 공격하는 것은 개인과 (추상적인 그리고 지나치게 강력한) 국가와 경제 사이에 있는, 그것들 간의 관계를 매개하는 대체로 비공식적인 제도들 — 친구관계, 연애, 가족, 공동체 같은 — 이다"(Rice, 1996: 36). 비공식적 관계에 대한 치료요법학의 적대감은 공동의존성의 교의에서 가장 분명하게 드러난다. 이 교의의 관점에서 볼 때, 사랑, 열정, 상호의존은 외과적인 치료요법적 개입을 필요로 하는 병리 상태로 간주된다.

대인관계들에 대한 비관적 표현은 치료요법에서 일어난 초점의 변화를 반영하고 있다. 모든 형태의 치료요법이 개인들로 하여금 인간 조건 및 개인적 관계들을 본질적으로 파괴적인 것으로 보도록 부추기는 것은 아니다. 과거에는 치료요법의 몇몇 학파들이 낙관적인 미래관을 채택했고, 자신들의 기법이 인간해방의 잠재력을 실현하는 데 일조할 수 있다고 믿었다. 하지만 치료요법 문화의 공고화와 함께 이 낙관적인 지향은 사라져왔다. 모스코비츠는 오늘날 치료요법의 장려자들은 "인간의 잠재력에 초점을 맞추기보다는 심리적 취약함"에 초점을 맞추는 경향이 있다고 지적한다(Moskowitz, 2001: 282를 보라). 비록 개인 치료요법사들이 이따금 자신들의 상품의 효력에 관해 얼토당토않은 주장을 하기는 하지만, 치료요법 문화는 분명 신중하게 자신들의 주장을 펼친다. 치료요법은 그것이 사람들이 그들의 상황에 대처하고 그러한 상황을 받아들이는 것을 돕는다는 점에 근거하여 장려되는 경향이 있다. 그러한 상대적으로 겸손한 주장들도 과거에 치료요법이 장려되던 방식과 대조된다. 20세기의 대부분 동안 치료요법은 하나의 치료법이자 행복한 사회를 만들기 위한 수단으로 장려되었다. 그것은 개인의 퍼스낼리티를 탐구하고 발전시키는 적극적 방법이라고 선전되었다. 1960년대와 1970년대에는 인간의 잠재력에 대한 낙관적 견해가 치료요법 관념을 이끌었다. 그것은 자주 '개인적 성장'을 이루는 하나의 방법으로 제시되었다. 하지만 1980년대쯤에 이 낙관주의는 자취를 감추었고, "치료요법적 복음의 주창자들은 인간 잠재력에 초점을 맞추는" 대신 "심리적 취약함에 초점을 맞추었다"(Moskowitz, 2001: 282; 또한 Herman, 1995도 보라).

오늘날의 치료요법 에토스의 관점에서 볼 때, 치료요법은 계발의 수단이라기보다는 생존의 수단에 훨씬 더 가깝다. 개인들은 치료되기보다는 회복상태에 있다. 회복 중에 있는 알코올 중독자와 섹스 중독자 그리고 공동의존자들은 그들의 남은 삶 동안 감정적 웰빙을 위협할 수도 있는 문제들을 안고 있는 생존자로 제시된다. 그 결과 일정 형태의 치료요법, 카운슬링 또는 지원이 끝없이 요구될 수도 있다.

관계의 전문화와 그것의 비공식적 네트워크의 표적삼기가 결합된 결과가 바로 사람들의 사적 삶의 해체이다. 치료요법학은 친밀성의 경험을 불신하게 하고, 사회학자 앤 스위들러가 지적하듯이 "이상적인 애정관계도 재정의한다." 스위들러는 다음과 같이 지적한다. "치료요법이 하나의 좋은 관계의 모델이 되고, 그리하여 진정으로 사랑하는 부부 또는 파트너들이 상대방을 위해 하는 일은 치료요법사들이 그들의 고객들을 위해 하는 일과 매우 유사해진다"(Swidler, 1996: 98).

사적 영역의 해체는 자아의식의 형성에 중요한 함의를 지닌다. 자아를 더 넓은 비공식적 네트워크에서 떼어놓는 것은 개인들에게서 그들이 지원받을 수 있는 유기적 원천을 박탈할 우려가 있다. 이러한 대인관계의 문제화는 개인들이 자신들의 경험에 필수적인, 안정적 유대를 만들어낼 수 있을 것이라고 기대하지 못하게 한다. 이처럼 관계에 대한 개인들의 기대가 약화되는 상황에서 치료요법 문화는 자아를 유례없이 취약하고 무력한 것으로 인식하게 하는 데 일조한다. 케네스 거겐Kenneth Gergen이 주장하듯이, "일단 사람들이 자신들의 행위를 정신적 결함과 관련하여 이해하고 나면, 그들의 모든 활동을 잠재적으로 문제 있는 것으로 느끼게 되고, 이것이 바로 사람들이 허약해지거나 움츠러드는 방식이다." 그리고 그는 이렇게 부언한다. 그리하여 "쇠약하다는 의식이 완성된다"(Gergen, 1990: 360).

비록 개인화와 사회적 경험의 파편화를 낳아온 광범한 사회적 변화들이 치료요법학이 번성할 수 있는 지형을 제공했지만, 치료요법학이 홀로 축소된 자아를 산출한 것은 아니다. 최근 치료요법에 대한 수요가 확대된 것은 개인화 과정의 직접적 결과가 아니다. 전통이 제공했던 의미와 안정된 행위인도의 틀 상실이 방향감각 상실과 혼란의 과정으로 경험될 필요는 전혀 없다. 그것은 또한 사람들에게 그들의 삶을 영위하는 방식을 결정하는 새로운 선택지들을 제공하기도 한다. 불확실성에 직면하는 사람들에게 전문가의 요구에 따를 것을 강요하는 어떠한 역사의 철칙도 존재하지 않는다. 쇠약하다고 인식하게 하는 조건들을 만들어낸 것은 바로 치료요법이 비공식적 네트워크들을 표적으로 삼음으로 말미암아 초래된 사적 영역의 해체이다. 대인관계의 네트워크와 격리되지 않더라도, 개인들은 세상의 압력들에 노출되어 있고, 자아의 상태를 실로 취약한 상태로 경험한다. 우리는 이 취약성 인식 ─ 오늘날의 자아를 규정하는 특징이 된 ─ 을 다음의 두 장에서 탐구할 것이다.

제5장

축소된 자아

치료요법 문화는 스스로를 개인적 선택, 자율성, 자기이해, 자기인식을 중시하는 새로운 시대의 선구자로 제시한다. 데이비드 스마일은 "개인들이 적어도 잠재적으로 그들 자신의 운명을 책임진다는 관념이 치료요법 철학의 핵심에 자리하고 있다"고 기술한다(Smail, 1996: 36을 보라). 치료요법학의 언어는 계속해서 자아실현 프로젝트를 선전하고, 자율적으로 행동을 하는 것을 통해 개인이 계발된다는 전제를 내세운다. 치료요법은 자주 그것이 자아발견 프로젝트에 요구되는 전문기술을 제공한다고 주장함으로써 스스로를 정당화한다. 치료요법 문화는 적어도 외견상으로는 자아해방 가능성을 드러내고, 자아에 대한 (비록 사탕발림적인 표현은 아니지만) 낙관주의적인 표현을 제시한다.

치료요법 지지자들은 자주 치료요법이 해방적 잠재력을 지니고 있다는 것과 그것이 사람들로 하여금 개인적 선택을 통해 자아인식에 도달할 수 있게 해줄 수 있다는 것에 갈채를 보낸다. 이러한 보다 '자각된' 자아는 (그 특질상 이전의 관계에 비해 보다 계몽된) 새롭고 감정적으로 더욱 민주적인 관계를 구성할 수 있는 힘을 자주 부여받는다. 한 감정교양의 옹호자는 우리는 "우리의 감정을 적절히 표현하는" 법을 배움으로써 "우리 스스로를 도울 수 있는 원숙한 사람"이 되고, 그리하여 "우리는 다른 사람들을 더 잘 도울 수 있게 될 것"이라고 기술한다(Sharp, 2001: 3). 한 설명에 따르면, 자율적인 개인은 "자기인식에 기초하여 자아실현을 함께 증진시킬 수 있는 파트너를 선택할 자유"를 누릴 수 있다. "치료요법 담론은 이러한 프로젝트에 크게 기여한다"(Illouz, 1997: 206을 보라). 자아에 대한 이러한 낙관주의적 설명은 영국 사회학자 앤서니 기든스의 영향력 있는 저술들에서 체계적으로 정교화되고 있다. 기든스는 성찰성reflexivity ─ 삶의 가능한 궤적에 대한 심리학적·사회적 정보의 모니터링에 기초한 자기정의 과정 ─ 이라는 관념을 진전시킨다. 이 관점에서 볼 때, 성찰적 자아는 자기모니터링의 실행을 통해 자기결정 프로젝트에 참여할 수 있는 능력을 가진다(Giddens, 1991을 보라). 자아가 스스로에 의해 결정되고 스스로가 부여한 기준에 의거하여 평가된다는 관념은 "대부분의 카운슬링과 치료요법 양식에 내재되어" 있다(Russell, 1999: 347). 이러한 자결적 자아에 대한 이상화된 견해는 에이브러햄 매슬로Abraham Maslow와 칼 로저스Carl Rogers의 이론들과 연관된, 이른바 인간 잠재능력 회복운동human potential movement의 전망에서 중심을 이루고 있다.

자기발견을 통한 자아재구성 프로젝트에 부여된 중요성은 치료요법 문화가 강력한 자아 이미지를 전달한다고 시사할 수도 있다. 몇몇 비평가들은 자아실현 장려자들이 제시하는 소박한 낙관주의적 자아관을 비판해왔다.[1] 하지만 치료요법 문화에 대한 보다 면밀한 조사는 자아에 대한 그것의 설명이 낙관주의적 설명과는 거리가 멀다는 것을 보여준다. 자기성찰과 자율적 선택을 통해 자기를 계발하는 자아실현적 개인의 이미지는 실제로는 치료요법 문화의 근본적 전제, 즉 개인의 자아는 그것의 취약성에 의해 규정된다는 전제에 의해 부정된다. 앞서 지적했듯이, 오늘날의 문화는 도움을 구하는 자아에 가치를 부여한다. 자아실현이 치료요법학에 의존하여 이루어진다는 사실 자체는 개인의 자율성의 속성과 의미에 의문을 제기하게 한다.

우리가 앞서 살펴보았듯이, 인간 감정의 작동에 그토록 고심하는 문화는 인생의 시련에 대처하는 자아의 힘을 그렇게 확신할 것 같지 않다. 치료요법 문화가 감정을 문제삼아온 방식은 은연중에 실망, 불운, 역경 또는 심지어 일상생활의 도전에 대한 개인들의 능력에 의문을 제기한다. 자아발견과 자아재구성 같은 용어들은 단지 자아에 의해서만 수행되는 것이 아닌 과정을 기술한다. 그것은 상세한 문화적 서사에 의해 그리고 자주 전문가의 지도에 의해 인도되는 프로젝트이다. 이것이 바로 자아실현 프로젝트가 "자결적인 개성이라기보다는 오히려 사람의 표준화의 추구"로 전화되는 이유이다(Russell, 1999: 348). 전문가에 의존하는 관계는 개인의 자아가 지닌 선택능력을 손상시킨다. 전문가의 개입은 자기결정행위를 방해할 수 있다. 거겐은 "개인은 스스로를 전문가의 손에 (종속적으로) 맡기지 않을 경우 자신들의 행위가 항상 불가피하게 선택의 영역 밖에 존재하는 것으로 느낀다"고 주장한다(Gergen, 1990: 360). 자율적 자아라는 개념은 실제로는 개인들은 지원 없는 자신들의 감정을 다룰 수 없다는 강력한 문화적 메시지에 의해 부정된다. 제8장에서 지적하듯이, 사회가 그 시민의 낮은 수준의 자존감에 그렇게도 사로잡혀 있다는 사실 자체는 전능한 자기 구성적 자아의 이미지에 의문을 제기하게 한다. 우리가 앞으로 살펴보듯이, 치료요법 문화는 계속해서 개인의 자아의식을 축소시키고 인간의 주체성에 관한 실로 박약한 견해를 조장한다.

"너 자신의 감정을 인정하라"라는 자주 반복되는 권고는 자신의 자아의식을 자신의 과거 및 다른 사람들과 관련하여 재평가하라는 요구이다. 그러나 행위가 결과에 영향을 미칠 수 있다는 점을 인정하지 않는 한, 그러한 감정 인정 행위는 자아의식이 일정한 차이를 만들어낼 수 있다는 주장을 부정하는 것이 되고 만다. 실제로 치료요법 문화는 개인들이 보다 '현실주의적'이고 보다 '취약한' 자아관을 그냥 받아들이게 하는 데 일조한다. 자아는 항상 심각한 상처를 입거나 질병에 걸리기 쉬운 것으로 제시된다. 그러한 위험이 일상생활의 일부라는 주장은 개인들에게 자신이 취약하고 또 병에 걸리기 쉽다는 의식을 강화하는 결과를 낳는다.

취약한 자아

사실 개인이 일상생활에서 부딪치는 어려운 문제를 처리하는 능력을 통해 자아의 작동을 통찰할 수도 있다. 이 문제에 대한 치료요법 문화의 판단은 아주 분명하다. 치료요법은 자아가 새로운 문제를 처리하고 역경에 대처하는 능력에 대해 심각한 의문을 제기한다. 일상적인 삶의 문제에 직면한 개인들은 오늘날 통상적으로 전문가의 조언과 카운슬링을 구하라는 조언을 받는다. 개인적 상황의 어떤 변화는 자주 전문가의 지원을 요구하는 문제로 끌어올려진다. 전환기 카운슬러transition counsellor들은 삶에서 새로운 단계를 시작하는 개인들을 지원하는 일로 자신들의 직무를 특화하고 있다. 바스 대학교University of Bath 카운슬링 부서는 자신의 웹사이트에서 "카운슬링 팀은 전환기 관리의 중요성을 잘 알고 있으며 당신이 앞으로 나아갈 길을 발견하는 것을 돕고 있다"고 선언한다. 그 부서는 전문가의 지원이 필요할 수 있는 종류의 전환기의 실례들로 학부 1학년 학생으로 대학에 입학하기, 2학년 학생이 되어 학교 기숙사 생활에서 타운에서 생활하기로의 이동, 4학년 학생의 경우 취업했다가 다시 학교로 돌아오기, 대학원생으로 다시 입학하기를 언급한다. 카운슬링 부서는 "새로운 환경과 새로운 사람들의 낯섦음에 의해 자신감이 자주 위협받을 수 있다"고 경고한다.[2] 세습 귀족에게는 상원이 재편될 때 의원의 지위를 잃는 트라우마에 대처하는 것을 돕는 전환기 카운슬링이 제안되기도 했다.[3] 브리스톨 대학교Bristol University에 적籍을 두고 있는 학자인 크리스 리독Chris Riddoch 박사는 경기에서 은퇴한 운동선수들에게는 "경기 없는 삶과 타고난 아드레날린 분출에 감정적으로 적응하지 못할" 경우 "운동 중단 후 우울증이 발병"할 수 있다고 주장한다.[4] 그리고 물론 그들은 카운슬링을 필요로 한다. 영미세계 전반에서 대학들은 카운슬링을 구하는 학생들의 수가 크게 증가했다고 보고한다. 이를테면 콜롬비아 대학교와 뉴욕 주립 대학교 모두는 2002년에 우울증과 불안은 물론 정신분열증, 조울증, 강박충동, 공황장애로 학내에서 도움을 구한 학생들의 수가 약 40% 증가했다고 보고했다.[5]

대학생과 영국 귀족이 직면한 전환기 문제는 군인이 직면한 문제에 비하면 대수롭지 않을 수도 있다. 미국 군대조직에 들어온 신병들은 감정적으로 취약한 사람들로 간주된다. 신병들은 케어CARE 카운슬러들을 면담할 수 있고, 바스 대학교 학생들처럼 외로움 대처법과 친구 만들기와 같은 전환기 문제에 대한 카운슬링을 제공받는다(Gutmann, 2000: 57을 보라). 전투에서 평시 의무로 전환하는 것과 관련된 문제들은 훨씬 더 해로운 심리적 결과를 초래하는 것으로 간주된다. 예일 대학교 연구진이 출간한 최근 연구는 전투 경험이 "현재의 외상 후 스트레스 장애, 주요 우울장애, 약물 및 알코올 남용, 실업, 실직, 별거 또는 이혼 그리고 파트너나 배우자 학대의 가능성을 크게 높였다"는 것에 근거하여 전투에 노출된 이후 전환기 카운슬링을 요구하고 있다.[6]

인간의 취약성에 대한 자각을 가장 극적으로 보여주는 것 중의 하나가 병을 앓고 있다는 의식이 증가하고 있다는 것이다. 신체의 탄력과 불굴의 정신을 요구하는 직업조차도 질병의 증가로 시달려왔다. 2002년 8월에 영국 병사 10명 중 1명 이상이 전투에 나가는 데 부적합하다는 것이 밝혀졌다. 영국 해군에 배속된 해군 750명 이상이 소형 보트에서의 뱃멀미와 같은 질병으로 고통받고 있다고 보고되었다. 또한 2500명의 공군병사가 비행기를 타기에 부적합하다는 지적도 있었다.[7] 영국의 엘리트 부대 SAS조차 감정적 상처로 곤경에 처해 있는 것으로 보인다. 2001년 8월에 SAS 군인들은 심리적으로 괴로워하는 전직 낙하산병을 포함하여 자살자와 징역형을 받는 사람들의 수를 줄이기 위해 카운슬링센터를 설립하는 데 재원을 지원해달라는 운동을 벌였다. 이 연대의 전직 부대원들은 자살자가 점차적으로 증가하고 폭력적 격분이 폭발하는 것의 책임을 비밀작전이 주는 스트레스에 돌렸다.[8] '캅쇼크CopShock'는 알렌 케이츠Allen Kates가 경찰직원들이 겪은 트라우마 경험을 기술하기 위해 사용한 용어이다. 그는 "3명의 경찰관 중 1명"이라는 많은 수의 경찰관이 외상 후 스트레스 장애를 겪을 수 있다고 주장한다(Kates, 1999). 정신건강 문제가 3명 중 1명 또는 4명 중 1명의 비율로 만연하는 곳은 주로 다양한 긴급구조요원 집단들이다.[9] 최근의 한 연구에 따르면, 우울증과 약물 남용과 같은 정신질환은 미국 군대에서 가장 흔한 질병이다. 1995년경에 현역 장병의 입원 원인 중 두 번째가 정신질환이었다. 여러 연구들 또한 장병들은 신체질환에 비해 정신건강 상태의 치료 후에 제대할 가능성이 훨씬 더 크다는 것을 보여주었다.[10] 최근에 응급서비스 기관에서 일하는 사람들이 그들이 하는 일의 성격 때문에 외상 후 스트레스 장애에 특히 걸리기 쉬운 사람들로 제시되었다. 응급서비스직의 스트레스 상태에 대한 논의를 지지하는 사람들은 응급요원들이 다른 사람들의 고통을 목격하는 것을 통해 외상 후 스트레스 장애를 겪을 위험성이 크다고 주장한다. 위급상황에 처한 희생자를 돕는 행위 그 자체 속에서 그들은 타자의 고통에 의해 정신적 상처를 입는 위험을 감수한다.[11] 1989년 힐스보로Hillsborough 축구 참사 동안에 부상당한 팬들을 구조한 경찰관들이 그들의 의무를 수행하는 동안에 정신적 상처를 입은 것을 놓고 벌인 보상투쟁에서 승리한 것도 그러한 이유에서였다.[12]

심각한 정신건강 문제를 야기하는 것으로 인식되는 것은 전투 경험이나 범죄자와의 총격전뿐만이 아니다. 최근 세계보건기구가 출간한 한 보고서에 따르면, 전 세계에서 네 사람 중 한 사람이 생애의 특정 시점에서 정신질환으로 고통받고 있다. 세계보건기구는 또한 2020년경에는 정신건강질환이 사망과 장애에서 두 번째로 가장 흔한 원인이 될 것이라고 추정한다.[13] 한 대규모 조사는 영국의 레즈비언과 게이 4명 중 1명이 그들의 섹슈얼리티 때문에 정신질환 전문가의 도움을 구했다는 것을 발견했다.[14] 환자 또는 장애인 가족 성원을 돌보는 것이 감정적 건강문제를 낳을 수도 있다. 미국 국립노화연구소National Institute on Aging가 지원한 한 연구는 돌봄을 제공하는 여성이 그렇지 않은 여성보다 감정적 고통을 겪을 가능성이 더 크다는 점을 발견했다.15 집안일 역시 여성들을 우울하게 만든다. 글래스고 대학교의 나네트 미트리Nanette Mitrie 교수가 수행한 연구는 "집안일을 많이 할수록 더 많은 우울증을 보고한다"고 결론지었다.16 영국의학협회가 수행한 연구는 일반의의 25%가 과도한 업무량이 유발한 스트레스로 인해 국립의료원National Health Service을 사직했다는 것을 밝혀냈다.17 2002년 9월에 실시된 한 조사는 영국 학생의 90% 이상이 학교 관련 스트레스로 고통받고 있다고 주장했다.18 다수의 정신건강 대변자들은 크리스마스 때문에 수많은 사람이 스트레스를 받거나 불안함을 느낀다고 주장한다. 인터넷에 기반한 '스트레스 관리센터'를 운영하는 도널드 도시Donald Dossey 박사는 미국 주민의 90%가 크리스마스 무렵에 휴일 공포와 스트레스로 고통받고 있다고 주장한다. 영국 섭식장애연구소Eating Disorders Centre는 "크리스마스 동안에 사람들이 아주 자주 토하고 일부는 자해까지 하는 폭식증이 사상 최고조에 이른다"고 말한다. 아일랜드에서 사마리안 자선단체가 수행한 연구는 모집단의 56%가 크리스마스와 새해 기간과 관련한 압박으로 인해 스트레스를 받거나 우울함을 느낀다는 점을 발견했다. ≪라스베이거스 선The Las Vegas Sun≫은 우울증이 "크리스마스 시즌을" 어떻게 "괴롭히는지"를 논의하면서 "휴일 스트레스가 많은 사람을 위기로 몰아넣는다"고 경고한다. 정신건강 대변자들은 우리는 우울증이라는 전염병을 겪고 있으며 그것은 크리스마스 때만 겪는 일이 아니라고 주장한다. 『우울증 벗어나기Undoing Depression』(1997)의 미국인 저자 리처드 오코너Richard O'Connor는

"모든 지표는 더 많은 사람이 더 많은 시간을 더 격심하게 그리고 그들의 삶에서 더 이른 시기부터 우울해하고 있음"을 시사한다고 주장한다.[19] 놀랄 것도 없이 미국 대학생을 대상으로 하여 최근에 수행된 한 연구는 1989년에서 2001년 사이에 우울증을 치료한 학생의 비율이 자살한 학생들의 비율과 마찬가지로 두 배 증가했다는 것을 발견했다.[20]

정신건강 문제에 대한 해석은 대부분의 인간경험을 감정적 고통의 원인으로 간주하는 문화적 관점과 밀접하게 연계되어 있다. 인간 조건에 대한 이러한 묘사에 내재하는 가정은 심리적 생존이 사회에서 개인들이 부딪치는 중요한 문제라는 것이다. 점점 더 감정적 웰빙이 건강의 근본적인 문제로 제시되고 있다. 1999년에 발간된 『의무국장의 정신건강보고서The Surgeon General's Report on Mental Health』는 "미국을 비롯한 선진국가들에서 심한 우울증이 장애의 주요 원인"이라고 진술했다.[21] 정신건강에 부여된 중요성은 또한 신체적 질병은 자주 감정적 고통에 원인이 있다는 것에 근거하여 정당화된다. 영국에서 1998년판 정부 녹서『우리의 더욱 건강한 나라Our Healthier Nation』는 NHS가 신체적 건강에서 감정적 웰빙으로 방향을 전환할 것임을 알렸다. 이 녹서는 건강을 "자신감이 있고 적극적이고 인생의 우여곡절에 대처할 수 있는 상태"라고 치료요법학의 언어로 정의했다.[22] 이 접근방식의 옹호자들은 "정신적·사회적 웰빙을 제외한 채 신체적 웰빙을 증진시키는 것을 목적으로 하는 계획은 실패할 수밖에 없을" 것이라고 주장한다(Stewart-Brown, 1998: 7173).

개인의 감정적 상처를 신체적 상처보다 더 해로운 것으로 제시하는 것은 이제 흔한 일이다. 남성에 대한 가정폭력 반대 운동가들은 대부분의 경우에 "남성들은 신체적 학대보다 감정적 학대에 더 깊은 악영향을 받는다"

고 주장한다.[23] 그들은 비교적 사소한 신체적 트라우마의 에피소드조차 강한 심리적 손상을 유발할 수 있다고 주장한다. 한 설명에 따르면, "트라우마의 심리적 측면은 상처가 사소한 것으로 보일 때조차 중요할 수 있다." 그 결과 "장애가 신체적 상처의 고통으로부터 예상될 수 있는 것보다 더 클 수도 있다"(Mayou and Farmer, 2002: 426, 429). 비교적 일상적인 형태의 신체적 상처가 개인에게 심각한 심리적 손상을 유발할 수도 있다는 믿음은 자주 사건과 재난의 관리에 대해 건강 전문가들이 드러내는 반응 또한 특징 짓고 있다.

1970년대 후반까지 재난 후에 실시되는 재활 프로그램들이 기반시설문제와 주택문제의 처리 그리고 지역사회의 조직화에 초점이 맞추어져 있었다는 점은 지적할 만한 가치가 있다. 재난관리에서 치료요법적 개입이 두드러진 역할을 하기 시작한 것은 1970년대 이후가 되어서이다(Beck and Franke, 1996을 보라). 지난 10년 동안 관심의 초점이 되어온 것은 재난이 유발한 심리적 손상이다. 그러한 심리적 손상에 대한 강조는 9·11 직후와 오클라호마 폭파사건에서 아주 분명하게 드러났다. 그뿐만 아니라 이 접근방식이 자연재해 — 심지어는 인명손실이나 최소한의 신체적 상해가 전혀 존재하지 않는 상황에서도 — 에 대한 반응 역시 특징짓고 있다. 영국에서 1999~2000년 홍수에 의해 유발된 장기적 손상이 치료요법학의 프리즘을 통해 제시되는 경향이 있었던 것도 바로 이러한 이유에서였다. ≪브리티시 메디컬 저널≫의 논설 「홍수와 인간건강: 제기된 위험이 항상 분명하게 드러나는 것은 아니다」는 이러한 접근방식을 전형적으로 보여준다. 그 논설은 "홍수가 심리적 건강에 미치는 장기적 영향이 어쩌면 질병이나 상해보다도 훨씬 더 중요할지도 모른다"고 진술했다. 왜 그러한가? 왜냐하면

"대부분의 사람들에게 감정적 트라우마는 물이 빠진 후에도 오랫동안 계속되기" 때문이다. 그것은 "원상복구, 청소, 보험금 처리가 스트레스가 될 수 있다"고 덧붙이고, "만약 복구 과정 동안 지원이 이루어지지 않는다면 스트레스 수준은 더욱 증가할 수 있다"고 경고했다(Ohl and Tapsell, 2000: 1167). 1년 후에 환경청이 위탁한 한 연구는 3년 전에 집이 침수된 가족이 여전히 다양한 질병으로 고통받고 있었다고 지적했다. 그 연구는 피해를 입은 사람들 중 일부가 감기, 피부질환, 배탈로 고통받고 있다고 보고했다. 하지만 그러한 병은 그들이 경험한 심리적 손상에 비하면 상대적으로 사소해 보였다. 그 연구에 따르면, 많은 사람들이 정신적 외상 사건을 겪은 것과 연관된 공통의 정신질환 징후 ― 스트레스 수준의 증가, 수면장애, 불안 ― 를 드러내고 있었다.[24]

심리적 손상이라는 개념은 감정 문제를 지금까지 인식했던 것보다 훨씬 더 심신을 쇠약하게 만드는 것으로 간주하는 문화적 감성으로 가득 차 있다. 감정에 대한 상처는 한 번 손상되면 결코 완전히 치유될 수 없다는 가정이 널리 받아들여지고 있다. 그것들은 보이지 않는 상처이기 때문에, 거기에는 문화적 상상력이 발동될 여지가 상당히 많다. 데이비드 킨친David Kinchin의 책 제목『외상 후 스트레스 장애: 보이지 않는 상처Post-Traumatic Stress Disorder: The Invisible Injury』는 눈의 지각을 넘어서는 고통의 세계를 지적한다. 트라우마의 경험을 묘사하기 위해 사용된 '평생의 상처'와 같은 용어는 불길하게도 종신형이라는 함의를 담고 있다. 이러한 감상이 어린 시절의 문제에 대한 해석에 계속해서 영향을 미치고 있다. 오늘날의 어린 시절에 대한 서술은 심리학적 손상이 성인기에도 계속해서 늘 따라다닌다는 강력한 메시지를 전달한다. 어린 시절에 대한 불필요한 우려를 자아내는 이러한 설명은 대중문화에 국한되지 않는다. 전문가들은 부모에게 그들의 아이들이 감정발달에서 처하는 다양한 위험에 대해 계속해서 경고한다 (Furedi, 2001a를 보라). 유아의 정신건강 영역은 미국에서 존경받는 전문 분야가 되었고, '조기치료'의 에토스가 대서양 양편에서 영향력을 획득해 왔다. 한 연구는 "조치를 취하는 가장 효과적인 시기 ― 때로는 유일한 시기 ― 가 유아기 동안"이라고 주장하며, 조기치료를 장려하고 있다. 그 연구는 아이가 두 살이 되고 나면 심리적 손상으로 고통받는 것을 막기에 너무 늦다고 주장한다.[25]

지난 25년 동안 진전된 가장 의외의 일들 중 하나가 심리적 고통에 대한 정의가 점점 더 넓어져왔다는 것이다. 최근 몇십 년 동안 전례가 없이 많은 수의 새로운 유형의 질병들이 발견되었다. 이 시대는 트라우마, 신드롬, 장애, 중독의 시대이다. 외상 후 스트레스 장애, 우울증, 중독, 만성피로 증후군, 주의력결핍장애, 다중인격장애라는 진단이 광범위한 부류의 사람들에게 적용되고 있다. 1970년대 초반만 해도 다중인격장애는 드문 진단이었다(그 이전에는 매해 10여 사례를 넘지 않았다). 1990년대 즈음에는 수천 명의 사람들이 다중인격장애 진단을 받았다. 알코올 중독은 초기에는 알코올에 중독된 개인들의 질환으로 제시되었다. 1980년대 이래로 알코올 중독자의 아이들, 파트너, 보호자는 공동의존적인 것으로 진단된다. 동시에 우울증 같은 감정과 연관된 전통적 질병은 지금까지 상상된 것보다 훨씬 더 넓은 범위의 사람들을 포함하는 것으로 정교화되고 재정의되었다. 한때 주로 여성과 연관지어지던 우울증이 이제는 아이들, 학생, 남성들을 괴롭히는 질병으로 제시된다. 최근에 이르기까지 주의력결핍장애 진단은 주로 어린아이들에게만 한정되어 있었다. 그러나 이제 그것은 어른들을 괴롭히는 하나의 질환으로 재발명되었다. 정신질환이 미치는 영향에 대한 이러한 정교화는 심리적 손상을 유발한다고 말해지는 일상적 경험의 수가 증가하는 것과 나란히 이루어진다.

치료요법 문화를 통해 전파된 질병 서사와 그것이 사람들에게 미치는 영향 간의 관계는 변증법적이다. 질병 서사는 단지 사람들이 문제를 느끼고 경험할 것으로 기대되는 방식을 틀 짓는 것만이 아니라 그러한 질환을 초래하는 것이기도 하다. 스트레스로 지친 아이라는 점점 더 증가하고 있는 현상을 살펴보자. 최근 영국에서 실시된 한 조사는 8살 난 어린아이들이 자신이 "관계와 학교로 인해 스트레스를 받고 있다"고 기술한다는 것을 발견했다. 그 연구는 "모든 연령의 영국인이 전례가 없는 수준의 스트레스"를 받고 있고, 어린아이들도 '우려할 정도로' 높은 수준의 스트레스"를 받고 있다는 것을 발견했다. 연구를 이끈 시티유니버시티City University의 스티븐 팔머Stephen Palmer 교수는 "그 문제의 범위에 놀랐다." 그는 "만약 당신이 20년 전에 8살 난 아이들에게 스트레스에 대해 물었다면, 그들은 멍하게 있었을 것"이지만, "오늘날 그들은 스트레스 개념을 이해하고 상당수가 스트레스를 경험했다고 보고할 것"이라고 덧붙였다.[26] 8살 난 어린아이들이 20년 전에는 스트레스의 의미를 이해할 수 없었을 것이지만 오늘날에는 이해한다는 사실은 치료요법 에토스가 대중의 상상력에 미치는 영향을 증명해준다. 심리학의 어휘를 통해 아이들의 삶을 표현하는 것은 곧바로 어린아이들이 그것을 통해 자신들의 행동을 이해하기 시작하는 상황을 만들어낸다. 어린아이들은 스트레스와 같은 개념을 통해 그들이 경험한 문제들을 이해하도록 교육받게 된다. 어린아이들은 아이들의 감정적 동요의 의료화를 통해 골치 아픈 경험들을 도움을 필요로 하는 질병의 원인으로 간주하도록 훈련받는다.

어린아이들과 마찬가지로 어른들도 치료요법학을 매개로 하여 자신들의 문제를 이해하도록 계속해서 부추겨진다. 범죄 경험을 살펴보자. 범죄 충격이 사람들의 감정적 삶에 주요한 영향을 미친다고 믿게 된 것은 비교적 최근의 일이다. 1970년대로 돌아가 보면, 범죄조사들은 대부분의 범죄가 희생자에게 미치는 영향은 표면적이고 그 지속기간도 비교적 짧았다고 지적하는 경향이 있었다. 영국 최초의 범죄조사는 응답자의 단지 2~5%만이 자신들이 범죄 경험에 의해 여전히 "매우 많이" 또는 "아주 많이" 나쁜 영향을 받고 있다고 지적했다(Hough and Mayhew, 1983을 보라). 그러나 지난 25년 동안 범죄학자들은 범죄피해의 충격에 대해 근본적으로 다른 해석을 해왔다. 대부분의 연구들은 보다 심각한 범죄의 희생자들이 겪은 격심한 스트레스, 트라우마, 심리적 손상을 부각시키고 있다. 역설적으로 자신들이 이상이 없고 정신적 외상을 느끼지 않는다고 주장하는 희생자들은 자주 그들의 진짜 상태를 받아들이지 못하는 심리 상태에 있는 것으로 기술된다.

희생자가 겪는 트라우마에 대한 관심은 가족 성원, 친구, 피해사건의 목격자로 점차 확대되어왔다. 직접 희생자의 가족 성원들은 자주 간접 희생자로 언급된다. 희생자를 대변하는 사람들은 희생자의 가족 성원들 그리고 때때로 친구들에게 치료요법 서비스와 여타 자원이 제공되어야만 한다고 주장한다. 범죄를 목격하거나 지인에게 어떤 뜻밖의 일이 일어났다는 것을 알고 있을 뿐인 사람들도 자주 잠재적인 간접 희생자로 제시된다. 간접 희생자 개념은 치료요법적 지원을 요구할 수 있는 자격을 지닌 사람의 수를 엄청나게 부풀릴 수 있게 해준다. 이러한 견해는 정부의 법률개혁기구인 법률위원회Law Commission에도 영향을 미쳤다. 법률위원회는 1998년 3월에 친척의 죽음을 목격한 후, 심지어는 텔레비전이나 라디오에서 그 소식을 들은 후에 정신질환을 겪은 사람들에게도 보상받을 권리를 주어야 한다고 권고했다.[27]

사람들이 감정적 상처에 취약하다는 것에 대해 오늘날 문화적으로 전례 없는 민감한 반응을 보이는 까닭은 그것의 배후에 인간의 주체성과 인간임의 작동방식을 바라보는 독특한 견해가 작동하고 있기 때문이다. 사람들의 감정 상태에 대한 일반적인 태도는 민족심리학이라는 개념을 통해 이해될 수 있다. 휴잇은 민족심리학이라는 개념에 대해 기술하면서, "모든 문화는 인간존재의 본성, 그들의 행동 동기, 그들의 세계 인식방식, 그들의 사고방식, 그리고 그들의 자연스러운 감정과 관련한 일단의 관념과 믿음을 포함한다"고 쓰고 있다(Hewitt, 1998을 보라). 감정, 개인의 행동, 취약성과 관련한 관념은 특정 문화가 인간임과 인간의 잠재력과 관련하여 제시하는 특유의 설명에 의해 뒷받침된다. 데릭 서머필드Derek Summerfield가 주장하듯이, 그러한 설명들은 다음과 같은 질문들을 포함한다. "사람들은 얼마나 많은 역경에, 그리고 어떤 종류의 역경에 대처할 수 있으며, 우리는 어떤 종류의 어느 정도의 역경을 '정상적'이라고 할 수 있는가? 적당한 위험이란 무엇인가? 운명론이 적절한 때는 언제이고 불만의식이 적절한 때는 언제인가? 어떻게 고통을 표현해야 하고 어떻게 도움을 구해야 하고 어떻게 배상을 청구해야 하는가를 포함하여 위기시에 받아들일 수 있는 행동은 무엇인가?"(Summerfield, 2001).

삶의 문제에 대처하는 자신들의 능력에 대한 사람들의 지각은 그들의 문화가 인간의 잠재력을 설명하는 특별한 방식에 의해 틀 지어진다. 개인들은 자신들의 특수한 상황을 성찰하는 것을 통해, 그리고 지배적인 문화적 규범이 기대하는 바에 따라 자신들의 경험을 이해한다. 자아의식은 개인적 경험과 문화적 규범의 절충물이다. 인간은 자신이 병들었다고 인식하고자 하는 욕구는 전혀 가지고 있지 않다. 하지만 강력한 문화적 신호가 공중에게 그들의 문제를 치료요법의 방식으로 설명한다. 그리고 고통을 이해하는 해석적 지침으로서 병에 대한 진단이 일단 체계적으로 내려지고 나면, 사람들이 스스로를 병이 들었다고 인식할 가능성은 훨씬 더 커진다. 정부관리들은 1985년에서 1996년 사이에 스스로를 장애가 있는 것으로 인식한 영국 국민의 수가 40% 증가했다는 점을 발견하고 충격을 받았다. 그 조사에 따르면, 16~19세 집단에서는 그 증가치가 무려 155%였다! 그 조사의 수행자들은 1985년과 1996년 수치 간의 차이가 "너무나도 커서 장애 유병률의 실제 증가로는 그것을 설명할 수 없어 보인다"고 결론 내렸지만, 왜 더욱더 많은 사람이 장애라는 딱지를 받아들이는 데 그렇게 열광하는지를 어떻게 설명할지 몰라 쩔쩔맨다(Craig and Greenslade, 1998: 5~7). 이러한 추세에 대한 설명은 역학疫學 분야가 아니라 사람들로 하여금 스스로를 병약한 것으로 분류하도록 부추기는 문화영역에서 찾을 수 있다. 사람들이 자신이 마주친 고통에 대처하는 방법이, 그들이 그 고통을 이해하는 방식을 틀 짓는 문화적·역사적 요소들에 강력하게 영향받는다는 점을 강조할 필요가 있다. 그러한 문화적 요소들이 개인들이 역경에 대처할 수 있는 능력을 증대시키거나 축소시킬 수 있다. 데이비드 웨인라이트David Wainwright와 마이클 칼넌Michael Calnan이 지적하듯이, 오늘날의 문화적 영향 ─ 희생자임을 과장하기, 인간의 능력과 역량에 대한 기대 낮추기, 치료요법적 개입에 대한 의존성 증대 ─ 이 결국 "자아의 축소, 즉 인간의 허약함과 취약함을 강조하는 것"으로 이어지고 있다(Wainwright and Calnan, 2000: 232). 놀랄 것도 없이 사람들의 너무나도 많은 경험이 취약함의 관점에서 틀 지어질 때, 병이 들었다는 느낌은 정상적인 것이 된다.

인간감정의 부단한 문제화는 곧바로 질병 형태로 재생된다. 그리고 일단 고통스러운 반응이 특정한 질병 형태로 문화적으로 정당화되고 나면, 그러한 반응은 곧 또는 나중에 질병으로 경험된다. 치료요법 문화의 질병 서사가 수행한 독특한 공헌이 바로 그것이 심리적 손상을 고통스러운 에피소드가 초래할 수 있는 가장 확실한 결과로 확증한다는 것이다.

고통을 감정적 상처의 한 상태로 탈바꿈시키는 것의 밑바탕에는 사람들이 일상생활에서 마주치는 불쾌한 만남과 방해물이 그들을 감정적으로 손상시킬 가능성이 크다는 믿음이 깔려 있다. 트라우마는 역경을 경험한 직후의 개인들의 마음 상태를 기술하는 다목적 용어가 되었다. 심리적 손상을 장기적 고통으로 묘사하는 까닭은 사람들이 불행한 일의 경험에 대처할 수 있다고 믿지 않기 때문이다. 고통은 살아가는 과정에서 마주치는 어떤 것이 아니라 치료를 필요로 하는 하나의 상태이다. 내적 고통을 정신질환으로 번역하는 것은 개인과 불행한 일의 경험 간의 관계를 변화시킨다. 인간임에 대한 이러한 견해에 따르면, 개인은 삶의 시련에 대처할 능력을 가지고 있지 못하다. 취약함의 상태가 인간임을 규정하는 것이 되었고, 이것이 다시 개인들에게 전문가들로부터 도움과 지원을 구할 자격을 부여해왔다. 라시가 지적하듯이, "퍼스낼리티에 대한 지배적 개념은 자아를 외적 환경의 희생자로 파악한다"(Lasch, 1984: 59).

치료요법 문화의 관점에서 볼 때, 인간의 고결성이 역경에 노출됨으로써 위협받고 있다. 크레이브가 주장했듯이, "우울증, 절망, 갈등 ― 한마디로 실망 — 을 삶의 일부로 받아들이는 데 따르는 어려움"은 '자아'의 발전을 크게 '억제'한다(Craib, 1994: 158을 보라). 감정적 취약함의 문제를 부풀리고 고통스러운 에피소드에 대한 사람들의 대처능력을 최소화하는 경향은 자결적 개인에 대한 치료요법의 이상화와 배치된다. 하지만 실제로는 치료요법적 자결의 레토릭은 결코 개인들에게 자신들의 삶을 결정할 수 있는 권리를 부여하지 않았다. 전문가의 매개를 통한 자아발견은 개인들은 문제에 스스로 대처하기에는 무력하다는 가정에 의해 정당화된다. 인간임에 대한 치료요법적 견해에 따르면, 사람들은 창조자가 아니라 그들이 처한 상황의 희생자들이다.

상황의 희생자들

이처럼 높은 유병률과 감정적 손상과 함께 인간의 무기력함에 대한 강력한 문화적 서사는 치료요법이 내세우는 자결이라는 이상을 부정한다. 적어도 한 탁월한 심리학자 — 펜실베이니아 대학교의 마틴 셀리그먼Martin Seligman — 만큼은 사람들에게 "그들이 할 수 있는 것은 아무것도 없다"고 가르치는 서사가 실제로는 사람들에게서 고통을 다룰 수 있는 능력을 빼앗는 결과를 낳는다는 견해를 취하고 있다. 셀리그먼에 따르면, 미국에서 우울증의 유행은 부분적으로 이러한 '학습된 무기력함'에서 기인한다. 그는 "만약 당신 앞에 자신이 희생자이고 자신이 할 수 있는 것은 아무 것도 없고 자신이 무력하다고 믿는 누군가가 있다면, 당신 앞에 우울증에 걸린 누군가가 있는 것이다"라고 주장한다.[28]

치료요법 문화는 단지 사람들에게 체념하고 무기력한 상태를 받아들이라고 가르치는 것뿐만 아니라 공중에게 그것을 이해하는 법을 조언하기까지 한다. 희생자들은 취약한 자아의 극심한 무력함을 체현하고 있다. 우리의 행위가 우리의 통제권 밖에 있는 강력한 힘에 종속된다는 믿음이 이러한 주체성을 승인한다. 과거에 이러한 무력감은 사회적으로 결정된 상황의 결과로 ― 모두가 경험한 집합적 조건에서 기인하는 것으로 ― 설명되었다. 오늘날 그러한 설명들은 훨씬 더 개인화되고 있다. 즉, 그러한 무력감은 부모, 연인, 파트너, 친구에 의해 유발된 장기적인 심리적 손상에 대처하지 못하는 자아의 취약함과 관련지어 설명된다.

감정적 취약함과 함께 이제 인간 조건의 주요한 특징 중 하나인 자결과 자기회복력이라는 이상은 주변적 역할만을 맡게 된다. 자신이 운명의 창조자라는 인식이 문화적 지지를 상실함에 따라, 개인들의 실패, 잘못, 반사회적 행동에 대해 치료요법이 개인의 책임을 면제해주는 진단을 내리는 것이 받아들여질 수 있는 것이 되었다. 중독적 퍼스낼리티만 존재할 뿐 더 이상 죄인은 존재하지 않는다. 욕정에 대해 살펴보자. 이전에는 호색적이라고 칭해졌을 수도 있는 사람들이 이제는 섹스에 '중독된', 치료요법을 필요로 하는 사람으로 묘사된다. 미국 성문제협회는 모든 미국인의 10~15% ― 약 2500만명 ― 가 섹스에 중독되어 있다고 추정했다. 난교라고 불리곤 했던 것이 다수의 유명인사 섹스 중독자들 ― 데이비드 듀코브니David Duchovny, 마이클 더글라스Michael Douglas ― 의 고백으로 인해 세간의 주목을 받는 의학적 명칭을 획득했다. 빌 클린턴의 친구와 옛 연인들 또한 시류에 편승하여 클린턴 역시 섹스 중독의 희생자라고 주장한다. 익명의 섹스 중독자들Sex Addicts Anonymous 같은 단체들은 그것이 치료하기 매우 어려운 질환이라고 주장한다. 이 점은 미국 의사 마사 터너Martha Turner가 쓴 한 보고서에서 확언되었다. 그는 섹스 중독은 재발률이 높고 회복 수준이 낮은, 가장 치료하기 힘든 심리적 질병이라고 주장했다. 그렇다면 당신은 무엇을 할 수 있는가? "당신의 성적 행동은 통제권 밖에 있고 당신은 도움을 받지 않으면 안 된다"가 치료요법적 조언을 제공하는 온라인 단체 스피릿 오브 리커버리Spirit of Recovery의 조언이다.

'무기력한 사람'은 '어쩔 수' 없다는 감상은 이제 악행의 인식에도 영향을 미치고 있다. 자신이 저지른 악행을 자신의 취약함에 의한 것이라고 보는 것은 단지 일반인들만이 아니다. 정치인과 성직자들도 그들이 유혹 앞에서 취약하다는 점과 관련하여 조명된다. 종교 지도자와 그 신도들 간의 행동을 인도하는 관행에 관한 새로운 규약을 채택하는 데에도 이러한 취약함 가정이 영향을 미치고 있다. 교회 규약의 언어는 '희생자 언어'를 이용하여 전통적인 유혹 테마와 성직자와 교구민의 취약함을 하나로 묶는다. 교회는 죄 없는 사람을 보호하고자 할 뿐만 아니라, 정도를 벗어난 성직자들의 행동을 자주 그들의 독특한 취약함의 결과로 설명하고자 한다.

옥스퍼드 교구의 보고서는 "목회자의 책무를 지고 있는 모든 사람"이 "유혹에 취약할 수" 있다고 주장한다. 그 보고서는 유혹에 가장 취약할 수 있는 사람은 바로 "자신이 다른 사람을 학대하려는 유혹에 빠질 가능성이 없다"고 믿는 사람들이라고 주장한다. 왜냐하면 그들이 "자신의 경계警戒를 그만큼 낮추기 때문이다"(Diocese of Oxford, 1996: 5~6). 이러한 관점은 성직자의 나쁜 행실을 보다 광범한 치료요법 문화의 맥락에 위치시킨다. 이러한 사고방식은 최근 미국 가톨릭 교회의 소아성애자 스캔들을 둘러싼 논쟁에서 일부 참여자들에게도 영향을 미쳤다. 보스턴을 근거지로 하는 성직자로, 성적 학대로 고발당한 성직자 중 한 사람인 윌리엄 버틀러William Butler에 따르면, 소아성애를 가진 그의 동료 중 많은 사람이 '감정'이 '발달하지' 않은 젊은 성직자들이었다. 그는 "자신은 갑자기 세상으로 내던져져서 여전히 자신의 섹슈얼리티와 친밀성 문제를 이해하고자 애쓰고 있는 중이다"라고 항변했다.[29] 캘리포니아 벽촌 라호야La Jolla에 거주하는 심리치료사이자 전 성직자인 사이프A.W. Sipe는 젊은 성직자들은 '유혹에 취약하고' 그들에 대한 심리학적 조사들은 "성적 박탈이 어떤 사람을 다시 어린 아이들에 의지하게 할 수도 있다"는 것을 보여준다는 견해를 피력했다.[30]

종교적 인물들이 약한 기준의 도덕적 책임을 기꺼이 채택하려 한다는 것은 어떠한 제도도 치료요법 문화의 영향력에서 벗어나 있지 않다는 것을 말해준다. 최근까지 성직자들은 자신들의 자아를 더 높은 목적에 예속시키는 이상理想을 받아들여왔다. 오늘날 성직자들 — 적어도 일부 성직자들의 경우에 — 은 자신들의 감정적 상처를 다루는 일에 집착하고 있다. 기독교 카운슬러들은 목사직에 요구되는 직무에 대처하는 데서 목사들이 겪는 어려움에 대해 자주 우려를 표명한다. 한 조사는 영국에서 그 조사가 인터뷰한 목사의 38%가 "사목적 돌봄 요구에 부담감을 느낀다"고 주장했다. 그 조사는 모든 문제 중에서 스트레스가 가장 큰 걱정이었다고 지적했다. 언급된 문제들 중 대부분은 "심리 상태(스트레스, 우울증, 외로움, 용서받지 못함과 같은)와 삶의 전환(결혼생활 상담이나 사별과 같은)"에 초점이 맞추어져 있었다.[31] 미국에서 남침례회Southern Baptist Convention는 부상당한 영웅 프로그램Wounded Heroes programmes을 만들어 "교회 구성원들의 우울증 피해"에 대처해왔다. 남침례회는 6만 2000개 교회의 직원과 목사의 1/3이 "직업적 부담으로 인해 우울증을 겪고 있다"고 추정한다.[32] 뉴저지에 근거지를 두고 있는 카이로스연구소Kairos Institute의 성직자 상담부Clergy Consultation Service는 성직자와 그 가족을 위해 카운슬링을 하고 있다.[33]

환멸을 느낀 성직자들은 자신들을 희생자로 재발명해왔고, 그들의 대의를 증진시킬 지원단체들을 설립해왔다. 그들은 자신들의 전前 고용자들이 심리적 손상을 유발했다는 이유로 그들을 통렬하게 비난한다. 국내외 종파의 피해 입은 성직자들을 지원하는 기독교 단체인 괴롭힘 당하고 학대받는 성직자들의 삶Bullied and Abused Lives in Ministry: BALM의 웹사이트는 말 그대로 그 성원들의 감정적 상처를 떠벌린다. 이 지원단체를 운영하는 폴린 케네디Pauline Kennedy와 아서 케네디Arthur Kennedy는 "괴롭힘을 당한 결과 우리는 더 이상 어떠한 적극적인 목사 직무도 수행하지 않고 있다"고 주장한다. 그들은 다음과 같이 덧붙이고 있다.

우리 둘 모두는 다음의 것들을 포함하여 정신병학적 스트레스 상처를 겪고 있다.

- 외상 후 스트레스 장애
- 반응성 우울증
- 만성피로

아서는 2002년 1월 1일 자로 목사직에서 은퇴하여 장애연금을 받고 있다.[34]

미국에서 환멸을 느낀 종교 지도자들은 종교중독의 희생자들을 돕는 지원단체들로부터 카운슬링을 받고 있다. 종교적 헌신이 하나의 중독으로 기술될 수 있다는 것은 고통과 실망을 다루는 데에서 성직자들이 그들의 신도 못지않게 취약하다는 것을 말해준다. 그들 역시 자신들의 통제를 넘어서는 상황의 희생자들이다.

몇몇 경우에 교회 관계자들은, 가해자 자신도 그러한 학대의 희생자였다고 주장함으로써 성직자 학대의 결과에 대한 책임을 회피하려는 유혹을 이기지 못했다. 이것이 바로 가톨릭 버밍햄 대교구가 한 소아성애자 성직자의 희생자들이 제기한 배상요구를 거부하면서 취한 접근방식이었다. 버밍햄 대교구는 에릭 테일러Eric Taylor 신부 ─ 그는 어린 소년들을 18번 성폭행한 죄로 7년형을 선고받고 1998년 4월에 투옥되었다 ─ 가 "전쟁포로로서 겪은 박탈"로 인해 심각한 영향을 받았다고 주장했다.[35]

테일러 신부의 손에 고통을 겪은 사람들은 버밍햄 대교구의 편지에 격분하여, 그것이 "전쟁에 나가 싸운 사람들은 누구든지 소아성애자가 될 수 있다"는 것을 함의하기 때문에 그들을 모욕하는 것이라고 주장했다. 책임을 피하려는 교회의 시도에 대한 이러한 반발은 이해할 수 있는 것이기는 하지만, 버밍햄 대교구는 단지 세속세계에 잘 확립되어 있는 하나의 노선을 따른 것뿐이었다. 통설에 따르면, 가해자가 이전에 학대행위로 심리적 피해를 입은 학대 희생자였던 것으로 밝혀지는 경우가 자주 있다. 이것이 바로 불명예 퇴진한 영국 국무장관 론 데이비스가 1998년 11월에 자신이 경찰과 싸운 것을 정당화하기 위해 사용한 주장이었다. 그는 자신이 아이였을 때 아버지에 의해 야만적으로 구타당했다고 의회에 고하고, "우리를 구성하고 있는 것이 우리이다we are what we are"라고 덧붙였다. 그는 언론에 자신이 "불안하고 끔찍하고 감정적 기능장애를 겪은 어린 시절"로 인해 유발된 '강박장애'로 고통받았다고 알렸다.[36] 미국의 전 퍼스트 레이디 힐러리 클린턴Hillary Clinton도 그녀가 대담자에게 자신의 남편의 바람기가 그가 아이였을 때 겪은 심리적 학대의 결과라고 알리면서 이 같은 감상을 분명하게 드러냈다. 1999년 여름 내내 그녀는 "클린턴이 학대로 인해 상처를 입었을 때는 겨우 4살이었다"고 주장했다. 만약 테일러 신부 같은 성직자들에게조차 그것이 "어쩔 수 없는" 일이었다면, 클린턴이나 데이비스 같은 세속 정치인들에게 우리가 무엇을 기대할 수 있겠는가? 미국에서는 학대를 구실로 범죄행위를 변호하는 일이 재판이 진행되는 동안에 자주 벌어진다. 1993년 베벌리힐스의 메넨데츠Menendez 형제의 살인재판과 1994년 로레나 보빗Lorena Bobbitt 재판과 같은 가장 떠들썩했던 공판들 중 일부에서 피고 측 변호인들은 자신들의 의뢰인의 행동을 그들이 겪은 감정적 상처, 즉 각각 피학대 아동 증후군과 피학대 여성 증후군에 전가했다(Downs, 1996: 3을 보라).

학대행위와 이전의 심리적 손상 경험 간에 설정된 연관성은 오늘날의 인간 조건에 관한 기본 진술의 하나를 이루고 있다. 테일러 신부가 어린 소년들을 성폭행한 것을 그의 이전의 학대 경험과 연계시키는 사고방식은, 인간존재는 솔직히 너무나도 약해서 자신들의 심적 상처의 결과를 극복할 수 없고 자주 계속해서 다른 사람들을 손상시킨다는 테제에 기초하고 있다. 이러한 관점에서 감정적 손상은 종신형이자 또 다른 가해행위의 서막으로 제시된다. 학대 전문가들은 계속해서 학대 경험의 장기적 결과를 강조한다. 이 모델이 괴롭힘에 대한 문헌들 역시 이끌고 있다. 이 모델에 따르면, 괴롭힘은 희생자의 마음에 '상처'를 입혀왔고, 이러한 정신적 손상을 지워 없애기 위해 할 수 있는 것은 거의 없다. 아동 희생자에 관한 한 연구는 "매우 적은 수의 아이들만이 마음의 피해 경험을 피한다"고 결론지었다. 「또래의 거부가 아이들에게 즉각적이고 장기적인 행동 위험을 유발한다」

라는 제목의 연구에서도 유사한 결론이 내려졌다. 그 연구는 또래의 거부가 초래하는 장기적 결과로 비행, 학교 중퇴, 정신병을 들었다. 아동 성학대 이력이 있는 성인들에 대한 연구의 저자들도 동일한 맥락에서 저술하며, 그들은 "심각하게 손상을 입은 사람들"로, 다른 성인들보다 의료 서비스를 더 많이 이용한다고 결론지었다. "그들 가운데 많은 사람이 체중문제를 가지고 있고, 알코올과 약물을 남용하고, 과민성 대장 증후군을 가지고 있는 것으로 보인다."[37]

심리적 손상의 장기적 결과에 대한 진단은 '학대순환'이론이라는 영향력 있는 이론으로부터 상당한 지위를 부여받았다. 이 세대 간 폭력전달 모델은 가정폭력 문헌에서 이론異論의 여지가 없는 테마 중의 하나이다. 이 테제를 지지하는 사람들은 학대를 세대 간 질병으로 파악한다. 학대자들은 그들이 어린아이였을 때 학대받은 사람들이고, 또 그들의 희생자들은 계속해서 일탈행동을 하게 될 것이다. 따라서 학대는 희생자와 함께 끝나는 것이 아니다. 그것은 그 자신의 생명을 가지고 미래 세대로 전달된다.

학대순환이론은 인간 조건에 대한 매우 숙명론적인 설명을 제시한다. 그것의 널리 퍼져 있는 영향력은 사회가 인간의 잠재력을 비관적으로 바라보고 있음을 보여준다. 근대세계의 출현 이후 인간의 행위와 통제력의 범위가 오늘날처럼 강력하게 부정된 적은 결코 없었다. 공동의존성 운동의 옹호자들과 같은 치료요법 전문직에서 드러나는 강력한 기류는 계속해서 개인들의 무력함을 확인한다. 공동의존성 운동에 관한 한 중요한 연구는 그 기관의 관점에서 볼 때 "근친상간, 다양한 형태의 학대, 범죄행위"와 같은 문제들은 "모든 사람들이 그들 자신의 행위를 통제할 수 있는 '능력을 가지지 못하기' 때문에 발생하는 '제어할 수 없는' 행동의 실례들"이라고 주장한다(Rice, 1996: 103). 이러한 인간의 무력함 부풀리기는 새로운 축소된 자아 개념을 상징적으로 보여준다. 이 모델의 전제를 이루는 것이 인간의 행위는 계속해서 그것의 통제력 밖에 있는 강력한 힘에 종속되어 있다는 것이다. 이러한 운명론적 세계관은 자주 유년 시절에 겪은 심리적 손상이 평생 동안 성인들의 행동의 많은 것을 직접적으로 결정한다는 명제를 통해 전달된다.

공동의존성 문헌들은 인간의 정체성은 유년 시절의 경험의 직접적 결과라는 테제의 명백한 변종이라고 할 수 있는 것을 제시한다. 라이스가 이 운동에 관한 자신의 연구에서 지적하듯이, 공동의존성 운동의 지지자들은 "어린 시절의 경험이 단지 정체성을 틀 짓는 것만이 아니라 정체성을 분명하게 결정짓는다"고 주장한다(Rice, 1996: 104). 어린 시절에 중요성을 부여하는 것의 당연한 결과로 도출되는 것이 바로 어린 시절의 경험으로 인해 성인기에도 통제력과 자율성을 현저하게 결여하게 된다고 보는 견해이다. 이것이 바로 오늘날의 치료요법 문헌들에서 아이와 어른을 구분하는 선을 식별하기 어려운 이유이다. 성인아이라는 개념은 이 유아화한 형태의 자아를 상징한다. 아동기의 경험과 성인의 경험 간의 구분이 붕괴되는 경향은 공동의존성 문헌들에서 두드러지게 나타난다. 라이스는 공동의존성 운동의 지지자들이 "모든 것이 어린 시절 경험의 피할 수 없는 결과로 인해 발생했다고" 말한다고 지적한다. 그들의 언어로 표현하면, 그들은 자신들의 어린 시절에 만들어진 "각본대로 살아가고" 있다(Rice, 1996: 110~11).

성인들은 자신의 어린 시절에 세팅된 각본을 단지 행동으로 옮길 뿐이라는 관념은 사람들로 하여금 과거 속에서 자신의 삶의 실마리를 찾게 한다. 따라서 성인의 자아를 이해하는 열쇠는 어린 시절이나 그 넘어 어딘가에 존재한다. 원초적 치료요법과 전생 치료요법은 도덕고고학의 과정을 통해 실존적 의미를 추출해내고자 한다. 현대사회는 기억의 회복에 색다른 통찰력을 부여한다. 그리고 기억회복운동은 성인의 곤경을 설명해주는 것으로 언급되는, 영혼에 상처를 준 행위들을 기필코 발견한다.[38] 그 결과 현대 문화에서 자아정체성은 점점 더 사람들이 무엇을 하고 자신들에 대해 무엇을 아는지보다는 그들이 더 이상 기억할 수 없는 것에 기초한다. 그리하여 잃어버린 자아정체성을 찾는 특권적인 역할이 치료요법에 할당된다. 그리고 치료요법학은, 축소된 자아는 자기 스스로 자신의 내적 본질을 이해할 수 없다고 보고, 성인들이 자신들의 과거 속에서 자신들의 현재의 비참함의 원인을 해독하기 위해서는 전문가의 도움이 필요하다고 주장한다.

성격 형성 과정에서 아동기 그리고 심지어는 전前 아동기가 수행하는 역할에 중요성을 부여하는 치료요법의 입장은 인간 조건에 관한 매우 결정론적인 관점에 기초해 있다. 그것은 사람들의 성인 생활은 그들의 어린 시절의 경험에 의해 미리 결정된다고 주장한다. 우리가 성인으로서 하는 많은 경험들은, 우리가 어린 시절에 경험한 학대행위에 비하면 하찮아진다. 그리스 비극에서처럼, 우리는 우리의 삶을 통해 단지 우리의 운명을 깨달을 뿐이다. 사람들은 스스로를 자결적 행위자라기보다는 가족생활의 희생자로 파악할 것을 권고받는다. 이러한 자결의 포기는 성인의 자아가 극적으로 재개념화되는 것과 동시에 이루어진다. 그렇게 재개념화된 성인의 자아는 성인기와 연관된 역사적으로 이상화된 성격들 중 많은 것 ─ 도덕적 자율성, 성숙, 책임감 ─ 을 탈각한, 약한 또는 축소된 자아이다. 이 운동에 대한 한 비판가가 논평하듯이, 공동의존성 문헌들은 "병리적 행동에 대한 책임을 탈개인화한다."[39]

공동의존성 모델은 치료요법 문화가 개인과 사회 간의 관계를 개념화하는 방식의 극단적 변종 중 하나를 제시할 뿐이다. 자아가 병에 걸린 것, 학대당한 것, 약한 것 또는 단지 취약할 뿐인 것 그 어떤 것으로 제시되든 간에, 그것이 심리적 손상 — 특히 어린 시절에 발생한 — 의 파괴적 결과를 반전시킬 가능성은 거의 없다. 손상된 어린 시절은 되돌릴 수 없다는 이러한 운명론적 전제는 종교적 진리의 지위를 획득해왔다. 이러한 전제에 이의를 제기하는 것은 신성모독으로 고소당할 위험을 감수하는 것이다. 그렇지만 학대순환 테제는 심각한 의문의 대상이다. 폭력이 폭력을 낳는다는 견해는 회고적 연구에 기초해 있다. 그러한 연구들은 공격적인 사람들이 어렸을 때 학대받았을 가능성이 더 큰지를 알기 위해 공격적인 청소년 및 남성과 그렇지 않은 청소년 및 남성을 비교하는 것에 자주 의지한다. 그러한 연구들은 많은 문제를 가지고 있다. 사람들이 회상에 부여하는 지위는 논쟁의 영역의 하나이다. 사람들이 무엇을 어떻게 기억하는가는 그들의 상태에 의해 영향받는다.

폭력의 순환에 관한 연구가 지닌 또 다른 근본적 약점은 어린 시절의 학대 경험과 후일 성인의 학대 행위 간에 설정된 인과관계이다. 거기에 직접적인 인과관계가 존재하는가? 그러한 폭력 경험이 후일 성인의 폭력 행동의 원인이었는가 아니면 그러한 반응을 틀 지은 또 다른 영향이 존재하는가? 하나의 변수 — 학대 — 를 추출하여 학대라는 미래 행위와 직접적으로 연계짓는 것은 인간행동에 영향을 미치는 다양한 사회현상들을 무시하는 것이다. 존 코프먼Joan Kaufman과 에드워드 지글러Edward Zigler는 아동학대의 결과에 대한 종단적 연구를 재검토함으로써 어린 시절에 학대받은 사람의 70% 이상이 자신들의 자식을 학대하지 않았다는 점을 발견했다. 심리학자 캐럴 타브리스Carol Tavris는 "피할 수 없는 '순환'은 거의 존재하지 않는다"고 논평했다.[40]

아동학대의 장기적 손상 테제는 또한 브루스 린드Bruce Rind와 필립 트로모비치Philip Tromovitch가 수행한 한 연구에서 검증되었다. 린드와 트로모비치의 연구는 아동 성학대와 장기적인 심리적 부적응이 인과적으로 연계되어 있다는 합의에 대해 중요한 의문을 제기한다. 그들은 그러한 사례들 중 단지 소수만이 영구적 손상을 받은 것으로 나타나고, "남성에 비해 훨씬 더 많은 여성이 그러한 경험으로부터 손상을 입은 것으로 인식한다"고 결론지었다. 적어도 학대 경험에 대한 그러한 차별적인 반응은 장기적 손상의 인과적 연관성과 관련하여 중요한 의문을 제기한다. 린드와 트로모비치는 성학대 연구자들이 그러한 경험의 해로운 결과를 과장하는 경향이 있다고 지적한다(Rind and Tromovitch, 1997: 253을 보라). 이러한 경향이 감정적 손상의 비가역성과 관련한 이전의 가정들을 전제로 하고 있을 수도 있다. 그것은 자아의 병든 성격에 사로잡힌 사회가 임의적으로 산출해낸 하나의 가정이다. 학대순환 테제는 무력함에 새로운 정의를 부여하고 있다. 피해에 대한 전통적인 관념과는 달리, 학대는 더 이상 단 한 번의 소행으로 간주되지 않는다. 학대순환 테제에 따르면, 학대가 유발한 손상은 희생자의 몸과 정신에서 좀처럼 사라지지 않는다. 게다가 그러한 결과는 생존자의 삶의 모든 측면에 실제로 영향을 미칠 만큼 중요하다. 중독, 섭식장애, 공포증은 이러한 종신형의 표현들이다.

학대순환 테제가 경험적 조사보다는 사변에 기초하여 구성되었다는 점은 지적할 만한 가치가 있다. 해킹Hacking은 기억의 정치에 관한 연구에서 이 선험적 가정이 처음에 이 주제에 대한 최초의 논문에서는 엄격히 한정되어 있었다고 지적한다. 그러나 "학대받은 아이가 학대하는 부모가 된다"는 이 대담한 진술은 곧 세상에 널리 퍼져나갔다. 이처럼 그것이 사변적 견해에서 하나의 '과학적 진리'로 급속하게 변형된 것을 뒷받침해준 것은 어린 시절의 경험이 성인을 형성한다는 주장이었다. 해킹은 또한 이러한 견해 역시 "어린 시절에 자신이 학대받았음을 고백하는" 부모들의 편의주의에 의해 강화되었다고 믿는다. 왜냐하면 "그러한 견해가 자신들의 행동을 설명해주고, 그리하여 벌을 가볍게 해주기 때문이다"(Hacking, 1995: 60). 그러나 하나의 문화적 편견을 거의 논쟁의 여지없는 진리로 변형시키는 데 도움을 준 것은 무엇보다도 학대가 심리적 손상이 낳은 유독한 결과라는 관념을 사회가 지지한 것이었다.

중독이라는 물신

역사의 도처에서 회의주의자들은 인간이 지닌 잠재력의 범위에 의문을 제기해왔다. 하지만 오늘날에는 그러한 회의주의가 소수의 비판가 집단들에게만 한정되어 있는 것이 아니라 지적·문화적 삶을 지배하고 있다. 인간 조건에 대한 강렬한 운명론적 해석이 매우 결정론적인 개인적 삶의 전망을 안출한다. 이러한 견해가 낳은 하나의 불행한 결과가 바로 사람들이 자신들의 삶을 통제할 수 있는 가능성을 축소하는 경향이다. 그 결과 삶의 많은 영역에서 인간행동은 의식적인 선택과는 거의 무관한 것으로 인식된다. 감정결정론이 그것의 가장 뚜렷한 문화적 표현물을 획득하는 것은 중독자들 사이에서이다. 치료요법 문화는 중독이라는 개념을 통해 약한 형태의 자아를 이해한다. 중독자의 강박행동은, 사람들은 어린 시절에 그들에게 할당된 각본을 행동으로 옮기지 않을 수 없다는 관념을 확대한다.

무력하다는 의식이 중독이라는 물신을 통해 문화적 의미를 획득한다. 강박행동은 빈번히 이전의 감정적 상처의 증거이자 미래의 범죄에 대한 경고로 해석된다. 희생자를 연구하는 한 탁월한 학자는 오늘의 범죄자는 어제의 희생자라는 운명론적 전제에 근거하여 피해와 중독행동을 명시적으로 연계시킨다(Viano, 1990: xviii를 보라). 중독 퍼스낼리티는 무력함의 결정체이다. 그러한 퍼스낼리티가 거의 통제할 수 없는 행위를 추동한다. 중독은 사회가 다양한 형태의 행동을 이해하는 하나의 문화적 물신의 역할을 수행한다. 치료요법 문화는 이러한 물신에 너무나도 많은 인간행동을 귀속시킴으로써 인간행위의 잠재력을 비하한다.

중독을 통한 인간행동의 물신화는 행위결과로부터 자아를 소외시킨다. 중독을 통해 표현되는 세계관은 사람들로 하여금 개인적 문제들을 자아밖에 존재하는 것으로, 즉 어떤 의학적 상태에 뿌리를 두고 있는 것으로 간주하도록 부추긴다. 개인을 감염시키는 질병처럼, 중독은 그들에게 닥치는 하나의 위해이다. 중독에서 초래되는 기능장애 행동의 강도는 그 질병의 강도에서 기인한다. 사람은 솔직히 어쩔 수 없다. 불행하게도 인간의 주체성에 대한 이러한 부정 역시 일상적 경험에 위배된다는 점을 지적할 필요가 있다. 중독 서사에 대한 한 비판가가 지적하듯이, "사람들은 주기적으로 금연하고 금주하고 체중을 감량하고 자신의 건강을 향상시키고 건전한 연애를 하고 아이들을 강하고 행복하게 키우고 공동체에 기여하고 옳지 않은 것과 싸운다. 그것도 전문가의 개입 없이 그렇게 한다"(Peele, 1995: 29).

이전 시기에 중독은 거의 전적으로 알코올 또는 약물에 대한 신체적 의존과 연계지어졌다. 중독은 생물학에 기초하여 신중하게 정의된 갈망과 연관지어졌다. '신체적 의존'이라는 용어는, 어떤 특별한 강박 습관은 개인의 통제와는 무관한 힘에 의해 추동된다는 것을 암시했다. 강박행동을 유발하는 것으로 주장되는 다양한 생물학적 요소들이 오늘날 극적으로 확대되었다. 그러나 보다 중요한 것은 중독의 의미 자체가 변화해왔다는 것이다. 최근에 발견된 중독들 ─ 인터넷 중독 증후군, 강박적 도박, 일중독, 강박 쇼핑장애, 섹스 중독, 공동의존성 ─ 의 대부분은 그 어떤 생물학적 기반도 가지고 있지 않다. 이것들은 감정중독이다. '충동통제장애'라는 의학적 명칭은 점점 더 정신의학자들에 의해, 그들이 강박중독으로 간주하는 것을 기술하기 위해 사용되고 있다.

사회가 너무나도 중독에 중독되어왔다. 왜냐하면 사회가, 사람들이 자신들의 운명의 창조자라는 소임을 다할 수 있다고 생각하지 못하게 되었기 때문이다. 앞서 논의한 취약성 의식의 만연이 사람들이 자신들의 삶의 중요한 측면들을 통제할 수 있을 것으로 기대할 수 없게 만드는 분위기를 조장해왔다. 이러한 본질적으로 자기제한적인 사고방식은 계속해서 행동을 운명론적으로 해석하는 쪽으로 나아간다. 사회가 중독을 수용한다는 것은 통상적으로 계몽주의적 인간선택 개념과 연관된 책임의 윤리를 포기하는 것을 의미한다. 자결적 개인은 항상 존재의 이상화된 표현이었지만, 그것은 또한 인간행동을 이해하는 하나의 기준이 되는 것이기도 했다. 오늘날 자결적 개인이라는 이상은 주체성에 대한 보다 온건한 해석에 길을 내어 주었고, 행동을 조명하는 새로운 기준을 제공하는 것은 중독의 병리학이다.

중독 서사는 개인들이 자신들의 삶을 통제할 수 없다는 것을 하나의 자명한 진리로 취하고 있다. 중독 서사는 마치 사람들이 매우 새로운 혁신의 노예가 될 것으로 예상하는 것처럼 보인다. 모든 새로운 혁신은 새로운 종류의 중독자가 생겨날 것이라는 공포를 동반한다. 영국에서 국가복권National Lottery이 발행되자마자, 전문가들은 도박에 중독된 나라에 대해 경고하고 나섰다. ≪데일리 메일Daily Mail≫은 제1면에서 "영국이 복권과 슬롯머신에 중독된 세대를 만들어내고 있다"고 경고했다.[41] 강박적 휴대폰 이용자, 강박적인 유약한 남자 등 매달 새로운 중독자 집단이 만들어지고 있다. 체육관에서 하는 운동조차도 더 이상 건전하고 격려할 만한 가치가 있는 것으로 인식되지 않는다. 최근 미국 심리학자들은 강박적으로 운동하는 남성들이 실제로는 '근육이형증'으로 고통받고 있다고 판정했다. 그리고 체육관에서 훨씬 더 많은 시간을 보내는 여성들에게는 '운동 중독자'라는 딱지가 붙여진다. 서리Surrey의 스터트Sturt에 소재한 프리어리 병원Priory Hospital의 중독치료 프로그램 관리자인 앤드루 빈센트Andrew Vincent는 "우리는 운동 중독자들을 다른 중독자들과 전혀 다르지 않게 치료한다"고 지적한다. 빈센트는 다음과 같이 덧붙인다. "그들은 알코올 중독자, 약물 중독자, 쇼핑 중독자 및 여타 다른 종류의 모든 중독자들과 함께 집단치료를 받을 것이다. 왜냐하면 그것이 동일한 것 — 감정적 고통과 사건을 피하는 길 — 으로 귀결되기 때문이다."[42]

나쁜 습관의 의료화는 사회가 행동을 판단하는 방법에 중요한 영향을 미친다. 만약 어떤 사람이 수많은 충동통제장애 중 하나로 고통받고 있다면, 그 사람에게 책임을 묻기란 어렵다. 반대로 그러한 중독자들은 그들의 행동으로 비난받기보다는 오히려 자신의 통제권을 벗어난 상황의 희생자로 제시되고, 그리하여 우리의 동정을 받을 만한 가치가 있게 된다. 새로운 중독 범주들은 그러한 상태로부터 고통을 받는 개인들은 그들의 행동에 책임질 수 없다는 주장을 정당화한다. 그러한 진단은 직접적으로 책임윤리에 이의를 제기하고, 다운스가 주장하듯이 "그들은 법적인 평등한 시민권의 바탕이 되는 개인적 책임의 가정을 필요 이상으로 훼손한다"(Downs, 1996: 5).

무력함이라는 가정이 새로이 변형된 자아에서 중심적인 위치를 차지하고 있다. 중독과 피해의 담론은 잠재력을 실현하고자 하는 충동보다는 오히려 생존에 초점을 맞추고 있다. 중독을 규정하는 특징이 그 또는 그녀를 소극적으로 만든다. 따라서 주체는 계속해서 '문제'와 거리를 두게 되고, 개인의 행위는 단지 삶을 형성하는 데서 최소한의 역할만을 수행한다. 놀랄 것도 없이 동기와 성격의 중요성은 끊임없이 축소된다. 이것이 바로 개인의 자율성이라는 기본 관념을 훼손하는 염세적인 세계관이다. 새로운 지식은 일상생활의 문제에 대한 사람들의 대처능력에 의구심을 드러낸다. 삶의 요구에 대처하고자 하는 사람들의 시도는 숙명적으로 실패하게 되어 있는 것처럼 보인다. '스스로' 또는 '홀로 대처하는'과 같은 용어들은 개인적·감정적 문제들에 개인적으로 대처하려는 시도는 건강에 해롭다는 경고를 하는 데 이용된다. 개인의 부족함이 많은 만남에서 요구되는 것으로 상정되는 특별한 스킬 및 자원과 자주 대비된다. 개인을 압도하는 것으로 언급되는 만남과 경험의 종류들이 최근 몇십 년간 크게 증가해왔다. 심지어는 양육과 같은 가장 기본적인 성인 역할들 중 일부가 전문가의 지원을 요구하는 스킬들로 재정의되어왔다. 이러한 관점에서 볼 때, 삶의 통제권을 일정 정도 떠맡고자 하는 개인적 시도는 하나의 애처로운 제스처가 된다.

왜냐하면 사람들은 자립이 아니라 도움을 필요로 하기 때문이다.

강박행동을 상대적으로 정상적인 형태의 인간행동으로 간주하는 경향은 비교적 최근에 진전된 상황이다. 1980년에 이 주제에 대한 중요한 한 사회학적 기고 논문은 다음과 같이 논평했다. "강박행동 개념은 무기력함과 통제력의 상실을 암시한다. 이는 그 자체로 많은 사람이 반감을 갖는 호의적이지 않은 자화상이다. 대부분의 사람들은 운명의 희생자보다는 차라리 자신에 대한 책임감이 있는 죄인이 더 낫다고 생각한다"(Conrad and Schneider, 1980: vii). 오늘날 강박행동에 대한 부정적인 문화적 표현들은 완전히 정상화된 것은 아니지만 상당히 완화되었다. 마이클 더글라스, 데이비드 듀코브니, 돈 존슨Don Johnson 또는 로브 로우Rob Lowe와 같은 할리우드 배우들의 섹스 중독은 그러한 스타들의 매력을 감소시키지 않았다. 보다 중요한 것은 거기에 실제로 강박행동에 부여된 어떠한 도덕적 낙인도 찍히지 않는다는 것이다. 중독은 서툰 양육 스킬을 지닌 엄마와 아빠가 만들어낸 것이다. 미국의 심리학자이자 치유사인 샬롯 카슬Charlotte Kasl은 "중독을 초래라는 텅 빈 큰 자리는 보통 출생 시에 만들어지기 시작한다"고 쓰고 있다(Kasl, 1990: 378).

중독은 자주 사회의 모든 집단을 괴롭히는 통상적인 실존의 문제로 묘사된다. 유명인사 중독자들 ― 케이트 모스Kate Moss, 다이애나 왕세자비, 커트 코베인Kurt Cobain ― 은 어느 누구도 피할 수 없는 운명을 상징한다. 매력과 중독의 문화적 결합 ― 헤로인 시크heroin chic[보통 약에 취하거나 절어 있는 모습으로, 창백한 피부에 눈 밑의 다크서클, 그리고 뼈가 앙상한 골격 구조를 특징으로 하는 아름다움을 일컫는다 _옮긴이] ― 은 취약함의 상태가 일반적이라는 메시지를 전달한다. 대중문화는 중독자가 자신이 통제할 수 없는 어떤 문제를 가지고 있다고 인정하는 것을 자주 용기 있고 정직한 행동으로 묘사한다. 많은 치료요법 사업가들은 이러한 감상을 긍정하고 그러한 용기 있는 행위가 없다면 그들이 솔직히 중독자를 도울 수 없다고 덧붙인다.

무력함의 인정을 하나의 공개적 저항행위로 바라보는 표현은 그 사회를 지배하는 가치들에 의해 문화적으로 틀 지어진 것이다. 그러한 행위는 자아 서사 고쳐 쓰기에 기초한 치료의 서곡으로 제시된다. 무력함을 솔직하게 시인함으로써 과거의 사건은 외적인 질병의 은유를 통해 재정의된다. 이러한 관점에서 중독 문제는 중독자가 만들어낸 것이 아니라 상황이 초래한 어쩔 수 없는 결과가 된다. 그 결과 무력함은 단지 어떤 사람의 생애에서 하나의 에피소드이기만 한 것이 아니라 그의 삶을 규정하는 조건이 된다. 이러한 운명론적 관점에서 치료는 순종적인, 아니 보다 정확하게는 숙명론적 성격을 획득한다. 중독자들은 그들이 결코 완전히 치유될 수 없다는 말을 듣는다. 게다가 사람들은 그들의 행위를 통해 자신들의 문제에 대처할 것을 고무받기커녕, 자신들의 과거를 다시 쓰는 의례를 제공받는다. 사람들은 결코 완전히 중독을 극복할 수 없고 단지 그것의 의미를 최소화할 수 있을 뿐이라는 전제하에 이루어지는 치료에는 스스로를 변화시킬 여지가 거의 없다. 이른바 회복 중에 있는 중독자에게 중독은 정체성을 규정하는 하나의 특징으로 여전히 남아 있다.

중독에 대한 오늘날의 정의들은 어느 누구도 자신의 중독을 스스로 극복할 수 없다는 주장을 뒷받침하기 위해 무력함의 문제를 부각시킨다. 공동의존성과 중독을 다루는 많은 전문가가 자신들의 상태에 스스로 대처하려는 희생자들에게 격하게 경고한다. 몇몇 치료요법사들은 중독 및 여타 문제들을 극복하기 위한 개인적 시도들을 '완벽주의자 콤플렉스'의 무익한 표현으로 치부한다. 전문적 치료를 피하는 것은 희생자가 직면한 문제의 심각성을 보여주는 증거로 작용한다.

문화 각본에 따르면, 중독자에게 할당된 역할은 그들이 자신들의 상태를 극복할 수 있는 힘이 없다는 것을 인정하는 것이다. 대부분의 치료요법에서 그러한 무력한 상태를 인정하는 것이 치료가 시작되는 지점이다. 익명의 알코올 중독자들Alcoholics Anonymous: AA이 혁신한 잘 알려진 12단계 치료요법에서 첫 단계는 중독자들에게 "그들이 알코올에 무력하고" 자신들의 삶에 대한 통제력을 상실했다는 점을 인정할 것을 권고한다. 다른 중독집단들 또한 개인들에게 자신들이 처한 중독문제에 자신들이 무력하다는 것을 인정할 것을 요구한다. 이러한 무력함의 서사를 통해 개인들은 자신들의 축소된 자아를 받아들일 것을 요구받는다.

수동적 주체의 사회화

중독의 정상화는 사회화 과정에 대해 철저히 운명론적인 견해를 전제로 하고 있다. 한때 예외적이고 드문 일로 제시되었던 중독이 빈번히 정상적인 것으로 묘사되고 있다. 영국의 치료요법 옹호단체 액션 온 어딕션Action on Addiction에 따르면, "우리 중 거의 모든 사람이 일정 형태의 중독을 경험하거나 중독된 어떤 사람을 알고 있다." 이 단체는 "실제로 성인 3명 중 1명 이상이 일정 형태의 중독으로 고통받고 있다"고 주장한다.[43] 미국의 한 섹스 중독 전문가는 "대부분의 여성이 일정 기간 섹스 중독적 행동이나 섹스 공동의존적 행동의 다양한 측면과 싸워왔다"고 믿는다(Kasl, 1990: 175). 그렇게도 많은 인간행동이 중독이라는 명칭하에 분류되면서 중독이 하나의 예외적 경험이기는커녕 사회 자체가 본질적으로 중독적이라는 것이 분명해진다. 많은 저술가가 보기에, 인간의 기능장애, 강박행동, 학대행위는 본질적으로 중독사회의 산물이다. 미국의 탁월한 희생자 연구자는 이렇게 주장한다. "우리 사회는 중독사회이다. 왜냐하면 사회는 우리에게 많은 방식으로 우리의 생각, 우리의 도덕성, 심지어는 우리의 생존까지를 대규모 제도들에 의지하라고 가르치고 있기 때문이다"(Viano, 1990: xviii). '중독사회'라는 용어는 인간의 약함을 자연화하는 강력한 수사학적 장치이다. 그러나 그것은 하나의 분석도구라기보다는 하나의 수사학적 장치이다. 왜냐하면 본질적으로 사회화의 소행인 것과 중독의 고통 간에 상정된 관계는 일반적으로 단지 단언된 것일 뿐이기 때문이다. 또한 사회가 의존성을 만들어낸다고 비난하는 레토릭이 사람들로 하여금 치료요법에 의존하도록 종용하는 바로 그 사람들에 의해 채택된다는 것은 하나의 아이러니이다. 중독자들에게 계속해서 그들 스스로 치료법을 찾는 것의 위험에 대해 경고하는 치료요법사들에게 독립심을 고무한다고 비난하는 것도 분명 가당치 않다.

오늘날의 중독 서사는 중독상태를 사회화의 직접적 산물로 간주한다. 어떠한 개인적 선택 관념도 무력화시키는 이러한 조야한 사회화 모델은 고전사회학의 사회이론을 벗어나 있다. 고전 사회이론가들 — 이를테면 마르크스Marx와 베버Weber — 은 오랫동안 사회가 개인의 정체성을 형성하는 데 미치는 중요한 영향을 인지해왔다. 프로이트Freud, 조지 허버트 미드George Herbert Mead, 존 듀이John Dewey 같은 다른 사상가들은 문화의 요구가 자아를 제약하고 개인의 정체성 형성에 결정적 영향을 미친다고 주장해왔다. 하지만 이들 사상가는 개인의 선택 또는 자결의 잠재력을 부정하는 운명론적 공식을 제시하지는 않았다. 그들은 비록 자주 개인들이 스스로가 만든 것이 아닌 상황에서이기는 하지만 개인들이 일정 정도 개인적 선택을 하는 상호작용의 원리를 강조했다. 이러한 고전적 관점에서 볼 때, 자아는 사회적 현실의 산물이자 생산자이다. 최근에 이 상호작용 모델은 일방적으로 개인을 사회적 산물에 불과한 것으로 제시하는, 그리고 개인의 행위를 결코 선택의 결과가 아니라 강박충동의 산물로 보는 사고방식으로 대체되었다.

많은 설명들 속에서 사회와 문화가 자아의 노력을 부정하고 또 개인들을 중독적 퍼스낼리티의 소유자로 만들어버린다는 주장이 하나의 레토릭 형태로 제시되고 있다. 앤 윌슨 셰프의 『사회가 중독자가 될 때When Society Becomes An Addict』는 중독이라는 용어를 모든 형태의 사회적 고통을 설명하기 위한 은유로 사용한다. 영국의 해설자 헬렌 윌킨슨Helen Wilkinson은 노동윤리를 '중독적인 일중독 문화'의 원인들 중의 하나로 지적한다. 같은 방식으로 심리학자 올리버 제임스는 학대하는 부모는 그가 '감정중독'이라고 부르는 것으로 인해 고통받는 아이들을 만들어낸다고 주장한다.[44] 노동윤리도 그리고 학대하는 부모도 최근에 진전된 사태들이 아니며, 그러한 이론들은 중독이 왜 현대사회에서 그렇게 만연하게 되었는지를 거의 설명하지 못한다. 오늘날 중독이라는 명칭이 붙은 행동 형태들 — 대취와 같은 — 이 과거에는 다른 방식으로 조명되었다는 것을 보여주는 증거들이 상당히 많이 있다. 비록 식민지 아메리카에서 알코올 소비가 오늘날보다 더 많았지만, 음주는 지역 공동체에 의해 비공식적으로 규제되었을 뿐 하나의 질병으로 간주되지 않았다. 놀런은 "대취했을 때 문제로 인식된 것은 알코올

이라기보다는 개인이었다"고 진술한다(Nolan, 1998: 8). 알코올 섭취에 대한 도덕적 견해와 의학적 견해는 문화적 경험의 변화와 밀접하게 관련되어 있다. 사회가 알코올 중독을 개인에게 고통을 주는 하나의 질병으로 제시한 것은 개인의 자아에 대한 고도로 원자화된 견해의 영향에 따른 것이다. 유럽에서 1인당 알코올 소비가 가장 많은 나라(룩셈부르크)가 아주 작은 규모의 AA 단체를 가지고 있어 그 단체들을 구태여 어떤 국가명부에 올릴 필요조차 없다는 점은 주목할 만하다. 프랑스는 유럽에서 두 번째로 많은 알코올을 소비하는 국가지만 인구 1백만 명당 7개의 AA 단체만이 명부에 올라 있다. 이와 대조적으로 유럽에서 1인당 알코올 소비량이 가장 낮은 나라(아이슬란드)가 가장 높은 AA 단체 밀도를 보여준다(백만 명당 784개).

중독사회 테제에 대한 보다 정교화된 해석이 앤서니 기든스에 의해 제시되었다. 그는 중독의 확대가 '탈전통적 질서post-traditional order' ― 연속성 의식이 부식되고 개인들이 "생활양식을 선택해야만" 하는 질서 ― 의 산물이라고 주장한다. 기든스가 공통의 신념체계의 부식과 자아정체성의 혼란 및 그것이 행동에 미치는 예측 불가능한 영향 간의 관계를 강조한 것은 옳다(Giddens, 1995: ch.5를 보라). 그러나 그러한 변화가 중독의 분위기를 직접 조장하는지는 전혀 분명하지 않다. 하지만 자아정체성의 혼란은 개인들의 취약감과 무력감을 강화하는 데 일조한다. 치료요법 문화는 자아정체성의 분열을 반영하는 동시에 강화한다. 치료요법 문화는 의존관계에 대해 의문을 제기함으로써 개인들에게 보다 광범위한 지원 네트워크를 멀리하라고 부추긴다. 외부의 압력에 직접 노출된 자아는 삶의 중요한 측면들을 마치 삶이 공격을 받고 있는 것처럼 경험한다. 정체성의 분열로부터 초래된 무력감은 분명하게 통제력 상실감에 해당하는 것을 강박행동으로 경험하게 하는 조건을 만들어낸다.

중독사회의 서사는 축소된 주체성을 묘사하는 하나의 지적 틀을 제공한
다. 이 서사는 중독의 근원을 사회의 구조 내에 위치시킴으로써 강박행동
을 정상화한다. 하지만 그러한 서사는 중독의 정상화를 통해 인간본성을
일방적으로 수동적인 것으로 설명한다. 그러한 설명은 개인의 자결의 원
리에 대해 심히 회의적이다. 이러한 경향은 공동의존성 치료요법에서 가
장 분명하게 드러난다. 라이스가 지적하듯이, 그러한 치료요법은 주류 문
화가 '중독 퍼스낼리티'를 대량생산하는 '중독체계'라고 주장한다(Rice, 1996:
105). 공동의존성 이론에서는 실존의 문제가 그대로 중독으로 변형된다.
이러한 결과는 어떠한 자결의 요소도 절멸시키고 행동을 문화 각본을 실
연하는 것으로 축소시킴으로써 이루어진다. 중독사회 개념은 사회이론 자
체와 거의 관계가 없는, 무력함에 대한 하나의 은유이다. 일반적으로 그것
은 그간 개인의 자율성을 위한 공간을 잠식해온 사회적 추세와 변화를 분
석할 수 있는 방법을 거의 제공하지 않는다. 중독사회 개념은 실제로 무기
력을 알리는 하나의 은유이다.

중독사회 개념을 사회결정론의 새로운 변종으로 해석하는 것은 잘못일
것이다. 과거에 사회결정론 이론들은 인간이 사회의 산물이기 때문에 인
간은 자신들의 행위로 인해 비난받을 수 없다고 주장하기 위해 동원되었
다. 피고 측 변호인들은 비난받아야 하는 것은 사회라고 주장함으로써 자
신들의 의뢰인이 저지른 행위의 무죄를 증명하고자 하는 시도를 무수히
해왔다. 중독사회의 은유는 개인의 의식과 행동에 대한 하나의 진술이다.
그것은 사회에 대한 하나의 비판을 가장한, 개인의 병리에 대한 진술이다.
사회가 개인의 병리의 근원으로 운명론적으로 제시되지만, 중독상태를 완

화하기 위한 어떠한 건설적 대안도 제안되지 않는다. 그 이유는 무엇인가? 왜냐하면 중독사회 테제의 지지자들은 본질적으로 사회에 대해 거의 아무것도 말하지 않기 때문이다. '사회'라는 용어는 실제로는 대인관계의 영역을 이루는 것을 기술하기 위해 혼란스럽게 사용되고 있다. 이 사회비판이 제기하는 내용은 기능장애적 양육과 파멸적 관계에 그 뿌리를 두고 있는 인간병리에 대한 비난에 지나지 않는다. 이러한 관점에서 볼 때, 유해한 관계가 "중독의 신체적 결과보다도 훨씬 더 해롭다"(Lowney, 1999: 99).

인간관계는 지원과 힘의 원천으로 작동하기는커녕, 자아의 능력을 축소시키는 것으로 제시된다. 중독이라는 물신의 옹호자들은 개인적 관계를 강박행동의 원인으로 제시한다. 앤 윌슨 셰프는 "중독과 공동의존성에 대한 새로운 정보가 널리 알려지고 나서도 얼마나 많은 완전한 가족들이 실패를 맛보았는가?"라고 묻기에 앞서, "당신은 얼마나 많은 기능장애 가족을 알고 있는가?"라고 힐문한다(Wilson Schaef, 1990: 38). 이 수사적 질문은 '완전한 가족'이라는 이상을 조롱하기 위해 의도된 것이다. 가족생활의 행동에 대해 의구심을 드러내는 것이 친밀한 관계에 대한 보다 분별 있는 접근방식으로 장려되고 있다. 자신을 다른 사람들로부터 떼어놓는 것이 실존의 질병들에 대한 하나의 치료법으로 제시되고 있다.

제6장

위험에 처한 자아

오늘날 사람들은 자아에 무력감을 할당하고 있다. 이는 근대시기에 들어서는 유례가 없던 일이다. 인간의 취약함을 강조하는 것은 인간에게 환경의 무기력한 희생자라는 역할을 배정한다. 이처럼 인간의 주체성을 수축시키는 것은 외부 환경이 자아의 고결성에 가하는 위협을 부풀리는 것과 동시에 일어난다. 주디스 루이스 허먼Judith Lewis Herman은 "심리적 트라우마를 무력함이 주는 고통"이라고 기술한 후, "한때 그러한 사건들은 흔한 일이 아니었다"고 지적한다(Herman, 1994: 33). 개인들을 무능하게 만드는 트라우마적 사건들이 우리가 이전에 생각했던 것보다 더 자주 발생한다는 허먼의 제안은 치료요법적 감성을 반향하고 있다. 트라우마 은유는 치료요법 문화가 자아와 외부 현실 간의 관계를 개념화하는 방식을 분명하게 포착하고 있다. 외부 세계는 사람들이 거의 통제할 수 없는 하나의 객체로 개념화된다. 이처럼 사회적 현실을 객체화함으로써 사람들은 무력한 역할을 배정받는다. 허먼은 "트라우마의 순간에 희생자는 압도적인 힘에 의해 무기력해진다"고 지적한다(Herman, 1994: 33). 이 시나리오에서 외부 세계의 압도적인 힘과 자아를 대치시키는 것은 사람들이 변화를 만들어낼 수 있는 힘을 결여하고 있다는 주장을 정당화하는 데 일조한다. 오늘날 트라우마라는 프리즘을 통해 사건들을 해석하는 경향은 공중의 상상력에 강한 운명론적 의식을 계발하는 데 기여한다. 리넨탈이 오클라호마 폭파사건이 사람들에 의해 내면화되는 방식에 대한 연구에서 기록했듯이, 그 사건에 대한 '트라우마 전망'은 공중의 반응에 강하게 영향을 미쳤다. 리넨탈은 이 '트라우마 전망'은 "본질적으로 허약하고 수동적이고 트라우마적 사건들의 맹습에 무기력해 보이는" 자아를 현시하는 것이었다고 지적했다(Linenthal, 2001: 92).

치료요법 문화는 리넨탈이 상세하게 기술했던 트라우마와 깊은 무기력감을 하나의 객관적인 정신건강 상태로 바꾸어 놓는다. 하지만 한 공동체의 무기력감은 불운한 경험에 의미를 부여하는 데 따르는 어려움으로 인해 발생한 방향감각 상실감으로 이해하는 것이 보다 유효하다. 브래큰이 제시하듯이, "그러한 의미 부여와 관련한 취약성은 단지 트라우마의 결과가 아니라 어떤 점에서는 그러한 사건들 이후에 문제가 전개된 상황을 사전에 틀 짓는 하나의 요인일지도 모른다"(Bracken, 2002: 81). 강건한 의미체계를 가진 공동체들이 재난과 폭력적 갈등을 놀라울 만큼 잘 다룬다는 것을 보여주는 증거들이 많이 있다. 바네사 푸파바크는 "정치적 헌신과 같은 강한 공동체 의식이 위험에 직면한 개인들에게 그것의 극복 능력을 강화시켜주는 반면, 사회적 분열은 트라우마적 스트레스를 증대시킨다"고 기술한다.

푸파바크는 전쟁으로 파괴된 세계의 서로 다른 지역들에서 수행한 연구에 근거하여 폭력적인 에피소드에 대한 사람들의 반응이 공동체의 힘, 즉 도덕적·이데올로기적 헌신에 영향받을 수 있다고 주장했다(Pupavac, 2002: 10).

푸파바크의 연구는 데릭 서머필드에 의해 강화된다. 서머필드는 세계의 서로 다른 지역에서 분쟁에 시달리고 있는 공동체와 난민들을 광범하게 연구해왔다. 일련의 모노그라프에서 서머필드는 지배적인 의미체계 같은 문화적 요소들이 사람들의 고통 대처 방식에 결정적인 영향을 미친다고 주장한다. 폭력적 분열과 대량 파괴가 사람들이 고통을 경험하는 방식에 미치는 영향은 그러한 경험의 강도로 환원할 수 없다. 서머필드에 따르면, "심리적 트라우마는 신체적 트라우마와 다르다. 사람들은 (이를테면 다리에 총을 맞는 것과 같이) 외부의 힘으로부터 받는 충격을 수동적으로 마음에 새기는 것이 아니라 적극적이고 문제 해결적인 방식으로 그것에 관여한다." 그는 "고통이 사회적 맥락에서 발생하고 또 사회적 맥락 속에서 해결된다" 고 덧붙인다(Summerfield, 1996: 25).

사회적 맥락은 또한 자아가 예상치 못한 고통스러운 경험을 어떻게 대처해나갈 것으로 기대되는지에도 영향을 미친다. 근대세계의 등장 이후, 인간 주체성의 행사는 외적 현실을 바꾸고 변형할 수 있는 잠재력과 연관 지어져왔다. 심지어는 고통의 경험조차 주체성의 행사를 통해, 즉 지각, 인지, 성찰의 행위를 통해 조정된다. 계몽주의 전통은 외적 현실을 수동적인 주체를 압박하는 변경할 수 없는 객관적인 힘으로 상정하기는커녕, 인간이 그 현실을 틀 지을 수 있는 잠재력을 가지고 있다고 제시했다. 치료요법 문화의 등장과 함께 이 활동가적 주체의식은 분명하게 수동적인 주체의식에 길을 내주어왔다.

위험에 처한 자아: 자아의 객체화

무력감은 치료요법학의 어휘를 통해 정상적 존재 상태의 일부로 계발된다. 메릴랜드에 소재한 트라우마적 스트레스 연구소Center for the Study of Traumatic Stress는 "트라우마적 스트레스가 개인, 단체, 지역사회, 국가에 미치는 영향은 현재 전 세계적인 풍조 속에서 실제적이고 점점 더 증가하고 있는 관심사"라고 주장한다.[1] 이 조직에 따르면, 미국에서 거의 1700만 명에 달하는 사람들이 매년 트라우마와 재난에 노출된다. 상황이 특별하거나 비참할 경우 사람들이 스스로 대처할 수 없다는 가정은 트라우마 산업이 무슨 일을 하는지를 알려주는 것일 수도 있다. '트라우마 관광trauma tourism'[트라우마적 사건이 발생할 장소나 지역을 방문하는 것 _ 옮긴이] 비판가들은 치료요법 전문가들이 직무 스트레스에 시달리는 소방관들을 돕기 위해 개입할 때 그들이 '과잉 도움'을 주고 있을지도 모른다고 주장한다. 기스트와 우달(Gist and Woodall, 1999: 213)은 치료요법 전문가들이 "정도의 차이는 있지만 그들이 최대한 돕고 있다고 주장하는 사람들에게서 탄력적인 해결책이 갖는 핵심적 본질 — 위협과 도전에 맞서고 강압을 이겨내는 것으로부터 나오는 개인적인 극복의식 — 을 박탈함으로써 그들을 궁극적으로 무력하게 만들 수도 있다"고 경고한다. 국제적십자연맹의 심리지원관 리스 사이먼슨Lise Simonson은 "모종의 '재난'에 트라우마라는 명칭을 붙이는 경향"에 비판적이다. 왜냐하면 그것이 "사람들에게 회복을 방해하는 수동적인 희생자 정체성을 발달시키도록 고무"할 수 있기 때문이다.[2] 이 점은 사이먼 웨슬리Simon Wessely와 그의 동료들의 인상적인 논평에서도 되풀이된다. 그들의 논평은 외상 후 스트레스 장애 카운슬링이나 정보 청취가 사람들의 회복력과 대처 전략들을 부지불식간에 약화시킴으로써 실제로는 악화된 결과를 낳을 수도 있다고 제시한다(Wessely, Bisson and Rose, 2000). 하지만 통상적으로 고통스러운 사건들을 트라우마적인 것으로 특성화하는 것과 관련하여 제시된 단서 조항들은 치료요법 에토스에 위배된다.

사람들을 상황의 희생자로 설정하는 것은 21세기 사회가 직면하는 불확실성에 적응하는 서구의 문화적 감성을 반영한다. 이러한 불확실성은 트라우마, 불안, 스트레스에 대한 치료요법 담론을 통해 전파된다. 하지만 치료요법학은 단순히 불확실성을 반영하기만 하는 것이 아니라, 우리가 앞서 지적했듯이 세계에 대한 하나의 독특한 지향을 계발한다. 그것은 사람들로 하여금 점점 더 많은 종류의 경험들을 피해를 입는 것으로, 그리고 정신적 외상을 입는 것으로 민감하게 반응하도록 만든다. 앞서 지적했듯이, 치료요법 에토스의 초석을 이루고 있는 것이 바로 인간의 취약함이 인간임을 규정하는 특징이라는 믿음이다. 바네사 푸파바크는 "이전의 정신의학이 사람들의 일반적인 회복력을 가정하고 개인들이 정신쇠약에 걸릴 가능성을 진단하고자 했던 반면" 외상 후 스트레스 장애에 대한 현재의 진단은 "보편적인 취약성을 가정한다"고 주장한다.[3] 피해자화 에피소드와 트라우마 에피소드들은 전쟁과 폭력 범죄 같은 예외적이고 자주 극단적인 사건들을 그것에 끌어들이곤 했다. 오늘날에는 예외적인 것이 기준이 되었다. 라시가 자신이 '생존주의적' 사고방식이라고 칭한 것에 대한 논의에서 지적했듯이, "극심한 역경에 노출된 사람들에게 강요되는 생존전략들에 입각해서 일상생활이 유형화되기 시작했다"(Lasch, 1984: 57). 생존주의적 사고방식에 긍정적인 잠재력을 부여하려는 흔치 않은 시도는 낮은 기대의 분위기를 드러낸다. 앤서니 기든스는 다음과 같이 말함으로써 얼마간 위안을 얻고자 한다. "어떤 사람이 삶의 다른 영역들에서처럼 대인관계에서도 살아남는 것에 집중한다고 해서, 그 또는 그녀가 삶의 환경에 대한 모든 자율성을 포기했다고 말할 수는 없다." 그는 거기에 이렇게 덧붙인다. "비록 다소 소극적인 의미에서일 뿐이기는 하지만, 그 개인은 분명 적극적 지배를 추구한다. 살아남는 것은 삶의 시련을 확고하게 견디어내고 극복할 수 있다는 것을 의미한다"(Giddens, 1991: 193). "삶의 시련을 견디어내는" 프로젝트의 이상화는 사람들이 자신들의 일에 대한 통제권을 가지고 자신들의 삶을 변형시킨다고 보던 모더니즘적 전망으로부터 사회가 얼마나 멀리 벗어났는지를 말해준다.

생존주의적 사고방식은 상상할 수 있는 모든 경험을 점점 더 생존의 문제를 제기하는 '삶의 시련'으로 바라본다. 그 결과 비교적 평범하고 이례적이지 않은 에피소드들에 대처하는 것도 이제 생존활동으로 묘사된다. 제목에 '살아남기'라는 단어를 포함하고 있는 자기계발서들이 천 권이 넘는다. 『미친 시대: 이혼에서 살아남아 새로운 삶 꾸리기Crazy Time: Surviving Divorce and Building a New Life』, 『사건에서 살아남기Surviving an Affair』, 『여성이 파경에서 살아남는 방법The Girl's Guide to Surviving a Break Up』, 『모성에서 살아남기Surviving Motherhood』 같은 제목들은 대인관계에 대처하기 위한 생존 전략들이 필요함을 알려준다. 『카운슬러와 정신치료사에 대한 불평에서 살아남기Surviving Complaints Against Counsellors and Psychotherapists』 같은 제목들은 치료요법 전문직조차 그들 자신의 생존을 위한 자기계발서를 가지고 있음을 보여준다. 살아남기라는 말은 『고-걸 가이드: 재치 있고 용기 있고 품격 있게 당신의 20대에서 살아남기The Go-Girl Guide: Surviving Your 20s with Savvy, Soul and Style』에서처럼 때때로 가벼운 농담조로 사용되기도 한다. 하지만 살아남기가 이런 식으로 사용된다는 사실 자체는 그러한 제목들이 사회에 축적된 생존주의적 의식을 이용하고자 한다는 것을 말해준다.

치료요법 문화는 개인의 취약함과 무력함을 그 문화가 사람들이 마주치는 일상적 상황에 귀속시키는 무서운 힘과 극명하게 대비시킨다. 치료요법 시나리오의 관점에서 볼 때, 개인의 자아는 그것을 압도하고 그것에 감정적 손상을 가할 우려가 있는 힘들에 노출되어 있다. 사람들의 자결 또는 역사 만들기 역할은 인류와 역사 변화 과정 간의 관계에 대한 이러한 방식의 묘사 속에서는 거의 폐기된다. 인류가 직면하는 위험이 지속적으로 증폭됨에 따라 제한적으로나마 행사되던 개인적 선택조차도 가혹한 불확실성 체제에 의해 제한된다. 위험과 불확실성에 대한 이러한 객관화된 표현을 인정하는 사람들 역시 그러한 것들에 대처하는 자아의 능력에 대해 회의적이다. 따라서 벡은 "현대사회의 불분명하고 모순적인 특성에 직면하여, 자아에 초점을 맞추는 개인은 합리적이고 책임 있는 방식으로 (다시 말해 가능한 상황들을 고려하여) 부득이한 결정을 내릴 수 있는 위치에 전혀 있지 못하다"라고 논평한다(Beck, 2002b: 48).

치료요법학을 통해 전파된 인간의 취약함과 무력함 모델은 사람들이 자신들의 삶에 대한 통제력을 행사할 가능성을 폄훼하는 훨씬 더 광범한 경향과 동시에 발생한다. 감정적 취약성 서사는 사람들이 자신들의 문제에 대해 통제조치를 취할 수 있는 능력에 의문을 제기하는 강력한 관념들과 공존한다. 사회평론가들은 우리가 '주체의 사망', '창조자의 사망' 또는 행위의 쇠퇴의 시대에 살고 있다고 주기적으로 선언한다. 인간의 잠재력에 대한 이러한 비관적인 설명들이 서구의 지적·문화적 삶 모두에 영향을 미치고 있다. 라시가 언급한 생존주의적 사고방식은 단지 자아의 취약성에 대한 집착에 의해서뿐만 아니라 세상이 인류의 통제력을 벗어난 심각하게 위험한 장소가 되었다는 확신에 의해서도 부추겨진다. 서구 사회는 위기와 파국의 예상에 끊임없이 시달리고 있다. 환경재해, 대량파괴무기, '미쳐가는 과학기술'은 항구적인 위기감을 틀 짓는 데 일조하는 우려들의 일부일 뿐이다. "현대 사회사상이 비록 위기관념에 사로잡혀 있지는 않다고 하더라고 그것에 의해 지배되어왔다"는 진술에 동의하지 않기란 쉽지 않다 (Holton, 1990: 39).

인간 존재에 대한 더 광범위한 지구적 위협과 감정적 취약성 간의 관계는 '위험에 처함'이라는 개념을 통해 가장 분명하게 제시된다. '위험에 처함'에 대한 개념화는 비교적 최근에 이루어진 일로, 1980년대의 위기 사상과 밀접한 관련이 있다. 그것이 전문용어로 진입한 것과 치료요법 문화의 부상은 동시에 일어났다. 위험에 처함이라는 개념은 위험감수라는 전통적 관념과 극적으로 다른 사고방식을 요약적으로 보여준다. 위험감수라는 표현은 개인들이 선택권을 행사할 수 있고 또 탐구와 실험을 선택한다는 가정을 포함한다. 위험감수는 행위를 통해 긍정적 결과들을 달성하고 그들의 환경을 바꿀 잠재력을 가지고 있는 적극적 주체를 그것의 전제조건으로 하고 있다. 이와 대조적으로 위험에 처함이라는 개념은 인간 존재와 경험 간의 이전의 관계를 뒤집는다. 위험에 처함이라는 개념은 사람에게 수동적이고 의존적인 역할을 부여한다. 위험에 처한다는 것은 더 이상 당신이 무엇을 하는가에 관한 것이 아니라 당신이 어떤 사람인가에 관한 것이다. 그것은 무력함 — 적어도 그 위험과 관련해서 — 의 인정이다. 위험에 처한 것으로 규정된 사람은 점점 더 항구적인 취약성 상태에 있는 것으로 인식된다. 그것은 자아의 취약성을 객관화한다. 이러한 경향은 '위험에 처한 아이'라는 널리 사용되는 표현을 통해 그것의 가장 주목할 만한 표현법을 손에 넣는다. 비록 드물게 규정되기는 하지만, '위험에 처한 아이'라는 용어는 항구적인 취약성 의식을 불러일으킨다. 위험에 처하는 것이 개인의 고정된 속성이 된다.

위험에 처함이라는 개념은 사람들이 직면하는 위험이 자율성을 지닌다는 점을 함의한다. 그것은 또한 인간이 세상에 영향을 미치는 자율적 주체라는 관념을 파기한다. 그리하여 이제 자아는 세상의 영향을 받는 객체화된 자아가 된다. 위험에 처한 개인과 존재의 상태는 상호작용과 변혁의 힘이 되기는커녕 객관화된다. 위험은 좀처럼 선택과 밀접한 관련이 있는 활동으로 개념화되지 않는다. 위험은 일반적으로 그것에 직면하는 사람들과 별개로 존재하는 하나의 힘으로 제시된다. 일단 위험이 독자적으로 존재하는 것으로 인식되고 그리하여 인간이 극히 작은 부분만 개입할 수 있는 대상이 되고 나면, 인간에게 유일하게 가능한 역할은 이전부터 존재하는 위험을 피하거나 최소화하는 것이다. 이 시나리오에서는 위험이 능동적인 행위자이고 위험에 처한 사람들은 수동적인 역할을 맡는다. '위험에 처함'이라는 개념에 내재하는 인간행위의 축소는 무력한 자아에 대한 오늘날의 치료요법 관념들에서 분명한 정의를 손에 넣는다. 위험에 처해 있다 — 즉, 무력한 상태에 있다 — 는 오늘날의 의식은 감정적 취약성에 초점을 맞추는 치료요법 문화를 통해 그 구체적 형태와 정의를 획득한다. 위험에 처한 사람들 또는 위험한 상황에 직면해 있는 사람들이 단지 신체적 위해에만 직면하는 것은 아니다. 점점 더 심리적 고통의 원리가 위험에 관한 걱정을 둘러싼 논의들을 지배하고 있다. 앞서 개관했듯이, 자연재해 문제를 자주 규정하는 것으로 보이는 것은 그 재해 동안에 겪은 신체적 손상이 아니라 심리적 손상이다. 사우스 플로리다 대학교 교수 마이클 랭크Michael Rank는 "자연재해가 일어났을 때, 우리는 의료 서비스, 식량, 대피소를 확보하는 중요한 일을 한다"고 주장한다. 하지만 그는 "우리가 감정적 측면을 무시한다"고 지적하면서, "우리는 트라우마 희생자의 감정과 심리적 정신 상태, 그리고 마음의 상태에 주의를 기울일 필요가 있다"고 주장한다.4

환경재해와 유독성 재해에 대한 공중의 격심한 불안은 깊은 무력감과 취약감에 근거한다고 지적되어왔다. 물론 무기력하고 취약하다는 느낌은 위기의 순간에 흔히 있는 일이다. 그러나 카이 에릭슨Kai Erikson이 '유독성 계산'에 대한 자신의 영향력 있는 연구에서 주장하듯이, 그러한 불안은 "보다 불길한 어떤 것으로 확대될 수 있다. 왜냐하면 심각한 재난에서 생존한 사람들은 단지 취약성만을 경험하는 것이 아니라 불행에서 벗어나 있지 않다는 느낌, 소름끼치는 어떤 일이 일어날 것 같다는 느낌을 가질 수도 있기 때문이다."5 이러한 무한한 취약성 의식은 위험에 처해 있다는 인식과 뒤얽힌다. 카이 에릭슨은 이러한 무한한 취약성 의식이 유독성 재해가 불러일으킨 독특한 공포의 산물이라고 믿는 것으로 보인다. 과연 그러한가? 수많은 다른 비유독성 사건과 재해에서도 희생자들은 불행에서 벗어나 있지 못하다고 느낀다는 주장이 자주 제기된다. 2001년 1월에 엘살바도르를 황폐화시킨 지진 직후에 몇몇 응급구호 전문가들은 자연재해가 이 지역에서 자주 발생하기 때문에 "사람들은 완전히 회복될 수 없고" 항구적인 감정적 취약성 의식으로 고통받는다고 주장했다.6 영국 농촌지역의 구제역 위기 동안에도 같은 진단이 되풀이하여 반복되었다. 한 기사에 따르면, "농민들은 구제역 위기에 의해 '낙담한 사람들'이 되고 말았다." 한 농민은 "많은 농민들이 그것으로부터 결코 회복될 수 없을 것이고 심리적 상처들은 결

코 치유되지 않을 것이라고 말하는 것은 매우 유감"이라고 언론에 이야기했다.[7]

그리고 무한한 취약성 의식은 단지 자연재해에 대한 반응에서만 드러나는 것이 아니다. 유독한 관계에 대한 앞서의 논의에서 지적했듯이, 감정적 손상을 입는 것은 종신형을 함축한다. 사실 무한한 취약성 의식을 틀 짓는 것은 특정한 유독한 위험에 대한 불안이 낳은 공포가 아니라 무력하다거나 위험에 처해 있다는 보다 광범한 인식이다. 그것이 바로 위험에 처한 아이가 지진의 희생자보다도 더 무한한 취약성의 구현체인 이유이다.

치료요법 문화가 오늘날 위험에 대한 우려가 커진 것의 원인은 아니다. 서구 사회가 인간 주체의 지위와 관련한 불확실성과 팽배한 회의주의 분위기를 다룰 때 마주치는 문제는 내가 다른 곳에서 논의한 역사적·사회적 영향의 결과이다(Furedi, 2002를 보라). 치료요법 문화의 풍조는 불확실성과 관련한 오늘날의 우려의 원인이 아니라 그것의 반영이다. 치료요법 문화는 다시 감정적 취약성을 쉽게 이해할 수 있게 해주는 관념들을 통해 그러한 반응들을 재조명함으로써, 보다 광범한 불확실성의 분위기가 개인적 형태를 취하게 하는 필터의 역할을 한다. 이러한 방식으로 불확실성과 밀접하게 관련되어 있는 보다 광범한 문제들은 개인의 감정적 건강에 위험이 되는 것으로 재해석되고 경험된다. 사회적 경험의 개인화를 통해, 사람들은 더 취약하거나 위험에 처했다고 느끼게 되고, 치료요법 문화가 그들에게 할당한 주체성에 가까워지게 된다.

개인화 과정은 결코 새로운 현상이 아니다. 공동체와 옛 형태의 연대의 붕괴, 조직화된 종교의 쇠퇴, 지리적 이동성, 도시화는 현대사회의 발전에서 매우 중요한 요소들이다. 하지만 오늘날의 개인화는 전혀 다르다. 과거에 제도의 부식은 새로운 형태의 연대가 만들어지는 상황에서 발생했다. 게다가 사적 영역과 비공식적 관계의 네트워크는 어떻게든 서서히 발전했고 심지어는 번성했다. 하지만 앞서 언급했듯이, 오늘날에는 사적 영역조차 의심의 표적이 되었고, 의존관계는 문화적으로 욕을 먹는다. 그러한 상황에서 개인화 과정은 취약성 의식을 강화한다. 많은 사람이 말 그대로 혼자이다. 사회적 고립을 통해 공동체가 직면하는 보다 광범위한 많은 문제들이 자아가 직면하는 개인적인 문제들로 내면화된다.

두려워하는 주체

축소된 자아에 대한 치료요법 문화의 해석은 근대성의 약속에 대한 보다 광범위한 반발의 일부이다. 강력한 반모더니즘적 감상들은 인간 진보의 이상에 의문을 제기한다. 이러한 회의주의가 가장 체계적 형태로 발전한 것이 바로 인간의 잠재력에 대해 냉소적인 반인본주의적 세계관이다. 이 입장은 사람들이 자신들의 운명에 영향을 미칠 수 있다는 것에 대해 부정적이다. 인간의 잠재력에 대한 이러한 과소평가는 자신들의 운명을 통제하고자 하는 인간의 시도가 비현실적일 뿐만 아니라 매우 위험하다는 믿음을 전제로 한다. 근대성에 대한 이러한 환멸은 인간이 특별하지 않은 작은 역할을 수행하는 사회에 관한 전망과 연결되어 있다.

자결권 관념을 헐뜯는 경향은 지난 세기 동안 일어난 인간 진보의 경험에 대한 강력한 환멸의 분위기를 반영한다. 현대 문화는 개인의 자결권이라는 이상을 회의적으로 인식하는 것뿐만 아니라 사회의 자결권 관념에 대해서도 거의 지지하지 않는다. 사람들은 개인적으로도 그리고 집단적으로도 사회의 힘을 통제할 수 있는 능력을 가지지 못하는 것으로 가정된다. 현재 영향력을 발휘하고 있는 위험사회 이론들은 그간 인간이 창조해온 힘들 — 주로 파괴적인 힘들 — 을 필사적으로 통제하려고 시도하는 반ٌ의식적인 인간을 그리고 있다. 이 모델에 따르면, 강력한 힘들에 직면한 무력한 인간행위자들은 피해를 줄이는 일을 하는 것 말고는 선택의 여지가 없다. 울리히 벡은 그의 책『위험사회Risk Society』에서 이 점을 다음과 같이 되풀이하고 있다. "기본적으로 사람들은 이제 더 이상 '좋은' 어떤 것을 획득하는 데 관심을 두는 것이 아니라 오히려 더 나빠지는 것을 막는 데 관심을 두고 있다"(Beck, 1992: 49). 사회적 경험에 대한 사람들의 반응을 추동하는 이러한 공포 모티브는 우리가 오늘날 목도하는 위험이 억제될 수 없다는 점에 근거하여 정당화된다. 이러한 위험 인식은 치료요법 문화를 통해 전파되는 무한한 취약성 의식에 뿌리내리고 있다. 자아가 유례없이 무력하고 취약한 것으로 인식될 때, 세계는 더욱 위험해진다. 치료요법적으로 구성된 주체와 불확실한 세계 간의 관계는 위험의식을 통해 매개되고, 공포는 그러한 위험의식을 널리 확산시킨다.

어떤 의미에서 위험의식과 감정적 취약성 인식의 증가는 인간의 주체성에 할당된 역할의 축소와 비례한다. 무력함에 대한 주장은 인간의 추론능력에 대해 의문을 제기함으로써 자주 정당화된다. 계몽주의, 과학, 인간진보를 비판하는 사람들은 항상 인간의 추론능력에 의문을 제기해왔다. 19세기에 그러한 반인본주의적 비판가들은 '비합리적'이고 '무의식적인' 힘들이 자주 이성의 힘보다 더 강력하다고 주장했다(Furedi, 1992: 204~209를 보라). 근대 자본주의의 발전에 대한 실망은 자주 이성에 대한 의심으로 이어진다. 1980년대 동안에 이러한 경향은 상당한 추진력을 획득했다. 이성의 적용을 제한하고자 하는 경향은 서구 지성계의 지배적 특징의 하나가 되었다. 사회학자 제프리 알렉산더Jeffrey Alexander는 '비합리성의 편재'에 대해 기술하고 있다. 알렉산더에 따르면, 이성은 "속이 텅 빈 껍질로 경험되고, 진보는 생각조차 할 수 없고 또 실제로 자주 바람직하지도 않은 것으로 경험되어왔다"(Alexander and Sztompka, 1990: 24).

합리성이 때때로 바람직하지 않은 것으로 제시되는 한 가지 이유는 그것이 자주 사회가 직면하는 불행의 많은 부분에 책임이 있기 때문이다. 몇몇 경우에서 계몽주의와 그것의 진보 및 합리성에 대한 전망은 대량파괴, 전체주의의 등장, 홀로코스트에 대해 책임이 있다. 과학기술과 무섭고 끔찍한 결과들을 연관짓는 것은 지성계와 문화계 모두에서 흔한 일이 되었다. 영화들은 무의식중에 대량파괴 세력들을 부추기는 '거만한' 과학자들을 "신처럼 행동하고 있다"고 묘사한다. 과학과 지식의 발전에 대한 그러한 태도는 대중문화의 영역에만 국한된 것이 아니다. 위험사회학의 주요 권위자 중 많은 사람이 위험의 증대와 지식의 진보를 결부시킨다. 그들은 우리가 직면하는 불확실성과 불안의 많은 것이 인간 지식의 증대가 초래한 결과라고 주장한다.[8] 증대하는 불확실성은 다시 개인들이 의미 있는 선택을 할 수 없게 만든다. 슬라보예 지젝Slavoj Zizek이 지적하듯이, "'위험사회'의 주체가 향유하는 결정의 자유는 자신의 운명을 자유롭게 선택할 수 있는 누군가의 자유가 아니라, 그 결과를 알지 못한 채 항상 결정을 강요당하는 누군가의 불안을 야기하는 자유이다"(Zizek, 2000: 38).

선택의 자유에 대해 그렇게도 많은 이야기가 존재하는 시기에 자유가 그렇게도 자주 무서운 것으로 경험된다는 것은 하나의 역설이다. 계몽주의의 유산과 사회적·정치적 실험의 실적에 대한 실망은 사회로 하여금 불확실성과 관련하여 극히 신중을 기하게 했다. 그 결과 우리는 사람들이 불확실성과 변화를 이해할 수 있게 해주는 의미망을 가지지 못하게 되었다. 그리하여 개인은 자주 자유를 방향감각 상실과 감정적 고통으로 경험한다. 개인들이 그렇게 쉽게 감정적으로 손상받고 그러한 손상의 결과가 개인들을 그렇게 약하게 만들 수 있다는 바로 그 사실이, 사람들이 왜 점점 더 많은 종류의 사회적 경험을 두려워하는지를 설명해준다. 감정사회학 분야의 권위 있는 한 논평에 따르면, "주관적 경험들은 사회의 감정 어휘만이 아니라 감정에 관한 문화적 믿음들에 의해서도 영향받는다"(Thoits, 1989: 322). 위험과 공포의 경험은 이러한 진단을 추인한다.

심적 취약성의 표현인 공포는 전례 없는 위험들에 직면한 세계가 낳은 산물로 자주 오인된다. 수많은 주장 제기자들 ─ 환경론자, 건강 전문가, 범죄 전문가, 카운슬러 등등 ─ 은 세계가 점점 더 위험해지고 있다고 계속해서 주장한다. 하지만 단순 논리는 삶의 그렇게도 많은 부분이 더 위험하고 위태로워진 것 같지는 않다고 시사한다. 새로운 위험과 위협에 대한 공중의 인식은 치료요법 문화를 통해 확산되는 무력감에 뿌리를 두고 있다. 이러한 감정 각본이 어떤 위험과 무관하게 위험을 인식하는 틀을 만들어낸다. 그리고 그러한 인식이 항상 위험에 대한 어떠한 객관적 계산도 압도하는 경향이 있다.

특정한 위험 상태에 대한 사람들의 느낌이 점점 더 그 위험에 대한 차후의 정의에 (때로는 결정적으로) 영향을 미치는 경향이 있다. 최근에 특정 지역사회에서 환경오염이 암을 집단적으로 유발해왔다는 주장을 검증하는 수많은 조사들이 실시되었다. 어떤 과학적 증거가 없음에도 불구하고, 사람들이 오염으로 인해 위협받고 있다고 '느끼기' 때문에 그러한 조사들이 착수되었다. 그중 하나가 1996년에 실시된, 뉴저지 주 톰스 강 주변에서 발생한 소아암에 대한 조사였다. 공무원들이 그 지역 소아암 환자의 수가 "통계적으로 유의미"하지 않다고 믿었음에도 불구하고, 그들은 조사에 착수함으로써 지역사회의 우려에 대응하고자 했다. 활동가와 부모들은 그들이 직감적으로 그렇게 느꼈기 때문에 자신들의 지역사회가 오염되어 있다고 확신했다. 지역사회단체의 여성 의장이자 암 희생자의 어머니인 린다 길릭Linda Gillick은 다음과 같이 주장했다. "내 마음 속에 그리고 내 뇌리에는 아무런 의심도 없습니다. 이제 진실에 도달하기 위해 논리와 상식을 이용하는 것은 과학자들에게 달려 있습니다"(Robinson, 2002: 12). 이 사례에서는 느낌을 통해 도달한 진실이 과학에 대한 회의론에 우선한다. 과학이 완전히 기각되지는 않고 있지만, 과학은 단지 이미 존재하는 느낌을 확인하는 역할만을 부여받는다.

축소된 자아의식은 만연한 위험 인식을 통해 계속해서 추인된다. 그 결과 위험에 처해 있다는 것은 위험한 상태에 있다고 느끼는 것으로 충분하다. 심리적 취약성에 대한 인식 자체가 감정 손상의 원인이 될 수 있고, 그렇기 때문에 위험한 상태에 있다고 느끼는 것은 위험에 처해 있는 것이다. 치료요법 문화가 자아의식을 틀 짓는 방식이 자아가 실제로 위험한 상태에 있다고 느끼게 한다. 이러한 방식으로 치료요법적으로 구성된 자아, 즉 어떤 외부의 위해에 의해 위험에 처해 있다는 인식을 통해 굴절된 자아의 무력함 그 자체가 공포와 불안의 원천이 된다. 이 과정은 위험에 대한 문헌들 속에서 잘못 이해되어, 공중의 불안이 외부에서 발생된 요인들에 대한 하나의 반응으로 해석되기도 한다. 이것은 미국 보건부에 제출된, 위험물질들에 대한 심리적 반응 워크숍의 전문가 패널 보고서가 취한 접근방식이었다. 그 보고서는 유해 폐기물 처리장 근처에 사는 사람들의 불안을 설명해주는 것은 유독성 오염의 비가시적 특성이 낳은 불확실성이라는 견해를 취했다. 그 보고서는 "자연재해로 인한 손상과 상처들과는 달리, 많은 유독물질들은 감각에 의해 식별할 수 없고" 이러한 비가시성은 "불확실성의 감정으로 귀결된다"고 지적했다. 게다가 "노출과 그 노출과 관련된 만성질환의 발병 간의 시간 격차"는 그것이 건강에 미치는 결과가 "불확실"하고 "사람들이 그것을 통제할 수 없게 만든다"는 것을 의미한다. 그 보고서는 "사람들이 대처하는 데 가장 큰 어려움을 겪는 두 지역은 불확실성과 통제력 상실을 보여주는 곳이었다"고 결론지었다.[9] 통제력 상실과 불확실성이 스트레스와 불안 상태의 한 원인이 될 수 있다는 것에는 의문의 여지가 없다. 하지만 오늘날의 민족심리학에 대한 우리의 탐구가 시사하듯이, 무력감과 취약성 의식은 유독성 오염이나 여타 오염에 의한 어떤 구체적인 위험과는 전혀 무관하게 오늘날의 주체성에 이미 주어진 속성들이다. 불확실성과 무력함은 단순히 특정한 위험과 맞물린 결과가 아니다. 그러한 감상은 대중문화를 통해 체계적으로 전파된다.

건강에 대한 위험이 지닌 비가시성은 자아가 불확실성을 이해하기 위해 이용하는 하나의 은유로 이해될 수도 있다. 비가시성이라는 은유는 우리에게 상상력을 이용하여 신체적 인식 영역 너머를 볼 것을 촉구한다. 오래도록 지속되는 보이지 않는 상처 자국들은 감정적 취약성과 감정적 상처를 보여주는 것들 중 하나이다. 트라우마 그 자체는 자주 보이지 않는 상처로 제시된다. 이 주제에 대한 잘 알려진 텍스트의 제목인 『보이지 않는 트라우마: 보이지 않는 환경오염의 심리사회적 결과Invisible Trauma: The Psychosocial Effects of Invisible Environmental Contaminants』는 분명하게 비가시성의 은유를 통해 심리적인 것과 환경적인 것을 연결시킨다(Vyner, 1987). '유독한'이라는 용어는 신체적 위험에 한정되지 않는다. 유독한 관계와 유독한 가족은 사람들이 오염시키는 세계 ─ 환경뿐만 아니라 서로까지도 ─ 의 이미지를 불러낸다. 이것이 바로 대인관계에 수반되는 위험과 관련하여 표현된 많은 불안들이 환경과 기술을 둘러싼 논쟁들을 지배하는 불안과 동일한 구조와 동학을 가지는 이유이다. 그러한 위험 역시 눈에 보이지 않는다. 실제로 사적 영역과 관련하여 제기된 우려 중 하나가 사적 영역이 온갖 형태의 파괴적인 행동을 숨기고 있고 또 가족 성원의 행동은 타인에게 보이지 않는다는 점이다.

감정적 취약성 의식은 유독한 위험들을 통해 강력한 정의를 확보한다. 에델스타인Michael R Edelstein은 유독성 재해 ─ 자연재해에 대비되는 것으로서의 ─ 는 보다 심리적인 것이라고 주장해왔다. "유독성 재해라는 '사실' 그 자체는 자주 불분명하며, 재해에 대한 '인식'이 그것의 결과에서 중심을 차지하고 있다"(Edelstein, 1988: 52). 그러한 인식은 치료요법 문화의 영향을 통해 이미 무력해진 주체성을 악화시키고 많은 사람에게 심리사회적 영향을 미칠 가능성이 크다. 로버트 바톨로메Robert E. Bartholomew와 사이먼 웨슬리가 지적하듯이, 사회적 요인에 의해 발생하는 질병은 오랜 병력을 가진다(Bartholomew and Wessely, 2002). 그러나 오늘날의 환경을 특징짓는 것은 이전 시기들과는 대조적으로 심리사회적 고통과 관련한 주장을 강력하게 뒷받침하는 문화적 분위기가 존재한다는 것이다. 실제로 위험 인식 그 자체만으로도 심리적으로 손상받고 있는 것으로 간주될 수 있다. 애덤 버제스Adam Burgess가 주장하듯이, "설명할 수 없거나 치료할 수 없는 질병의 고통이 항상 사람들로 하여금 환경으로부터 초래될 수 있는 미지의 위험에 대해 우려하게 해왔지만, 그러한 공포가 지적으로 뒷받침된 것은 보다 최근의 일이다"(Burgess, 2003).

'위험에 처한 자아'는 사람들의 공포 그 자체를 위험의 한 원천으로 간주하는 문화적 규범의 구성물이다. 이러한 관점은 위험평가에 일방적으로 심리적 차원을 부여하고, 그리하여 불안감과 무력감을 위험 정의의 구성요소로 만든다. 폴 슬로비치Paul Slovic는 이 주제에 대한 영향력 있는 논평에서 "위험평가는 본질적으로 주관적이며 중요한 심리적·사회적·문화적·정치적 요소들을 가지고 과학과 판단을 혼합한다"고 쓰고 있다(Slovic, 1997: 24). 그러나 비록 느낌과 감정이 본질적으로 주관적인 행동이기는 하지만, 위험평가에서 그것들이 그러한 중요한 직접적인 역할을 맡게 된 것은 불과 최근의 일이다. 감정적 취약성 의식이 위험지각을 틀 짓고 있다. 불확실성과 무력함이 어떻게 위험평가의 구성요소가 되어왔는지는 휴대전화 기술의 위험을 둘러싼 논쟁에 대한 반응에서 포착할 수 있다. 1996년에 보험회사 스위스 리Swiss Re는 『전자 스모그: 실체 없는 위험Electrosmog: A Phantom Risk』이라는 제목의 흥미로운 보고서를 발간했다. 크리스천 브라우너Christian Brauner가 쓴 이 연구보고서는 휴대폰 산업에 불리하게 작용할 수 있는 주장들이 폭발적으로 증가하면서 보험산업이 지금까지 예상했던 것보다 더 큰 위험에 직면했다고 진술했다. 브라우너는 이러한 위협은 헤아릴 수 없을 정도로 많은 사소한 건강 위험들과는 거의 관계가 없고, 사회정치적 변화가 초래할 수 있는 막대한 위험과 관계가 있다고 주장했다. 그 보고서는 사회적 가치의 변화가 이전에 그랬던 것보다도 앞으로 더 과학적 발견을 달리 평가받게 할 수도 있다고 예견했다. 불확실성과 관련된 공포

의식이 증가하고 위험상태가 입증되면서 과학적 발견들은 실제로 다르게 평가될 것이다. 특히 과학적 발견들은 이제 위험의 문화적 표현에서 공중의 느낌과 경쟁한다.

위험정치에 대한 브라우너의 선견지명 있는 설명은 전자파의 건강 위험과 전자파 배상책임 위험 간의 유용한 구별을 기반으로 한다. 휴대전화가 건강 위험의 구성요소인지와 무관하게, 새로운 기술에 대한 문화적 불신은 그것이 배상책임 위험을 지게 만들 수 있다. 직설적으로 말하면, 사회가 전자기장을 질병의 원인으로 간주하기를 원한다면, 그것은 질병의 원인으로 간주될 것이다. 그 보고서는 위험계산에서 사회적·문화적 요소의 영향력에 대해 지적했다. 이 보고서의 발간 이래로, 감정적 상처와 취약성에 대한 우려의 증대는 위험을 보다 치료요법적으로 계산하게 해왔다(Brauner, 1996: 28, 30). 그 결과 휴대전화가 위험하다는 인식은 그 자체로 하나의 잠재적인 건강문제로 인식되고 있다. 뉴질랜드에서 휴대전화 기지국 반대 운동을 선도하는 심리학자 이반 빌Ivan Beale은 법원은 기지국 부지와 관련한 판결을 할 때 단지 신체적 증거들에만 의존하지 말아야 한다고 주장해왔다. 빌에 따르면, 어떤 유해 방사선에 대한 노출이 실제로 일어나지 않을 때조차도 전화 기지국은 하나의 건강위험 요소가 될 수 있다. 그는 "전자기장의 경우처럼 노출이 눈에 보이지 않더라도 단지 노출 가능성만으로도" 질병으로 이어지는 "공포를 불러일으키기에 충분한 하나의 위협"이라고 기술했다(Beale, 1999).

빌은 우리가 '받아들일 수 없는 위험'의 존재 그 자체가 정신적·신체적 건강문제들을 만들어내기에 충분하다는 견해를 취한다. 그리고 매우 많은 변화 양상이 받아들이기 어려운 것으로 해석되고 그러한 변화에 대한 공포가 너무나도 만연함에 따라, 휴대전화를 비롯하여 그 어떤 다른 새로운 기술도 건강에 위험한 것으로 평가될 가능성이 있다. 영국에서 휴대전화에 관한 독립 전문가그룹Independent Expert Group on Mobile Phones이 정부의 지원을 받아 작성한 보고서는 빌의 접근방식을 채택했고, 전화 기지국의 방사능이 유발하는 위험에 대한 사람들의 우려가 무시된다면 그들의 웰빙이 위태로워질 수도 있다는 것에 얼마간 근거하여 자신들의 입장을 정당화했다. 그 보고서는 공중이 전화 기지국의 부지 설정에 관한 의사결정에서 배제되었다고 느낄 경우, 그로부터 초래되는 좌절이 "사람들의 건강과 웰빙에 부정적인 영향을 미친다"는 견해를 피력했다.[10] 엄격한 생의학적 관점에서 볼 때, 이처럼 좌절을 건강을 위협하는 요인으로 재정의하는 것은 거의 이해할 수 없는 일이다. 하지만 우리 시대의 치료요법적 감성을 진술하고 있는 그러한 재정의는, 주체가 위험에 처해 있다고 느낀다면 그것은 위험에 처한 것이라는 확신을 추인한다.

위험한 관계들

앞서의 논의에서 볼 때, 축소된 주체성이 강한 위험의식으로 표현된다는 것은 확실해 보인다. 이러한 위험의식은 새로운 기술이나 환경과 관련해서만큼이나 인간관계에서도 강력하다. '위험에 처함'이라는 개념이 취약한 아이들이 어른들로부터 직면하는 위험을 묘사하는 데 가장 일관되게 사용되고 있다는 것은 주목할 만한 가치가 있다. 그러나 위험에 관한 관념들은 감정 관리를 요구하는 모든 형태의 관계들에 스며들어 있다. 낭만적 관계에 대해 최근 북미에서 수행된 연구는 "개인들 간의 애정 관계와 배우자 선택도 그러한 것들과 관련하여 갈수록 점점 더 높아지고 있는 위험 지각 수준을 낮출 필요성에 의해 이끌리고 있다"고 결론짓는다(Bulcroft et al., 2000: 63). 감정적 상처의 위험은 사랑관계에 한정되지 않는다. 실제로 거의 모든 상황에서 일어나는 개인적 만남이 감정적 손상을 초래할 수 있다. 감정적 손상은 항상 자존감을 공격하는 것으로 제시된다. 그러한 공격에 마주쳐온 사람들은 자신감을 상실하고 불안으로 고통받고 친밀한 대인관계를 유지하기가 어렵다는 것을 발견할 가능성이 크다고 거듭 주장된다. 무감각한 비평과 비판조차도 부지불식중에 타인에게 손상을 유발할 수 있다는 의미를 전달하기 위해 때때로 '감정적 학대'라는 용어가 사용된다.

국립아동학대방지협회NSPCC는 스포츠 활동 중에 받는 학대로부터 아이들을 보호하기 위한 지침에서 과거에는 아이들이 압박감을 느끼는 것으로 특성화되었을 것들을 감정적 학대로 정의한다. 그것은 "부모나 코치가 아이들을 지속적으로 비판하고 괴롭히거나 그들에게 비현실적으로 높은 기대치를 달성하라고 압박을 가하는" 상황들이 감정적 학대에 포함된다고 진술한다.[11] 영국에서 사용되는 아동보호 가이드라인에 따르면, "아이의 애정에 대한 욕구를 충족시켜주지 못하는 것"에서부터 아이가 "정상적인 사회적 접촉이나 정상적인 신체활동"을 경험하는 것을 막을 정도로 아이를 "과잉보호하고 소유물로 여기는" 것에 이르기까지 사실상 부모의 모든 잘못이 감정적 학대에 해당할 수 있다.[12] 타인을 불행하게 만들 가능성이 있는 것은 무엇이든 감정에 대한 공격으로 재정의될 수 있다. 이러한 접근 방식은 아이들에게만 한정되지 않는다. 허약한 감정이 인간 존재에 뿌리내리고 있는 것으로 정의되어온 이래, 성숙한 성인과 매우 쉽게 외부의 영향을 받는 아이들을 나누는 구분선은 불분명해져왔다. 미국과 영국의 고등교육기관에서 나온 괴롭힘에 대한 대부분의 정책진술들은 개인적 괴롭힘은 곧바로 스트레스, 우울증 그리고/또는 신체적 질병으로 이어질 수 있다고 경고한다. 그렇다면 그러한 부정적 결과들을 야기할 수 있는 개인적 괴롭힘이라는 행동은 무엇인가?

　대부분의 정책진술들은 '부적절한' 또는 '받아들일 수 없는' 행동을 포함하는 느슨한 정의를 선호한다. 괴롭힘은 받아들이는 사람이 '무례하'거나 '위협적인' 것으로 해석하는 행동이다. 괴롭힘은 또한 "계획적인 것일 수도 있고 또 고의가 아닌 것"일 수도 있다. 그러한 광범위한 행동들 — 서투른 몸짓, 짓궂은 장난, 분노의 폭발 — 은 심리적 질병과 인과적으로 결부 지어지고, 그리하여 인간 상호작용의 기본 형식들이 위협적인 것의 성격을 지니게 된다.

　희롱, 스토킹, 그리고 약자 괴롭히기에 대한 널리 받아들여지는 정의들은 그러한 행동들이 기분을 상하게 한 사람의 의도보다는 희생자의 감정에 의해 결정된다고 주장한다. 많은 회사들이 약자 괴롭히기와 희롱에 대한 정책들을 채택해왔고, 그것은 그러한 일을 당한 사람이 자신이 상처받았는지를 결정하게 한다. 이를테면 선도적인 소매업체인 막스 앤 스펜서 Marks and Spencer의 정책은 개인들이 "서로 다른 수준의 감수성을 가지고 있고 그렇기에 자신들이 받아들일 수 없는 행동을 경험하고 있는지의 여부를 결정하는 것은 그것을 당하는 사람에게 달려 있다"고 진술한다(IDS, 1999: 5). 받아들일 수 없는 행동이라는 관념이 일반적으로 다소 모호하기 때문에, 그것에 해당할 수 있는 개인적 행동의 범위는 무한해진다. 어떤 행동이나 경험을 해로운 것으로 최종적으로 정의하는 것은 객관적으로 규정된 기준이라기보다 개인의 감정이다. 무엇이 해로운 행동을 구성하는지에 대한 이러한 주관적 해석은 현대사회에 널리 퍼져 있는 고조된 상처의식이 주로 감정을 훼손하는 해악들과 관련되어 있음을 말해준다.

감정적 고통이 이처럼 폭넓게 정의되기 때문에, 그것이 삶의 통상적 경험이 될 것이라는 점은 놀랄 일이 아니다. 삶의 어떤 중요한 측면 중 잠재적으로 위험하지 않은 것을 상상하기란 어렵다. 지난 10년 남짓 동안 섹스는 감정에 잠재적으로 파괴적인 결과를 초래하는, 본질적으로 피해를 입는 경험으로 재정의되어왔다. 미국 심리학자 폴 오카미Paul Okami는 1970년대 후반에서 1980년대 동안, 섹스에 대한 표현이 비교적 온건한 스타일에서 반대쪽으로 크게 이동해왔다고 주장한다. 오카미는 "성적 공격·학대·괴롭힘은 성 접촉에 의한 질병의 의료적·사회적 결과들이 그랬던 것처럼, 아주 많은 전문가와 대중 작가들에게 관심 있는 주제가 되었다"고 지적한다. 그는 더 나아가 "아주 빈번한 성행위와 특이한 성적 관행이 '섹스 중독'과 '섹스 강박'과 같은 진단들 속에서 병리화되었다"고 논평한다(Okami, 1992: 116). 이 테제를 구체화하기 위해 오카미는 인간의 섹슈얼리티의 부정적 측면들에 더 많은 관심을 기울인다. 그는 그것들을 『심리학 초록Psychological Abstracts』의 목록을 검토함으로써 파악한다. 1969년에 『심리학 초록』에는 '성적 학대', '성 범죄자', '성적 괴롭힘', '근친 강간', '성적 가학증' 또는 '소아성애'와 같은 색인 범주가 없었다. 이 모든 행동은 65개 항목을 포함하고 있는 '성적 일탈' 범주 아래에 들어 있었다. 하지만 1989년경에 위의 모든 색인 범주가 『심리학 초록』에 추가되었고, 1989년 판에서는 성적 공격, 성범죄, 그리고 세대 간 섹스를 다루는 400편이 넘는 논문이 들어 있었다. 오카미에 따르면, 1969년에서 1989년 사이에 그 목록은 20배 증가했다

(Okami, 1992: 117). 이러한 추세는 대중문화에 분명하게 반영되어 있다. 오늘날 소설과 텔레비전 프로그램의 주요 요소를 구성하고 있는 테마가 바로 학대, 성폭력, 스토킹, 그리고 연쇄 성범죄들이다.

아마도 위험의식을 가장 극단적으로 보여주는 것이 작업장에서의 관계들을 질병의 한 원천으로 변형시키는 경향이 증가하고 있다는 점일 것이다. 섹스처럼 작업장에서의 관계들 또한 위협적인 경험으로 재조명되어왔다. 작업장은 자주 감정 손상의 주요 장소로 제시된다. 1998년에 영국 노동조합회의TUC는 5백만 명에 달하는 사람들이 작업장에서 약자 괴롭힘을 당해왔다고 주장했다. 5백만 명이라는 노동조합회의의 수치는 그 후 인적 자원 관리 영역에 속하는 수많은 기관들에 의해 하나의 사실 진술로 제시되었다.[13] 그러한 주장 ─ 좀처럼 의문이 제기되지 않는 ─ 은 일이라는 것이 사람들에게 주요한 위험이라는 인상에 신빙성을 더해준다. 예로 든 문제들은 일반적으로 경제적으로 추동되는 전통적인 착취행위보다는 피고용자의 감정적 삶과 밀접히 관련되어 있다. 작업장에서 발생하는 중요 문제들 ─ 희롱, 약자 괴롭히기, 스트레스 ─ 은 모두 희생자의 정신 상태와 관련되어 있다.

영국에서는 노동조합운동이 작업장에서 치료요법 에토스를 부추기는 데 선봉에 서왔다. 노동조합은 약자 괴롭히기, 희롱, 스트레스가 작업장에 만연해 있다는 주장을 잇달아 제기했다. 만약 그들의 보고가 반만이라도 정확하다면, 영국 노동자 대부분이 피해를 경험했을 것이다. 노동조합의 위탁을 받은 보고서들은 노동자들의 30~38% 정도가 약자 괴롭힘을 당했다고 주장한다. 1997년에 노동조합 대표자들을 대상으로 실시한 한 연구는 66%가 약자 괴롭히기를 목격하거나 경험했다고 제시했다. 영국 제조업

과학금융노동조합Manufacturing, Science and Finance Union: MSF이 발표한 한 조사는 노동조합 활동가들의 30%가 약자 괴롭히기가 자신들의 작업장에서 심각한 문제였고, 그것이 지난 5년 동안 악화된 것으로 생각한다고 보고했다. 그리고 72%가 그들의 고용주가 피고용자들을 괴롭혀왔다고 진술했다. 전국교원연합여교사연맹National Association of Schoolmasters Union of Women Teachers은 1996년에 회원의 72%가 약자 괴롭히기를 당했거나 그것을 목격했다고 주장하는 보고서를 발간했다. 노동조합회의가 지원한 보고서는 괴롭힘을 목격했거나 경험했던 응답자들의 75%가 그것이 자신들의 신체적 또는 정신적 건강에 영향을 미쳤다고 말했다고 주장한다. 노동조합회의에 따르면, "스트레스, 우울증 그리고 낮아진 자존감은 가장 흔한 불만사항들이었다."14

작업장이 약자 괴롭히기의 만연으로 인해 정신적 상처를 받아왔다는 주장을 보다 면밀하게 조사해보면, 현재 논의되고 있는 것들은 이전에는 사무실 정치office politics, 독단적 경영, 그리고 일을 마치라는 강요로 불리곤 했던 것들이다. 다양한 과실이 작업장 약자 괴롭히기에 해당한다. 실제로 어떤 소극적인 무례한 마주침도 약자 괴롭히기로 정의될 수 있고 또 그렇게 정의된다. 미국을 근거지로 하는 작업장 약자 괴롭히기 반대 캠페인의 후원자인 리처드 데닌버그Richard V. Denenberg는 약자 괴롭히기가 반달리즘vandalism[일반적으로 문화유적이나 공공물의 파괴행위를 일컫지만, 여기서는 남에게 불쾌감을 주거나 남을 비방하는 것을 의미함 _ 옮긴이], 제스처, 중요한 정보 숨기기, 그리고 인상 쓰기 — "심지어는 비웃음" — 를 포함한다고 지적해왔다. 데닌버그는 "그것은 매우 미묘할 수 있다"고 말했다.15 미국의 또 다른 전문가이자 학계 인사인 로라레이 키실리Loraleigh Keashley는 약자 괴롭히기가 대체로 "어떤 사람의 공헌 무시하기, 지위 과시하기, 지위 악용하기, 원치 않는 시선 맞추기, 그리고 공공연히 개인을 얕잡아 보기를 포함하는 교묘한 유형의 공격"을 포함한다고 주장한다. 키실리는 작업장에서의 심리적 공격이 피고용자에 의한 생산성 감소와 상습적인 무단결근의 증가뿐만 아니라 신체적·정신적·감정적 질병으로 이어지는 파괴적 결과를 낳을 수 있다고 주장한다.[16]

약자 괴롭히기 문제는 스트레스를 작업장을 괴롭히는 보다 만연한 불안의 징후로 보는 인식이 증가하는 것과 동시에 등장했다. 영국에서 산업 재편이 있은 직후에 인적자원 전문가들은 그 재편 과정의 부정적 결과로 스트레스와 감정 문제들을 강조했다. 공업협회The Industrial Society라는 한 고용자 단체가 1993년에 발간한 한 보고서는 고용자들이 감기와 인플루엔자 다음으로 병가의 가장 중요한 이유로 스트레스, 감정 문제, 그리고 개인적 문제들을 꼽았다고 주장했다(O'Neill, 1996). 3년 후에 노동조합회의는 '이 새로운 산업 유행병'에 대한 홍보활동을 시작했다. 교육, 금융, 보건부문, 공공부문 육체노동자, 그리고 통신회사들을 대상으로 한 수많은 보고서에 따르면, 50~60%라는 놀라운 수치의 피고용자들이 스트레스로 고통받는 것으로 나타났다(O'Neill, 1996). 약자 괴롭히기 반대 활동가들은 재빠르게 그들의 대의를 스트레스 문제와 연결시켰다. 작업장 스트레스는 이제 인간이라는 그것의 실제적 원인을 가지게 되었다. 작업장 스트레스는 바로 약자 괴롭히기가 입힌 하나의 감정적 상처였다. 심리학 교수인 캐리 쿠퍼 Cary Cooper는 이 인과관계에 집중적인 관심을 기울였다. 그는 "약자 괴롭히기가 작업장 스트레스의 가장 큰 기여요인들 중 하나"라고 진술했다. 그의 설명에 따르면, 그의 "연구원들은 70개의 직업 영역에 종사하는 수천 명의 사람들과 이야기를 나눈 후에 모든 스트레스 관련 질병의 3분의 1에서 절반이 약자 괴롭히기에 원인이 있다고 믿게 되었다."[17]

노동조합 보고서들은 목표를 달성하라는 압박이 "위협과 피해를 거의 피할 수 없는" 환경을 만들어낸다고 파악한다.[18] 노동조합 활동가들이 주안점을 두고 있는 것이 바로 작업장 스트레스의 병리화이다. 그들의 보고서들은 작업장 스트레스가 놀랄 정도로 증가했다고 주장한다. 표준 업무량의 증가와 약자를 더욱 괴롭히는 방식의 관리 형태가 결합한 것이 이 질병이 만연하게 된 데에 책임이 있는 것으로 주장되었다. 이를테면 MSF가 1995년에 수행한 한 조사는 응답자의 60%가 일 압박으로 인한 스트레스로 고통받았다고 주장한다. 영국 공공서비스노동조합UNISON의 보고서는 간호사의 87%가 자신들의 스트레스 수준이 이전에 비해 증가했다고 믿었고, 바클레이스 은행Barclays Bank 노동조합원의 60%가 이전보다 더 많은 직무 스트레스를 받고 있다고 느꼈고 22.7%가 (그들이 일에서 기인하는 것으로 보고 있는) 스트레스 관련 질병의 치료를 받아왔다고 지적했다. 1996년에 실시된 또 다른 노동조합의 연구는 육체노동자들이 이전보다 더 스트레스를 받고 있다고 지적했다. 응답자의 63%가 과거보다 더 많은 직무 스트레스를 받고 있다고 말했다. 전국 고등교육 및 평생교육기관 교수협회National Association of Teachers in Further and Higher Education에 따르면, 평생교육기관에서 일하는 강사 열 명 중 여덟 명은 그들의 스트레스가 받아들일 수 없을 정도였고, 네 명 중 한 명은 자신들의 스트레스에 대처하기 위해 휴가를 낸 적이 있었다. 그 보고서는 대학 강사들이 신경쇠약 직전으로 내몰리고 있다고 결론지었다.[19]

영국의 작업장 스트레스의 급속한 증가에 대한 한 중요한 연구에서, 데이비드 웨인라이트와 마이클 칼넌은 그러한 사태의 진전을 사회문화적 변화 ― 육체적·정신적 취약성에 대한 고양된 인식, 희생자 문화, 치료요법적 국가의 출현 ― 의 산물로 이해할 수 있다고 제시한다. 그들에 따르면, 그러한 변화가 작업장에서의 경험을 유행병과 질병이라는 의료화된 프리즘을 통해 해석하게 만들었다. 특히 그들은 "영국의 감정 각본 또는 민족심리학"에서 일어난 변화들은 작업장 문제들이 "더 이상 노동쟁의행위나 정치활동을 통해 싸워나갈 집합적 문제가 아니라 노동자의 정신적·신체적 건강에 대한 개인화된 위협 ― 치료요법적 개입이 적절한 대응법인 ― 으로 인식된다는 것을 의미한다는 점에 주목했다(Wainwright and Calnan, 2002: 161). 개인들은 그러한 문제들을 개별적으로 위험한 것으로 경험한다.

직업 불안정성의 경험, 미래 전망에 대한 불안, 감정 문제, 그리고 스트레스 의식이 우리 시대의 상황에만 유독 특별한 반응인 것은 아니다. 새로운 것은 그러한 반응의 의료화이다. 스트레스와 여타 작업장 경험의 병리화는 감정적 상처 의식을 부풀리고 사람들로 하여금 스스로를 아픈 것으로 인식하도록 부추기는 새로운 문화적 규범에 의해 추인된다. 치료요법 에토스가 작업장에 제도화됨에 의해 작업과정으로부터의 소외는 감정적 손상의 위험에 처해 있는 것으로 경험된다. 인적자원 전문가와 인적자원관리는 점점 더 치료요법 기법을 홍보하는 데 몰두해왔다. 스트레스와 여타 감정 문제들의 카운슬링은 점차 우량기업에서도 제도화되었다.

위험인식은 문화적 규범에 의해 크게 영향받는다. 그토록 많은 삶과 일상적인 인간적 만남이 위험하고 피해 입을 가능성이 있는 것으로 해석되기 때문에, 스트레스로 인한 불쾌감이라는 단순한 사실이 위협적인 위험한 상태로 재조명되어왔음을 발견한다고 해서 그것은 놀라운 일이 아니다.

그리고 일단 특정한 상태가 잠재적으로 해로운 것으로 정의되고 나면, 그것은 사람들의 건강에 부정적인 영향을 끼치기 마련이다. 공공 기관, 건강전문가 그리고 치료요법 옹호단체들은 치료요법 시장을 구축하고 그들의 에토스를 장려하는 데서 중요한 역할을 수행한다. '의식' 고양에 전념하는 캠페인들은 사람들이 자신들의 문제를 치료요법 담론을 통해 재해석하도록 부추긴다. 작업장에서 받는 스트레스 수준에 대한 객관적 조사들은 그러한 사실을 발견하기 위해 설계되는 것뿐만 아니라 응답자에게 그들이 직면하는 위험에 관해 교육하는 역할도 수행한다. 그러한 조사는 스트레스가 사람들에게 부정적인 영향을 끼친다고 미리 가정하고, 사람들이 이미 어렴풋이 느끼고 있는 것을 밝혀나간다. 스트레스 반응의 병리화는 사람들이 자신의 경험을 이해하는 데 이용할 수 있는 언어를 제공한다. 내가 일하고 있는 대학교의 직원들이 받는 스트레스 수준을 밝히기 위한 한 조사는 "당신은 최근 계속해서 긴장상태를 느껴왔는가"와 같은 질문들을 했다. 놀랄 것도 없이, 사람들은 그렇다고 보고했고, 그 조사는 응답자의 52%가 '잠재적인 심리적 취약성 지대'에 놓여 있었다고 결론지었다(ICAS, 1998). 다른 조사들은 사람들이 과거보다 오늘날 직장에서 더 많은 스트레스에 직면해 있는지를 보고하게 했다. 예상대로 응답자의 대다수가 상황이 더 나빠지고 있다고 대답했다.

작업장 스트레스에 관한 연구는 그 문제에 대한 인식을 확대하는 데 기여한다. 치료요법사, 변호사, 그리고 여타 전문가에 의한 전문적 개입 또한 그러한 인식 틀을 짜는 데서 결정적 역할을 한다. 치료요법 옹호단체들이 작업장에 배포하는 리플릿과 팸플릿들은 대부분 피고용자들에게 그들이 아마도 스트레스나 외상 후 스트레스 장애로 고통받고 있을 것이라고 충고한다. 이를테면 리버풀에 있는 전문 구급요원 협회Association of Profession-al Ambulance Personne와 구급대원을 변호하는 로펌이 배포한 「외상 후 스트레스 장애와 구급차 서비스Post Traumatic Stress Disorder and the Ambulance Service」라는 제목의 리플릿의 경우를 살펴보자. 그 리플릿은 사람들에게 그들이 '잠재적인 스트레스 희생자'이고 외상 후 스트레스 장애로 고통받고 있다고 생각할 경우 자신들과 접촉하는 것에 대해 생각해보아야만 한다고 알린다. 그러한 개입은 최소한 사람들로 하여금 자신들의 개인적 문제를 스트레스와 관련지어 생각하도록 부추길 가능성이 크다. 많은 경우에 그것은 사람들이 자신들의 존재 상태를 질병의 프리즘을 통해 이해하도록 고무할 것이다.

현재 작업장 스트레스가 문화적 영향에 의해 만연된 것임에도 불구하고, 웨인라이트와 칼넌이 주장한 것처럼, "그것은 분명 '실재'한다"(Wainwright and Calnan, 2002: 161). 개인들이 스스로를 위험에 처한 것으로 간주하도록 부추기는 사회에서는 비교적 일상적인 만남들도 잠재적으로 감정에 해로운 것으로 인식될 가능성이 크다. 받아들일 수 있는 고통의 한계를 계속해서 낮추고 개인들이 대처할 수 있을 것으로 기대되는 경험의 범위를 제한하는 민족심리학은 개인들이 불쾌한 사건을 자신의 건강에 위협이 되는 것으로 해석하도록 하는 분위기를 조장할 가능성이 크다. 각 직장에서 역경에 직면해 있는 자아에게 스트레스와 같은 의학적 꼬리표는 하나의 개인적 의미 서사를 제공한다.

감정적 손상, 스트레스, 트라우마, 취약성에 관한 관념들은 무엇이 상처를 구성하는지를 문화적으로 해석하는 과정을 통해 발전된다. 감정적 상처에 대한 인식은 개인들이 얼마나 많은 고통에 대처할 것으로 기대될 수 있는지에 관한 기준과 연결되어 있다. 패럴(Farrell, 1998: 13)이 지적하듯이, "문화가 공포와 상실을 대담하게 의미 있는 것으로 만들고 그리하여 그것의 피해를 줄일 수도 있지만, 문화는 심적 파멸의 한 원인이 될 수도 있다". 오늘날의 문화는 개인들로 하여금 상실을 감수하기 어렵다고 생각하게 한다. 연대, 책임, 희생의 서사가 부재하게 되면서 상실은 그것이 가지고 있던 보다 광범한 의미를 박탈당한다. 상실에 대한 사회의 반감을 가장 분명하게 보여주는 것 중 하나가 위험과 위험감수에 대한 사회의 혐오와 반감이다. 치료요법 문화는 위험이 개인의 정신에 미치는 파괴적 영향을 계속해서 부풀림으로써 그러한 반응에 기여한다. 왜냐하면 취약한 자아는 그 정의상 위험에 처해 있기 때문이다.

제7장

허약한 정체성: 자존감에 대한 집착

취약성 계발하기는 비공식적 관계 영역의 해체와 뗄 수 없게 얽혀 있다. 감정 관리라는 명령은 자아가 타자와 거리를 둘 것을 종용한다. 이러한 자아의 타자와의 거리두기는 내부로의 전환과 동시에 일어난다. 자아의 이러한 내부 지향의 가장 가시적 결과 중 하나가 그것이 자아정체성 문제에 점점 더 많은 중요성을 부여하게 한다는 것이다. 이 장에서 주장하는 것처럼, 정체성 문제는 점점 더 감정과 연관된다. 감정결정론의 명령에 따라 사람들이 느끼는 방식이 자아를 규정지어왔다. 이러한 감상은 자존감의 문화적 신화 속에 체계적으로 부호화된다. 이 신화에 따르면, 낮은 자존감은 사회가 직면하는 주요한 문제이고, 높은 자존감은 그것에 대한 해결책을 제공한다.

내부로의 전환

자아에 관한 관념들은 사회적 경험을 통해 조정된다. 그러한 관념들이 계속해서 수정되는 까닭은 사회가 새로운 문제들을 던지고 개인들이 그들의 삶을 이해하는 방식에 이의를 제기하기 때문이다. 자아에 대한 집착은 분명 근대적 현상의 하나이다. 자아의식이 출현하기 위해서는 신분에 기초한 사회 — 사람들의 역할이 관습에 따라 할당되던 사회 — 가 쇠퇴하는 것이 필요했다. 산업자본주의의 발전이 초래한 급속한 변화와 탈구는 강력한 개인화 과정을 부추기는 데 일조했다. 사회적 경험의 파편화를 통해 당연한 것으로 간주되던 공동체와 사람들의 관계가 쇠퇴했다. 그들 자신의 개인적 자원에 의존할 수밖에 없게 된 사람들은 그들 자신에 대한 독특한 의식을 발전시켰고, 그러한 상황에서 자아를 이해하는 것이 중요해졌다. 자기성찰 행위를 통한 개인적인 자기인식의 추구는 근대성의 유산 중 하나이다.

지난 세기 동안 자아에 관한 관념은 부단한 변화를 겪어왔다. 인간의 개인성에 대한 현재의 인식은 보다 광범한 공유된 의미체계와 집합적 정체성이 쇠퇴하는 것에 영향받았다. 그 결과 개인의 정체성 문제는 점점 개인적 선택과 의사결정의 문제로 인식되었다. 치료요법 문화의 자아지향은 이러한 관점에 입각해 있다. 치료요법 에토스는 또한 자아에 대한 독특한 견해를 구성하는 데 기여한다. 지금까지 우리는 그러한 구성의 한 측면 — 무력함이 자아를 규정하는 특징들 중의 하나라는 가정 — 을 다루어왔다. 치료요법적 자아에는 그와 관련된 또 다른 특징들이 있다. 자아에 대한 치료요법적 견해의 독특한 테마 중 하나가 그것과 감정의 연관성이다. 치료요법학의 관점에서 볼 때, 자아는 내적인 감정적 삶의 경험을 통해 의미를 획득한다. 오늘날의 상상력 속에서 자아는 개인의 내적 세계 안에 자리하고 있고 그것을 통해 발견된다. "나의 감정이 나에게 말하고 있는 것이 나이다"라는 표현은 윙클(Winkle, 2001: 6)이 자아의 이러한 감정화를 기술하는 방식이다.

감정적 자아의 구성은 사람들이 내적 세계를 더욱 지향하게 하는데 일조해왔다. 자아에 대한 이러한 심리적 표현은 널리 내면화되어왔고, 많은 사람들로 하여금 자기모니터링을 일상적 관례로 채택하게 했다. 치료요법 에토스의 내면화를 통해 자아는 '진정한 나'로 객관화된다. 기분이나 감정의 아주 사소한 변화가 커다란 의미를 갖는 것으로 해석될 수 있고, 자주 그렇게 해석된다. 자아의 그리 중요하지 않은 특이한 성격들이 심히 중요한 특성들로 간주되고, "주시할 필요가 있는 문제"가 된다(Winkle, 2001: 6). 자아감정에 부여된 중요성은 개인화를 향한 역사적 경향을 강화하고 증대시킨다. 자아감정은 사적인 개인적 문제이지만, 이것이 사람들을 구별 짓고 서로 거리를 두게 한다. 자아의 감정화는 내부로 초점을 이동시킴으로써 개인화 의식을 강화한다.

1970년대 이래로 자신과 교류하고 자신에 대해 좋은 감정을 가지라는 요구는 다양한 제도적 환경에서 정기적으로 반복되는 상투어가 되었다. 이것이 자기애가 좀처럼 나르시시즘적으로 보이지 않고, 의식을 고양하는 수단으로 보이는 이유이다. 이러한 나르시시즘적 전환이 가장 현저하게 드러났던 것이 미국에서 일어난 천사 유행이다. 수많은 책과 텔레비전 프로그램이 우리를 지켜주는 천사들에 관한 이야기에 빠져 있다. 사회의 나르시시즘적 전환과 함께, 우리들 각자도 우리 내부에 우리를 지켜주는 자신의 천사를 가지고 있다. 루스 살릿Ruth Shalit이 『더 뉴 리퍼블릭The New Republic』에 쓴 글에서 논평했듯이, 천사에 매혹되는 것은 전적으로 자아에 초점을 맞추는 정신적 경향에서 기인한다. 과거에 중세의 천사론이 "사람들이 스스로 더 엄격한 기준과 더 고귀한 삶을 지향하도록 했던" 반면, 현대의 변종은 "아주 관대하고 주관적"이다.[1] 천사들은 우리의 바람이 이루어지도록 하기 위해 거기에 있다. 무엇보다도 천사들은 자아를 추켜세우기 위해 존재한다. 감정이라는 종교가 승인한 유일한 책임은 자기 자신에 대한 책임이다. 아이들처럼 우리 내부에 천사들을 키우는 것은 자아에 봉사하는 수단이다. 사회학자 토마스 루크만이 지적했듯이, 자아가 숭배의 대상이 되면서 개인의 정체성은 '마음inner man'을 뜻하는 것으로 재정의된다(Luckmann, 1967: 110).

자아에 대한 감정적 지향이 단순히 개인의 정체성을 강조하게 하기만 하는 것은 아니다. 개인의 정체성 자체가 마음과 뗄 수 없게 연결되어 있는 것으로 재조명된다. 그러한 개인의 정체성은 외견상 내부에서 보내오는 감정신호를 인지하는 것에 근거한, 감정에 기초한 정체성이다. 하지만 감정에 기초한 정체성은 유동적이고 일시적이며 포착하기 어렵다. 루크만은 "'마음'이 정의하기 어려운 실체이기 때문에 당연한 것으로 생각되던 마음의 발견은 평생 그것을 탐구할 것을 요구한다"고 주장했다. 모호한 느낌들로부터 의미를 획득하는 것은 어떤 사람들에게는 평생 동안 자기 자신을 모니터링하게 한다. 루크만이 개관했듯이, "자신의 생애의 주관적 차원에서 '궁극적인' 의미의 원천을 발견하고자 하는 개인은 아마도 연속적이지는 않겠지만 (일상생활의 반복되는 관례에 침전되어 있기 때문에) 분명히 끝없이 계속되는 자아실현과 자기표현의 과정에 종사하는 것이다"(Luckmann,

1967).

치료요법 문화는 휴잇의 표현으로 자아를 "문화적으로 창출된 인간이라는 실재물의 중핵"으로 설정함으로써 개인화 과정에 내재된 긴장을 해결하고자 한다(Hewitt, 1998: 138). 자아는 그 사람의 실제적인 진정한 핵심이다. 사람들이 어떻게 느끼는가가 자아를 규정짓기 때문에 진정성은 오직 감정의 언어를 통해서만 이해될 수 있다. 하지만 그것은 심리학적·의료적 담론에 의해 식민화되어온 언어이다. 정신적 상처에 대한 공포는 우리의 자아의식에 영향을 미치고, 이것은 자아의식의 의료화로 이어진다. 휴잇은 자아가 "점점 더 건강과 질병이라는 기준에 의해 측정되고" 있다고 주장한다(Hewitt, 1998: 138). 치료요법 문화가 자아의 건강성을 설명하는 가장 일반적인 방법은 자존감의 은유를 이용하는 것이다. 높은 수준의 자존감은 정신적 건강과 신체적 건강의 바람직한 상태를 나타내는 반면, 낮은 수준의 자존감은 그 자아가 병들고 위기에 직면해 있다는 것을 나타낸다. 앞으로 살펴보듯이, 치료요법 문화는 자존감을 끌어올림으로써 자아와 사회 모두가 건강해질 것이라고 믿는다. 자아의 존중이 책임 있는 시민의 행동이 되고 있다.

소원한 정체성 계발하기

치료요법 문화가 기여한 독특한 것들 중 하나가 소원함의 경험을 하나의 문제에서 숭배의 대상으로 변형시킨 것이다. 이전 시대에 선도적인 사회 사상가들은 타인으로부터의 자기소외를 현대사회를 규정하는 문제 중 하나로 간주했다.[2] 근대세계의 등장 이래로 사람들을 하나로 묶는 것('우리' 정체성)보다는 자신을 타자로부터 구별하는 것('나' 정체성)에 더 큰 가치를 부여하는 경향이 증가해온 것은 사실이다. 하지만 오늘날에는 두 가지 형태의 정체성 간의 균형이 자아를 찬양하는 쪽으로 크게 기울어지면서, 타인으로부터의 소외가 자기인식의 추구를 위해 기꺼이 치러야 할 대가로 인식되고 있다.

치료요법 문화가 자주 사람들에게 자신의 감정을 다른 사람들과 소통하는 방법을 배우라고 권하기는 하지만, 치료요법 문화는 자기성찰을 통해 얻은 통찰에 특권을 부여한다. 스위들러가 지적하듯이, 치료요법학의 관점에서 볼 때, 논리적으로 자기발견이 관계의 구축에 우선한다. 치료요법학은 "자신의 실제 자아와 '교류해온' 개인, 그러니까 가족의 압박, 사회적 역할 또는 다른 사람들의 기대 같은 진정하지 못한 나머지들로부터 자유로운 개인이 다른 사람들과 진정한 유대를 맺을 수 있을 것"이라고 가정한다(Swidler, 2001: 143). 게다가 그것은 대인관계를 끊임없이 문제 있는 것으로 만듦으로써 자아를 감정투자의 분명한 중심지로 끌어올린다. 이전 시대에 다양한 종교와 이데올로기들은 고립을 벗어날 수 있는 전략을 제공함으로써 소외와 소원함의 문제에 맞서고자 했다. 노동, 구원, 공동체, 계급 또는 정치적 헌신을 통해 의미를 발견하는 것이 개인을 더 넓은 의미망으로 재통합하기 위한 전략으로 제시되었다. 이와 대조적으로 치료요법 문화는 자기애로의 유인을 통해 자아지향을 조장하는 쪽을 택한다. 이러한 접근방식을 그대로 보여주는 것이 1970년대 미국의 베스트셀러 자기계발서 『자기 자신의 최고의 친구가 되는 법How To be Your Own Best Friend』이다. 이 책은 개인들에게 자기 자신을 사랑하는 것을 통해 자기 자신에 대해 치료요법적으로 지향할 것을 주장하고 나섰다. 그 책은 개인이 행복하기 위해서는 우리의 최고의 친구인 자아를 구축할 필요가 있다고 주장했다 (Newman and Berkowitz, 1971). 비록 이 자기계발서의 저자들이 은유적으로 '최고의 친구'라는 용어를 사용하는 경향이 있었지만, 그들은 가장 중요한 관계는 다른 사람들과의 관계가 아니라 자신과의 관계라는 점을 분명하게 시사했다. 우정에서 다른 사람이 분리되면서, 자신과 다른 사람과의 소원함이 잠재적으로 긍정적인 의미를 부여받는다. 이 경향을 극단적으로 보여주는 한 실례가 그녀 자신과 결혼하기로 결심했던 네덜란드 예술가 제니퍼 호스Jennifer Hoes였다. 그녀는 하를렘Haarlem에서 발행되는 신문 ≪다발트Dagbald≫에 "나는 내가 나 자신을 얼마나 많이 사랑하는지를 다른 사람들과 함께 경축하고 싶다"고 말했다. 그녀는 자신이 감정적으로 다른 사람에게 의존하고 싶지 않기 때문에 그녀 자신과 결코 이혼하지 않을 것이라고 선언했다.[3]

개인의 정체성을 그 사람의 내적인 삶과 연관짓는 것은 자주 자기도취와 나르시시즘으로의 전환으로 해석된다. 그리고 현대사회에서 이러한 경향을 분명하게 식별할 수 있기는 하지만, 사적 정체성의 추구는 무엇보다도 자아와 더 넓은 공동체 및 네트워크의 관계가 이미 약해진 세계에서 의미를 찾고자 하는 하나의 시도로 이해되어야 한다. 자아와 외부의 준거점 간의 이러한 모호하고 유동하는 관계는 후기 근대성이 낳은 개인화 정명의 결과이다. 치료요법 문화는 이러한 경향을 반영하는 동시에 그러한 진전을 긍정적으로 해석한다. 치료요법 문화는 자기표현과 자아실현을 추구함으로써 개인의 자율성을 실현할 것을 제창하는 세계관을 통해, 사람들이 서로에게서 소원해지는 것을 정당화한다. "너 자신이 되라"는 것은 문화적 책무이자 자기계몽의 바람직한 상태가 되었다. 실제로 자율적 자아는 "관계를 맺기 위한 전제조건"으로 제시된다. 스위들러가 지적하듯이, "치료요법적 관점에서 볼 때, 다른 사람들과 확실한 유대관계를 구축하기 위해서는 자율적인 사람이 되어야 한다"(Swidler, 2001: 144).

치료요법 문화는 단지 개인화 과정을 반영할 뿐만 아니라 그것을 더더욱 진전시킨다. 개인의 자율성 계발이 보다 폭넓은 관계 및 헌신과 반드시 모순되는 것은 아니다. 개인의 자율성 실현은 원칙적으로 개인들의 공동체의 삶을 개인적으로 책임지는 방식으로 추구될 수도 있다. 하지만 자아의식이 감정의 언어를 통해 틀 지어짐으로써, 개인의 자율성은 점점 더 자신에게 옳다고 느끼는 것을 추구하는 것으로 인식된다. 그리고 자신에게 옳다고 느끼는 것은 자주 타인이나 더 넓은 사회의 기대와는 자의적인 관계를 가지거나 거의 관계가 없다. 한 논평자가 지적하듯이, "개인의 정체성은 주로 감정적 욕구와 관련하여 재조명되어왔고, 계급, 교의 또는 민족성 같은 개념들과 단절되어왔다"(Bunting, 2001: 5).

치료요법 문화의 독특한 특징 중 하나인 자아지향도 개인이 자신의 외부에 존재하는 준거점과 거리를 두게 하는 데 기여한다. 이러한 자아지향과 타인과의 관계 유지 간의 잠재적 긴장은 가장 친밀한 관계들에까지 심각한 영향을 미친다. 치료요법학의 관점에서 볼 때, 친밀한 관계 또는 결혼생활은 "그것이 개인으로서의 결혼파트너의 욕구를 얼마나 잘 충족시킬 것인지에 준하여 평가"되어야만 한다(Swidler, 2001: 17). 개인적 욕구의 소통이 관계를 강화시킬 수도 있지만, 개인의 이기심에 주요한 역할을 할당하는 것은 사람들을 하나의 관계로 묶어주는 보다 광범위한 규범들의 영향력을 크게 약화시킬 수도 있다.

정체성의 감정화를 통해 자아와 더 광범한 외부 준거점의 관계가 극적으로 변화해왔다. 일상생활에서 일어나는 자아의 행위를 둘러싼 외부 제약들 - 공동체의 기대, 도덕률과 금기, 사회적 가치의 형태로 존재하는 - 은 그 중요성이 감소되었다. 문화발전에 대한 대부분의 설명은 지난 40년 동안 자아의 상징적 중요성이 꾸준히 증대되어왔다는 데에 동의한다. 중요한 윤리적 전환이 일어났고, 라이스가 논평했듯이 사회와 자아 간의 관계에서 "사회보다는 오히려 자아가 훨씬 더 중요한 파트너가 되었다." 그 결과 자아는 중요한 도덕적 지위를 누리고 있다. 대중문화는 보다 광범한 외부의 요구가 어떤 식으로든 개인의 자아실현을 방해한다면 그것은 부당하다는 메시지를 전달한다. 치료요법학은 본질적으로 자기준거적 에토스이다. 라이스는 "그 무엇에도 우선하는 자아가 지니는 도덕적 중요성 - 모든 사람은 사회적·문화적 예의범절로부터 자율권을 가진다는 주장에 의해 표현되는 - 이 심리치료요법의 중심적인 조직화 원리"라고 말한다(Rice, 1996: 30). "옳다고 느낀다면 …….." 그것은 추구되어야 한다는 가정은 자기표현 자체를 목적으로 묘사하는 윤리에 의해 인도되고 있다. '자유로운 행위자' 와 자아의 권위에 대한 문화적 정당화는 이러한 관점을 전파한다. 과거에 이데올로기가 보다 상위의 이해관계를 위해 자아의 부정을 요구했던 반면, 치료요법 문화는 자아의 긍정을 좋은 삶의 중심 요소로 간주한다. 치료요법학이 공동체를 수사적으로 인정하고는 있지만, 그것은 그 자체의 논리상 자아 위에 존재하는 어떤 것에 헌신하고자 하는 의식을 지지할 수 없다.

자아의 감정화는 정체성의 문화적 이해에 중요한 의미를 지닌다. 자아의 상태와 자아의 감정적 욕구의 연계짓기는 개인의 정체성 구성에만 국한되지 않는다. 국가, 민족의식 또는 공동체 같은 더 광범한 소속의식에 기초한 정체성들도 점점 더 치료요법적 감정 언어를 통해 묘사되어왔다. 집단 정체성조차 자아의 감정적 욕구에 영향받는 것으로 보인다는 사실은 치료요법 문화가 갖는 중요성을 보여주는 증거로 작용한다. 희생자 단체, 소수집단, 특별 이익단체의 대의를 따르는 옹호단체들은 자주 집단 정체성을 그 성원들의 감정적 욕구를 통해 묘사한다.

집단의 대의는 그들로 대표되는 사람들이 특정한 경험을 통해 감정적 손상을 입어왔다는 이유로 정당화되곤 한다. 역사상의 악행들이 오늘날 자아가 입고 있는 상처에 대한 책임을 떠맡는다. 노예제도와 아일랜드의 감자 기근 같은 경험들이 다음 세대에 정신적 외상을 입혀왔다고 자주 지적된다. 그러한 경험의 결과 역사적으로 희생되어온 집단의 사람들은 낮은 자존감으로 고통받는다는 주장이 빈번히 제기되고 있다. 이러한 주장은 아프리카계 미국인들에게 그들의 선조들이 견뎌야만 했던 일을 보상할 것을 요구하는 전국 캠페인에서 정기적으로 제기된다. 이 캠페인의 한 지지자에 따르면, "노예제도는 흑인들 사이에 낮은 자존감을 조장했고, 이는 오늘날 십 대 흑인들의 높은 임신율과 범죄율로 이어져왔다."[4] 다양한 이익집단들이 낮은 자존감과 집단 정체성을 결부 짓고 있다. 이들 이익집단은 인종차별주의와 차별대우가 표적 집단으로 하여금 스스로를 결함 있는 존재로 느끼게 한다고 주장한다. 이를테면 아메리카 원주민들의 손상된 이미지가 "사회에서 경쟁하는 데 필요한 강한 자존감"이 발달하는 것을 방해한다고 주장된다.[5] 미국에서는 히스패닉과 아메리카 원주민들의 낮은 자존감 수준이 이들 집단의 상대적으로 낮은 학업성취도에 책임이 있다고 주장된다. 여대생들이 공학 같은 '어려운' 학과들을 선택하는 데에 주저하는 것에 대한 책임 역시 낮은 자존감에 씌워진다.[6]

특정 집단이 집단적 상태의 낮은 자존감으로 고통받는다는 명제는 이른바 퍼스낼리티 손상 이론에 근거한다. 이 이론에 따르면, 인종차별주의와 억압의 경험은 희생자의 정신을 영구적으로 손상시키고, 이는 희생자가 영구적으로 낮은 자존감 상태에 있게 만든다.[7] 몇몇 경험들이 정신에 해를 끼치고 그 결과 특정 집단의 자존감을 낮추고 있다는 진단은 점차 인종차별주의와 억압의 경계를 넘어 확대되어왔다. 빈곤과 실업으로 황폐화된 공동체들은 자존감 부족으로 고통받고 있는 것으로 자주 묘사된다. 부시 대통령의 복지-노동 파트너십은 "더 많은 자립, 더 높은 자존감, 그리고 더 많은 일자리와 희망"을 낳도록 설계된다.[8] 자존감 결여는 자주 개인을 초월하여 전 세대와 공동체를 괴롭히는 조건으로 제시된다. 한 기사에 따르면, 약물에 의지하는 초등학생들은 "자존감을 결여한 세대가 있는" 가정 출신들이다.[9] 쉴든에서 지역 철도역이 폐쇄되었을 때, 그 지역 열차 박물관의 관리자 코 더럼Co Durham은 그것이 "지역의 자존감을 파괴적으로 타격하는 것"이었다고 진술했다.[10] 지역사회 학습 프로젝트의 한 옹호자는 "자존감은 유럽 지역사회의 많은 부문에서 부족한 자질인 것 같다"고 말한다(Dolley, 1995: 294).

사람들의 자존감이 집단의 경험 및 정체성과 연관되어 있다는 가정은 언뜻 보기에는 어리둥절할 수도 있다. 자아의 감정 상태는 개인의 주체성과 매우 밀접하게 관련되어 있다. 실제로 앞서 지적했듯이, 자아지향은 개인을 더 광범한 네트워크와 공동체로부터 거리를 두게 하는 경향이 있다. 자아 또는 인간의 자존감 수준에 대한 관심은 문제를 개인화하는 경향이 있다. 그렇다면 이러한 사회적 경험의 개인화 경향이 어떻게 그것을 집단 정체성과 조화시키는가? 휴잇은 자존감 '신화'에 대한 그의 중요한 연구에서 그 "답은 부분적으로는 전체 문화에서 감정과 감정적 웰빙이 현재 부상하고 있다는 점에 있을지도 모른다"고 생각한다. 치료요법 문화는 단지 개인의 행동에만 영향을 미치는 것이 아니다. 그것은 또한 집단들에게도 자신들의 곤경을 이해할 수 있는 문화적 관용구를 제공한다. 감정 어휘를 통한 정체성의 재조명은 개인과 집단에 똑같이 영향을 미친다. 휴잇이 논평하듯이, "감정에 관한 담론들이 모든 사람의 생각과 말에 심대한 문화적 중력을 가하기 때문에, 자존감 신화는 그것을 의심할 수도 있는 사람들조차 그 궤도로 빨려들어가게 한다"(Hewitt, 1998: 96을 보라).

치료요법적 이상이 자아의 문화적 이해에 미치는 영향은 개인의 정체성 영역에만 국한되지 않는다. 국가가 치유하고 공동체들이 정신적 외상을 입고 소수집단이 낮은 수준의 자존감으로 고통받는 문화에서, 집단 정체성의 중요한 측면들은 감정의 프리즘을 통해 이해된다. 치료요법 에토스가 집단 정체성에 미치는 영향은, 중요한 것은 단지 정체성의 개인화가 아니라 그것이 감정의 형태로 재조명된다는 것이라는 점을 말해준다. 감정적 자아에 대한 관심은 개인적 정체성과 집단적 정체성 모두에 영향을 미친다. 21세기 사회의 독특한 특징 중 하나는 사회가 정체성 문제에 심히 집착하고 있다는 것이다. 자아정체성에 대한 오늘날의 집착은 다양한 사회발전의 결과이다. 노르베르트 엘리아스Norbert Elias는 "우리-관계의 더 심해진 일시성"에 주목해왔다(Elias, 1999). 다른 사회학자들은 제도화된 정체성과 보다 광범한 사회적 틀 ― 사람들은 이들을 통해 자신의 정체성을 틀 짓는다 ― 의 약화에 관심을 기울여왔다. 그 결과 사람들이 사회적 정체성과 개인적 정체성 모두를 위협받고 있다고 제시되었다.[11] 이러한 불확실성들에 대한 반응의 하나가 부단히 자기정의self-definition를 추구하는 것이다. 치료요법 문화는 그러한 추구가 감정 영역 쪽으로 나아가게 만든다. 왜냐하면 치료요법 문화가 감정 영역을 진정한 자아를 발견할 수 있는 장소로 인식하기 때문이다. 럽턴이 지적하듯이, "감정 상태는 '진정한' 자아에 대한 통찰력을 얻는 수단으로 이해된다." 왜냐하면 감정 상태가 "우리가 특정 현상에 대해 실제로 어떻게 반응하는지를 보여주는 최고의 기준이 되었"기 때문이다(Lupton, 1998: 89).

끝없는 정체성 요구

감정에 강력한 권위가 할당되어 있음을 보여주는 지표 중의 하나가 감정적 자아에 관한 관념들이 사회적 정체성을 구성하는 데 영향을 미쳐온 방식이다. 사회적 정체성을 감정이 자아에 미치는 영향과 관련하여 묘사하는 경향은 오늘날 정치담론의 독특한 특징 중 하나이다. "개인적인 것이 정치적인 것이다"라는 모토가 상징하는 이러한 진전은 개인적 문제와 사회적 문제 모두의 해결책은 중요한 치료요법적 차원을 포함한다는 확신을 전제로 하고 있다. 글로리아 스타이넘Gloria Steinem의 『내부로부터의 혁명 Revolution from Within』은 개별 여성의 낮은 자존감을 젠더 억압이라는 보다 광범한 문제와 연결시키는 페미니즘 치료요법학의 한 변종을 제시한다. 스타이넘에 따르면, 자존감을 고취시키기 위해 고안된 조치들은 여성뿐만 아니라 개인 모두의 역량을 강화할 수 있다(Steinem, 1992).

정체성 정치와 치료요법 문화의 부상 간의 밀접한 관계는 미국 사회에 대한 연구들에서 널리 주목받아왔다. 실제로 몇몇 연구들은 정체성 정치를 감정에 대한 집착이 광범한 사회적 영향력을 획득하는 수단이라고까지 제시해왔다. 모스코비츠는 "1960년대의 정체성 정치는 1970년대에 미국이 감정에 사로잡히게 된 것의 기반이 되었다"고 말한다(Moskowitz, 2001: 218). 정체성 정치가 감정정치를 조장하는 데서 중요한 역할을 수행했다면, 정체성 정치 자체는 치료요법학을 매우 지지했던 문화세력들이 낳은 산물이었다. 그런 까닭에 정체성 정치를 치료요법의 이상을 내면화하기 위한 최초의 운동으로 개념화하는 것은 더욱 유용하다. 정체성 정치를 통해 자아에 대한 집착은 보다 광범한 집단 정체성으로 전환된다.

감정과 집단 정체성의 융합은 점점 더 과거를 치료요법 형태로 재해석하는 경향 속에서 현저하게 드러난다. 전통적으로 역사는 오랫동안 공통의 정체성을 구축하는 데 이용되어왔다.[12] 역사가 정체성의 기표로서 갖는 의미는 그것이 과거 경험의 표상을 통해 오늘날의 사람들에게 중요한 영향을 미친다는 데 있다. 오늘날 치료요법에서 역사가 갖는 독특한 특징은 치료요법이 오늘날의 생존주의적 사고방식을 과거에 투영하는 방식에 있다. 홀로코스트에 대한 묘사는 이를 예증한다. 우리가 앞으로 살펴보듯이, 홀로코스트의 묘사를 통해, 생존자는 역사의 중심인물로 떠오른다.

역사적 영웅에서 역사의 생존자로의 초점 이동은 보다 수동적인 형태의 주체성이 출현하고 있는 경향을 반영한다. 지난 2세기 동안 역사 다시쓰기의 주요한 모티브는 특정한 사람이나 문화의 독특한 위대함을 장려하려는 욕구였다. 국가신화는 영웅적 행위와 영광스러운 사건에 관한 것이었다. 그러한 신화들은 단지 과거에 대한 감상적 찬양으로 이용되기만 한 것은 아니었다. 그것들은 미래에 대한 긍정적인 전망을 만들어내기 위해 동원되었다. 미국 개척자 신화는 미국 사회의 위대한 운명을 약속했다. 영국, 프랑스, 독일의 국가신화들은 미래의 가능성을 낙관적으로 묘사하기 위해 동원되었다. 오늘날 역사 다시쓰기는 매우 다른 충동에 의해 추동되고 있다. 집합적 기억의 조작은 미래에 대한 어떠한 원대한 주장도 하지 않는다. 그와 반대로 역사적 기억은 사람들의 역사적 고통에 대한 기념물 역할을 한다. 이 주제에 대한 통찰력 있는 기고문에서, 이언 부루마Ian Buruma는 많은 소수집단이 "그들 자신을 역사적 희생자로 정의하는" 경향에 관심을 기울여왔다.13 이처럼 과거의 고통에 몰두하는 쪽으로 방향을 전환하는 것은 집합적 치료요법의 한 형태이며, 이는 다시 감상공동체를 가능하게 한다.

역사의 치료요법적 전환은 과거의 희생자들로 하여금 심리학의 언어로 그들의 주장을 그릇된 방식으로 틀 짓게 해왔다. 정신의학자인 데릭 서머필드는 감정적 고통에 관한 오늘날의 관념들이 이와 유사한 노선을 따라 과거를 재해석하도록 부추긴다고 믿는다. 서머필드는 다음과 같이 쓰고 있다. "이제는 많은 사람들이 이를테면 강간이나 다른 범죄적 폭력, 유년 시절의 성적 학대 또는 심지어 학교에서 계속되는 약자 괴롭히기 모두가 영구적인 또는 평생을 따라다니는 심리적 결과를 초래할 수도 있는 경험들이라고 믿고 있다. 따라서 심한 고통이나 잔학행위가 당사자뿐만 아니라 그것들에 노출된 거의 모든 사람에게 그러한 결과를 초래할 것이라고 생각하는 것은 당연해 보인다"(Summerfield, 1996: 375). 마찬가지로 이제 과거의 폭력적이고 비참한 에피소드들이 희생자들의 후손에게 계속해서 심리적 손상을 유발하지 않을 것이라고 생각할 수 없을 것 같다.

홀로코스트는 치료요법에서 역사의 아이콘이 되었다. 이 사건의 극단적이고 기이한 잔인성은 강제수용소에서 죽거나 고통을 겪은 사람들을 다른 어떤 희생자 집단과도 견줄 수 없는 경의의 대상으로 간주되게 한다. 죽음의 수용소의 직접적인 생존자 중 많은 사람이 자신들의 끔찍한 경험에 관해 좀처럼 공개적으로 말하지 않았다는 점은 지적할 만한 가치가 있다. 서머필드가 진술하듯이, "1945년에 강제수용소에서 빠져나온 사람들은 대부분 그들의 사회생활과 노동생활을 되찾고자 했고, 전쟁을 과거사로 돌리려고 했으며", "그들 대부분이 심리적 지원을 구하지도 또 제공받지도 않았다. 전후 유럽과 미국은 그들이 영구적인 심리적 상처를 지닐 것으로 생각하지도 않았다"(Summerfield, 1996: 375). 심리적으로 평생 지워지지 않는 상처를 입은 홀로코스트 희생자라는 이미지는 1960년대 이후의 문화적 감성에 의해 훨씬 더 구체화된다.

홀로코스트 희생자들이 1940년대에 자신들의 비극적 상황에 대해 금욕적인 자기억제적 반응을 보인 것은 그들의 일부 자녀와 손자들, 이른바 제2세대와 제3세대 생존자들이 그 경험과 관계 맺어온 방식과 극명하게 대비된다. 최근에 제2세대 생존자 단체의 발기인 중 일부는 자신들의 부모가 그들의 감정을 억누르고 감정적 손상을 입은 사람들의 정체성을 취하기를 거부한다는 점을 들어 자신의 부모를 비판하기도 했다(Williams, 1993을 보라). 이스라엘인의 정체성은 오늘날의 경향들에 부합하게 홀로코스트를 축으로 하여 다시 만들어져왔다. 전통적으로 개척자적인 새로운 유대인이라는 낙관적인 모더니즘적 전망을 장려해온 시오니즘은 최근 몇십 년 동안 홀로코스트와의 감정적 관련성을 축으로 하여 공동체를 구축하고자 해왔다. 의료화된 트라우마 담론이 누리는 권위는 "특정한 희생자 집단의 성원임을 입증하기 위해서든, 공중의 인식을 강화하기 위해서든 또는 배상 소송을 제기하기 위해서든 간에 그것이 정당성을 부여하는 데 유리한 위치를 차지하게 해준다"(Summerville, 1996: 375~376).

생존주의적 정체성 형성의 무시무시한 진원지로서 홀로코스트가 갖는 호소력은 다양한 정체성 지위를 요구하는 집단의 관심을 끌어왔다. 게이 운동가들은 홀로코스트 동안 자신들이 겪은 고통이 기념물 건립과 추도행사를 통해 인정되어야 한다고 주장해왔다. 집시와 장애인을 대변하는 다른 운동가들 또한 이 끔찍한 경험 동안에 자신들이 겪은 곤경을 인정할 것을 요구해왔다. 부루마는 "때때로 모든 사람이 마치 유대인의 비극과 경쟁하고 싶어 하는 것 같다"고 진술한다.[14] 실제로 감정적 고통과 관련된 지위를 주장하기로 결심한 수많은 운동가들이 홀로코스트 담론과 연관된 언어─특히 정신적 외상을 입은 생존자 이미지─를 전유해 왔다. 이를테면 아일랜드 감자 기근은 오늘날까지도 사람들에게 계속해서 정신적 외상을 입히는 학대 경험으로 재해석된다. 홀로코스트가 갖는 감정적 힘은 아프리카계 미국인 홀로코스트, 세르비아인 홀로코스트, 보스니아인 홀로코스트 또는 르완다인 홀로코스트와 같이 다른 경험들에 마음대로 이용되고 전이되어왔다. 독일에서 낙태 반대 운동가들은 태아 홀로코스트에 대해 장황하게 이야기하고, 캐나다에서 동물권리 운동가들은 공공연히 바다표범 홀로코스트를 비난한다. 이러한 홀로코스트 조작은 자주 비극을 희화화하며 논쟁을 유발한다. 이를테면 많은 미국 유대인들은 동물권리 단체가 가축 도살을 홀로코스트에 비유하는 캠페인을 시작했을 때 분개했다. 「당신의 요리 접시 위의 홀로코스트」라고 불렸던 전시회는 강제수용소에 있는 사람들의 이미지를 충격적인 동물사진들과 나란히 배치했다.[15]

우리는 역사에 남은 감정적 상처가 계속해서 후속 세대들을 손상시킨다는 말을 듣는다. 어떤 사람들은 홀로코스트 생존자의 자녀와 손자들도 나치의 죽음의 수용소에서 공포와 직접적으로 마주해야만 했던 그들의 선조들만큼 희생자로 간주되어야 한다고 주장한다. 그 결과 관심이 이른바 홀로코스트 생존자들의 제2세대의 문제로 옮겨갔다. 몇몇 연구들은 홀로코스트 생존자에게서 태어난 자녀들이 부모의 파괴적 경험의 희생자가 되었다고 주장한다. 한 권위자는 "이제 성인 남녀로 성장한 이 아이들이 때때로 자신들의 생존자 부모가 그들의 아이양육 임무에 끌고 들어온 상처로 물든 심리적 분위기에서 키워져왔다"고 주장한다(Chodoff, 1997: 155). 이 테제의 제안자들에 따르면, 생존자의 제2세대는 자주 과잉보호, 수치심, 불신으로 인해 숨 막히는 가족 분위기에서 자랐다. 부모의 그러한 트라우마가 자녀의 감정발달을 해치는 결과를 초래해왔다고 주장된다. 이 주제를 연구한 한 저술가가 주장하듯이, "그러한 부모의 주장을 경청해온 제2세대 성원들 대부분은 그들이 자신들의 부모의 홀로코스트 경험을 통해 어떤 식으로든 피해를 입어왔다고 느낀다"(Bloomfield, 1997: 288).

제2세대에 관한 문헌들은 감정에 기초한 정체성이 사회적으로 어떻게 구성되는지를 이해하는 데 유용한 통찰을 제공한다. 일반적으로 받아들여지고 있는 패러다임에 따르면, 강제수용소 생존자들의 강박행동은 부정적이고 질식할 듯한 양육방식으로 이어져왔고, 그것은 다시 자녀들에게 해로운 영향을 미쳐왔다. 수용소 생존자들과 관련하여 제기된 가장 일반적인 주장 중 하나는 그들이 스스로 새로운 정체성을 획득하기 위해 부모가 되고자 했다는 것이다. 부모들은 자주 좋아하던 죽은 친척의 이름을 따서 아이들의 이름을 지었다. 그리하여 어떤 아이들은 자신들이 "집안의 끊어진 사슬의 연결고리가 되어 부모의 삶의 공허함을 채우는 임무를 부여받았다"고 느꼈고, 그러한 아이들은 자주 "그런 불가능한 기대로 인해 부담감과 짓눌리는 듯한 느낌을 받는다"는 주장이 제기되고 있다. 이제 과잉보호를 하고 지나친 요구를 하는 부모는 자식들에게 감정적 손상을 입히는 파괴적 가정환경의 창조자들로 재생된다. 하지만 명백히 과잉보호적인 양육방식을 낳는 격심한 탈구, 고통 그리고 비극적인 상실은 결코 어떤 특정한 경험에만 국한되지 않는다. 전쟁, 배고픔, 죽음의 시련을 겪어온 성인들은 반드시 그들의 가족을 불안하게 할 것으로 예견된다. 하지만 그러한 부모의 불안이 특히 자녀들에게 해로운 것인지 여부는 전혀 분명하지 않다. 가족생활이 피해를 전달하는 도관으로 재정의되면서, 제2세대의 사례는 그들의 부모들의 양육스킬보다는 1960년대 후반의 치료요법 담론에 관해 더 많은 것을 말해준다. 제2세대의 발명이 개인의 정체성을 점점 더 자아의 감정적 욕구와 연결시키는 문화의 산물이라는 것은 아마도 틀림없을 것이다.

자신을 제2세대 생존자로 묘사하는 사람들 중 다수가 약물치료, 카운슬링, 심리치료요법, 사회사업의 수혜 및 교육을 받고 있고 그 결과 치료요법의 어휘를 통해 정체성을 표현하려는 경향을 드러낸다는 점은 지적할 만한 가치가 있다(Bloomfield, 1997: 286, 288).[16] 제2세대 생존자 단체의 활동가들은 그 운동 속에서 치료요법 전문가들이 수행하는 주요한 역할을 인정한다. 한 활동가가 생존자 단체에 한 다음과 같은 조언은 그러한 경향을 예증한다.

매주 만나서 '토론모임'을 열기 시작하라. 사회사업가나 특정 유형의 카운슬러가 회원으로 참여할 가능성이 있다. 나의 첫 번째 모임에는 임상심리학자와 사회사업가가 있었다.[17]

제2세대 생존자 활동가들이 보기에, 과거는 자아의 감정적 욕구가 의미를 획득할 수 있게 해주는 하나의 수단이다.

감정에 기초한 정체성은 취약하기 때문에 자아로 하여금 계속해서 긍정받고 싶어 할 수밖에 없게 한다. 비공식적 관계의 해체, 사람들 간의 소원함 증대, 그리고 외부 준거점의 약화는 사람들이 서로에게 강한 자아의식을 계발하고자 하는 욕구를 강하게 가지게 하는 경향이 있다. 자아의 감정적 욕구에 대한 전례 없는 관심은 자아가 하나의 문화적 물신의 지위를 획득하는 상황을 만들어왔다. 자아는 자주 그 자체의 존재양식을 가지는 것으로 묘사된다. 그것은 빈번히 치료요법의 기법을 통해 측정되고 양화되고 변화될 수 있는 어떤 것으로 여겨진다. 이러한 자아의 물신화는 치료요법 문화의 물신 중 가장 널리 논의된 것 - 자존감의 문제 - 과 관련하여 엄청난 중요성을 획득해왔다. 어떤 "사람의 자기 자신에 대한 무조건적 존중"으로 정의되는 자존감은 물物 자체로 양화될 수 있는 것처럼 보인다.[18] 치료요법 에토스의 옹호자들에 따르면, 사람들이 자기 자신에 대해 어떻게 느끼는지를 측정함으로써 한 개인의 행동을 정확하게 통찰할 수 있다.

자존감: 우리 시대의 문화적 신화

자아의 감정화는 사회가 자존감 문제에 부여한 중요성을 통해서도 포착할 수 있다. 자아의 감정적 욕구 중 가장 자주 언급되는 것은, 첫째가 자신에 대해 좋게 느끼고 싶은 욕구이고, 둘째가 타인에 의해 긍정받고 싶은 욕구이다. 개인들이 그들 자신에 대해 어떻게 느끼는지는 더 이상 한 개인의 문제로 인식되지 않는다. 치료요법 전문가를 위해 이 주제에 관한 소책자를 쓴 한 저자는 다음과 같이 말한다. "이 글을 읽는 독자들 가운데 자존감이 단지 개인의 문제가 아니라는 점을 납득시킬 필요가 있는 사람은 거의 없을 것이다. 당신이 알다시피, 그것은 공동체의 문제이다"(Lindenfield, 1997: 16). 낮은 자존감은 개인에게 닥친 불행의 원인일 뿐 아니라 사회가 직면하는 대부분의 문제들의 원인이라고 주장된다.

자존감에 대한 관심은 치료요법 문화가 일상생활에 미치는 영향을 가장 잘 보여주는 단일한 실례이다. 대서양 양편에서 자존감은 개인과 사회를 똑같이 괴롭히는, 자명한 문제라는 문화적 지위를 획득해왔다. 낮은 자존감은 항상 사람들의 삶의 통제능력을 손상시키는 눈에 보이지 않는 질병으로 제시된다. 한 유명한 텔레비전 인터뷰 프로그램에서 고故 다이애나 전 영국 왕세자비는 그녀의 숨겨진 질병인 폭식증을 영국 공중에게 알렸다. 청취자들은 그녀가 "당신의 자존감이 떨어져 있고 또 당신이 훌륭하거나 가치 있다고 생각하지 않기 때문에 당신이 폭식증으로 고통받는 것"이라고 말했을 때 그녀가 말하려는 것을 알아챘다.[19] 다이애나의 고백은 낮은 자존감을 개인적 문제와 보다 광범한 사회적 문제의 주요 원인으로 보는 통상적 인식을 떠올리게 했다. 오프라 윈프리가 그녀의 청중에게 "우리가 이 한 시간 동안 변화시키고자 하는 것은 내가 생각하기에 세상의 모든 문제의 근원을 이루는 것, 즉 자존감 결여"라고 말했을 때에도 이러한 논지는 그대로 되풀이되었다(Moscowitz, 2001: 7에서 인용함). 부시 대통령은 2002년 6월 9일을 어린이날로 선포하면서 어린이들이 "자존감을 계발하고 강력한 삶의 기반을 마련할 수 있도록" 하기 위해 "사람들이 모든 어린이의 힘을 돋우어주고 사랑할 것"을 촉구했다.[20]

낮은 자존감은 이제 실제로 사회를 괴롭히는 모든 악과 결부 지어진다.

『자존감의 심리학The Psychology of Self-Esteem』이라는 책의 영향력 있는 저자 나다니엘 브랜든Nathaniel Branden은 "나는 어떤 단일한 심리적 문제 — 불안과 우울에서부터 친밀함이나 성공에 대한 공포, 그리고 배우자 폭행이나 아동추행에 이르기까지 — 도 박약한 자존감이라는 문제에서 기인한다고 생각한다"고 논평했다(Dineen, 1999: 154에서 인용함). 정책 입안자, 미디어 논평자, 전문가들은 이 문제를 경험하는 집단 — 그중에서 몇몇 집단만 말하면 초등학생, 십 대 청소년, 부모, 노년층, 노숙인, 정신질환자, 비행청소년, 실업자, 인종차별로 고통받는 사람들, 홀로된 부모 — 의 자존감을 끌어올리기 위한 조치가 취해져야 한다고 정기적으로 요구한다.

특정 사회적 문제가 초래하는 부정적 결과를 강조하는 가장 일반적인 방법 중 하나가 그것이 자존감에 입히는 손상을 약술하는 것이다. 주장 제기자들은 자주 특정 문제가 자존감에 미치는 부정적인 영향을 단언함으로써 그 문제에 대한 자신들의 우려를 정당화하고자 한다. 가정폭력에 대한 영국정부의 새로운 계획을 지지하는 성명에서 영국 산업연맹의 회장

딕비 존스Digby Jones는 가정폭력이 "사람들에게 파괴적인 영향을 미칠 수 있고" "희생자들이 자주 스트레스와 낮은 자존감으로 고통받기 때문에 그러한 소행은 사업에 피해를 줄 수 있다"고 지적했다.[21] 제약회사 파이저 Pfizer가 발간한 한 보고서에 따르면, 성과 관련한 건강 문제가 가장 악영향을 미치는 부분은 사람들의 "관계와 자존감"이다.[22] 빈곤퇴치 운동가들은 광범위한 구조적 상황에 초점을 맞추는 것에서 빈곤상태가 자존감에 미치는 영향에 초점을 맞추는 것으로 이동해왔다. 최근에 발표된 한 조사 『곤궁한 영국: 1990년대의 빈곤상태Hardship Britain: Being Poor in the 1990s』가 수행된 것은 "빈곤과 배제의 경험, 그리고 그것이 자존감과 개인의 존엄성에

미치는 영향"을 고찰하기 위한 것이었다(Cohen, Coxall, Craig and Sadiq-Sangster, 1992).

낮은 자존감은 단지 빈곤, 인종차별주의 또는 가정폭력 같은 문제의 결과로 제시되는 것만이 아니라 빈번히 거의 모든 형태의 사회적 고통의 원인으로 묘사된다. 정부기관들은 계속해서 자존감 부족을 사회문제의 직접적 원인으로 묘사한다. 웨일스 보건부의 요약문서는 "어린아이들이 매춘에 연루되게 되는 단일한 루트는 없지만, 우리는 가장 일반적인 요인이 취약성과 낮은 자존감이라는 것을 알고 있다"고 진술한다.[23] 법의학 정신과 의사 크리스토퍼 코디스Christopher Cordess는 폭탄을 장치했다는 악의적인 장난 전화를 하는 사람들은 "상습범 − 거의 자존감이 없는 사람 − 이 될 것"이라고 말했다.[24] 샌프란시스코 에이즈 재단San Francisco AIDS Foundation의 이사장 로니 페인Lonnie Payne은 자존감이 에이즈 바이러스 확산의 주요 요소라고 믿고 있다. "자기혐오감, 고립감 그리고 무가치감이 에이즈 바이러스 감염의 핵심 요인들이라는 것을 무시하는 것은 이제 당치 않은 일이다."[25] 『경고신호: 자식들에게서 낮은 자존감, 중독 그리고 숨어 있는 폭력의 신호들을 조기에 알아채는 방법Warning Signs: How to Read Early Signals of Low Self-Esteem, Addiction and Hidden Violence in Your Children』의 저자들인 존 켈리 John Kelly와 브라이언 카렘Brian Karem에 따르면, 낮은 자존감은 8살에서 18살 사이의 사람들에게서 중독, 폭력, 우울증의 "비율이 증가한" 근본 원인이다.[26] 연구자들은 또한 낮은 자존감이 어린 시절의 비만과 연관이 있다고 주장하기도 한다.[27]

공식적·비공식적 공중보건 주창자들은 자존감의 고취가 개인들의 웰빙에 대해 갖는 효력을 계속해서 설파한다. 실제로 운동가들이 특정한 쟁점을 홍보하는 방법 중 하나가 그 쟁점을 그것이 자존감에 가져다줄 것으로 보이는 이로움과 연계시키는 것이다. 사업계획서들은 당혹스러운 다양한 활동들을 자존감을 고취시킨다는 이유로 정당화한다. 몇 가지 예를 들어 보자. 1993년에 미즈 파운데이션Ms. Foundation은 소녀들의 자신감과 자존감을 끌어올리기 위해 '딸을 회사에 데리고 오는 날' 프로그램을 시작했다.[28] 영국에서는 남녀 분리 학교와 학급이 "소녀들의 자신감과 자존감을 증진시키는 데 도움이 된다"고 자주 주장된다.[29] 미국에서는 부시 대통령이 같은 이유로 성별분리 교육을 지지해왔다. 하트포드Hartford의 아프리카계 미국인 소녀들을 위한 성별분리 교육 프로그램의 창시자인 파멜라 스미스Pamela Smith는 "나는 자존감이 없는 소녀들을 보아왔고, 당신은 성별분리 교육을 통해 그녀들의 부모가 믿을 수 없을 정도로 그녀들의 자존감이 높아진 것을 보게 될 것"이라고 진술한다.[30]

모든 사람들이 자존감 시류에 편승해온 것으로 보인다. 오하이오를 근거지로 하여 절제를 설파하는 시민단체인 '절제, 더 나은 선택Abstinence, the Better Choice'은 혼전 섹스를 줄이기 위해 십 대의 주의를 음주와 약물사용 같은 위험한 행동들로부터 다른 곳으로 돌림으로써 자존감을 쌓아가게 하는 것을 목표로 하고 있다.[31] 치료요법 효과를 위해 정원 가꾸기를 장려하는 프로젝트를 진행하는 자선단체 스라이브Thrive는 그 활동이 가져다주는 주요 이득 중 하나가 그것이 "자존감을 증진시킨다"는 것이라고 주장한다.[32] 전국 사이클링 포럼National Cycling Forum은 『사이클링 장려하기: 건강 증진시키기Promoting Cycling: Improving Health』라는 전략문서에서 "여러 연구들은 규칙적으로 자전거를 타는 사람들이 활동적이지 않은 사람들에 비해 더 행복해하고, 자존감이 더 높고, 활동적인 일들을 수행하는 데서 더 큰 자신감을 가지고 있다는 것을 보여주었다"고 떠벌렸다.[33] 아웃도어 에듀케이션Outdoor Education은 안내를 받아 이루어진 야외활동 경험이 "자신감과 자존감을 증진시킨다"고 주장한다.[34] 내셔널 피라미드 트러스트National Pyramid Trust는 아이들이 "그들의 자존감과 쾌활성"을 키우는 것을 돕기 위해 "가능한 한 많은 아이들"에게 다가가서 "그들의 감정 건강 욕구를 정기적으로 점검하는 것"을 목표로 한다.[35] 영국의 선도적인 싱크탱크 중 하나인 공공정책연구소Institute for Public Policy Research: IPPR는 '기업활동'이 "자존감을 높여줄" 수 있다는 이유로 가난한 지역의 여성들을 위한 사업을 지원해줄 것을 주장한다.[36] 환경재생에 헌신하는 자선단체 그라운드워크Groundwork는 "지역 환경의 개선점을 확인하고 개선작업을 계획하고 수행하는 과정은 젊은 사람들의 자신감과 자존감을 키울 수 있는 아주 좋은 기회를 제공한다"고 주장한다.[37] 사람들의 체중관리를 돕는 영리회사 슈어슬림SureSlim은 몸무게를 일정 정도 줄이는 사람들이 얻게 되는 "가치 있는 최종 결과"는 "의욕과 자존감 증가"라고 자신의 잠재적 고객들에게 말한다.[38] 젊은이들을 축구에 참여시키는 지역사회 통합 프로젝트Communities United Project는 "성인들에게 각각의 계획에 참여하여 그것을 운영할 기회를 제공함으로써 그들의 자존감을 향상시키는 것"을 목표로 한다.[39] 네이션와이드 파운데이션Nationwide Foundation은 "자원봉사자 자신들의 자신감과 자존감 고취"에 초점을 맞춘 자원봉사 프로그램을 지원한다.[40]

아주 다양한 사회악들이 자존감 부족 탓으로 돌려지고 있다는 사실은 자존감이 일상생활의 문제들에 대한 만능 설명이 되어왔다는 것을 말해준다. 이제는 사회적 또는 개인적 문제를 표면적으로만 살펴보더라도 낮은 자존감 상태가 문제의 근원으로 드러날 것이라고 거의 기계적으로 가정된다. 글래스고 출신의 지역사회 소아과 의사인 제니퍼 커닝햄Jennifer Cunningham은 "그렇지만 왜 모든 사람이 그러한 다양한 사회문제들과 그 같은 복잡한 유형의 인간행동이 단지 한 가지 요인 — 사람들이 자신에 대해 얼마나 좋게 또는 나쁘게 느끼는지 — 에 의해서만 일어났을 것이라고 생각해야 하는가"라고 묻는다.[41] 복잡한 현실을 자존감 상태로 축소하게 하는 것은 경험적 현실이 아니라 자아의 감정에 대한 우리의 치료요법적 감성이다. 하나의 단일한 요소가 그렇게도 많은 복잡한 사회문제들에 책임이 있을 수 있다는 것은 자존감 문제의 보편화를 주도해온 것이 문화의 힘이지 과학적 조사의 힘이 아니라는 것을 말해준다. 그 결과 자존감의 문제는 어떠한 문제에도 갖다 붙일 수 있는 독자적 특성을 획득해왔다. 그것이 한 문제에서 다음 문제로 뛰어넘을 수 있는 능력을 지닌다는 것은 자존감 부족이 우리의 문화적 상상력의 도관을 통해 전달되는 민속신화의 일부가 되었음을 시사한다.

이 민속신화가 가진 매력적 특징 중의 하나는 그것이 자존감을 고취시키는 것이 개인과 사회가 직면하는 문제들을 해결할 마법의 탄환 역할을 한다고 주장한다는 것이다. 자존감 고취의 기적적인 효과를 제안하는 영국 심리학자 테리 앱터Terri Apter는 "새로운 연구가 지금까지 반복해서 사실로 확인되어온 것, 즉 자존감이 성공적인 발전을 위한 열쇠이며 미래의 성공(그리고 행복)에 지능이나 재능보다 훨씬 더 큰 영향을 미친다는 것을 확증한다는 것"에 감격해한다.[42] 자존감 운동의 주도적 대변자인 캘리포니아주 상원의원 존 바스콘첼로스John Vasconcellos는 자존감을 "우리 모두를 보호하는 사회적 백신"으로 간주한다.[43]

자존감 부족은 그것의 옹호자들에 의해 계속해서 조장되는 하나의 문화적 신화이다. 이것이 바로 특히 미국에서 '자존감 운동'이 빈번하게 언급되는 이유이다. 자존감 문제의 대변자들은 자신들의 활동을 단 하나의 대의만을 위한 것이라고 생각한다. 그렇다면 그러한 문화적 신화의 조장을 하나의 대의로 볼 수도 있다. 아니 보다 구체적으로 말하면 그러한 주장이 제기하고 또 입증하는 것이 바로 그것의 대의일지도 모른다. 자존감 문제를 과학적으로 입증하기 위해 설계된 가장 야심차고 널리 알려진 새로운 계획 중 하나가 1987년 캘리포니아 주 의회가 자존감 대책위원회를 설치한 것이었다. 이 대책위원회는 자신들의 관심을 정당화할 수 있는 경험적 증거를 발견하고자 했을 뿐만 아니라 또한 건강한 자존감을 기를 수 있도록 고안된 프로그램들에 대한 "공중의 의식을 끌어올리는" 임무를 떠맡았다. 분명 그 대책위원회의 목적은 자신들이 이미 알고 있었던 것을 입증하는 것이었다.

캘리포니아 대책위원회 보고서에 실린 한 조사는 치료요법적 감성이 자아를 문제화하게 한다고 지적한다. 그러한 감성은 직관적으로 자아의 감정 상태가 사회에 결정적인 영향을 미치는 것으로 간주한다. 실제로 그 보고서의 저자들은 그들의 관심이 경험에 근거한 것이라기보다는 직관적인 것임을 공개적으로 인정했다. 그 보고서의 핵심적인 방법론을 다룬 장章에서 주主 저자 중 한 사람인 닐 스멜서Neil Smelser는 "우리 자신의 개인적 경험과 타인에 대한 우리의 관찰을 바탕으로 우리는 직관적으로 높은 자존감을 경험한다는 것이 무엇인지를 알고 있다"고 말했다. 스멜서는 그 대책위원회의 목적은 "우리 모두가 사실이라고 알고 있는" 것이 또한 "과학적으로도 사실"이라는 점을 입증하는 것이라는 견해를 취했다(Smelser, 1989: 7~8을 보라). 스멜서와 그의 동료들은 객관적 사실의 영역보다 직관의 영역에서 더 편안함을 느낀다. 그는 "우리 자신의 자기성찰과 타인의 행동에 대한 관찰을 통해 우리는 자존감이 의미하는 것에 대해 꽤 확실히 파악하고 있다"고 쓰고 있지만, "그것이 무엇인지를 정확한 말로 표현하기는 어렵다"고 부언한다(Smelser, 1989: 9). 스멜서가 겪은 문제는 놀랄 만한 것이 아니다. 당연한 것으로 간주되는 민속신화로서의 자존감은 불명확한, 거의 은유적인 성격의 것이다. 자존감은 치료요법적 자기성찰의 산물이기 때문에, 그 문제는 누군가가 자신에 대해 어떻게 느끼는지와 밀접하게 관련되어 있다. 따라서 우리 모두가 자존감이 무엇을 의미하는지 알고 있지만, 대부분의 사람들에게 그것은 서로 다른 어떤 것을 의미한다.

안타깝게도 스멜서가 직관적으로 옳다고 느끼는 것은 경험적 연구에 의해 뒷받침되지 않았다. 그러나 과연 그답게 스멜서는 캘리포니아 대책위원회가 낮은 자존감과 사회문제 간에 어떤 연관성을 발견하지 못했음을 인정했다. 스멜서는 "이 책의 모든 장의 실망스러운 측면들 중 하나"는 "자존감과 그 결과 간의 연관성이 지금까지의 연구에서는 실제로 낮게 나타났다"는 점이라고 쓰고 있다. 하지만 스멜서가 그것이 입증되지 않은 채로 남아 있을 뿐 그 둘 간에는 연관성이 있다고 여전히 믿고 있다는 것은 분명하다. "자존감과 그것의 예상되는 결과 간의 연관성이 애매하거나 무의미하거나 부재한다"는 "새로운 사실이 매우 일관되게 보고됨"에도 불구하고, 그는 여전히 양자 간의 관계를 확신하고 있다(Smelser, 1989: 15).[44]

자존감이 무수한 사회문제의 원인이라는 스멜서의 확신은 대책위원회가 증거를 발견하지 못했음에도 불구하고 약화되지 않는다. 그는 자존감이 사회조사에 의해서는 정확하게 파악하기 어려운 변수라고 제시함으로써 그러한 실패를 무마하고자 한다. 그는 "주요 사회문제들을 구성하는 행동들을 이해하고 설명하는 데서 자존감이라는 사회심리학적 변수는 가장 중심적인 요인 중 하나인 동시에 가장 파악되기 어려운 요인 중 하나"라고 보고한다. 스멜서는 자존감이 과학적으로 확인될 수 없다는 바로 그 사실이, 자존감이 파악되기 어려운 것이라는 점을 입증한다고 동어반복적으로 주장한다. 자존감은 확인될 수 없기 때문에 파악되기 어렵고, 파악되기 어렵기 때문에 확인될 수 없다. 스멜서는 실제로 "하지만 자존감이라는 변수를 파악하기 어려운 까닭은 그것이 자아실현의 드라마에서 수행하는 역할을 과학적으로 정확히 포착하기 어렵기 때문"이라고 말한다(Smelser, 1989: 18). 그들이 전개하는 운동의 전제 자체가 문화적 신화에 기초하고 있다는 것은 스멜서와 대책위원회의 머릿속에 결코 떠오르지 않는다. 그들에게 그들의 대의는 여전히 사실로 남아 있다. 그것은 단지 증명을 필요로 할 뿐이다. 스멜서는 "그렇지만 과학적 발견들이 더욱 신뢰할 만하게 되면, 그리고 자존감이 사회문제의 원인이라는 점을 더 잘 이해할 수 있게 되면, 그것에 상응하여 더욱 과감하게 정책적 개입을 할 수 있게 될 것"이라고 기대한다(Smelser, 1989: 23).

캘리포니아 대책위원회가 자신의 운동을 정당화하는 데 실패한 것은 대서양의 다른 한편에서도 그대로 반복되었다. 영국정부의 지원을 받아 그 주제를 옹호하기 위해 수행된 조사는 '자존감'이라는 용어의 의미에 대해서조차 합의를 보지 못하고 있다는 것을 어쩔 수 없이 인정한다(Dennison and Coleman, 2000: 74). 한 정부간행물은 "자존감이 어떤 다른 개념보다도 대처와 적응의 바로미터로서 더 주목받아왔다"고 지적하고 나서, 조사가 "도출되고 있는 어떤 확고한 결론을 정당화하기에 충분할 만큼 철저하지 못하다"는 점을 인정한다(Dennison and Coleman, 2000: 78). 하지만 그 용어의 의미에 대해 합의가 이루어져 있지 않고 자존감 문제를 증명할 만한 경험적 증거가 부재한다는 것이 공무원과 옹호단체들이 이 주제에 대해 확고한 결론을 내리는 것을 막지는 못한다.

칭찬할 만하게도 스멜서와 그의 동료들은 자존감 부족과 사회문제 간의 유의미한 상관관계를 발견할 수 없었음을 인정했다. 자존감 운동의 많은 다른 지지자들은 그들의 주장에 대한 증거 부족을 인정함에 있어서 훨씬 덜 양심적이다. 실제로 캘리포니아 대책위원회의 보고서는 자주 자존감 운동을 적극적으로 지지한 연구로 활용된다. 『자존감 훈령집The Self-Esteem Directory』이라는 제목의 영국 간행물은 "그 두 권의 보고서가 일련의 조사를 통해 인상적인 건의를 하고 있다"고 열광한다(Alexander, 1997: 5).

자존감 신화에 대한 반발

최근 들어 자존감 고취를 위해 고안된 몇몇 의심스러운 정책들에 대해 얼마간 반발이 일어났다. 특히 아이들의 자존감 고취에 부모와 교사들이 집착하는 것에 대해 우려하는 목소리가 터져나왔다. 수많은 논평자들이 미국 아이들이 체계적으로 추켜세워지고 공허한 미사여구들을 먹고 살고 그리하여 의욕을 잃게 된다고 주장해왔다. 자존감 신화에 대한 이러한 반발을 부추긴 것은 아이들의 자존감 고취 정책으로 인해 미국 학교에서 일어난 명백한 방향감각 상실이었다. 미국의 많은 논평자들은 수그러들 줄 모르는 자존감 고취 작업이 많은 아이들을 자기중심적이고 참을 수 없을 만큼 이기적인 버릇없는 녀석들로 만들어왔다는 데 우려를 표명한다.

수많은 논평자가 미국의 아이들이 높은 수준의 자존감을 가진 것으로 보임에도 불구하고 그들이 학교에서는 오히려 서투르다고 진술해왔다. 미국 대학생을 대상으로 하여 실시한 한 조사는 1968년에서 1994년 사이에 그들의 자존감이 극적으로 높아졌음을 보여준다. 하지만 샌디에이고 대학교 심리학과 진 트웽Jean Twenge 박사에 따르면, 같은 기간에 대학생들의 자존감은 높아졌지만 그들의 SAT 점수는 떨어졌다. 다른 심리학자들은 청소년들 사이에서 자존감 고취가 행동의 타락과 동시에 일어나는 것으로 보인다는 이유에서 그것에 상정된 이점들에 의문을 제기해왔다.[45]

그러나 자존감에 대한 커지는 우려는 콜롬바인Columbine에서 발생한 학교 총기난사사건 이후 실제로 탄력을 받았다. 그 살인자들은 가정된 것처럼 낮은 자존감이 아니라 건강하지 못한 개인주의 성향으로 고통받았다고 주장되었다. 심리학자이자 수많은 육아매뉴얼의 저자인 존 로즈먼드John Rosemond는 높은 자존감은 낮은 자기 통제와 맞닿아 있고, 이것은 다시 폭력적 행동으로 이어질 수 있다고 주장했다.[46] 로즈먼드의 논의는 케이스 웨스턴 대학교에 적을 두고 있는 사회과학자 로이 바우마이스터Roy Baumeister 박사의 연구결과를 바탕으로 했다. 바우마이스터의 연구는 자존감이 낮은 사람들은 공격적인 반응을 하지 않는 경향이 있었다고 결론지었다. 그는 폭력행위가 자신을 높이 평가하는 사람들과 훨씬 더 연관되어 있을 가능성이 크다는 점을 발견했다. 바우마이스터는 "자만심이 강하고 거만한 개인들은 자기애라는 자기환상에 상처를 내는 사람들에게 난폭하게 군다"고 단언했다(Baumeister, 2001: 102). 그 후 심리학자 로라 스미스 Laura Smith와 찰스 엘리엇Charles Elliot은 부적절하게 강화된 자존감을 가진 아이들이 약물, 폭력, 섹스에서 미봉책을 찾는 방식으로 실망에 대처한다고 말했다. 그들은 자신들의 책 『허울만 좋은 아이들: 자존감 신화에 빠진 세대의 영혼 되찾기Hollow Kids: Recapturing the Soul of a Generation Lost to the Self-Esteem Myth』에서 "쓸데없는 칭찬은 아이들을 이전 세대보다 더 자기도 취적이고 물질주의적인 공허한 젊은이들로 만들기 때문에 이제 우리가 우리의 아이들에게 그러한 칭찬을 해주는 것을 멈출 때"라고 주장한다.[47]

영국에서도 자존감 부족의 도그마에 대해 일부 반발이 있어왔다. 학교 보건교육국이 수행한, 14세와 15세 아동 1만 5000명을 대상으로 한 조사는 통념과 달리 "자존감이 높은 아이들이 자신감이 적은 아이들보다 불법 약물에 손을 댈 가능성이 더 크다"는 것을 발견했다.[48] 그리고 런던 경제학교의 니컬러스 엠러Nicholas Emler 교수가 수행한 한 주요한 연구는 낮은 자존감이 아이들을 반사회적 행동으로 몰고 간다는 생각을 하나의 신화라고 일축했다. 과학저널들에 발표한 연구비평에서 그는 자신감이 있는 아이들이 인종차별주의자가 되고 타인을 괴롭히고 음주운전과 과속을 할 가능성이 더 크다고 결론지었다. 엠러는 "자존감 고취를 사회문제에 대한 만능치료법으로 보는, 널리 퍼져 있는 믿음이 심리치료요법판 만병통치약이 될 우려가 있는 자기계발 매뉴얼과 교육 프로그램을 사고파는 거대한 시장을 창출해왔다"고 결론지었다.[49]

조사가 밝혀낸 사실, 즉 자존감 운동을 위해 만들어진 기적과 같은 주장들은 아무런 근거가 없다는 점이 그러한 운동에 대한 반발을 촉진해왔다. 하지만 그러한 반발이 이 문화적 신화의 영향력을 거의 약화시키지 못한 것으로 보인다. 그러한 반발이 그렇게 미미한 영향만을 미쳐 온 한 가지 이유는 그것이 반대편의 근본적 입장 - 자아가 그 자신을 어떻게 느끼는지가 사회문제들을 이해하는 데 중요한 함의를 지닌다는 주장 - 을 받아들이고 있기 때문일 수도 있다. 한 사람의 자존감 상태가 개인적 행동과 사회적 행동의 예측변수라는 생각이 논쟁의 양측 모두에 영향을 미치는 것으로 보인다. 문제의 원인이 높은 자존감인지 아니면 낮은 자존감인지에 관한 견해 차이는 여전히 자아에 대한 집착에 의해 지배되고 있다. 하지만 자기 자신에 대한 감정은 복잡한 관계와 제도들을 통해 매개된다. 그러한 감정들은 정지상태에 있지도 않다. 그것들은 변화하는 사건과 기회에 따라 달라진다. 자존감을 다양한 유형의 사회적 행동을 결정짓는 독립변수로 간주하려는 시도는 사람들이 서로 상호작용하는 광범한 문화적 맥락을 간과하는 매우 개인주의적인 방법론을 요구한다. 이 논쟁에 참여한 당사자들 대부분이 개인주의적 방법론의 전제를 받아들이고 있는 것으로 보인다.

과학적으로 확인할 수 없다는 사실이 자존감에 대한 관심이 확대되는 것을 막지 못하는 또 다른 이유는 그것이 당연한 것으로 여겨지는 상식적인 문화적 개념으로 작동하기 때문이다. 자존감 개념의 용도가 자주 모호하기는 하지만, 그것은 일반적으로 자신에 대해 좋게 느낀다는 의미를 담고 있다. 자존감은 자주 자기존중과 자신감 같은 말들과 바꾸어서 사용된다. 행복하고 자신감 있게 느끼는 것은 바람직한 마음 상태이기 때문에, 자존감의 중요성이 진지한 이의제기의 대상이 될 가능성은 별로 없다.

그러나 자존감 고취에 대한 반발이 주요한 영향을 미칠 것 같지 않은 가장 중요한 이유는 오늘날 인간의 주체성이 묘사되는 방식과 관련이 있다. 앞서 지적했듯이, 치료요법 문화는 연약한 주체관, 즉 취약성을 그 특징으로 하는 주체에 근거해 있다. 자존감 증진은 사람들이 그들의 감정적 취약성을 받아들이도록 하는 데 도움을 주고자 하는 시도이다. 이러한 대응은 아이들의 자존감을 끌어올릴 필요에 집착하는 것에서 특히 두드러진다.

아이들이 끊임없는 칭찬과 그들의 노력에 대한 인정을 필요로 한다는 생각을 키워 온 것은 아이들이 정의상 감정적으로 취약하고 따라서 실망에 대처할 수 없을 것이라는 두려움이다. 자아가 어떻게 느끼는지가 개인적 정체성을 규정하는 특징으로 해석되는 한, 사람들이 자신들을 좋게 느끼도록 만들기 위해 고안된 새로운 계획들이 넘쳐나게 될 가능성이 크다.

반지성주의적인 감정 에토스

자존감 운동에서 조사와 과학은 그것이 직관적으로 파악한 것을 확인하는 것 이상의 중요성을 갖지 않는다. 이러한 지향은 추론행위를 감정에 계속해서 예속시키는 입장에 의해 강화된다. 반지성주의적인 감정적 태도가 오늘날 치료요법 문화에서 주요한 구성요소를 이루고 있는 것으로 보인다. 치료요법 문화에 현저하게 반지성주의적인 특성을 부여하는 것은 치료요법학 그 자체가 아니라, 감정주의에 대한 묘하게 귀에 거슬리는 찬양이다. 정신의학과 심리학 분야의 주도적 혁신가 중 많은 사람이 감정주의와 거리를 두고 그들 자신을 과학자로 간주하기 위해 애를 썼다는 것을 상기할 필요가 있다. 프로이트는 감정을 높이 평가하지 않았다. 오히려 그는 불합리한 충동과 욕구의 결과를 탐구하고자 했다. 그의 많은 동료들처럼 그는 공적 생활에서 비합리성의 파괴적 결과에 대해 우려했다.

오늘날 반지성주의적인 감정 에토스가 치료요법 문화에 영향을 미치고 있는 것으로 보인다. 최근 영국에서 실시된 카운슬링 직업에 대한 한 조사는 치료요법사들이 연구에 종사하지 않고 연구에 대해 부정적인 시각을 취한다는 점을 지적해왔다. 그 연구는 "치료요법 공동체에는 반과학, 반연구 감정이 널리 퍼져 있다"고 결론지었다(Willianis and Irving, 1999: 367). 그 조사의 수행자들은 카운슬링을 "사고보다는 감정을 더 높이 평가하고 '책을 통한 학습'을 거의 중시하지 않는 '반지성주의적 운동'"으로 특성화한다. 그들은 또한 "연구결과가 감정적으로 지지되는 원리들에 입각하여 항상 거부된다"고 주장한다(Willianis and Irving, 1999: 367). 사회심리학자 캐럴 타브리스는 미국에서 "연구 진영의 심리학과 실무 진영의 심리학 간의 간극"이 너무나도 넓어서 "많은 심리학자들이 이제 중동에서 '아랍과 이스라엘의 간극'에 대해 말하듯이 '학문과 개업의의 간극'에 대해 음울하게 말한다"고 지적한다. 타브리스는 과학적으로 훈련받은 임상의들의 수가 줄고 있고 많은 치료요법사가 "그들의 고객에게 조언하는 문제와 관련된 기본적인 연구조차 알지 못한다"는 것에 우려를 표명한다.[50]

추론에서 감정주의로의 문화적 전환은 사회가 감정 스킬에 부여한 특권적 지위에서 가장 분명하게 나타난다. 자존감 옹호자들은 정말로 중요한 것은 지적 능력이 아니라 당신이 어떻게 느끼는가라고 주장한다. 한 설명에 따르면, "삶에서 우리의 성공과 성취 수준을 결정하는 것은 우리의 지적 능력이나 학문적 성취라기보다는 우리의 자존감 수준인 경우가 많다"(Yellowlees, 1997: 14를 보라). 치료요법식 주장 제기자들은 빈번히 학문적 지성을 점점 더 감정지능으로 언급되는 것보다 덜 중요한 것으로 간주한다. 사업을 하려는 사람들을 교육하는 한 미디어 기관에 따르면, "감정지능이 IQ보다 더 중요할 수도 있다." 이 주장은 멀티헬스시스템사Multi-health Systems Inc.의 사장 스티븐 스타인Steven Stein 박사에 의해 되풀이된다. 그는 "인지적 지성이 직장에서의 업무실적과 매우 낮고 무의미한 상관관계를

보인 반면 감정지능은 업무실적과 유의미하고 높은 상관관계가 있다"고 보고한다.[51]

감정교양과 감정지능 관념의 지지자들은 자존감 운동이 펼치는 주장들을 더 넓은 문화적 환경과 관련하여 발전시킨다. 감정지능과 감정교양에 대한 텍스트들은 이론적으로도 그리고 경험적으로도 진지하지 못한 경향이 있다. 그것들 대부분은 심리치료요법 언어를 섞어가며 조야한 주장을 펼칠 뿐이다. 감정교양 개념에 대한 아마도 가장 명석한 지지자일 것으로 보이는 수지 오바크Susie Orbach는 감정교양을 다음과 같이 정의한다. 감정교양은 "서로 차분하게 감정적으로 공명하고, 더 나아져야만 한다는 강박적 느낌 없이 공감하고, 자신들의 세세한 모든 요소에 개인적인 감정적 반응을 드러낼 수 있는 능력이다. 그러한 반응은 극적이지 않기 때문에 아주 자주 존중받을 수 있다"(Orbach, 1997: 96). [이 문장의 마지막 부분에서 '존중받을'이라는 표현은 'regarded'를 번역한 것이다. 하지만 오바크의 원문에는 'disregarded'로, 즉 '무시될'으로 표기되어 있다. 저자는 'regarded'로 보고 논지를 전개하고 있기에, 여기에 그 사실만을 지적해두고, 그대로 번역해 놓았다 _ 옮긴이] 한때 예민함의 속성으로 묘사되었던 것을 우회적으로 기술하는 이러한 방식 그 자체는 반대할 만한 것이 아니다. 이러한 관점에 도그마적 속성을 부여하는 것은 감정 영역에 대한 집착이다.

감정교양에 대한 자기계발서들이 감정과 이성이 보완적이라고 주장함에도 불구하고, 그것들은 일방적으로 전자에 특권을 부여한다. "그 둘 중에서 감정지능이 우리를 더 완전한 인간으로 만드는 훨씬 더 많은 속성들을 포함하고 있기" 때문에(Goleman, 1996: 45), 감정교양을 계발하는 것은 골먼의 관점에서 정명이다.[52] 이 관점에서 볼 때, 인간은 무엇보다도 감정적인 존재로 정의되고, 의식은 당신이 어떻게 느끼는지에 대한 인식에 입각한다. 이 세계관은 인간이 그들이 무엇을 하는가에 의해 정의된다는 견해 — 계몽주의적 사고의 주요 통찰 중 하나 — 를 전적으로 거부한다.

이성과 감정 간의 긴장은 그리스 철학에서 벌어진 논쟁들로까지 거슬러 올라가며, 감정지능의 옹호는 플라톤의 사고방식과 극명한 대조를 이루는 것으로 인식될 수도 있다. 플라톤에게서 감정에 대한 강조는 사람들이 그들의 상처에 대한 해결책을 찾는 것을 방해하는 역설적 결과를 초래하는 것이었다. "우리는 아이들이 좌충우돌하듯이 우리의 시간을 우리의 상처를 부여잡고 우는 데 낭비할 것이 아니라, 우리의 상처를 치유하고 가능한 한 빨리 우리의 실수들을 바로잡음으로써 우리의 마음이 슬픔을 떨쳐낼 수 있게 우리의 정신을 훈련하는 방식을 배워야만 한다"(Plato, 1995: 388). 오늘날 이러한 진술은 플라톤에게 자신을 받아들이지 못하는 심리 상태에 있다는 진단을 내리게 할 것이다. 하지만 근대 시기 내내 감정의 자기통제는 문명화된 사회의 기반으로 여겨졌다. 오늘날 감정지능의 옹호자들은 아마도 플라톤의 비감정적 외양은 단지 그에게 깊숙이 자리 잡고 있는 막연한 불안을 감추기 위한 가면에 불과했다고 주장할 것이다. 공적 삶에서 감정지능의 증진에 헌신하는 영국 기관인 앤티도트는 명백히 반플라톤적인 시각을 제시한다. 앤티도트의 한 심리학자는 감정교양을 정치로 확대함으로써 "우리는 페미니즘이 오랫동안 주장해온 것처럼 시민들이 충분한 정보를 기반으로 하여 정치에 대해 이야기하고 (그리고 열의를 가지고) 일관된 방식으로 정치적으로 행동하게 할 수 있을 것"이라고 주장한다.[53]

감정지능의 장려는 현재 지적 비관주의의 분위기를 드러내고 있다. 추론과 전통적인 학습에 대한 의구심은 이른바 감정 스킬이 문화적 지지를 받을 수 있는 분위기를 만들어내는 데 일조해왔다. 감정주의의 한 열성적 지지자는 "학문적인 지성은 삶의 감정적 혼란에 대한 어떠한 대비책도 제공하지 않는다"고 쓰고 있다. 감정교육이 오늘날 개인이 처한 문제에 대한 해결책으로서 제시되고 있다.[54]

제8장

인정해주기: 정체성 추구와 국가

오늘날의 세계는 사람들이 그들이 누구이며 타인과 관련하여 어떤 위치에 있는지를 이해하는 의미망을 상실하고 있다는 사실로 특징지어진다. 영국 사회학자 랄프 페브르Ralph Fevre는 허약한 도덕적 추론 의식을 '서구 문화의 탈도덕화'로 특징짓는다(Fevre, 2000). 우리는 도덕적 규약이 아니라 '가치'가 경험에 의미를 부여하는 시대에 살고 있다. 헌터가 지적하듯이, "가치는 그것의 명령적인 성격을 박탈당해온 진리이다." 가치는 개인의 자아를 지향한다(Hunter, 2000: xiii, 76). 헌터는 "가치는 개인적 선호, 성향, 선택"이라고 말한다. 치료요법 문화는 바로 그러한 가치를 통해 사회 속에서 자아가 차지하는 위치에 의미를 부여하고자 한다. 울리히 벡에 따르면, 치료요법의 영향을 받은 가치체계의 핵심적 구성요소 중의 하나가 "'자기 자신에 대한 의무'의 원칙"이다(Beck, 2001: 38). 가치는 둘 이상의 형태로 그리고 개별적 형태로 존재하기 때문에, 그것은 도덕적 의미의 문법을 제공할 수 없다. 가치에 대한 지향은 "우리는 누구인가?"와 "이 세상에서 우리가 있는 곳은 어디인가?"와 같은 답변하기 어려운 질문들을 제기하게 만든다.

트라우마에 대한 우리 문화의 병적 집착에 관한 중요한 탐구에서 정신과 의사 패트릭 브래큰은 그러한 집착을 "의미와의 투쟁이 초래한 두려움"과 연결시킨다(Bracken, 2002: 2). 그는 "우리 삶의 유의미성이 의문의 대상이 될" 때, 개인들은 고통에 매우 개인화된 방식으로 반응하며 정신적 충격을 받는다고 믿는다. 취약한 자아의 그러한 반응은 "세계가 질서정연하고 일관성을 가지고 있다는 믿음의 상실이 초래한, 우리가 처한 보다 광범한 문화적 곤경에서 비롯된다"(Bracken, 2002: 14, 207). 브래큰의 관점에서 볼 때, 끝없이 심리진단을 받고자 하는 것은 혼란 속에서 의미를 찾으려는 시도이다.

사적 영역의 해체는 우리가 누구인지를 더욱 불분명하게 만들어왔고, 이러한 진전은 사람들로 하여금 인정 추구에 특히 더 전념하게 해왔다. 과거에는 공통의 문화, 공유된 세계관, 종교 또는 정치적 이데올로기라는 프리즘이 이러한 인정 추구에 답변을 제공해주었다. 오늘날 사회는 우리가 누구인가라는 질문에 답할 수 있는 능력을 더 적게 가지고 있는 것으로 보인다. 이러한 의미 찾기는 정체성 문제에 대한 전례 없는 관심으로 이어져 왔고, 다시 정체성에 대한 집착은 대중문화, 사회적 삶, 그리고 정치적 삶에 중대한 영향을 미쳐왔다. 이러한 정체성으로의 방향 전환은 특히 정치 영역에 강력한 영향을 미쳤다. 미국 사회평론가 제데디아 퍼디Jedediah Purdy가 논평했듯이, "성, 섹슈얼리티, 그리고 일반적으로는 인종과 민족성에 바탕을 둔 정체성 정치는, 정치가 사람들에게 교육과 직업 같은 것들을 제공하는 일보다 그들을 인정해주는 일을 해야만 한다고 시사한다"(Purdy, 1999: 64). 정체성 정치의 성장과 인정의 요구는 현대 정치담론과 정책 입안에 중요한 영향을 미쳤다. 낸시 프레이저Nancy Fraser는 "인정의 문제는 재분배 투쟁을 보완하고 복잡하게 만들고 강화하기보다는 그것을 주변화하고 퇴색시키고 제거하는 데 기여한다"고 힘주어 주장한다(Fraser, 2000: 108).

인정 정치로의 이러한 점차적 전환이 이 장의 주요 주제이다. 이러한 진전은 일반적으로 사회적 쟁점에서 문화적 쟁점으로의 보다 광범한 전환의 일부로 인식된다. 지난 20년 동안 정체성과 문화의 정치화가 사회적 삶에 중요한 영향을 미쳐왔다는 데에는 의심의 여지가 거의 없다. 하지만 이러한 진전에 대한 보다 면밀한 고찰은 그것이 문화 일반으로의 전환만이 아니라 강력한 치료요법적 감성을 지닌 문화로의 전환이라는 것을 보여준다. 치료요법적 지향은 인정 추구와 정체성에 대한 집착 모두를 뒷받침한다. 모스코비츠는 "1960년대의 정체성 정치가 1970년대에 미국인들이 감정에 집착하게 된 것의 토대가 되었다"고 믿는다(Moscowitz, 2001: 218). 이점은 사회정의를 위한 운동이 좌절되고 거부되었다고 느꼈을 때 "그 운동을 이끈 사람들은 새로운 집단 정체성을 구성하는 데에 만족했다"고 말하는 로우니에 의해서도 되풀이된다(Lowney, 1999: 23). 그녀는 "의제가 극적인 사회변화를 추구하는 것에서 자아를 심적으로 새롭게 승인받는 것으로 바뀌었다"고 결론짓는다. 모스코비츠와 로우니가 정체성 정치의 성장과 치료요법학으로의 전환 간의 밀접한 관계를 강조한 것은 옳았다. 하지만 하나가 다른 하나를 낳은 것은 아니다. 오히려 정체성 정치와 치료요법적 전환 모두는 의미 찾기에 대한 반응들이다.

인정 정치가 확대된 것의 배후에 치료요법적 정명이 자리하고 있다는 사실은 이 주제에 대한 표현들이 문화적 정체성 갈등에 초점을 맞추는 경향에 가려져 있다. 그리하여 다문화주의, 인종 그리고 경쟁하는 문화적 정체성들에 대한 논쟁이 공중의 상상력을 지배하고 있다. 따라서 인정투쟁에 대한 탐구가 항상 인정투쟁을 문화적 정체성의 긍정과 연관짓는 것은 놀랄 일이 아니다. 이 주제에 대한 가장 유력한 진술 중 하나인 찰스 테일러Charles Taylor의 에세이 「인정 정치The Politics of Recognition」는 인정의 요구를 다문화주의 정치와 연결시킨다(Taylor, 1992). 하지만 테일러는 "자기충족과 자기실현이라는 목적"에 의해 추동되는 인정 정치를 강조함으로써 인정 정치를 단지 문화뿐만 아니라 강렬한 자기지향적 형태의 정체성 추구와도 연관시킨다(Taylor, 1992: 30). 인정 정치가 차이에 가치를 부여할 뿐만 아니라 치료요법적 가치들에 특권을 부여한다는 것은 분명하다. 이는 정치영역에서 치료요법적 주장이 제기되고 있음을 의미한다.

냉전의 종식 이래로 인정 정치는 이전의 정의正義 요구의 규범에 비해 진보적인 대안으로 널리 장려되어왔다. 이와 관련하여 인정 정치의 강점으로 주장된 것 중 하나가, 인정 정치가 "사람들을 특징짓는 개인적 차이가 지닌 특유의 속성"을 주목하기 때문에 그것이 개인들을 합당하게 인정할 수 있게 해준다는 것이다(Honneth, 1995: 122를 보라). 인정 정치는 또한 개인의 자결이 실질적 민주주의의 토대가 되어야 한다고 주장한다(Beck and Beck-Gernsheim, 2002: 208). 이렇게 개인적 차이에 초점을 맞추는 것을 뒷받침하는 전제가 바로 자기긍정이 사회가 진지하게 다룰 필요가 있는 기본적 욕구의 하나라는 것이다. 프랜시스 후쿠야마Francis Fukuyama는 심지어 이러한 인정 추구가 "전체 인류 역사과정의 주요 원동력 중 하나"일 정도로 뿌리가 깊다고 주장하기까지 한다(Fukuyama, 1995: 6~7). 오늘날 인정 정치의 지지자들이 이 쟁점의 초점을 보다 광범한 철학 분야(홉스Hobbes와 마키아벨리Machiavelli)에서 상호주관적인 인정의 영역으로 이전시켜왔다는 것은 지적할 필요가 있다. 이러한 전환의 핵심에 자리하고 있는 가정이 바로 심층적인 심리적 욕구에 의해 추동되는 자아가 문화적 정체성을 통해 실현된다는 것이다. 이 테제의 가장 강력한 주창자 중 한 사람인 독일 철학자 악셀 호네트Alex Honneth는 실제로 도널드 위니코트Donald Winnicott의 대상-관계 이론object-relations theory을 채택하여, 심리적 손상을 부정의와 불평등의 중심적인 문제로 보는 모델을 진척시킨다(Taylor, 1992). 이러한 관점에서 볼 때, 배제의 경험은 특히 인정받고 긍정되는 존재가 아니라는 데서 오는 굴욕감과 수치심을 낳는다. 따라서 호네트는 사회가 사람들에게 자신감, 자기존중, 자존감을 발달시키도록 고무하지 못할 때 사람들이 입는 심리적 손상에 관심의 초점을 맞추고 있다. 호네트는 "병에 걸리는 것이 그들의 신체적 삶을 위태롭게 하는 것처럼, 사회적으로 모욕당하거나 굴욕당하는 존재라는 경험은 인간의 정체성을 위태롭게 한다"고 기술한다(Honneth, 1995: 135).

인정의 욕구와 정체성 형성을 연관지우는 것 그 자체가 문제인 것은 아니다. 하지만 이러한 인정의 욕구가 점점 더 개인의 권리로 개념화되며, 인정의 요구를 폭발적으로 증가시키고 있다. 이러한 인정받을 권리에 대한 요구는 또한 정의의 심리학화를 낳는다. 휴잇은 다음과 같이 지적한다. "그러나 인간이 아주 뿌리 깊은 인정과 승인의 욕구뿐만 아니라 그러한 욕구와 관련한 기본권을 가진다는 확신이 여러 형태로 나타나기는 하지만, 그러한 확신이 가장 분명하게 드러나는 것은 아마도 '있는 그대로의 나를 인정하라'는 흔히 듣게 되는 청원 속에서 일 것이다"(Hewitt, 1998: 29). 존중받을 권리에 대한 요구는 정체성에 기초한 사회운동과 자신들의 자아실현이라는 목적에 관심이 있는 개인들 모두를 하나로 결합한다. 이것이 바로 특정 집단의 집합적 자존감을 높이는 것이 자주 사회운동의 목적 중 하나로 제시되는 이유이다.

정체성의 정치화는 지금까지 인식되지 못했던 잘못을 바로잡고 사람들로 하여금 자신들의 문화에 적합한 삶의 형태들을 통해 그들 자신을 표현할 수 있게 하는 투쟁의 일부라고 자주 제시된다. 독일의 탁월한 사회이론가 위르겐 하버마스Jurgen Habermas는 이러한 투쟁들을 "그간 주변화되어온 삶의 형태와 전통을 인정해줄 것"을 요구하는 것으로 해석한다(Habermas, 1993: 129). 하지만 이러한 해석은 역사를 거슬러 올라가서 독해함으로써 오늘날의 인정 요구의 독특한 특징들을 간과하는 경향이 있다. 오늘날 인정받고자 하는 요구를 부추기고 있는 것은 과거에 있었던 잘못이 아니라 현재 정체성을 부여하고 긍정하는 (공식적·비공식적) 제도들의 능력이 감소했다는 것이다. 그러자 그러한 제도들은 그와 같은 요구들을 이용하여 자신들의 권위를 강화하기 위해 파편화된 공중을 인정해주기 시작했다. 그간 전통적인 민족정체성이 심히 문제가 되어 왔지만, '포함'을 목적으로 하는 당혹스러울 정도로 다양한 운동들을 통해 자신들을 인정해줄 것을 요구하는 어떤 집단에게 공공기관들이 오늘날처럼 그렇게 분주하게 인정과 존중을 제공해준 적은 결코 없었다.

존중받을 권리에 대한 요구는 몇몇 인정 이론가들을 괴롭혀왔다. 프랜시스 후쿠야마는 무조건 존중받을 권리를 부여하는 것은 존중받을 만한 것이 무엇인지와 관련한 도덕적 선택을 회피한다는 점을 들어, 그것에 우려를 표명한다. 그는 "오늘날 자존감 운동이 지닌 문제는 그 구성원들이 …… 무엇이 존중되어야만 하는지와 관련한 선택을 좀처럼 하지 않으려 한다"는 점이라고 지적한다(Fukuyama, 1992: 303). 낸시 프레이저는 "모든 사람이 평등한 사회적 존중의 권리를 갖는다"는 견해는 "존중의 개념을 무의미하게" 만든다고 주장한다(Fraser, 1998: 24). 하지만 일단 자아실현의 권리가 공정사회를 규정하는 특징으로 받아들여지고 나면, 모든 사람에게 그들의 독특한 특성, 성과 또는 기여들과 관계없이 무조건적으로 부여되는 존중에 어떤 조건을 걸기는 어려워진다. 라시가 결론짓듯이, 인정 요구 쪽으로의 치료요법적 전환은 정의와 거의 아무런 관계도 없고 다만 자아와 사회 간의 새로운 관계를 반영할 뿐이다. 라시는 "오늘날 사람들은 자신들의 행위가 아니라 자신들의 속성을 칭찬하는 종류의 인정을 받고자 한다"고 지적한다(Lasch, 1979: 116). 따라서 승인은 개인적 성과에 대한 평가라기보다는 오히려 자아를 긍정해주는 행위가 된다.

아이러니하게도 인정받을 권리의 제도화는 불가피하게 그것에서 어떠한 도덕적인 내용도 비워버리는 것으로 이어지게 된다. 이에 비해 인간의 인정투쟁은 특정한 역사적·문화적 형식들을 통해 조정된다. 그러한 투쟁들은 자주 역사 만들기, 자의식 강화하기, 도덕적 선택하기, 대화 시작하기 그리고 상황에 부합하는 정체성 구성하기라는 창조적 힘을 포함한다. 인정투쟁은 그것이 요구하는 인정을 획득하기 위한 상이한 과정들을 수반한다. 인정받을 권리의 제도화가 그것에 대한 적극적인 의미구성 작업이라면, 인정투쟁은 인정을 받을 사람들이 적극적인 조치를 취하는 것을 포함한다. 그러한 인정받을 권리는 인정받고자 하는 열망을 결코 만족시킬 수 없다. 그것은 개인들로 하여금 단지 더 많은 존중을 보장받고자 하도록 부추길 뿐이다. 하지만 존중을 갈망하는 사람들에게 존중을 제공하는 바로 그 조치가 문제를 더 복잡하게 만들 수도 있다. 리처드 세넷이 지적하듯이, 약자들은 그러한 존중의 확대를 응당 공허한 제스처로 경험할 수도 있고, 더 나쁘게는 그들의 열등한 위치를 확인하는 의례로 경험할 수도 있다 (Sennett, 2003).

인정 국가

많은 사회이론가들은 새로운 사회운동이 벌이는 인정투쟁들을 국가에 대한 의미 있는 도전의 하나로 묘사한다(이를테면 Habermas, 1981을 보라). 하지만 오늘날 서구 국가가 그러한 인정 요구를 받아들일 것을 강요받기만 한 것은 아니었다. 그와는 반대로, 국가는 치료요법적 정명을 신속하게 깨닫고 그것을 자신의 것으로 만들어왔다. 이러한 진전에 대한 중요한 한 탐구에서 웬디 브라운Wendy Brown은, 그것은 국가활동의 방향이 "자본주의가 초래한 세속화와 원자화로 인해 스트레스받고 상처받은" 사회를 사회적으로 치유하는 쪽으로 전환된 것을 반영한다고 주장한다(Brown, 1995: 17). "정치가 치료요법적 담론에 지속적으로 빠져드는 것"에 대한 브라운의 우려는 생활세계의 식민화에 대한 하버마스의 논의에서 예기된다. 하버마스에 따르면, 복지국가의 발전은 사생활 영역에 대한 국가 개입의 꾸준한 증대로 이어진다. 사회적 경험의 파편화는 이러한 경향을 더욱 확대한다. 파편화된 세계에서 치료요법적 지원을 제공하는 것은 사회통합을 위한 하나의 수단이 된다(Habermas, 1987: 355~364를 보라). 따라서 국가는 인정의 요구를 하나의 위협으로 인식하기는커녕, 자신을 긍정의 권위 있는 대변자로 재발명하는 기회로 삼는다.

복지국가가 정신적 상처의 치료 및 관련 치료요법적 기능 쪽으로 방향을 전환한 것은 우리의 논의의 주요 주제가 아니다. 그러한 진전이 서구 세계 도처에서 당국들이 자신들이 직면한 정당화 문제에 대처하고자 하는 하나의 시도라는 점을 지적하는 것만으로 충분하다. 미국에서 치료요법 에토스가 내면화된 과정은 그간 잘 입증되어왔다(Nolan, 1998을 보라. 또한 Moscowitz, 2001도 보라). 인정과 치료요법 에토스의 내면화는 또한 영국에서도 분명하게 입증되었다. 애너슨은 "카운슬링이 사용하는 것과 유사한 기술들이 현재 영국 정부가 국민을 통치하는 방법의 본질적인 부분이 된 것으로 이야기되고 있다"고 지적한다(Arnason, 2000: 194). 카운슬링이 실업자들을 재통합시키기 위한 정부 정책의 하나가 된 1980년대 초 이래로, 치료요법적 개입은 사회정책의 통상적인 특징이 되었다. "영국에서 치료요법 및 카운슬링 산업의 폭발"과 병행하는 이러한 정책들은 데이비드 스마일이 '일상적인 사회적 담론의 영역'이라고 부르는 것을 식민화시켜왔다(Smail, 2001). 게다가 고전적 복지국가정책 프로젝트에 대한 신뢰의 상실은 국가가 보다 개인화된, 그리고 치료요법적인 스타일의 정책을 입안하도록 부추겨왔다. 정책들이 전적으로 개인들을 다루지는 않지만, 그것들은 점점 더 개인들을 '지원'하고 그들의 '역량을 강화'하는 쪽을 지향한다.

1990년대 중반 이래로 정책들은 그것들이 특정한 표적 집단을 '지원'한다는 이유로 정당화된다. 정책은 문제의 '해결'이 아니라 그 정책이 아니라면 역량이 약화될 수혜자들을 지원하는 것을 목적으로 한다. 이것은 사회적 배제를 저지하고 포함을 촉진하기 위해 설계된 정책들의 경우에 특히 그러하다. 사회적 배제와 포함이라는 말이 사용되는 방식은 사람들이 그들의 존재조건 같은 불리한 사정으로 인해 고통받고 있다는 인상을 전달한다. 신노동당이 사용하는 언어를 분석한 노먼 페어클러프Norman Fairclough의 연구는 사회적 배제가 "사람들에게 가해지는 어떤 것이 아니라 사람들이 처해 있는 어떤 상태"로 개념화되고 있다고 주장한다. 사회적 배제는 좀처럼 하나의 과정으로 제시되지 않고 오히려 사람들이 고통받고 있는 질병 같은 어떤 것으로 제시되고 있다(Fairclough, 2000: 54~55). 이것이 바로 사회적 배제의 경험이 빈번히 주관적인 것으로 제시되는 이유이다. 스코틀랜드 행정부 공식 보고서의 작성자들은 "사회적 배제는 '주관적으로' 인식되고 경험된다"고 적고 있다. 이 보고서에서 배제 경험은 "다른 사람과의 접촉 부족, 갇혀 있다는 느낌, 낮은 자존감과 자신감, 그리고 불안감, 절망감, 우울감"을 포함하는 사회적 고립의 한 형태로 제시된다(O'Connor and Lewis, 1999). 도서관·정보위원회The Library and Information Commission의 보고서 『도서관: 포함의 본질Libraries: the Essence of Inclusion』 (2000)도 동일한 논점을 그대로 되풀이한다. 그 보고서는 "사회적 배제는 주관적으로 경험되고 따라서 각 개인, 집단 또는 환경마다 다르고 상대적"이라고 지적한다. 이러한 관점에서 시민적 연대와 비공식적 네트워크의 부식은 본질적으로 심리적 문제로 재조명된다.

물론 모든 사회적 현상은 주관적으로 경험된다. 하지만 이러한 배제 개념으로 인해 심리적 차원이 결정적 중요성을 부여받는다. 도서관·정보위원회는 명시적으로 그것이 '배제의 심리'라고 부르는 것에 초점을 맞추고 있다. 그 단체는 "개인들이 소외, 고립, 정체성 결여, 낮은 자신감, 낮은 자존감, 수동성, 의존성, 당혹감, 공포, 화, 무관심, 낮은 열망, 절망으로 인해 배제되기도 한다"고 지적한다(Library and Information Commission, 2000). 이러한 배제의 심리와 맞서 싸우는 것이 정당화되는 까닭은 단지 그것이 사회통합을 돕기 때문만이 아니라, 심리적 고통 상태를 관리하는 것이 점점 국가가 하는 일의 필수적 부분의 하나로 해석되기 때문이다. 국가정책이 고통의 조건을 다루고 나서는 이러한 경향은, 브라운이 지적하듯이, "고통을 사회적 덕목의 척도"로 간주하는 보다 광범한 문화적 규범에 의해 뒷받침된다(Brown, 1995: 70). 따라서 정책 입안의 수준과 문화의 수준 모두에서 포함은 인정과 긍정의 요구를 충족시키려는 시도의 하나이다.

가장 극단적인 형태의 포함 에토스는 사회·문화정책들을 인정의 긴급성과 치료요법 에토스에 종속시킨다. 문화영역의 경우를 살펴보자. 문화미디어체육부The Department for Culture Media and Sport: DCMS는 사람들이 그들 자신에 대해 좋게 느끼도록 만드는 프로젝트들을 진행함으로써 포함 의제를 적극적으로 홍보해왔다. 그것을 위해 문화미디어체육부는 박물관, 미술관, 그리고 (예술위원회와 지역 문화 서비스 기관과 같은) 문화단체들을 표적으로 삼아 그러한 기관들이 치료요법적 접근방식을 채택하게 해왔다. 기금을 따내는 데 관심이 있는 지역단체들이 즉각 협조했다. 이를테면 위건위원회Wigan Council의 여가·문화 서비스 국장은 스포츠, 예술, 놀이가 "인지적 기량과 사회적 역량을 향상시키고 충동성과 위험감수 행동을 줄이고 자존감과 자신감을 고취시키고 교육과 취업전망을 높인다"는 이유를 들며, 그러한 활동이 지닌 이점들을 홍보한다.[1] 정부기금을 신청하는 스포츠단체들은 이제 자신들이 사회적 포함에 헌신한다는 것을 알리기 위해 치료요법의 이점을 널리 홍보할 필요가 있다는 것을 알고 있다. 스포츠 스코틀랜드Sport Scotland는 "스포츠는 자존감을 높이고 사람들이 그들 자신에 대해 더 좋게 느끼도록 하기 위한 이상적인 수단"이라고 주장한다.[2] 정부는 사회적 배제를 전문으로 다루는 정책실행팀Policy Action Team: PAT이라는 특별 자문팀을 만들어서 배제된 사람들의 자존감을 고쳐시키는 일을 해왔다. DCMS에 보고된 정책실행 10팀의 사회적 포함 보고서가 문화 서비스가 치료요법적 인정의 요구에 예속될 가능성을 자인했다는 것은 주목할 만한 가치가 있다. 그것은 "우리는 모든 예술가 또는 스포츠인들이 또 다른 이름의 사회사업가가 되어야만 한다거나 예술적 또는 스포츠에서의 탁월함이 지역사회 재생의 다음 자리를 차지해야 한다고 믿지 않는다"고 지적한다.[3] 그리고 예술적 뛰어남은 그 보고서가 홍보했던 모범운영 사례에서 눈에 띄지 않았다. 정책실행 10팀이 칭찬한 하나의 기관은 맨체스터에 있는 한 센터였는데, 그곳에서 정신질환으로부터 회복 중인 사람들은 "예술이 단지 외로움에 대한 강력한 해독제일 뿐만 아니라 자기실현의 수단이자 타인에게 기쁨을 주는 중요한 수단이기도 하다는 것을 발견한다."[4]

  DCMS는 치료요법 문화의 정신을 진심으로 받아들여 왔다. DCMS가 출간한 최근의 한 문서『사회변화를 위한 센터들: 모든 사람을 위한 박물관, 미술관 그리고 기록 보관소Centres for Social Change: Museums, Galleries and Archives for All』는 박물관과 미술관의 큐레이터들에게 그들이 "사회적 배제와 싸우는" 목적을 충분히 이해할 것을 요구한다. 그 문서는 "큐레이터들에게 그들이 개개인의 자부심, 가치, 동기를 증진시키고" '자존감'을 고취할 의무가 있음을 알린다.[5] 영국의 문화시설을 배제된 사람들에 대한 치료요법적 개입을 위한 센터로 변형시키려는 이러한 목표는 그 프로젝트가 치료요법 에토스를 장려하기 위한 공적 하부구조를 구축하고자 하는 것이라는 점을 가장 분명하게 보여주는 실례 중 하나이다.

사회문제를 배제의 문제로 재조명하는 프로젝트를 비판하는 사람들은 때때로 그 프로젝트가 도덕화에 헌신하는 의제를 반영하는 것으로 해석한다. 이 테제를 가장 설득력 있게 주장하는 사람이 루스 레비타스Ruth Levitas 이다. 그는 사회적 배제 사업단의 접근방식이 "도움의 형태로 도덕적 순응과 사회질서를 추구하는 것"이라고 주장한다.6 이 테제가 그러한 과정의 중요한 측면을 포착하기는 하지만, 순응의 목적이 좀처럼 도덕적 교양의 형태로 표현되지 않는다는 점에 주목할 필요가 있다. 실제로 대문자 S를 쓰는 사회정책의 입안에서 일어난 방향 전환은 가장 정확하게는 치료요법 쪽으로의 보다 광범한 전환의 일부로 이해될 수 있다. 지금까지의 경험을 살펴보자.

치료요법적 정책 입안의 제도화는 1980년대에 대처와 메이저의 보수정권하에서 크게 진척되었다. 대처 집권 시기에 많은 카운슬러와 치료요법사는 공공부문이 자신들에게 치료요법 서비스를 갑작스럽게 요구하고 나선 것에 깜짝 놀랐다. 1984년에 카운슬링 운동의 한 지지자는 아주 기뻐하며 다음과 같이 기술했다. "하지만 수년간 카운슬링과 가이던스 분야에서 일해 온 우리에게 아이러니하면서도 고무적인 것은 직업학교 교육과정과 청소년수련원YTS 모두에서 경험, 사회적 스킬과 삶의 스킬, 개인적 효험, 개인적 발전을 성찰하는 영역이 카운슬링과 가이던스 등 다양한 이름을 달고 필수과목의 일부로 갑자기 등장한 것이다"(Jones, 1984: 11을 보라). 치료요법적 정책 입안이 1980년대에 추동력을 얻었지만, 그것이 공공정책의 프레젠테이션에 중요한 영향을 미친 것은 블레어 정부하에서였다. 신노동당의 정책 입안을 이끈 주요한 기본 가정 중 하나가 정책을 사람들의 감정적 욕구와 연결 짓는 것이 중요하며 유권자들의 자존감을 고취할 수 있는 수단을 제공할 필요가 있다는 것이었다. 신노동당의 레토릭은 치료요법적 담론에 깊이 뿌리박고 있었다. '제3의 길', 사회적 포함과 배제 같은 개념은 영국 공중의 감정적 욕구를 공적으로 인정하는 것을 목적으로 했다. 이를테면 토니 블레어에 따르면, 사회적 배제의 문제는 물질적 빈곤과 관련된 것이라기보다는 "자존감을 손상시키는" 파괴적인 힘과 관련된 것이었다.[7] 놀랄 것도 없이 블레어 정부의 사회적 배제 사업단SEU이 진행한 거의 모든 새로운 계획은 사람들의 자존감을 고취시키기 위해 설계되었다.[8]

SEU의 치료요법 스타일은 캘리포니아의 실리콘 밸리를 대표하는 주 상원의원인 존 바스콘첼로스와 연관된 접근방식에 크게 의존했다. 치료요법 정치의 선도적인 주창자 중 한 사람인 바스콘첼로스는 자존감을 다양한 사회악으로부터 "우리 모두를 보호하는 사회적 백신"으로 간주한다. 그는 "우리의 미래의 웰빙 ─ 사회적 웰빙뿐만 아니라 경제적 웰빙까지도 ─ 은 모든 사람을 건강하게 성장하고 있고 책임 있는 사람들인 우리 캘리포니아 가족으로 인정하고 통합시키는 데 달려 있다"고 쓰고 있다.[9] 치료요법 거버넌스를 지지하는 한 미국인은 이 접근방식이 "시민들 사이의 관계를 묘사하는 새로운 어휘를 개발하는 데 관심을 두고 있다"고 주장한다.[10] 영국에서는 캘리포니아식의 자아실현 심리학이 복지국가의 유산에 의해 일부 완화되면서 그 지지자 중 일부가 '적극적 복지'라고 부르는 것으로 종합되었다. 이러한 분위기 속에서 저술하며, 앤서니 기든스는 "복지는 본질적으로는 웰빙과 관련된 것으로 경제적인 개념이 아니라 심적인 개념"이며, 따라서 "복지제도들은 경제적 이득뿐만 아니라 심리적 이득을 낳게 하는 것에 관심을 두어야만 한다"고 주장한다. 기든스는 그러한 심리적 이득의 한 실례로서 치료요법의 제공을 지목한다. "이를테면 카운슬링이 때때로 직접적인 경제적 지원보다 더 도움이 될 수도 있다"(Giddens, 1998: 117). 이 와 같은 자아를 긍정하는 쪽으로 강조점을 전환하는 것은 단지 전통적인 복지 관심사들에 사소한 한 가지를 추가하는 것이 아니라 극심하게 개인 화·파편화된 공중과의 연계고리를 만들어내고자 하는 시도이다.

영국의 국가가 치료요법적 정명을 내면화한 것은 오랜 역사를 가지고 있다.[11] 하지만 이러한 추세가 갖는 중요성은 좀처럼 인지되지 않았고 또 분명 의식적으로 명시적인 정치 프로젝트로 추진되지도 않았다. 그러나 최근 몇 년 동안 치료요법적 정책들이 신노동당의 복지국가 현대화 프로 젝트의 일부로서 상당한 중요성을 지니게 되었다. 이 프로젝트와 관련된 정치적 접근방식 — 특히 사회적 포함 개념에 대한 강조 — 은 사회문제를 치 료요법적으로 관리함으로써 개인화된 영국 공중과 접촉할 수 있는 지점을 확립하고자 한다. 이 접근방식의 기본적 특징 중 하나가 공적 당국이 개인 의 자아를 인정하고 존중할 필요가 있다는 것이다. 포함은 주로 그렇게 하 지 않으면 인정받지 못하거나 드러나지 않는 집단과 개인들을 인정하는 것과 관련되어 있다. 그것은 사회의 모든 부문에 존중받을 권리를 제공한 다. 블레어는 좋은 사회에 대한 자신의 비전을 "모두가 동등한 가치를 갖는 다는 믿음"에 헌신하는 것이라고 규정했다. 개인의 가치에 부여된 이러한 인정은 사회적 평등이라는 이전의 개념에서 '존중의 평등'이라는 개념으로 중요한 전환이 이루어지고 있음을 의미한다.[12] 심리학적/유사 도덕적 개념 인 동등한 가치는 기회의 평등이나 결과의 평등과 관련한 이전의 관념들 과 공통점이 거의 없다. 그것은 또한 도덕철학에서 존경과 존중 사이에 설 정되는 구분과도 공통점이 거의 없다. 프레이저에 따르면, 이 구분은 "공유 된 인간성 덕분에 모든 사람에게 보편적으로 부여되는 존중과, '사람을 기준'으로 하여 특정한 특성과 성과 또는 기여에 따라 차별적으로 부여되는 존경을 대비시킨다"(Fraser, 1998: n. 32).

비록 사회적 포함 개념이 모호하고 매우 다양한 문제들을 언급하기 위해 사용되지만, 그것은 공식제도와 배제된 사람들 사이에 일련의 연계고리를 확립하는 데 중점을 두고 있다. 이것이 바로 모든 정부 부처의 정책 성명들이 계속해서 그러한 레토릭을 채택하는 이유이다. 최근 몇 년 동안 이러한 포함의 관점에서 스포츠, 문화, 예술 분야의 정책들을 제시하고자 하는 체계적인 시도가 있어왔다. 사회적 포함과 관련하여 스포츠 스코틀랜드가 내놓은 성명서는 "스포츠는 자존감을 높이고 사람들이 그들 자신에 대해 더 좋게 느끼는 것을 돕기 위한 이상적인 예술적 수단"이라고 진술한다. 정부 또한 공립 도서관과 박물관을 배제된 사람들을 존중하게 하는 데 도움을 줄 수 있는 제도로 전환시키는 정책들을 장려하고 있다.[13] 북아일랜드 행정부 또한 이 접근방식을 채택해왔다. 최근 북아일랜드 행정부의 자문 보고서 중 하나는 "문화, 예술, 여가활동 참여를 통해 사회적 포함을 확대하고 자존감을 고취하도록" 도울 필요가 있다고 확언했다.[14]

가장 널리 홍보된 신노동당의 기획 중 일부 — 십 대 임신, 고용계획, 육아계획 — 는 자존감을 고취하는 것을 주요 목적으로 규정하고 있다. 2000년 6월에 정부의 후원으로 개최된 '보디 이미지 서밋Body Image Summit'은 이런 점에서 전형적이다. 이 행사가 열리기 전 몇 달 동안, 장관들은 마른 몸매를 가져야 한다는 압박감이 젊은 여성들의 자존감에 가하는 것으로 알려진 위험에 대해 공개적으로 언급했다. 당시 여성부 장관 테사 조웰Tessa Jowell은, 젊은 여성들은 "자신감과 자존감을 결여하고 있기 때문에 그들의 열망을 실현하고 잠재력을 발휘하는 것을 방해받고 있다"고 말했다.[15] 최근 정부의 성명에 따르면, 낮은 자존감은 아동매춘, 노숙인, 십 대 임신, 마약중독 그리고 다양한 반사회적이고 파괴적인 행동과 공히 관련되어 있는 요인이다. 그리하여 사회문제들은 점점 치료요법적 관리를 필요로 하는 심리적 병리에 그 원인이 있는 것으로 제시된다. 심지어 냉철한 재무부조차 이 접근방식을 채택해왔다. 재무부의 자문 보고서들 중 하나인『기업과 사회적 배제Enterprise and Social Exclusion』는 만약 지역개발정책들이 "사람들의 역량과 자존감"을 키우도록 돕지 않는다면 그것들은 별다른 성과를 거두지 못할 것이라고 주장한다. 또 다른 자문 보고서는 "부족한 자존감을 고취시킴"으로써 사람들이 "경제적 궁핍에서 벗어나게" 할 수 있다고 주장한다.[16]

정부의 정책 입안자들이 사람들의 자존감을 고취시키는 방식으로 문제를 해결하는 것을 중시하는 까닭은, 그들이 사람들이 직면하는 몇몇 핵심문제들이 사적 영역 — 그 특성상 감정적 황폐화를 조장하고, 발전 중에 있는 관계를 유지할 수 없는 감정 문맹자들을 만들어내는 — 에 뿌리를 두고 있다고 확신하기 때문이다. 극단적인 경우, 사적 영역의 피해자들은 계속해서 타인에게 반사회적 행동을 하는, 사회적으로 배제된 사람들 무리의 일부로 인식된다.

존중에서 도덕적 내용물 비우기

정치적 스펙트럼과 무관하게 이론가들이 강조하는 한 가지 중요한 테마가 개인의 자아, 그리고 자아의 인정과 존중의 요구가 수행하는 중심적 역할이다. 다양한 영향력 있는 사상가들은 개인들이 벌이는 인정투쟁을 사회적·정치적 삶을 틀 짓는 선험적 욕구로 개념화한다. 프랜시스 후쿠야마는 인정투쟁을 역사의 추동력으로 묘사한다. 하지만 동시에 후쿠야마는 인정의 제도화가 초래하는 결과에 대해 우려한다. 왜냐하면 그것이 사회가 개인의 행위를 도덕적으로 판단하는 능력을 감소시키기 때문이다. 그는 "자기존중은 아무리 보잘 것 없는 것일지라도 일정 정도 성과와 연관되어야 한다"고 기술한다(Fukuyama, 1992: 302). 다른 사상가들은 모든 개인에게 존중과 존경을 무조건적으로 부여하는 것과 관련한 후쿠야마의 단서 조항을 공유하지 않는다. 찰스 테일러는 정당한 인정은 지극히 중요한 인간의 욕구이고 동등한 인정의 정치 없이는 민주사회의 토대가 침식된다고 주장한다.

영미사회의 정치 엘리트들은 공중 ― 그렇지 않으면 사회적으로 단절되고 소원해질 ― 과 새로운 유대를 구축하려는 시도의 일환으로 (정체성 정치 또는 치료요법적 정치를 수용하는 방식으로) 인정에 대한 요구에 매달려왔다.[17] 이것이 바로 영국 정치계급과 그 단체들이 공중의 개별 성원들이 제기하는 인정과 승인의 요구를 긍정하는 역할을 떠맡아온 이유이다. 1970년대 초에 피터 버거와 그의 공저자들은 한 흥미로운 논문, 「명예 개념의 진부화에 대하여On the Obsolescence of the Concept of Honour」에서 이러한 진전을 예상했다. 버거는 명예 개념이 존엄성 개념에 길을 내주었다고 주장했다. 그는 명예가 공동체와 연계되어 있었던 반면 존엄성은 모든 "사회적으로 부여된 역할과 규범"이 제거된 "자아 그 자체"와 관련되어 있다고 주장했다. 자아의 존엄성으로의 이러한 전환은 "제도적 역할과 본질적으로 무관한" 정체성을 수반했다. 버거는 이 전환의 결과, "제도의 정체성 규정력이 크게 약화되었다"고 결론지었다(Berger, Berger and Kellner, 1973: 81~83을 보라).

"제도의 정체성 규정력" 약화에 대한 버거의 예측은 그 후 정체성 정치의 등장과 서구 국가의 제도들이 경험한 정당성 위기에 의해 입증되었다. 하지만 개인의 존엄성에 대한 문화적 집착은 어쨌든 정당성 문제를 일시적으로 해결해준다고 주장될 수 있다. 국가는 공무수행의 초점을 다시 개인의 주체성을 관리하고 긍정하는 것에 맞춤으로써, 정체성을 규정하는 데서 그것이 갖는 권력과 권위를 유지해왔다. 비록 오늘날 정체성이 보다 광범한 공동체 관념과 본질적으로 모순되는, 매우 개별화된 토대 위에서 재조명되고 있기는 하지만, 정치계급은 사람들이 가지는 감정적 불안의 관리자라는 자신의 새로운 역할을 발견했다. 집합적 정체성을 부여하는 데서 제도가 수행하는 능력이 감소해왔을 수도 있지만, 제도는 여전히 원자화된 공중이 집착하고 있는 인정에 관여할 수 있다.

공적 당국에 의한 사적 세계의 식민화는 치료요법적 정치의 제도화가 지닌 냉혹한 논리를 보여준다. 그러한 식민화는 사적 영역이 해체되고 비공식적 관계가 약화됨으로써 가능해진다. 하버마스가 처음으로 정교화한 생활세계의 식민화와 일상생활의 법제화 경향은 복지국가의 재편으로 새로운 추진력을 가지게 되었다. 하버마스가 암시했듯이, 그 결과들 중 하나는 '삶의 관계들의 해체'와 국가 서비스에 대한 의존성 강화이다(Habermas, 1987: 364, 369). 생활세계의 법제화로 인해 인정은 법적 형태를 통해 표현되게 된다.

많은 설명들에서 치료요법 문화의 성장은 개인화 과정과 연관지어진다. 그러한 개인화 과정은 개인주의가 증가하고 자아에 몰두하는 쪽으로 초점이 이동한 것에 반영되어 있다. 보다 광범한 경향을 서술하고 있는 이러한 해석은 하나의 중요한 문화적 추세, 즉 정체성의 사사화를 뒷받침하는 데 기여한다. 하지만 개인주의와 자아 같은 용어들은 너무나도 일반적이어서 논의되고 있는 문제가 정확히 어떤 종류의 개인과 어떤 종류의 자아인지를 분명히 할 수 없다. 자아의 구성에 관한 관념들은 역사적으로도 문화적으로도 독특한 사회적 판단과 가치에 의해 이끌리고 있다. 세넷은 우리에게 토크빌Tocqueville이 19세기에 자신의 저서 『미국의 민주주의Democracy in America』에서 '개인주의'라는 용어를 만들어냈을 때, 그가 개인주의가 가족과 친구에 대한 사랑으로 구성되지만, "그러나 그 친밀한 영역을 넘어선 어떤 사회적 관계에 대해서도 무관심하다"고 주장했던 것을 상기시킨다(Sennett, 2003: 197). 그와 대조적으로 오늘날의 개인주의는 바로 그 친밀한 관계의 영역을 표적으로 삼고 있다. 치료요법적 형태의 개인주의는 자아에게 친구, 가족 성원 그리고 다른 잠재적인 친구들과 거리를 두라고 부추긴다.

또한 개인주의 개념으로는 오늘날 문화가 개인적 해결을 요구하고 나서는 것을 적절히 이해할 수 없다는 주장이 제기될 수도 있다. 오늘날 문화가 개인들을 인정하고 존중하는 데 헌신하는 것에는 심히 반개인주의적인 동력이 담겨 있다. 문화정치적 권리이자 국가가 재가한 권리인 인정은 개인을 비인격적인 일반 공식에 따라 다루는 관료적 정명과 부합한다. 카운슬링 같은 치료요법적 개입은 그것의 개인주의적 지향에도 불구하고 자주 자결적 개성을 추구하기보다는 사람들을 표준화하고자 한다. 보편적 인정은 개인적 차이와 욕구를 간과하고 성취와 실패 그리고 지혜와 무지를 구별하지 못한다. 개인에 대한 진정한 인정이 이루어지기 위해서는 지식과 의견과 기여 그 자체를 인정하는 것이 아니라, 그중에서 존중받을 만한 가치가 있는 지식과 의견과 기여를 선택할 필요가 있다. 보편적 존중을 요구하는 것과 승인하는 것 모두는 인정을 하나의 공허한 의례로 바꾸어 놓는다. 그러한 공식적인 안심시키기로는 실존적인 인정 욕구를 충족시킬 수 없다. 그것은 단지 에너지를 적극적인 사회적 참여에서 보다 제도적인 보장의 추구 쪽으로 돌릴 뿐이다.

존중받을 권리에 대한 요구 자체는 유례없는 유약한 형태의 자아를 상정하고 있다. 개인들은 자신들의 정체성을 관료제적 긍정의 한 형태에 의존하는, 영원한 탄원자가 된다. 이제 자아는 개인의 활동과 관계를 통해서가 아니라 오히려 법적 형식을 통해 긍정되고 실현된다. 웬디 브라운은 '인정이라는 말'을 '부자유라는 말'로 묘사한다. 그 이유는 무엇인가? 그 까닭은 그것이 "상상된 미래의 힘을 스스로를 만들어나가기를 바라기보다 법과 여타 정치적 등록부에 그것의 역사적 그리고 현재의 고통을 새겨 넣고자 하기" 때문이다(Brown, 1995: 66). 그리하여 인간의 존엄성을 구성하는 필수요소인 자율성은 제도에 의해 긍정된 정체성이라는 손쉬운 해결책으로 대체된다.

하지만 많은 사회평론가가 인정 정치를 진보적 저항의 주장으로 생각하거나 복종문화에 일격을 가하는 것으로 간주한다. 사회학 분야에서 영향력 있는 목소리들은 자아 쪽으로의 전환이 보다 의식 있는 주체성을 함양할 수 있을 것으로 인식한다. 스콧 래시Scott Lash와 존 어리John Urry는 오늘날의 추세들이 "단지 자아의 평준화가 아닌 자아의 심화"를 낳는다고 주장한다(Lash and Urry, 1994: 31을 보라). 오늘날의 자아가 유례없이 성찰적이고 의식적이고 분명한 선택을 하는 의식적인 삶을 살아가게 할 수 있다는 믿음은 현대 사회학이론에서 널리 지지받고 있다(이를테면 Giddens, 1998을 보라). 그러나 이른바 성찰적 자아라는 그러한 긍정적 설명들은 오늘날 자아의 존중과 긍정에 대한 강박적 의존을 설명하지 못한다. 오늘날의 문화에 따르면, 자아는 단지 긍정을 필요로 하는 것만이 아니라 지속적인 긍정을 필요로 한다. 게다가 긍정받지 못하는 것은 점점 더 자아에 대한 모욕 또는 위해로 해석된다. 철학자 찰스 테일러는 "비인정 또는 잘못된 인정은 해를 입힐 수 있고, 누군가를 그릇되고 왜곡된 그리고 축소된 존재양식으로 가두어두는, 억압의 한 형태가 될 수 있다"고 경고한다(Taylor, 1992: 25). 문화적 측면에서 인정받을 권리는 자신들의 주관적 상태에 대한 사람들 스스로의 설명을 타당한 것으로 받아들인다는 것을 의미한다. 그러한 스스로가 제시하는 설명에 대해 사람들이 이의를 제기하기를 꺼리는 것은 현재의 도덕적 상대주의의 분위기를 반영하고 있다. 하지만 공통의 도덕 문법의 부재 자체는 그러한 인정을 피상적이고 일시적이게 만든다. 대화와 비판적 참여 없는 인정은 자기정당화의 한 형태이며, 이것은 다시 불안정하고 방어적인 정체성을 조장하는 경향이 있다. 결국 그것은 새로운 복종문화이다. 전통적 권위에 대한 복종이 아니라, 제도적으로 인정해주는 사람에 대한 복종, 그리고 결국에는 치료요법사에 대한 복종 말이다.

인정과 진단의 혼동

앞서 지적했듯이, 취약성이 자아를 규정하는 특징이라는 믿음은 영미 문화의 민족심리학에 충만해 있다. 이러한 맥락에서 무조건적으로 인정하는 것은 취약성의 상태와 경험을 인정하는 것을 뜻한다. 케네스 거겐이 지적했듯이, 치료요법 문화는 사람들을 "허약함으로 유혹"한다(Gergen, 1990: 356). 개인들에게서 취약성의 폭로는 사회적·문화적 긍정을 낳는 도덕적 진술의 지위를 갖는다. 그것은 브라운이 "고통을 사회적 덕목의 척도로 삼는 것"이라고 특성화한 것을 부추긴다(Brown, 1995). 이것이 바로 많은 사람들이 심리학적 또는 의료적 진단을 통해 그들 자신을 규정짓는 것이 일반적인 일이 된 이유이다. 인정에 대한 문화적 요구 뒤에는 이러한 치료요법적 정명이 숨어 있다.

개인화의 증대, 사회적 연대와 공동체의 부식, 사적 영역의 해체는 사람들이 고립감을 느끼게 해왔고, 그러한 고립감은 많은 사람들로 하여금 질병의 은유를 통해 감정 문제를 해석하게 하는 경향이 있다. 데이비드 웨인라이트 박사는 도버에서 수행한 직무 스트레스에 대한 자신의 흥미로운 연구에서 스트레스의 의료화는 직무 관련 문제들을 이전의 설명방식으로는 해명할 수 없다는 것과 관련되어 있다고 주장한다. 그는 "그러한 문제들을 생물의학적 관용구로 환원하는 일이 벌어진 것은 단지 정치활동이나 노동조합 활동을 통해 그러한 문제들을 극복할 수 있다고 상상조차 할 수 없게 되었기 때문"이라고 주장한다(Wainwright, 1999: 26). 1980년대 이래로 더욱 개인화된 작업장 에토스는 그러한 문제들이 쉽게 의료화되는 분위기를 조장해왔다. 실존적 불안전의 시대에 의학적 진단은 적어도 정의를 내려준다는 장점이 있다. 질병은 개인의 행동을 설명해주고, 심지어는 정체감을 부여하는 데 도움을 준다. 일상생활의 의료화는 개인들이 그들 자신들의 곤경을 이해하고 도덕적 공감을 얻을 수 있게 해준다. 그것은 또한 오늘날 사회적으로 승인된 인정 요구의 하나이기도 하다.

진단을 통해 또는 국가정책을 통해 부여받은 인정은 수동적 주체성을 문화적으로 추켜세우는 것의 한 형태이다. 취약성과 전문적 또는 제도적 긍정에 대한 의존을 특징으로 하는 주체성 개념이 개인들이 끊임없는 긍정을 요구한다는 확신을 뒷받침한다. 그러한 주체성 개념의 전형이 바로 자결과 자율에 대한 열망을 상실한 탄원자이다. "아이를 믿으라는" 또는 "희생자를 믿으라는" 또는 "환자의 말을 믿으라는" 요구는 경험을 물화하고 논의를 차단한다. 인종차별 범죄는 희생자 자신에 의해 주관적으로 인식되는 범죄라는 맥퍼슨 보고서의 주장과 함께, 수동적 주체성에 대한 문화적 추켜세우기는 공공정책 수준으로까지 치고 올라왔다. 자아서사 믿기 정책은 개인을 지원하고 존중하는 것으로 제시된다. 하지만 그것은 사회적 경험의 정당함을 입증하기 위해 진심의 명령을 외적 현실과 진리보다 우선시한다. 하지만 이러한 방식의 인정은 인간을 최소한의 회복력만을 지닌 심히 취약한 존재로 인식하는 것에 기초해 있다.

　　치료요법 문화는 사람들로 하여금 그들 자신을 운명의 주체라기보다는 대상으로 간주하게 한다. 인정 정치의 주창자들은 암암리에 개인들이 낮은 기대의 체제에 맞추어 살게 하는 일을 해왔다. 치료요법을 옹호하는 주요 지적 대변자 중의 한 사람은 "심리치료요법 관점이 정치적 삶에 매우 적절한 한 가지 기여를 하고 있다면, 그것은 사람들에게 실망의 불가피함을 직시할 수 있게 해준다는 것"이라고 말한다(Samuels, 2001: 3). 개인들로 하여금 실망의 불가피함을 감수하게 하는 정치는 사람들이 그들의 기대를 더 낮추고 자신들이 작아지고 있음을 의식하게 만드는 문화에 의해 뒷받침된다. 이러한 자아 인식을 조장하고 강화하는 것이 바로 치료요법 문화가 계속해서 번창하기 위한 전제조건이다.

결론

인정 정치에 대한 비판적인 논평들은 그것의 초점이 배타주의적이고 또 "타인의 배제와 지배를 위선적으로 정당화해주는 외관"을 만들어낼 수도 있다는 점에 우려를 표명하는 경향이 있다(Alexander and Pia Lara, 1996: 136을 보라). 다른 논평들은 인정 정치가 정체성을 물화하는 경향이 있음을 지적하고, 그것이 "분리주의, 불관용, 쇼비니즘"을 부추기지는 않을까 두려워한다(Fraser, 2000: 112). 경험은 그러한 우려가 아주 정당하다는 것을 보여주어왔다. 인정의 요구는 결코 완전히 충족될 수 없고, 각각의 요구는 그 다음의 요구를 예고하는 것이다. 잘못된 인정에 기초하는 정체성은 고통의 상태를 영속화한다. 브라운이 주장하듯이, '정치화된 정체성'은 "정체성이라는 것의 존재 자체가 배제를 전제로 하고 있기" 때문에 "스스로 배제에 집착"하게 된다(Brown, 1995: 73). 하지만 인정의 제도화 경향은 또한 보다 근본적인 문제, 즉 우리가 인간행위를 바라보는 방식에 의문을 제기한다.

정책, 공공기관, 법을 통한 인정의 공식화는 인정에 전적으로 다른 특성을 부여한다. 제도를 통해 조정된 개인 간의 인정은 항상 사람들이 서로에 대한 애착과 의미를 발전시키는 비공식적 네트워크를 주변화시킨다. 데이비드 스마일이 1980년대에 치료요법과 카운슬링의 성장이 낳은 폐해를 고발하며 지적했듯이, "가족, 이웃, 교회라는 전통적인 '대처 메커니즘들'은 전문 카운슬링 네트워크"에 의해 "옆으로 밀려"났다(Smail, 2001). 실제로 포함 정책과 관련된 프로젝트의 특징 중 하나는 그것이 전문가와 제도에 의존하는 자아정체성을 만들어낸다는 것이다. 그 결과 — 의도한 것은 아니지만 — 가 사람들이 서로를 멀리하게 만들고 그들이 일상적인 인정투쟁과 관련된 어려움과 실망에 대처하는 능력을 약화시킨다는 것이다. 그러한 '정책들'은 기껏해야 비공식적 네트워크를 전문화할 뿐이고, 최악의 경우에는 그것들을 주변화시키고 만다.

하지만 자아정체성을 강화하는 데 기여하는 것은 국가 또는 카운슬러나 치료요법사가 제공하는 공식적 인정이 아니다. 진정한 인정은 구체적인 것에 대한 인정이고, 어떤 특수한 개인을 인정하는 것이다. 이러한 종류의 인정은 보통 비공식적 관계의 네트워크를 통해 이루어진다. 슬프게도 인정 정치는 사람들을 비공식적 관계의 영역 — 진정한 인정을 경험할 수도 있는 하나의 장소 — 에서 떼어놓는 경향이 있다. 인정 정치가 제공하는 것은 진단이라는 의심스러운 이득뿐이다.

제9장

치료요법식 주장 제기하기와 진단의 요구

인정 정치는 사람들이 그들의 경험과 성과를 통해 그들을 발전시키는 것에서 주의를 다른 곳으로 돌리게 한다. 특히 그것은 사람들이 긍정받기 위해 비공식적 관계의 네트워크에 의지하기보다는 보다 공식적인 형태의 인정을 추구하는 분위기를 조장한다. 제8장에서 지적했듯이, 그것은 치료요법학의 언어로 인정의 요구를 틀 짓기 때문에 진단과 쉽게 혼동된다. 그 결과 진단의 요구는 현대사회에서 주장을 제기하는 데서 핵심적인 모티브가 되었다.

자아가 스스로를 느끼는 방식, 자아의 자존감 상태 그리고 자아의 감정 상태가 개인과 더 넓은 사회적 관계 모두를 틀 짓는다. 치료요법 문화는 단지 사회에 독특한 자아서사만을 제공하는 것이 아니다. 그것은 또한 사람들이 그들의 상황을 어떻게 이해해야 하는지, 그리고 그들이 그러한 상황에 어떻게 반응해야 하는지에 관한 관념들을 전달한다. 하지만 개인들이 그저 그러한 관념들을 내면화하고 그것들의 명령에 따라 행동하는 것은 아니다. 사람들이 동일하게 치료요법 문화의 영향을 받는 것도 아니다. 그들은 또한 다양한 영향력에 노출되고 치료요법 에토스를 실용적으로 그리고 자신들의 경험에 따라 이해하거나 이용한다. 개인은 문화적 전파물의 단순한 수신자가 아니다. 사람들은 문화를 이용하고 문화의 일부 측면 — 결코 전부가 아니라 일부 — 을 전유한다.

앤 스위들러는 문화가 어떻게 이용되는가에 관한 중요한 논의에서 "사람들은 그들이 얼마나 많은 문화를 자신들의 삶에 적용하는가에 따라 크게 달라진다"고 지적한다. 그러나 문화를 이용하는 바로 그 행동 속에서 사람들은 "특정한 종류의 사람이 되는 방법을 배우거나 그런 사람이 된다." 스위들러는 사람들은 그러한 '자아형성' 과정에서 계속해서 더 광범한 문화가 제공하는 상징적 자원을 활용한다고 주장한다. 그녀는 "사람들은 상징을 경험하는 것을 통해 누구도 혼자 힘으로는 만들어낼 수 없는 욕망, 분위기, 사고와 감정의 습관을 배운다"고 지적한다(Swidler, 2001: 46, 71을 보라). 그러한 사고와 감정의 습관들이 개인들이 자신들의 경험을 이해하는 방식에 영향을 미친다. 문화는 사람들에게 자신들에게 무엇이 기대되는지, 그리고 또한 자신들이 어떻게 대우받을지를 예상할 수 있게 해주는 관념들을 제공한다. 치료요법 문화는 자아에 관한 하나의 일관된 견해를 전달하는 것을 통해 사람들에게 자신들에게 무엇이 기대되는지, 그리고 자신들이 어떻게 자신들의 정체성과 이익을 주장해야 하는지와 관련한 관념들을 제공한다. 치료요법 문화는 사람들이 자신들의 행동을 정당화하고 자신들의 기대를 정식화하고 타인과 사회에 대해 주장을 제기하는 방식을 틀 짓

는다. 우리는 치료요법식 주장 제기하기를 탐구함으로써 문화가 어떻게
이용되는지에 대한 중요한 통찰들을 얻을 수 있다.

치료요법식 주장 제기하기

주장 제기하기는 사회의 관심을 받을 만한 또는 받아야만 하는 문제들에
관해 진술하는 것을 포함한다. 특정 주장은 인정을 받기 위한 또는 특정 형
태의 자격을 부여받기 위한 근거를 만들어낸다. 손상에 관한 주장들은 취
약성 및 회복력과 관련한 널리 퍼져 있는 가정들에 입각하고 있다. 조엘 베
스트Joel Best가 주장 제기하기에 관한 자신의 중요한 분석에서 지적하듯이,
"주창자들이 새로운 사회문제를 묘사하는 방식은 그들(그리고 그들의 청중
— 공중, 언론 그리고 정책 입안자들)이 이미 친숙한 문제들을 이야기할 때
이용하는 방식에 크게 의존한다"(Best, 1999: 164). 앞서의 장들에서 논의한
것이 예기하듯이, 문제와 주장들은 빈번히 의료-치료요법적 어휘를 통해
논의된다. 주장 제기자들은 우리에게 친숙한 치료요법의 관심사들 — 낮은
자존감, 트라우마(특히 PTSD), 스트레스, 우울, 감정적 손상 또는 중독 — 에 초
점을 맞추고, 심리적 상처의 해악에 관한 일반적인 합의를 이용한다.
　치료요법 에토스는 감정적 상처를 입었다는 주장에 권위를 부여한다.
그 결과 수많은 캠페인과 운동이 심리적 손상을 피하고 싶어 하는 공중에
호소함으로써 그들의 대의를 강화하고자 한다. 뉴잉글랜드 생체해부반대
협회New England Anti-Vivisection Society는 생체해부행위에 참여한 학생들이 겪
는 트라우마와 심리적 손상을 강조함으로써 동물실험에 반대하는 캠페인

을 활성화하고자 한다. 남성 포경수술 관행에 반대하는 운동가들은 이 수술이 야기하는 심리적 손상을 강조한다. 기독교 근본주의 반대자들은 그것을 "기독교에 심리적으로 해를 끼치는 것"이라고 공공연히 비난한다.[1]

감정적 고통에 대한 새로운 주장들은 기존의 주장들에 기반하고 있다. 베스트는 "일단 어떤 문제가 광범하게 인정되어 받아들여지고 나면, 새로운 주장들은 옛 이름에 편승하여 그 문제의 영역을 확장하는 경향이 있다"고 지적한다. 베스트에 따르면, 그러한 영역확대 과정의 한 가지 좋은 실례가 PTSD에 관한 초기의 주장들을 확대하여 점점 더 다양한 새로운 문제들을 포함시켜나간 방식이다. '외상 후 스트레스 장애'의 진단은 베트남전 참전용사들에게서 뒤늦게 발현한 전투에 대한 심리적 반응을 그렇게 분류한 것에서 연원했다. 하지만 베스트가 지적하듯이, "치료요법사들은 곧 그것을 성폭행, 성적 학대, 범죄피해, 자연재해, 직무 관련 스트레스, UFO 납치 등을 포함하는 다른 '외상성 스트레스들'에 적용하기 시작했다"(Best, 1999: 168~169).

PTSD에 대한 우려는 주장 제기자들이 새로운 주장들에 공중이 관심을 가지게 하는 하나의 자원이다. 신체상해 변호를 전문으로 하는 로펌이 리버풀에 거주하는 구급대원들을 끌어들이기 위해 배포한 리플릿을 살펴보자. 「외상 후 스트레스 장애와 구급차 서비스」라는 제목이 붙은 이 리플릿은 응급구조대원들이 '장기 지속 스트레스 장애'로 알려진 PTSD 변종에 걸리기 쉬울 수 있다고 주장한다. 그것은 이 장애가 PTSD와 달리 "스트레스가 많은 사건들을 누적적으로 겪은 결과" 발생하기 때문에, '촉발'사건을 필요로 하지 않는다고 진술한다. 장기 지속 스트레스 장애가 "수십 년 동안 구급차 서비스 대원들을 괴롭혀왔다"는 주장은 "현재 응급 서비스 대원들이 잠재적인 스트레스 피해자로 받아들여지고 있다"는 데 근거하여 정당화된다.² 그 리플릿의 저자들은 PTSD, 스트레스, 피해경험에 대한 앞서의 우려들에 의지하여 널리 퍼져 있는 치료요법적 감성을 동원함으로써 보상을 청구하고 싶어 한다. 같은 맥락에서 노예제도라는 역사적 사건을 트라우마라는 오늘날의 경험과 연계짓기 위해 '외상 후 노예제도 장애post-trau-matic slavery disorder'라는 새로운 진단이 고안되기도 했다.³

베트남 증후군의 발명 이후로, 모든 군대 사건은 자신의 증후군을 만들어내는 것으로 보인다. 새롭게 발명된 증후군들 ─ 걸프전 증후군, 모가디슈 증후군, 발칸 증후군, 코소보 증후군, 체첸 증후군 ─ 의 수는 모든 새로운 군사 충돌과 함께 증가하는 것으로 보인다. 비록 이 증후군들이 매우 다양한 원인 ─ 그것들 중 일부는 미지의 독성물질을 포함한다 ─ 에서 기인하지만, 그것들은 전쟁과 연관된 고통, 방향감각 상실, 정신적 충격을 의료-치료요법적으로 설명하고자 하는 시도로 인식될 수 있다. 감정전위, 소외, 무의미성의 감정들은 증상들로 바뀌고, 그런 다음에 하나의 증후군으로 묘사된다.

최근에 보고된 인티파다 증후군Intifada syndrome을 살펴보자. 한 기사에 따르면, 특별한 '재활 마을'이 "심한 정신적 공황으로 고통받는" 전 이스라엘 전투병들을 돌보기 위해 세워졌다. 몇몇 재향 군인들이 '개인적인 문제'를 가지고 있고, 마약에 중독되거나 자살충동에 사로잡혀 있거나 "전반적인 감정적 고통을 겪고 있는" 것으로 보인다. 전쟁에 대한 일련의 감정적 반응인 그러한 반응들은 엄청난 사건들을 일반적인 의미망으로는 이해할 수 없기 때문에 발생하는 도덕적 혼란의 일부로 이해될 수 있다. 이러한 경우에 사회적 긴장, 그리고 연대감과 공통의 신념의 약화가 낳은 강한 무의미감은 하나의 의학적 상태로 재해석된다. '증후군'이라는 용어는 도덕적 혼란을 의료화하고, 그것에 병리 상태라는 의미를 부여한다. 인티파다 증후군은 도움을 청하는 것, 그리고 이스라엘 전투병들이 그 전투에서 엄청난 감정적 손상을 입었다는 주장 둘 다를 나타낸다. 평화운동가들에게는 인티파다 증후군은 그들의 주장을 밀어붙일 수 있는, 기꺼운 치료요법적 수단이다.[4]

혼란, 방향감각 상실, 실망, 비탄 그리고 여타 반응들은 자주 치료요법의 꼬리표를 달아줄 것을 요청한다. 분쟁, 폭력 또는 전쟁을 포함하는 강렬한 경험들은 통상적으로 사회적·도덕적 내용이 제거된 채 감정을 손상시키는 것으로 재조명된다. 서머필드가 지적했듯이, 전쟁 피해자들은 자주 그들의 '트라우마화' 또는 '야만화' 때문에 복수심에 불타고 새로운 '폭력 주기'를 불러일으킬 것으로 예기된다(Summerfield, 2002: 1105). 전시상황이 인간의 불행, 고통과 함께 초래하는 불확실성과 탈구는 자주 의료화되고 하나의 증후군으로 진단된다.

희생자의 권위

다운스는 퇴역군인 증후군은 "전쟁 트라우마라는 오래된 문제에 접근하는 하나의 새로운 방식"이라고 주장한다. 도덕적으로 충격적인 경험들은 '증후군'이라는 용어를 통해 치료요법적 개입을 필요로 하는 심리적 상처로 내면화될 수 있다. 하지만 증후군들은 또한 다운스가 '피해자화victimisation'라는 새로운 세계관으로 특징짓는 것을 표현하는 방법이기도 하다. 이것은 "고통의 윤리the ethic of suffering가 지배적인 지적·도덕적 진리로서의 업적의 윤리the ethic of achievement를 대체하는 상황"에 기초한 사고방식이다 (Downs, 1996: 19, 32, 50).

감정적으로 취약하다는 의식은 희생자 정체성에서 하나의 강력한 표현법을 발견한다. 희생자 정체성은 유동적이고 주관적이며, 그것은 실제로 오늘날의 그 어떤 주장에도 갖다 붙일 수 있다. 그리고 이 희생자 정체성은 인정을 받고 또 주장을 제기하는 가장 합법적인 방법 중 하나를 제공하기 때문에, 그것은 사람들이 그러한 정체성을 받아들이게끔 하는 상당한 유인력을 가지고 있다. 감정적 손상에 바탕을 둔 주장들은 점점 더 자원과 도덕적 자격 모두를 요구하는, 사회적으로 용인되는 방법으로 인식되고 있다. 일터에서의 개인적인 불만들은 점점 더 약자 괴롭히기나 희롱 또는 차별로 고통받고 있다는 주장들로 표현된다. 노동조합 조직자들이 과거에 그들의 조합원들이 더 많은 돈을 필요로 한다는 이유로 더 높은 임금을 요구했다면, 오늘날 그들은 경영진의 약자 괴롭히기에 의해 희생된, 스트레스로 지친 노동자들이 보상받게 하기 위한 소송을 준비하는 일에 훨씬 더 편안함을 느낀다. 공공기관들에 자원을 요구할 경우, 그러한 요구는 빈번히 '특별한 요구'라는 어휘로 표현되거나 보상을 청원하는 형식을 취한다. 그리고 희생자라는 주장 제기하기의 성공 자체가 다른 사람들에게 그러한 시류에 편승할 것을 부추기는 것은 물론이다.

희생자라는 범주가 범죄나 여타 다른 불법행위로 인해 고통받는 사람들에게만 적용되는 것도 아니다. 사실상 어떤 불행도 피해의 관점에서 이해될 수 있다. 이러한 관례에 따라 신체적 또는 심리적 문제로 고통받는 사람들은 그들이 처한 상황의 희생자로 묘사된다. 사람들이 그렇게 많이 심장발작을 일으키지 않지만, 그들은 자주 심장마비의 희생자로 묘사된다. 알코올 중독자는 알코올 중독의 희생자로 재창조되어왔다. 수많은 새로운 이익집단들은 이제 자신들이 중독성 행동의 희생자라고 주장한다. 강박적으로 먹는 사람, 섹스 중독자, 인터넷 중독자, 쇼핑 중독자, 복권 중독자 그리고 정크푸드 중독자는 새로운 중독 희생자 집단의 단지 일부일 뿐이다.

중독, 증후군, 의료적 문제들을 피해의 한 변종으로 묘사하는 경향은 전례 없이 많은 새로운 질병을 만들어내게 했다. 점점 더 많은 비참한 사건들이 의료화되었고, 이제 그러한 의료화가 그러한 사건들을 특별히 또는 차별적으로 고려해야 하는 근거로 제시된다. 지금은 증후군과 장애의 시대이다. 외상 후 스트레스 장애, 걸프전 증후군, 만성피로 증후군 그리고 다중 인격 장애 같은 의학적 꼬리표들이 다양한 부문의 사람들에게 적용되고 있다. 그간 특이한 이익집단들이 자신들의 성원이 실제로 지금까지 인정되지 않은 질병으로 고통받고 있다는 주장을 공적으로 인정받기 위해 설립되었다. 그러한 집단들은 자신들의 성원이 고통을 겪고 있다는 점에 덧붙여, 그러한 고통이 인정 ― 특히 의학계의 인정 ― 을 받지 못하고 있다고 주장한다. 따라서 그러한 집단들은 자주 자신들의 진단을 받아들이지 않는 것이 그들에게 더 큰 고통을 야기할 것이라는 점에 근거하여 자신들의 주장을 인정해줄 것을 요구한다. 영국에 근거지를 둔 지원단체인 만성피로 증후군 협회ME Association에 따르면, "이 질병을 둘러싼 오해와 편견이 그러한 고통을 받는 사람들이 경험하는 고통과 비참함을 불신하는 분위기를 계속해서 조장해왔다."[5] 이러한 주장은 자연스럽게 품위 있는 사람들은 희생자들의 감정을 상하지 않게 하기 위해 희생자의 주장을 받아들일 도덕적 의무가 있다는 결론으로 이어진다.

새로운 증후군과 질병의 급증은 자신들을 괴롭히는 질병을 통해 그들 자신을 규정할 준비가 되어 있는 사람들의 수가 증가한 것과 맞물려 있다. 『병에 걸리는 미국Diseasing of America』의 저자에 따르면, "자신이 특정한 병에 걸렸다고 열심히 주장하는 것으로 보이는" 사람들의 수가 증가하고 있다. 그는 "어떤 병을 가지고 있다는 것의 매력이 너무나도 커서 사람들은 자신들이 그 질병에 걸린 것으로 판정받기 위해 그 질병의 기준을 확대해석하거나 아니면 어떤 질병의 명시적 기준을 충족시키기 위해 심지어 그들의 행동을 부풀리기도 한다"고 주장한다(Peele, 1995: 135). 그 결과 수줍음으로 고통받는 사람들은 때때로 그들의 상태를 사회공포증 또는 사회불안장애로 기꺼이 묘사하기도 한다. 1970년대에서 1990년대 사이에 자신이 수줍음을 많이 탄다고 묘사하는 미국인들의 수가 40%에서 거의 50%로 증가하면서, 사회공포증이라는 병도 부풀어졌다.[6]

희생자라는 지위는 특정한 고충으로 직접적으로 고통받아 온 개인들에게만 국한되지 않는다. 희생자 옹호자들은 자신들이 2차 또는 간접 희생자로 간주하는 사람들을 인정해줄 것을 주장한다. 위드(Weed, 1995: 34)가 지적했듯이, "범죄 희생자 운동가들은 실제 희생자의 가족과 친구들을 희생자에 포함시키기 위해 희생자 개념을 확대하는 일을 해왔다". 직접 희생자의 가족 성원들은 자주 간접 희생자로 언급된다. 희생자 옹호자들은 가족 성원, 그리고 때로는 친구들이 치료요법 서비스와 다른 자원들에 접근할 수 있어야 한다고 주장한다. 범죄를 목격한 사람 또는 자신이 아는 누군가에게 대처하기 힘든 어떤 일이 일어났다는 것을 그저 알고 있는 사람 모두가 잠재적인 간접 희생자라는 것이다. 간접 희생자 개념은 희생자 지원을 요구할 자격이 있는 사람의 수를 엄청나게 부풀릴 수 있게 해준다. 불쾌한 일을 목격한 사람 또는 그러한 경험담을 들은 사람은 누구든지 간접 희생자의 지위를 차지하기에 적합한 후보자가 된다. 이것이 영국 정부의 법률 개혁 조직인 법률위원회Law Commission가 1998년 3월에 친척의 죽음을 목격하거나 심지어 텔레비전이나 라디오에서 그것을 들은 이후 정신질환으로 고통받는 사람들도 보상받을 권리가 있다고 권고했을 때 그 위원회를 지배했던 견해였다.7

피해경험을 계속 확대하는 경향은 동시에 피해의 도덕적 차원을 확대한다. 도덕 사업가들moral entrepreneurs은 공포와 극심한 고통을 암시하는 매우 감각화된 담론으로 그들의 주장을 틀 짓는 경향이 있다. 비교적 평범한 사건과 불운조차도 상처를 남기거나 파괴적이거나 정신적 충격을 입히는 것으로 묘사된다. 대인 간 갈등의 특정 사례들이 마치 그것들이 선과 악의 역사적 전쟁의 일부였던 것처럼 해석된다. 페미니스트들은 여성에 대한 폭력은 단지 한 개인에 대한 범죄로 정의되어서는 안 되고, 그것보다는 "여성혐오증이라는 범죄, 즉 여성 증오 범죄"로 인식되어야만 한다고 주장한다. 이런 관점에서 볼 때, 모든 여성이 남성 폭력을 두려워하고 그들 자신을 잠재적 희생자로 간주하는 것은 일리가 있다.8

도덕 사업가들이 채택하는 가장 남용되는 은유 중 하나가 홀로코스트 은유이다. 희생자 옹호자들은 특정한 감정적 상처의 경험과 홀로코스트 경험을 연관시킴으로써 예외적인 고통에 대한 특정 메시지를 전달하고 싶어 한다. 존 브래드쇼는 이러한 맥락에서 알코올 중독자 부모를 둔 아이들Adult Children of Alcoholics: ACOAs은 홀로코스트 생존자들과 같다고 서술했다(Kaminer, 1993: 271에서 인용함). 낙태 반대 운동가들은 낙태는 하나의 홀로코스트라고 되풀이해서 주장한다. 그리고 남권주의 출판물들은 여권주의의 지배하에 있는 미국 남성들의 지위를 나치 독일에서 유대인의 지위에 비유한다. 홀로코스트 경험의 평범화trivialisation는 생존자라는 꼬리표의 광범한 채택을 통해 더욱 진전되어왔다. 희생자 옹호자들이 '생존자'라는 용어를 임의적으로 사용하는 데에는 그 용어와 홀로코스트 경험의 연관을 통해 도덕적 권위를 얻고자 하는 의도가 담겨 있다. '생존자 증후군'이라는 용어는 제2차 세계대전 포로수용소와 집단처형장의 생존자, 그리고 히로시마와 나가사키의 원폭 희생자에 대한 연구에서 처음으로 인정받았다. 도널드 다운스가 지적했듯이, '생존자'라는 용어와 사람들을 생존자로 표현하는 것은 "재난, 인간의 잔혹행위 그리고 억압에서 기인하는 트라우마의 특성에 대한 조사를 진전시키는 데서 중추적인 역할"을 하게 되었다. 그는 "가정폭력, 성폭행, 그와 관련된 지배형태들, 그리고 기술적 사고事故의 결과에 대한 지식이 조사와 정치의 상호작용을 통해 널리 퍼지면서, 미국은 스스로를 적어도 일부에서는 '생존자들'의 국가로 정의하기 시작했다"고 결론지었다(Downs, 1996: 49).

도덕 사업가들에게 생존자 개념은 생존자들이 홀로코스트로 고통받은 사람들과 동등하게 대우받아야 한다는 단순한 도덕적 주장 그 이상의 것을 의미한다. 그것은 또한 감정적 자아라는 표현을 더욱 돋보이게 해준다. 왜냐하면 그것은 그러한 개인들이 극심한 고통과 괴로움에도 불구하고 살아남았다는 것을 시사하기 때문이다. 이것은 생존자라는 지위를 보다 권위 있고 훌륭하게 만든다.

도덕적 진실 주장

자원과 자격을 요구하는 주장을 제기하는 사람들은 단지 금전적·물질적 계산만을 동기로 하는 것이 아니다. 거기에는 분명 이른바 권리혁명을 추동하고 소송을 급격히 증가시키는 중요한 금전적 측면도 존재한다. 보상의 요구는 자신들이 부당한 취급을 받아왔다고 느끼는 사람들 또는 자신의 특별한 고통이 자신에게 특별한 대우를 받을 자격을 부여한다고 믿는 사람들의 구호가 되어왔고, 그러한 사람들은 사회에서 계속해서 증가하고 있다. 하지만 치료요법식 주장 제기하기는 단지 금전적 보상의 추구로만 이해될 수 있는 것이 아니다. 앞서 지적했듯이, 치료요법 문화는 사람들로 하여금 질병의 프리즘을 통해 문제를 해석하게 한다. 사람들은 매일 자신의 감정적 취약성에 대해 생각한다. 희생자 정체성과 권위 모두가 치료요법식 주장 제기하기를 통해 주장된다. 치료요법 문화는 희생자의 지위를 가진 사람들에게 도덕적 특권을 부여한다. 특히 희생자 옹호자들은 자신들이 보호하는 사람들에 대한 존중과 인정을 요구한다. 이것이 바로 피해를 입었다는 주장이 도덕적 인정을 요청하는 것이 되는 이유이다.

피해를 이유로 보상을 요구하는 사람들은 자주 자신이 금전적 계산이 아니라 자신의 곤경에 대해 공중의 인정을 받고자 하는 욕망 때문에 그렇게 한다고 주장한다. 보스니아에서 복무하는 동안 자신이 목격한 잔학행위들에 의해 정신적 외상을 입었다고 느꼈기 때문에 보상 소송을 제기한 영국 군인 게리 오언Gary Owen은 자신은 돈에는 관심이 없다고 진술했다. 오언은 "내가 원하는 것은 그런 일이 다른 어느 누구에게도 결코 다시는 일어나지 않는 것 뿐"이라고 말했다. 런던의 서더크Southwark 자치구에 제기한 성차별 소송에서 이긴 헤더 밀스Heather Mills는 자신이 법정소송에서 승리한 이후 "내가 차별받아왔다는 재판소의 선언이 나에게 얼마나 큰 의미가 있었는지를 말로 다 표현할 수 없다"고 말했다. 그녀는 "나는 내가 희생자였다는 것을 알고 있었지만 다른 사람들도 그것을 아는 것이 필요했다"고 부언했다.9 공중의 긍정을 얻는 것이 소송을 증가시키는 중요한 논거의 하나가 되고 있다.

실제로 희생자 옹호자들이 제기한 주요 불만사항 중 하나가 자신들이 보호하는 사람들이 경험하는 고통과 어려움이 충분히 인정받지 못하고 있다는 것이다. "인식을 끌어올리는 것"은 치료요법을 지향하는 지원단체들이 변함없이 추구하는 주요 목표 중 하나이다. 그러한 목표를 달성하기 위해서는 고통의 특정한 상태나 경험이 공식적으로 인정받고 가급적이면 그것에 이름을 붙이는 것이 아주 중요하다. 광신적 종교집단과 악마 숭배의식에서 행해지는 아동학대에 대한 도덕개혁운동은 자주 그들의 주장을 공중이 신뢰하지 않기 때문에 좌절한다. 그러한 운동이 제시하는 주요한 고충 중 하나가 악마 숭배의식에서 일어나는 아동학대에 대한 "합의된 정의가 없고" 그것이 "별도의 범죄 범주로 분류되지" 않는다는 것이다. 운동가들은 악마 숭배의식에서 일어나는 아동학대가 그 문제를 잘 알지 못하는 사람들에게는 너무나도 믿을 수 없는 일이기 때문에 희생자들이 신뢰받지 못한다고 주장한다. 그리하여 그러한 운동은 악마 숭배의식에서 아동학대가 널리 행해지고 있다는 점을 공중이 인식하게 하기 위해 노력하고, 또 운동가들은 사회가 그것을 사건의 한 형태로 인정해야만 한다고 요구한다.10

그러한 주장이 수용되어 인정을 받는 것은 논란의 대상이 된 증후군이나 질병으로 고통받는다고 주장하는 사람들의 옹호자들에게 특히 중요하다.

이 경우에 특수한 고통을 받고 있다는 주장이 정당성을 인정받기 위해서는 일반적으로 인정받는 명칭과 진단이 필요하다. 섬유근육통협회Fibromyalgia Association는 사회가 그 질병으로 고통받는 사람들을 모르는 체 했다는 것에 근거하여 그것의 존재를 정당화한다. 그 협회의 브리핑 문서에 따르면, 섬유근육통으로 고통받는 사람들은 "극심한 고통을 경험했고, 그들이 경험해온 피로와 여러 건강문제들이 실재하지만, 최근까지 그것에 대한 어떠한 진단도 없었다."[11] 그 질병을 의학적으로 인정받는 것이 그 협회의 중차대한 목표가 되었다. 그 목표는 세계보건기구(WHO)가 국제질병분류에 섬유근육통을 포함시킨 1990년대 초에 달성되었다. 공식적으로 지정된 명칭을 통해 특정 질환을 의료화하는 것은 희생자의 존재에 의미를 부여한다. 섬유근육통협회에 따르면, 그 질병의 희생자로 진단받은 사람들이 보인 공통된 반응은 "정말 다행이다, 나는 이 모든 증상을 마음속에 그리며 내가 미쳐가고 있다고 생각했다"는 것이었다.

섬유근육통 진단을 인정받기 위한 캠페인은 오늘날 의료화에 대한 요구가 아래로부터 나온다는 것을 보여준다. 이 같은 증상의 의미 찾기에 관한 중요한 연구에 따르면, 의료화 과정에서 중요한 요소는 고통받는 사람들을 자조공동체로 결집하여 그들의 개인적인 고통의 경험을 공유된 질병표현으로 전환시키는 것이다(Barker, 2002: 295). 이 같은 질병 정체성의 추구는 오늘날의 주장 제기하기에서 중요한 테마이다. 실제로 일부 사람들은 의학적 진단의 모색을 운동의 목적으로 삼아왔다. 유럽연합에서는 '희귀질환연합Rare Disorder Alliance'이라는 이름의 단체가 희귀질환으로 고통받는 사람들이 신속하게 진단을 받을 수 있게 하기 위해 설립되었다.[12] 미국의 만성피로 증후군 운동가들은 이 진단에 의문을 제기하는 사람들에 격분하며,

그들을 홀로코스트를 부인하는 것과 비슷한 행동을 하는 사람들이라고 비난했다.[13]

반복사용 긴장성 손상repetitive strain injury으로 고통받고 있다고 주장하는 여성의 경험을 다룬 한 중요한 연구는 그러한 주장을 하는 사람들이 그들의 곤경을 인정받는 것에 부여하는 의미를 강조한다. 그 연구의 저자들은 "그러한 여성들이 자신들의 질병을 설명하는 데서 겪는 주요한 문제가 바로 신뢰의 문제"라고 보고한다. 그 연구는 그들의 질환을 반복사용 긴장성 손상으로 이름 붙이기 위한 활동을 고통의 순례의 개시, 즉 그들이 가진 질병을 대외적으로 인정받고자 하는 것으로 묘사한다. 그 저자들에 따르면 "여성들은 마치 진단이 의학보다는 신앙의 문제라는 듯이 자신들의 증후군에 대해 말했고 그들의 순례는 도움을 줄 수 있을지도 모르는 다른 신자들을 찾는 것을 중심으로 하고 있었다"(Reid, Ewan and Lowy, 1991: 609, 611). 이 같은 의학적 명칭을 통한 공감과 인정, 그리고 비준의 추구가 사회 전반에서 수많은 질병단체가 우후죽순으로 설립되게 하고 있다.

치료요법 문화를 통해 비非판단주의, 공감, 긍정이라는 이상들이 널리 퍼졌다. 그 결과 자신들이 처한 상황에 대한 개인들의 설명을 믿고 존중하는 것은 점점 더 하나의 의무로 표현되고 있다. 섬유근육통을 참고 지내는 여성들의 경험을 연구한 저자들은 "신뢰는 어떤 사람이 인간으로 그리고 아픈 사람으로 진지하게 받아들여지고 그 사람의 경험들이 사실로 간주되는 것을 의미한다"고 주장한다(Soderberg, Lundman and Norberg, 1999: 583). 어떤 질병에 대한 개인의 해석이 정당함을 인정하는 것은 그것만으로도 역량을 강화하는 행위라고 제시된다. 주앤 클라크Juanne Clarke는 만성 피로 증후군으로 고통받는 사람들이 자신들의 질병을 인정받고자 하는 노력을 다룬 자신의 연구에서 "진단 그 자체는 개인 수준에서 불안과 불확실성을 완화시킬 수 있다"고 주장한다. 클라크에 따르면, 진단은 그것이 "다양한 사회복지, 사회보험 그리고 고용 관련 서비스의 이용을 가능하게 할 수도 있기" 때문에 "치료가 불가능한 사람들에게조차 하나의 자원이 될 수 있다"(Clarke, 2000: 89).

당연히 보건전문가들에게는 새로이 등장한 다양한 질병들을 인정하라는 상당한 압력이 가해지고 있다. 클라크가 지적하듯이, "[만성피로 증후군으로] …… 고통받고 있는 사람들 중 몇몇은 자신들이 경험하는 여러 가지 증후군들을 합법화하고 실제로 의료화할 수 있는 진단 표지와 치료법을 발견하는 데 필요한 자금을 조달하기 위한 로비를 벌이기 위해 스스로 지원/옹호단체를 조직했다"(Clarke, 2000: 74). 이 같은 의학적 명칭을 부여해 달라는 요구는 이전에 자주 이데올로기적 열정에 의해 추동되던 운동들에 필적하는 열의에 의해 이끌어지고 있다. 최근에 한 의사가 만성피로 증후군 진단의 적절성과 관련하여 제기한 의문은 격분을 불러일으켰다. 화가 난 한 만성피로 증후군 환자는 자신의 고통이 실재한다는 것을 인정해줄 것을 요구하기에 앞서 "나는 나의 질병이 보건전문가들에 의해 어떻게 불리든 신경 쓰지 않는다"고 썼다.[14] 이러한 진단받을 권리에 대한 요구는 점점 치료요법 에토스의 제도화를 통해 재가된다.

옹호단체, 그리고 부모들로 구성된 지원단체의 압력으로 인해 점점 더 많은 영국 의사가 현재 아이들을 과잉행동으로 진단하고 치료하고 있다. 그러한 질병에 대한 '인식'을 고취시키고자 하는 사람들은 "낙인에 의한 어떤 손해"도 "자존감에 따른 이익보다 크지 않기" 때문에 "그 문제의 확인은 그 자체로 유용하다"고 주장한다(Taylor and Hemsley, 1995). 의학적 명칭은 일부 부모들이 자신들의 자녀를 위해 간절히 원하는 것이다. 따라서 과잉행동을 하는 어린이들은 이제 "파괴적이고 반항적이고 지나치게 활동적인 문제라기보다는 질병을 가지고 있는 것으로 여겨진다"(Conrad, 1975: 18). 부모들은 그들의 자녀가 어떤 의학적 문제를 가지고 있고 그 또는 그녀의 행동에 책임이 없다는 것을 '발견'할 때 실제로 걱정을 던다. 한 어머니는 ≪더 타임스≫에 "나는 올해 중요한 날 며칠 전에 최고의 크리스마스 선물을 받았다"고 썼다. 그녀는 자신의 아들이 난독증 진단을 받았고 따라서 분명히 자신의 아들이 자신이 이전에 두려워했던 것처럼 굼뜬 것이 아니라는 좋은 소식을 전하는 중이었다.[15] 그 진단이 있기 전까지, 학업 통지표에는 그 아이가 "쉽게 산만"해지고 "자주 파괴적"이라고 묘사되어 있었다. 그 아이는 이제 난독증 희생자이기 때문에, 더 이상 공식적인 비난의 대상이 아니게 될 것이다. 그 대신에 그 아이는 이제 인정과 정신적 지원을 기대할 수 있다.

심한 학습장애가 있는 아들을 키우며 자신이 겪은 힘든 경험을 서술한 책 『위장하고 있는 선물A Gift in Disguise』을 쓴 헨리에타 로즈Henrietta Rose는 자신의 아들 톰이 하나의 이름 붙여진 질병으로 전혀 진단을 받지 못하고 있다는 것에 여전히 실망하고 있다. 그녀는 그 결과 자신이 자신의 꿈과 기대를 잃은 것을 "슬퍼할 기회를 놓쳤다"고 주장한다.[16] 인정에 부여되는 이러한 중요성은 아이들이 톰과 같이 심한 장애를 갖지 않을 때조차도 부모로 하여금 자신의 아이가 이름이 붙여진 질병에 걸린 것으로 진단받기를 자주 원하게 한다. 의학적 명칭은 문제행동을 다루는 어려움을 줄여준다. 영국에서 교사와 부모가 학교에서 학습장애 분류의 대중화를 공모하고 있다는 것을 보여주는 증거가 있다.[17] 실존적 불안전의 시대에 의학적 진단은 적어도 정의를 내려준다는 장점이 있다. 질병은 개인의 행동을 설명해주고, 심지어 정체감을 부여하는 데 도움을 준다. 일상생활의 의료화는 개인들이 자신들의 곤경을 이해하고 도덕적 공감을 얻을 수 있게 해준다.

개인들은 자신을 규정짓는 것이 자신의 질병이라는 것을 대체로 알고 있고, 자신이 누구인지에 대한 진술 속에서 자주 공개적으로 자신의 중독과 증후군을 드러낸다. 진단이 비록 중독자 또는 환자를 승인하지는 않지만, 진단은 적어도 그들을 도덕적으로 인정한다. 그 결과 알코올 중독은 더 이상 도덕적 약점이 아닌 질병으로 표현되고, 그 질병의 희생자들은 비난받기보다는 치료 또는 도움을 받는다. 치료요법 문화의 관점에서 볼 때, 회복 중에 있는 알코올 중독자의 정체성은 우리에게 도덕적 지원을 정당하게 요구할 수 있는 정체성이다.

개인의 좌절과 실망이 치료요법의 어휘를 통해 해석되면서, 개인의 문제와 실패를 설명해주는 진단을 요구하는 경우가 점점 더 늘고 있다. 심지어 성인들도 학습장애라는 딱지를 받아들일 준비가 되어 있다. 이 주제에 대한 한 권위 있는 연구에 따르면 "학습장애로 확인된 일부 성인들은 실제로 학습장애라는 딱지를 부정적으로 인식되는 어떤 것으로서가 아니라 하나의 구원으로 간주한다." 이러한 개인들에게 그 같은 진단은 과거의 실패와 학교에서 겪은 장기간의 문제를 설명하는 데 도움을 준다. 그것은 또한 자신들이 "아주 멍청하다"고 생각했던 많은 사람의 자아 이미지를 끌어올리는 데 일조한다(Spear-Swerling and Sternberg, 1996: 3). 낙인찍기와 자기 낙인찍기는 진지하게 받아들여 달라는 요구이다. 이것이 바로 사회생활의 의료화가 엄청난 도덕적 권위를 누리는 이유인 것으로 보인다.

희생자 단체들은 자신들이 보호하는 사람들이 진실에 접근하는 데서 특권을 가지고 있다고 주장한다. 이를테면 만성피로 증후군 협회는 "질병의 증거에 대한 부담을 환자와 장애인이 져서는 안 된다"고 믿는다. "그 아이를 믿어라"라는 말은 아동보호 운동가들의 슬로건이다. 희생자 옹호자들은 아동학대, 악마 숭배의식에서 일어나는 아동학대 또는 성폭행 주장에 의문을 제기하는 것은 잘못이라고 주장한다. 그들은 희생자의 권리는 신뢰받을 권리와 동의어라고 생각한다. 실제로 그들은 그러한 주장을 비판적 심문의 대상으로 만드는 것은 희생자에게 재차 상처를 입히는 것이라고 자주 역설한다. 그리하여 증거의 강요와 주장에 대한 면밀한 심문은 희생자에게 또 다른 심리적 손상을 가할 가능성이 있다는 이유로 자주 거부된다.

희생자가 누리는 특권적 지위를 가장 상징적으로 보여주는 것이 바로 사회는 희생자들이 말하는 것을 믿을 책임이 있다는 널리 받아들여지는 견해이다. 신뢰받을 권리는 감정적으로 취약한 사람들은 긍정되고 정당함을 인정받을 필요가 있다는 전제에 기초해 있다. 이러한 입장에 따르면, 사건의 희생자들이 제시하는 견해에 의구심을 드러내는 것은 그 어떤 것도 희생자에게 더 많은 감정적 고통을 가할 가능성이 있다. 이러한 접근방식은 성범죄의 영역에서 더욱 적극적으로 추구된다. 아동학대와 성폭행 희생자 옹호자들은 사건에 대한 희생자들의 견해에 이의를 제기하려는 피고측 변호사의 시도는 감정적 괴롭힘의 한 형태라고 주장한다. 그들은 상처받기 쉬운 증인이 공격적인 질문들로부터 특별한 보호를 받을 필요가 있다고 주장한다. 그들은 또한 통상적인 증거 기준이 그러한 경우에는 적용되지 말아야 한다고 주장한다. 미국인 검사 스티브 채니Steve Chaney는 아동추행에 관한 전국적 심포지엄에서 "그 아이가 학대를 당했는가?"라고 묻지 말고 그 대신 "그 아이가 법정에서 우리에게 필요한 일을 할 수 있는가?"라고 물어야 한다고 보고했다. 채니는 성인 증인들은 항상 거짓말을 했던 반면 아이들은 진실을 말하는 경향이 있었고 따라서 그가 할 일은 아이들의 이야기를 들을 수 있는 환경을 만드는 것이었다고 주장했다(Nathan and Snedekert, 1990: 200~201에서 인용함). 지난 몇 년간 이러한 감상은 미국 정치인들에 의해 널리 지지받았고, 점차 아동 증인들은 법정에서 볼 수 없게 되었다. 아이들에게는 폐쇄회로 텔레비전을 통해 증언하는 것이 허용되었다. 몇몇 사건에서 법정은 사회사업가가 어린 유아를 인터뷰하는 비디오테이프를 보여주었다. 다른 사건들에서는 부모, 치료요법사, 의사들이 아동학대를 폭로하는 데서 간접 증언을 하는 것이 허용되었다. 나단과 스네데커트(Nathan and Snedekert, 1990: 207)에 따르면, 1980년대 중반경에 "피고인이 고발 중인 증인과 얼굴을 맞대고 대면할 권리는 아동 성폭행 사건들에서 심히 약화되었다." 일반적으로 아동 증인은 항상 희생자로 언급되고, 인권옹호 단체조차도 피고가 증언에 대해 적극적인 반대심문을 할 수 있는 권리를 지지하기가 어렵다는 것을 발견했다.

아동의 증언이 진실을 반영한다는 명제는 아동보호산업에 의해 널리 전파되었다. 미국 페미니스트 사회사업가 루시 베를리너Lucy Berliner가 아동학대와 관련하여 한 논평은 증언에 대한 이러한 기사도적 접근방식을 아주 잘 보여준다.

법적 결정을 결코 진실과 혼동하지 말아야 한다. 만약 우리가 아이들이 말하는 것을 믿는다면, 우리는 95~99%가 옳을 것이다. 만약 우리가 징후와 증상을 증거로 원한다면, 우리는 70~80%가 옳을 것이다. 만약 우리가 의학적 증거를 요구한다면 우리는 20%가 옳을 것이고, 만약 우리가 증인을 기다려야 만 한다면 우리는 1%가 옳을 것이다(Taylor, 1993: 132에서 인용함).

이러한 관점에서 볼 때, 증거의 요구는 학대라는 초월적 진실로부터 주의 를 다른 곳으로 돌리게 할 뿐이다. 치료요법적 관점에서는 명백한 허위 고 발 사례들조차도 일부 본질적인 진실을 담고 있는 것으로 인식된다. 이를 테면 한 설명에 따르면, 아동 성 학대에서 허위 고발이 드물게 있기는 하지 만 "그런 일이 일어날 경우 그것은 거의 항상 도움을 청하고 있는 것이다." 그 저자들은 "거짓 진술을 하는 아이들은 도움과 지원을 요청하는 것이 분 명하며, 따라서 그 진술은 무시되지 말아야 한다"고 부언한다(Anthony and Watkeys, 1991: 120). 그러한 동정심은 좀처럼 피의자에게까지 확대되지 않 으며, 진술이 거짓일 때조차도 그것이 "무시되어서는 안 되기" 때문에, 의 심을 받는 쪽에서는 의심을 완전히 해소할 수 없다.

희생자 운동가들에게 희생자를 믿을 의무는 도덕적 정명의 성격을 지닌 다. 그들은 희생자들이 신뢰받을 권리가 있다고 주장한다. 악마 숭배의식 에서 일어나는 아동학대와 싸우는 운동가들은 사디스트적인 악마 숭배의 식에서 아동학대 희생자에게 일어날 수 있는 최악의 일은 아마도 신뢰받 지 못하는 것일 거라고 주장함으로써 회의론자들을 무력하게 만든다. 패 트릭 케이스먼트Patrick Casement는 다음과 같은 말로 회의론자들에게 죄의 식을 가지게 하고자 한다.

'악마 숭배의식에서 행해지는' 아동학대로 알려진 몇몇 소문은 망상일 수도 있으며, 그런 이야기를 하는 사람들은 경우에 따라서는 실제로 정신이상자일지도 모른다. 그러나 만약 그러한 소문 중 일부가 사실이라면, 그리고 만약 우리가 거기에 존재할지도 모를 진실을 파악할 용기가 없다면 …… 우리는 비밀리에 계속되고 있는 그러한 관행을 암묵적으로 인정하고 있는 것일지도 모른다는, 또한 그런 일들이 존재할 수도 있다는 믿음을 거의 전면적으로 거부함으로써 그러한 관행을 뒷받침하고 있는 것일지도 모른다는 무서운 사실에 여전히 직면할 수밖에 없다(Casement, 1994: 24).

이러한 관점에서 볼 때, 악마 숭배의식에서 벌어지는 아동학대에 대한 고발을 믿지 않으려는 사람들은 가해행위의 공범들이다.

　한때 치료요법사와 환자 사이의 관계에 국한되었던 신뢰받을 권리가 사회에서 점점 증가하는 다양한 위험경험들로 확대되었다. 이 권리는 하나의 중요한 도덕적 주장을 사회에 제기하는 것이다. 놀랄 것도 없이 이러한 중요한 도덕적 유인이 취약한 정체성을 만들어내게 한다.

자원에 대한 요구

앞서 지적했듯이, 취약한 상태에 있다는 것은 인정과 도덕적 권위를 부여받는다. 당연히 그것은 또한 자원과 차별적인 대우를 요구한다. 공적 단체와 비공식적 제도 모두는 희생자에 대한 보상을 제도화해왔다. 그것에 걸린 금전적 유인 때문에, 점점 더 많은 사람이 점점 더 많은 일련의 사건을 피해를 입는 사건들로 기술하고 있다. 희생자라는 느낌은 매우 주관적인 것이기 때문에, 사회는 어떤 종류의 위험경험과 사건이 보상받아야 하는지에 대해 분명하게 정의내리기가 어렵다는 것을 발견한다. 사람들이 숨어 있는 불특정한 고통에 대해 손해 배상을 요구하고 나서는 것은 이제 흔한 일이다. 사람들은 이제 기분 상함, 자신감이나 자존감의 상실 또는 정신적 충격을 받은 것에 대해 보상을 요구하고 있다. 많은 보상 요구자가 자신들이 평생 감정적으로 두려움을 겪어왔다고 주장한다. 다른 사람들은 먼 옛날에 일어났던 충격적인 사건 — 그렇지만 최근에 깨닫게 된 사건 — 에 대해 돈을 요구한다.

　치료요법 문화가 이룩한 가장 대단한 혁신 중 하나는 그것이 실존 심리적 고통을 금전적 보상을 요구할 수 있는 것으로 재분류해왔다는 것이다. 역사 속에서 늘 인류를 괴롭히는 것으로 제시되었던 여러 내적 고통들이 이제는 점점 더 심각한 감정적 상처의 징후로 다루어지고 있다. 과거에 법정은 심리적 상처에만 근거하는 보상 요구를 진지하게 받아들이기를 꺼려왔다. 신체적 손상은 비록 측정될 수 없다고 하더라도 어느 정도 납득할 수 있는 반면, 감정적 고통은 계산 불가능하다고 여겨졌다. 과실로 인해 순전한 정신적 고통을 입힌 것은 소송의 근거가 된다고 보지 않았다. 소송의 역사를 다룬 한 저자는 "과실의 희생자는 신체적 학대를 당하지 않는 한 스스로 자신의 정신적 상처들을 돌보아야만 했다"고 결론지었다(Huber, 1988: 117). 치료요법 문화의 출현 이래로 정신적 고통과 괴로움은 정당한 보상을 요구할 수 있게 되었다. 미국의 한 연구에 따르면, 최근에 신체상해 소송들에서 보상을 받은 경우의 30~40%가 이러저러한 심리적 고통 때문이었다(Huber, 1988: 121). 심리적 고통은 과실의 직접적 희생자만이 아니라 단지 어떤 사건의 목격자였던 개인들에게도 가해질 수 있는 것으로 폭넓게 해석된다.

새로이 생겨난 심리적 상처들에 기초한 요구들이 증가하고 있고, 계속해서 증가할 것으로 보인다. 정신적 고통, 트라우마, 스트레스, 그리고 자신감과 자존감의 상실이 점점 더 보상의 정당한 근거로 제시되고 있다. 미국 사회학자 제임스 놀런은 미국에서 신체상해 소송이 점점 더 감정적 손상을 이유로 정당화되고 있다고 주장한다. 캘리포니아에서 1976년에서 1986년 사이에 감정적 손상 소송이 신체적 손상 소송보다 열 배가 많아졌고, 그 후에도 그러한 추세는 훨씬 더 뚜렷해졌다. 놀런은 이 수치들이 취약함의 상태에 문화적으로 더 민감하게 되고 감정에 더 많은 권위가 부여되고 있음을 반영한다고 주장한다(Nolan, 1998: 50, 66). 유사한 경향이 영국에서도 분명하게 나타나고 있다(Furedi, 1999를 보라).

최근 영국에서는 성인들이 어린 시절 동안 자신들이 겪은 트라우마를 이유로 그들의 학교, 양부모의 집 그리고 다른 기관들을 고소하는 것이 허용되었다. 많은 학교가 심지어는 15년 전에 괴롭힘을 당했었다고 주장하는 옛 학생들로부터 소송을 당하고 있다. 세바스찬 샤프Sebastian Sharp는 합의금으로 3만 파운드를 받았다. 그는 괴롭힘이 자신의 퍼스낼리티에 심각한 악영향을 미쳤고 그를 불안하고 우울하고 자살충동에 사로잡히게 만들고 있다고 주장했다.[18] 학교와 다른 공공기관들이 비용 때문에 그러한 소송을 벌이기를 꺼려하며 그래서 자주 기꺼이 비공식적으로 금전적으로 해결하고자 한다는 것을 보여주는 일화 같은 증거들이 많이 있다. 공공기관 측의 이러한 수세적 자세는 소송을 더욱 부추기는 결과를 초래해왔다. 시험을 잘 치르지 못했던 몇몇 학생들은 학교가 자신들을 실망하게 했고 그래서 보상을 받을 자격이 있다고 주장한다.[19] 그리고 시류에 편승해온 사람들은 단지 실망한 학생들뿐만이 아니다. 이제는 군인, 남녀 경찰관, 여타 응급 서비스 대원들도 과거에는 그들의 통상적인 의무의 일부로 간주되었던 사건들에 대해 보상을 요구하고 있다. 이를테면 15년 전에 아일랜드공화국IRA의 지뢰에 친구가 죽는 것을 보았던 한 재향군인은 국방성을 고소했다. 그는 외상 후 스트레스 장애로 고통을 받고 있으며 자신이 일을 견뎌내지 못하고 자신이 장기간 맺어온 관계들이 깨진 것에 대한 책임이 군에 있다고 주장했다.[20] 진단이 인생에서 겪은 실패를 보상받는 근거가 되었다.

1998년에 한 교감 선생은 여 교장의 괴롭힘이 자신을 신경쇠약에 걸리게 했다고 주장하여, 합의금으로 10만 파운드를 받았다. 그 전 교감 선생은 자신이 그 학교의 교사가 되었을 때에는 "유능하고 자신감 있는 사람이었지만 결국에는 아주 정반대의 사람이 되고 말았다"고 주장했다. 그의 신경쇠약의 한 원인이 된 것으로 보이는 주요한 사건이 발생한 것은 1991년 12월이었다. 그때 그는 한 전직 교사에게 그분이 매우 기뻐하는 크리스마스 선물을 줄 것을 요구받았다. 그는 "나는 이번 크리스마스에 당신이 이것을 조금씩 빨아먹으면서 즐기기를 바랍니다"라는 글과 함께 전해주라고 요구받았던 그 선물이 바로 초콜릿으로 만든 페니스였다는 것을 알게 되었다. 듣자 하니 그 사건은 소송 당사자를 너무나도 당혹스럽게 만들었고, 그는 그로 인해 격심한 심리적 고통을 겪었고, 그것은 그로 하여금 가르치는 직업을 그만두어야겠다고 생각하게 했다. 자신의 아이들이 그 학교 — 커루Carew의 사제스턴 카운티 초등학교Sageston County Primary — 에 다니고 있던 많은 부모들은 자신들이 '가볍게 즐기는 농담'에 지나지 않는 것으로 간주했던 것에 대한 보상으로 10만 파운드를 지불해야 한다는 사실에 경악했다.[21] 하지만 부모들이 간과한 것이 있었는데, 그것이 바로 치료요법 문화가 고통을 사람들에게 어떤 일이 일어났었는지보다는 사람들이 어떻게 느낀다고 주장하는지와 관련하여 정의한다는 것이었다. 이러한 관점에서 볼 때, 오직 희생자들과 그들의 치료요법사들만이 그들이 얼마나 많은 심리적 고통을 겪었는지를 알고 있다. 이것이 바로 과거에는 별난 것으로 간주되었을 보상의 요구들이 오늘날 그렇게 진지하게 받아들여지는 이유이다.

비록 소송 혁명의 배후에 있는 힘들이 복잡하고 또 단일한 원인으로 환원될 수 없지만, 감정적 취약성에 대한 정의의 확대와 심리적 고통에 부여된 중요성은 소송혁명이 발생하는 데에 하나의 의미 있는 영향을 미쳐왔다. 감정적 고통을 겪는 것에 대해 자원을 요구하는 것은 영국과 미국의 직장에서 진급을 하기 위한 하나의 대안적 수단이 되었다. 미국에서는 특히 직장 소송이 꾸준히 증가해왔다. 각기 다른 소송 당사자들이 감정적 고통, 연령차별, 성희롱에 대한 보상을 요구하고 있다. 노동조합들은 시의에 적절하게 자신들의 활동을 집단행동에서 그들의 조합원이 겪는 감정적 고통을 이유로 고용주를 고소하는 쪽으로 방향을 전환해왔다. 과거에는 노조 조합원들이 고용주들에게 더 높은 임금과 더 나은 조건을 요구했지만, 요즘 그들은 작업장 스트레스나 피해 입음에 대해 불만을 터뜨릴 가능성이 훨씬 더 크다. 웨인라이트와 칼넌은 이 과정을 '직무스트레스의 비정치화'라고 묘사했다(Wainwright and Calnan, 2002). 그들은 "유행병 학자들이 노동자를 특정한 정치적·역사적 맥락에서 적극적으로 행동하는 사회적 행위자로 인식하기보다는 '직무 스트레스 희생자'로 보고, 그들을 의학적 담론 내의 환자, 즉 질병으로 고통받는 어떤 사람으로 구성해왔다"고 논평한다(Wainwright and Calnan, 2002: 43).

노동조합이 소송 쪽으로 방향을 전환한 것은 치료요법 문화가 주장 제기하기에 어떠한 영향을 미쳤는지를 예증해준다. 1980년대 동안에 노동조합 지도부는 자신들의 역할을 찾는 것이 점점 더 어려워지고 있음을 발견했다. 집합적 연대의 쇠퇴와 노동조합 행동주의의 호소력 상실은 이 운동 조직의 영향력을 감소시키는 결과를 초래해왔다. 노동조합 지도부는 노동조합주의의 전통적인 언어로 자신들의 이익을 증진시키기가 어렵다는 것을 발견했다. 치료요법 방식의 주장은 노동조합의 이미지를 개선하는 것을 도왔을 뿐만 아니라 그들의 요구를 정식화할 수 있는 언어를 제공해주었다. 노동쟁의 행위가 자주 부정적인 용어로 인식되는 반면, 경영주를 법정에 세우는 것은 정당한 행동 형태로 제시되고 있다. 미국에서는 이제 노동자들에게 소송으로 '거액'을 벌 수 있다고 조언하는, 『당신의 사장을 고소하라Sue Your Boss』와 같은 제목의 자기계발서가 넘쳐나고 있다(Olson, 1992: 9에서 인용함).

노동조합 활동가들은 이제 스트레스를 정의상 해로운 것으로 규정하는, 보다 광범한 문화적 합의에 의존할 수 있게 되었다. 건강 운동가와 치료요법 압력단체들에 의한 스트레스의 질병화는 노동조합 활동가들이 그들의 주장을 널리 공감받을 수 있게 해주었다. 1996년 4월에 수석 사회복지사 존 워커John Walker가 "평소 확신에 차 있던 자신의 퍼스낼리티가 정신의학적 손상을 입었다"는 이유로 17만 5000파운드의 보상을 받았을 때, 중요한 법적 판례가 마련되었다. 고등법원은 워커에게 주어진 '불가능한 업무량'이 그의 신경쇠약의 원인이었다고 판결했다. 고용주가 그의 업무량 또는 그의 스트레스를 줄이기를 거부한 것은 판사에게 워커의 주장이 정당하다고 확신시켜주었다. 그 판례는 스트레스가 많은 작업환경으로 피해를 입은 다른 사람들을 위한 하나의 선례가 되었다. 그 결과 직무 스트레스를 이유로 하는 보상 요구가 점점 더 증가하고 있다. 영국 노동조합회의가 1998년 9월에 발표한 보고서를 보면, 노동조합이 법정으로 끌고 간 소송사건 목록에서 스트레스가 1위를 차지하고 있다.

노동조합 조직은 희생자의 옹호자라는 역할을 효과적으로 수행하기 위해 치료요법 서비스의 손꼽히는 옹호자 중 하나가 되었다. 노동조합은 여론 환기와 조직화에 시간을 거의 할애하지 않고, 회사 측의 괴롭힘에 직면하는 사람들을 돕기 위한 전화상담 서비스를 알리는 데 상당한 자원을 충당하고 있다. 영국의 노동조합은 이제 그들의 조합원에게 스트레스 카운슬링을 제공하고, 너무 많은 일을 요구하는 작업장의 요구에 대처하는 방법에 관한 워크숍을 개최한다. 치료요법 에토스의 고취가 노동조합의 새로운 존재 이유가 되었다. 노동조합들은 단체교섭을 통해 의미 있는 이득을 만들어내는 것보다 스트레스로 지친 조합원들을 위한 보상을 받아내는 것이 더 쉽다고 생각하는 것으로 보인다.

작업장의 질병화는 어린 시절과 학창 시절의 질병화와 나란히 진전되어 왔다. 아이들의 행동을 질병화하는 경향은 부모가 그들의 자녀가 특별한 도움이 필요하고 그래서 특별대우를 받을 권리가 있다고 계속해서 주장하는 분위기를 만드는 데 일조해왔다. 예상할 수 있듯이, 지난 20년 동안 아이들에게 악영향을 미치는 장애와 증후군의 수가 증가해왔다. 병리화되는 것은 단지 아이들의 문제행동만이 아니다. 점점 더 많은 수의 초등학생들이 학습장애를 겪는 것으로 분류되고 있다. 스피어-스웰링과 스턴버그(Spear-Swerling and Sternberg, 1996)는 읽는 것이 서툰 사람들을 학습장애로 재분류해온 방식에 문제를 제기한다. 그들은 나쁜 학급 성적의 질병화는 자주 "부모와 교사의 기대치를 점점 더 낮추게 하고 그로 인해 아이의 동기가 더더욱 저하되는" 좋지 않은 결과를 초래한다고 주장한다. 그럼에도 불구하고, 부모와 교사가 학습장애 판정을 받고자 하는 데에는 중요한 유인이 있다. 부모들이 자녀들에 대한 도움을 받는 가장 효과적인 방법 중 하나가 그들의 장애를 이유로 특별대우를 요구하는 것이다. 학교는 기본적인 보상교육 프로그램들보다 특수교육을 위해 자금을 끌어오는 것이 더 쉽다는 것을 발견했고, 그렇기에 아이들이 학습장애로 분류되는 것을 기뻐하는 경우가 많다(Spear-Swerling and Sternberg, 1996: 37). 뉴욕 시는 현재 교육예산의 1/5 ─ 1년에 10억 달러 이상 ─ 을 특수교육에 쓰고 있다(Peele, 1995: 130).

영국에서는 부모들이 점점 더 그들의 자녀가 특별한 도움이 필요한 사람으로 분류되어야 한다고 요구하고 있다. 그들의 자녀를 특별한 도움이 필요한 것으로 등록한 후에도, 한 학생이 특별한 지원을 받을 자격이 있는 것으로 결정을 내리는 데까지는 긴 협상과정이 요구된다. 즉, 특별한 도움이 필요함을 인정받은 아이들 중에서도 많은 아이가 특수교육 결정을 받기 위해서는 네 단계를 더 거쳐야 한다. 특별한 도움이 필요하다는 결정을 받은 아이들의 수는 이번 10년 동안 매년 증가해왔다. 그런 아이들의 수는 1991년 15만 3228명에서 1997년에 23만 2995명으로 증가했다.[22]

학습장애 압력단체 측에서는 학습장애의 유형을 확대하는 것뿐만 아니라 그로 인해 괴로움을 당하는 아이들의 수를 늘리는 것 모두에 전력을 다하고 있다. 최근에 발견된 학습장애로는 수학장애(계산력 장애)라는 것이 있다. 그런데 철자 쓰기에 어려움이 있는 학생들이 계산력 장애로 고통받는 것은 당연하며, 제2외국어에 어려움이 있는 학생들이 외국어 장애로 영향을 받는 것은 당연하다. 보통 이러한 장애와 연관된 증상들은 사실상 모든 사람이 한 번쯤 경험해온 것들이다. 시간관리 능력 없음, 만성 지각, 자금 계획과 예산 관리의 어려움, 둔한 방향감각 또는 춤 순서 기억의 어려움 등이 계산력 장애나 수학 학습장애의 증상들과 연계지어졌다.[23]

옹호단체들은 자주 미국 인구의 15~20%가 학습장애를 가지고 있다고 주장한다. 점점 더 많은 성인과 대학생이 자신들이 학습장애를 가지고 있다는 이유로 특별대우를 받아야 한다고 주장하고 있다. 1991년에 미국 대학 1학년 학생의 8.8%가 특정 형태의 장애가 있다고 보고되었다. 이에 비해 1978년에는 2.6%였다. 장애가 있다고 주장하는 학생의 수는 계속 증가해왔고, 특별대우를 요구하는 주장들도 그만큼 늘고 있다. 대입시험인 SATs를 치르는 학습장애 학생들은 '비표준 SATs'를 치르는 것이 자주 허용된다. 학생의 특별한 필요를 충족시키기 위해 제한시간이 없거나 조정된다. 1991~1992년에 1만 8000명의 학습장애 수험생이 SAT에서 특별 관리를 받았다. 1996~1997년에는 그 수가 4만 명으로 두 배 이상 증가했다. 연구자들에 따르면, 제한시간 없이 SAT를 치르는 특권이 학생들의 점수를 평균 100점이나 올려주고 있다.[24] 학습장애가 있는 학생들은 보통의 시험조건을 특별히 완화해달라고 주장하기만 하는 것이 아니다. 그러한 학생들은 필수과목의 수강을 면제받아왔다. 그리고 학생의 장애를 보상하는 자격기준도 완화되어왔다. 장애의 지위를 주장하는 학생들은 시험에서 추가시간을 제공받았고, 과목의 부담을 경감받았고, 캠퍼스 내에서 전문 노트 필기 서비스와 특별 기숙사를 제공받아왔다.

치료요법의 책임 기준

진단의 요구는 새로운 책임 형태를 청원하는 것이다. 대부분의 상황에서 사회는 엄격한 절대적인 기준의 책임을 요구하지 않는다. 일반적으로 특정한 행위에 대한 개인의 책임은 정상을 참작하여 경감될 수 있다고 인식된다. 기여과실 같은 법적 개념은 특정한 상해행동은 책임을 분담할 수 있다는 견해가 널리 받아들여지고 있음을 보여준다. 하지만 오늘날의 치료요법 에토스는 상대적 책임 관념을 넘어 넌지시 책임윤리 그 자체에 의문을 제기한다. 나쁜 습관, 반사회적 행동, 파괴적 행동은 기능장애적 육아, 가정폭력 또는 인간 유전자의 결과로 묘사되는 경향이 있다.

책임의 속성과 책임에 대한 관념은 지배적인 사회적·정치적 규범에 크게 영향받는다. 자아의 취약성에 대한 높아진 관심은 개인의 책임 기준을 크게 바꾸어 놓았다. 스스로 대처할 수 없다고 여기도록 교육받은 사람들은 또한 자제해서 행동하고 자기통제를 할 수 있을 것으로 기대되지 않는다. 그러나 자기통제라는 기본 개념 없이는 개인들이 그들의 행동에 대해 책임을 다하리라고 기대하기란 어렵다. 치료요법 문화는 실제로 자기통제 관념을 경시함으로써 책임이라는 규범을 약화시켜왔다. 중독사회 — 실제로 모든 사람이 잠재적인 중독자 또는 감정적 손상을 입은 생존자인 사회 — 라는 관념은 그 자체로 자기통제 능력을 부정한다. 치료요법적 인식은 자기통제의 열망을 거부하기만 하는 것이 아니라 또한 그것에 대해 적대적이다. 카미너는 다음과 같이 지적한다. "자기통제가 단지 개인적 발달 목표로 치부되거나 무시되는 것만이 아니다. 그것은 공동의존성이라는 질병의 증상으로 모독당하고 있다"(Kaminer, 1995: 16). 자기통제에 대한 이러한 회의적인 ─ 비록 적대적이지는 않지만 ─ 태도는 무력함이라는 동전의 이면이다.

이러한 최소주의적인 자기통제 개념은 범죄행위와 반사회적 행동에 관한 관념들에 영향을 미친다. 피고 측 변호사들은 항상 피고를 그들의 통제력을 벗어난 힘의 무기력한 희생자로 묘사해왔다. 하지만 보다 최근에 그러한 논의들은 학대와 증상에 대한 변론으로 체계화되었다. 그리고 그러한 변론 속에서 예전에 감정적 상처를 준 사건들이 피고의 행동에 대한 책임을 감해준다. 매 맞는 여성 증후군 또는 학대아동 증후군에 대한 변호는 이전에 학대 피해를 당한 사람에게는 폭력적인 것으로 추정되는 배우자 또는 파트너를 죽인 것에 대해 형사상 책임을 물어서는 안 된다는 가정을 깔고 있다.[25]

법이 최소주의적 자기통제 개념에 맞추어 집행되고 있다는 것은 치료요법 의식의 영향력을 보여주는 하나의 증거이다. 산드라 웨스터벨트Saundra Westervelt는 미국에서 출현한 희생자 변호전략에 관한 자신의 탁월한 설명에서, 형법에서 일어난 변화가 사회가 문제를 개념화하는 방식에서 일어난 변화를 설명할 수 있는 중요한 단서를 제공한다는 것에 주목한다. 사법체계가 효과적이기 위해서는, 자유의지와 개인의 책임에 대한 일정한 관념을 가지고 있어야만 한다. 그러한 개념이 없이는 특정 행위가 어떤 의식적인 동기에서 기인하는 것으로 보고 그것을 비난하거나 그것에 대해 책임을 묻기가 어렵다. 웨스터벨트는 미국의 법체계가 여전히 책임과 자유의지라는 핵심 가치에 집착하기는 하지만, 동시에 희생자는 다른 기준에 따라 대우해야만 한다는 견해를 받아들여 왔다고 주장한다. 웨스터벨트에 따르면, "피해에 기초한 변호가 진전되고 확대되어온 과정에 대한 분석은 사회가 어떻게 희생당함을, 잘못된 행동을 설명하고 또 그것을 너그럽게 봐주는 새로운 방식으로 받아들여 왔는지에 관한 '이야기를 들려준다'"(Westervelt, 1998: 8~10).

웨스터벨트는 "사회적 관계 또는 사회적 상황의 결과"로 상처받은 사람들의 책임을 경감하고자 하는 새로운 변론 형식이 전제하고 있는 것을 기술하기 위해 '사회적 피해'라는 개념을 사용한다. 사회적 피해는 개인들이 "신체적 학대, 무시, 사회경제적 박탈 또는 차별을 겪은" 경우들을 일컫는다. 사실 사회적 피해를 앞세워 성공을 거둔 변호전략들이 거론하는 경험들은 사회적이라기보다는 개인 간에 일어난 것들이다. 웨스터벨트가 주장하는 것처럼, 비록 지배적인 사회적 환경의 영향을 받기는 하지만 "개별 사례들에서 피해를 입힌 것은 다른 사람의 행위이다"(Westervelt, 1998: 8~10). 그러한 전략은 피고가 과거에 신체적 학대를 받아온 것과 동일한 상황에 처해 있을 때 가장 효과적이다. 웨스터벨트가 지적하듯이, "하지만 자신이 사회적 박탈, 도시의 부패 또는 전쟁 트라우마 같은 보다 추상적인 형태의 학대 희생자라고 주장하는 피고들은 형사상의 책임을 줄이는 데 있어서 좀처럼 성공하지 못하고 있다"(Westervelt, 1998: 9). 개인 간의 폭력에 비해 사회적 부정의가 상대적으로 덜 인정받은 것은 (제3장에서 논의한 바 있는) 비공식적 관계의 영역을 의심하는 분위기를 반영한다.

사회적 피해라는 전제에 기초한 변호전략은 피고가 과거에 겪은 부정적인 경험들에 관심을 집중시킨다. 희생자는 과거에 겪은 학대로 인한 심리적 질환으로 고통받는 것으로 진단받고, 그다음으로 그러한 심리적 질환이 그 또는 그녀의 폭력 행동을 설명한다. 이러한 접근방식은 피고의 행동이 매 맞는 여성 증후군의 결과로 제시되는 소송들에서 가장 효과적이었다.

하지만 최근 몇 년 동안 "매 맞는 여성들에 대한 처우에서 법적 불평등을 경감시키기 위해 특별히 고안된" 전략이 남성과 아이들까지를 포함하는 쪽으로 확대되어왔다(Westervelt, 1998: 116~123). 법적으로 비난할 수 없는 피고 범주의 확대는 그간 일정 정도는 개인에게 책임이 있다는 전제에 의거한 전통적인 사법원리에 의해 제한받아왔었다. 하지만 그러한 법적 원리의 적용대상이 아닌 여타 사회생활의 영역에서는, 비난할 수 없는 희생자blameless victim라는 개념이 훨씬 적은 제한을 받으면서 확대되어왔다.

비난할 수 없는 희생자라는 개념은 어떤 사회가 일반적으로 받아들여지는 옳음과 그름의 원리에 따라 행위를 평가하는 것을 어렵게 만든다. 일단 사회가 자기통제 개념에 이의를 제기하면, 그다음에는 누구에게도, 심지어 다른 사람에게 피해를 준 사람에게조차도 그들의 반사회적 행동에 대해 책임을 물을 수 없게 된다. 이 문제는 샤론 램브Sharon Lamb로 하여금 비난할 수 없는 희생자 개념에 반대하게 해왔다. 그녀는 희생자들이 그들의 이전의 학대 경험을 이유로 그들의 행위에 대한 책임을 면제받을 수 있다면 범죄의 가해자들도 그러할 수 있게 된다고 주장한다. 그녀는 "그러한 종류의 책임을 면제해줄 때 우리는 또한 가해자들에게 편리한 구실을 제공하는 것이 될 것"이라고 쓰고 있다(Lamb, 1996: 184). 램브는 비난과 책임의 관계에 관한 중요한 문제를 제기한다. 분명 사회의 한 부문에 약한 책임의 기준이 적용되면, 다른 부분에 더 강한 기준을 적용하기가 어렵게 된다. 또한 몇몇 사람의 행위에 대해서는 특정한 비난을 면제해주면서 다른 사람들의 행위에 대해서는 그렇지 않을 때 논리적 불일치가 발생하게 된다. 무력함이 인간의 조건을 규정짓는 사회에서는 개인에게 책임을 묻는 것이 어렵게 된다. 그리고 그것이 바로 축소된 자아에 기초하는 도덕성이 처하는 딜레마이다. 비난과 책임을 회피하게 하는 도덕은 그 자체를 효과적인 책임체계로 재구성할 수 없다. 조엘 베스트는 희생자 문화가 그렇게 빠르게 확산되어온 이유 중 하나는 그것이 어떤 기득권층도 위협하지 않기 때문이라고 시사해왔다. 희생자 문화는 좀처럼 누구에게도 책임을 물을 수 없다. 희생자 옹호자들은 그들이 보호하는 사람들이 동정은 받고 비난은 받지 않을 것을 요구한다. 희생자가 지원을 받는 것이 피해를 가한 사람을 표적으로 삼는 것에 우선한다. 베스트는 "상대적으로 소수로 이루어진 희생자들의 운동은 상대적으로 소수가 그들의 적을 명시하기 때문에 대립을 잘 조직화한다"고 쓰고 있다(Best, 1997: 17).

책임 기준의 약화는 동기와 행동 간의 관계를 재정의하는 데 주요한 영향을 미쳐왔다. 많은 부정적인 행동 형태들이 개인에게 책임을 지울 수 없게 되었다. 그 결과 비난받을 수 없는 개인들이 저지르는 부정적이고 반사회적인 소행만이 하나의 현상으로 남게 된다. 그러나 자아가 책임에서 벗어난다고 해서 사회가 비난하기를 멈춘 것은 아니다. 오늘날의 주요한 역설 중 하나는 사람들이 강한 감정적 상처 의식을 가지고 있을 때 그들은 자신들의 행위에 대한 비난을 최소한으로만 받아들이고자 한다는 것이다. 희생자는 어떤 외부의 영향 – 유독한 부모 또는 정신적 상처의 경험 – 이 바로 비난을 유발한 원인이기 때문에 자신은 그 또는 그녀의 곤경에 대한 책임을 거부할 자격이 있다고 느낀다. 따라서 자아가 책임의식을 덜 가질수록 비난은 더 자주 일어난다.

하지만 치료요법 문화에서 비난의 사회학은 도덕적 일관성이 없다. 희생자 옹호자나 치료요법 전문가들이 그들이 보호하는 사람들에게 "당신 자신을 비난하지 말라"고 조언하면서 은연중에 그들에게 다른 누군가를 비난하라고 권고할 때, 그 어떤 외부의 도덕적 가치도 긍정되지 않는다. 이러한 맥락에서 비난하기는 더 광범한 사회적 또는 도덕적 초점이 없는 개인적 의례가 된다. 그 결과 자아를 비난으로부터 자유롭게 하라는 권고는 도덕 공동체를 만들어낼 능력을 가지지 못한다. 아마도 이러한 형태의 비난하기는 자아가 타인을 멀리하게 하는 데 기여할 것이다. 사회적으로 받아들여지는 개인의 책임에 대한 규범이 없이는 비난하기는 공허한 의례, 즉 또 다른 형태로 무력함을 인정하는 것이 된다. 하지만 타인을 비난하는 것을 문화적으로 인정하는 것이 계속해서 사람들 간의 갈등을 부추기고 있다.

우리가 누구를 비난할 수 있는가?

"당신은 비난받아서는 안 된다"고 치료요법사가 재보증하는 것이 낳는 당연한 결과가 바로 "그것은 당신의 잘못이 아니다"라는 변호사의 조언이다. 자아로부터 책임의 외부화와 일반적으로 인정되는 책임 기준의 약화는 그간 소송을 크게 증가시킨 강력한 동력 중 하나였다. 소송의 물결이 거세지는 것에 대한 대부분의 연구는 이 현상을 권위의 쇠퇴와 연결시킨다. 한 탁월한 법사회학 텍스트는 인간관계에 법적 개입이 증가해온 것은 "전통적 권위가 대체되는 것의 일부로 보인다"고 주장한다(Friedman, 1990: 17). 권위에 대한 새로운 인식들이 소송에 대한 새로운 태도의 출현에 기여할 수도 있지만, 훨씬 더 중요한 요소는 앞서 논의한, 변화하고 있는 자아의식 형태가 그러한 태도에 미친 영향이다.

미국의 연구들은 "자기충족과 개인의 책임을 강조하는 개인주의"에서 "권리 지향적 개인주의"로 중요한 전환이 일어났음을 지적해왔다. 일리노이의 샌더 카운티에서 실시된 한 연구는 노인들이 어떤 사고 이후 피해에 대해 소송을 제기하는 것을 싫어했던 이유를 설명하고자 했다. 그 연구가 밝혀낸 대답은 노인들의 개인주의는 "권리와 배상보다는 자기충족을 강조한다"는 것이었다(Engle, 1984를 보라). 이 연구는 개인의 책임에 대한 사회적 태도에서, 그리고 타인과 제도로부터 부여받을 권리에 대한 기대에서 일어난 중요한 변화를 지적했다. 하지만 권리 담론은 단지 이 과정에 대한 피상적인 통찰만을 제공한다. 이 과정이 반영하는 것은 개인과 개인이 행한 행동의 결과 간의 관계를 재정의하는 방식이다. 자신들이 무력하다는 의식은 삶을 자기 밖에 존재하는 개인과 힘에 의해 틀 지어지는 것으로 생각하게 한다. 그 결과 불행한 일과 사고는 다른 사람들의 탓일 수 있다고 생각하게 되고, 이는 사람들은 보상받을 자격이 있다는 '분명한' 결론으로 귀착된다. 보상받을 권리의 확대는 개인의 자율성 영역의 축소에 비례한다.

권리 지향적 개인주의는 제3의 관계자, 특히 법률제도를 통해 문제에 대한 해결책을 찾는 경향을 말한다. 법사회학과 관련한 많은 학술논문은 권리 지향적 개인주의가 긍정적 발전이라고 믿는다. 이를테면 로런스 프리드먼Lawrence M. Friedman은 권리의식은 통제와 선택에 대한 열망을 나타낸다고 주장한다(Friedman, 1990: 2~3, 10을 보라). 소송 혁명의 진전에 대한 그러한 해석은 개인과 사회 — 축소된 주체성의 진전에 둔감한 사회 — 의 관계에 대한 분석을 근거로 하고 있다. 우리 분석의 관점에서 볼 때, '권리 지향적 개인주의'라는 말은 사실은 잘못 붙여진 이름이다. '권리'에 대한 의존은 제3자에 의한 제도적·전문적 해결책을 찾는 경향을 의미한다. 그것은 자아를 새로운 형태의 치료요법적·전문적 권위에 예속시키는 것을 의미한다. 그것은 인정 정치의 변종에 지나지 않는다.

권리의식을 시민행동주의를 행사하는 것의 하나로 제시하는 것은 역설적이다. 치료요법처럼 소송은 일상생활의 전문화를 부추기는 경향이 있다. 처음부터 소송 당사자는 변호사에 의존하는 관계에 빠지고, 변호사의 전문 스킬들은 법률 드라마에서 결정적인 것이 된다. 소송 당사자들은 자신들이 법정에서 그들의 변호사와 소송절차를 거의 통제할 수 없는 엑스트라가 된다는 것을 너무나도 자주 발견한다. 소송의 증가는 최소한 부분적으로는 사람들이 스스로 문제를 해결하지 못한다는 것을 의미한다. 변호사를 필요로 하게 하는 것은 무력감이다. 이러한 변호사 수요는 또한 잉글랜드와 웨일스에서 법률 전문직의 증가를 낳았고, 그곳에서 사무변호사의 수는 1978년 3만 3864명에서 1998년 7만 5072명으로 증가했다(Furedi, 1999b: 28을 보라).

법률 전문가에게 의지하는 경향은 치료요법 영역에서 의존성이 진전된 것을 반영한다. 하지만 치료요법이 특정 개인이 비난받을 수 없다는 점을 강조하는 반면, 법률 대변자들은 어떤 사람이 처한 상황과 관련하여 비난할 다른 누군가를 찾아낸다. 옹호단체, 소비자단체, 그리고 법률 활동가들은 당신이 필연적으로 책임을 져야 하는 사건 같은 것은 없다는 관념을 부추기는 데 앞장서고 있다. 법률 전문가는 특히 그러한 감상을 계발하는 일에 능숙해졌다. 영국사무변호사협회British Law Society가 공중의 인식을 고취시키기 위해 설립한 단체인 액시던트 라인The Accident Line이 발간한 리플릿은 사람들에게 그들의 곤경과 관련하여 비난할 누군가를 찾도록 노골적으로 부추긴다.

> **그것이 단지 사고였는가 …… 아니면 다른 무엇이었는가?**
>
> 당신이 당신의 상처가 단지 사고였다고, 그리고 그 누구에게도 책임이 없다고 믿는다고 할지라도, 그것은 여전히 전문 사무변호사에게 이야기할 가치가 있다. 처음에는 자신의 사고가 자신이 아닌 어떤 사람의 탓일 수 없다고 믿었던 많은 사람이 계속해서 좋은 결과를 낳는 주장을 제기해왔다.

이 리플릿은 읽는 사람에게 "때때로 당신은 다른 어떤 사람 또는 그 밖의 어떤 것에 책임이 있다는 것을 인식조차 하고 있지 못하다"고 확인시킨다. 사람들이 자신의 잘못이라고 생각했던 것이 실제로는 다른 누군가에게 책임이 있을 수 있다는 것을 발견하도록 교육시키는 것이 새로운 고발산업의 주요 임무인 것처럼 보인다. 비난과 고발을 부추기는 것은 점점 더 공중에게 하나의 서비스로 제시된다. 그리고 자주 소송 당사자는 그 또는 그녀의 권리를 지키는 적극적인 시민으로 묘사된다.

비난하기는 문제를 자기 밖에 있는 원인에서 기인하는 것으로 외부화한다. 요즘은 한 사람의 정신 상태조차도 외부의 원인에 의해 촉발된 행위들과 직접 연계지어지기도 한다. 이 경우 한 사람의 정신 상태가 정신과 질환으로 정의되고, 그 질환은 단지 다른 관계자의 과실에서 기인하는 것으로 파악된다. 정신의학적 상처의 의미가 계속해서 확대되어 점점 더 다양한 불쾌한 감정적 경험들을 포함하게 된 이후, 주장 제기하기의 기반이 계속해서 넓어지고 있다. 최근 몇 년 동안 신체적 질병과 정신적 질병 간의 전통적인 구분선이 부식되어왔다. 그 결과 사람들은 이제 그들의 상태가 다른 누군가의 과실에 의해 유발된 것이었음을 입증할 수 있다면, 자신들이 기분이 상했다고 느낀 것에 대해, 자신감 또는 자존감의 상실에 대해 또는 정신적 충격을 받은 것에 대해 보상을 요구할 자격을 가진다.

오늘날 PTSD가 폭넓게 진단되면서, 그것은 이제 감정적으로 속상하게 만드는 일련의 사건들까지를 포함한다. 그러한 사건들은 통상적으로 감정적 트라우마로 재정의되고, PTSD라는 의학적 명칭을 붙일 가치를 부여받는다. 이러한 추세에 대해 한 비평가가 지적하듯이, 한 광부는 계단에서 미끄러져서 엉덩이로 떨어진 후 "그로 인한 어떤 신체적인 후유증 없이도" PTSD 진단을 받았다. 울퉁불퉁한 포장도로에 발이 걸려 넘어지는 것, 자전거에 부딪혀 넘어지는 것 또는 선반에서 제품이 떨어져 머리에 사소한 상처를 입는 것 모두가 PTSD의 유발과 연계지어져왔다(Field, 1999: 152). 이렇게 볼 때, 사랑하는 자녀가 죽었을 때 부모가 경험하는 고통과 트라우마 같은 통상적인 인간의 반응들도 이제는 '부주의한' 병원에 책임을 물을 수 있는 정신과 질환으로 재조명될 수 있다.[26] 분명 병원과 여타 큰 기관들이 유족들을 다루는 데 서툴 수도 있다. 하지만 그러한 기관들에게 유족들의 '비정상적인 슬픔 반응'에 대한 책임을 묻는 것은 자아의 반응에 영향을 미치는 복잡한 요인들을 보지 못하는 것이다. 그리고 우리가 자녀를 잃고 느끼는 극심한 고통조차도 다른 누군가의 과실이 초래하는 결과라고 한다면, 우리가 대체 실존적 책임의 판단기준을 가지고 있기나 한 것인가? 특정한 정신 상태의 원인들은 복잡하며, 좀처럼 단일한 사건으로 환원할 수 없다.[27] 안타깝게도 그러한 비난 대상 찾기는 그러한 복잡성을 무시한 채 한 사람의 정신 상태가 외부 행위자의 과실에서 직접 기인하는 것일 수 있다고 믿는다.

고발 또는 비난 자체에는 이의를 제기할 만한 것이 아무 것도 없다. 오늘날의 사회에는 고발을 할 만한 많은 쟁점과 문제들이 있고, 비난할 만한 표적들이 너무나도 많다. 다만 비난하기가 자아가 자신의 곤경에 대한 어떤 책임의식을 면하고자 하는 것일 경우에 문제가 된다. 우리 모두는 우리가 통제력을 거의 행사할 수 없는 상황 속에서 살고 있다. 그러나 만약 우리가 우리의 삶의 방향에 대한 일정한 선택권을 가지기를 포기한다면, 우리는 인간성이 갖는 의미를 축소시킬 위험이 있다.

맺음말

무엇이 문제인가?

그렇다면 대체 왜 문제인가? 몇몇 설명에 따르면, 치료요법적 전환은 보다 계몽된 사회를 창조하겠다고 약속하는 긍정적인 전망을 상징한다. 그러한 감상은 대중문화를 통해 체계적으로 전달된다. 우리가 "지원이 필요"하고 다양한 형태의 감정적 상처에 취약하다는 관념은 일상적인 상식의 일부가 되었다. 그리하여 치료요법 운동가들은 국가가 개인의 심리를 관리하는 쪽으로 방향을 전환하는 것을 적극적으로 환영한다. 국가가 치료요법사의 역할을 취하는 것이 갖는 잠재적인 권위주의적 함의에 대해 우려를 표하는 사람들은 고지식하다거나 심지어 편집증적이라고 치부된다. 니컬러스 로즈는 영국의 역사적 경험을 매우 포괄적으로 설명하는 책 『영혼 지배하기Governing The Soul』에서, 치료요법 에토스와 그것의 제도화를 비교적 호의적으로 바라본다. 로즈는 "치료요법적 자아문화에 대해 다소 좋지 않게 바라보는 시각"을 채택하고 있는 라시와 세넷 같은 사회분석가들에 대해 비판적이다. 그는 "치료요법적인 것의 확대를 사회체social body 전체에 대한 국가의 감시와 규제 확대의 한 종류로 보는 몇몇 사회분석가들의 편집증적 전망은 그러한 현상을 심히 오도하는 것"이라고 주장한다(Rose, 1990: 257). 로즈에 따르면, 국가가 주체성의 관리에 관심을 가지는 것은 '자유의 치료요법'을 만들어낸다. 그는 다음과 같이 주장한다.

이러한 영혼관리 기술들은 통제와 이윤을 위해 주체성을 짓밟는 것이 아니라 정치적·사회적·제도적 목표와 개인의 기쁨과 열망 그리고 행복과 자아실현을 연결시키고자 한다. 그러한 기술들의 효력은 그것들이 현대의 정치적 원리, 도덕관념, 그리고 헌법적 요구에 부합하게 (타인 그리고 스스로에 의해) 자아를 규제할 수 있는 수단을 제공한다는 데 있다(Rose, 1990: 257).

사람들의 내적인 삶에 대한 국가 개입을 본질적으로 반대할 수 없는, 심지어 바람직한 과정으로 보는 입장은 지적으로 광범한 지지를 받고 있다. 이러한 관점에서 볼 때, 공적 당국의 역할과 치료요법 전문가의 역할은 역량을 강화하는 것이다. 로즈는 조금도 비꼬는 기색 없이 "역량강화는 의뢰인과 대변자가 전문가의 힘에 도전할 때 활용하는 용어에서 책임 있는 전문가의 책무 중 일부로 변화되어왔다"고 지적했다.[1]

치료요법적 거버넌스의 미국 옹호자들은 국가의 주체성 관리에 대한 로즈의 긍정적 평가에 견해를 같이한다. 샌프란시스코 주립 대학교의 공공행정학 교수인 프랭크 스콧Frank Scott에 따르면, 치료요법적 거버넌스는 "모더니즘이 분열시키고자 해온 자아를 재통합시키는" 데 관심을 가지고 있다.[2] 치료요법적 거버넌스의 지지자들은 자아 재통합의 책무를 국가 관료제도에 맡기는 것이 갖는 함의에 대해서는 특히 관심이 없다. 복지국가가 공중의 감정적 욕구를 돌보는 쪽으로 방향을 전환하는 것은 전통적인 재분배주의적 사회정책에 대한 일부 비판가들에 의해서도 지지받고 있다. 그들은 지난 시기의 정책이 지나치게 경제재 지원에 초점이 맞추어져 있었다고 주장한다. 그들은 '전인적인' 접근방식, 즉 "인간의 신체적 욕구뿐만 아니라 감정적 욕구까지를" 충족시키는 접근방식이 필요하다는 것에 근거하여 보다 감정적인 복지체계를 주창한다(Hoggett, 2000: 144를 보라). 이러한 관점은 지금까지 주로 사회적인 것으로 정의된 문제들을 그 성격상 심리적인 문제로 재해석하는 현재의 경향을 반향한다. 그리하여 사람들이 '심리사회적 메커니즘'을 통해 빈곤과 개인의 건강을 연계시키는 방식으로 사회적 불평등을 경험한다는 확신은 치료요법적 정책을 수립하도록 부추긴다. 이러한 접근방식의 한 옹호자는 "그러므로 선진 서구사회에서 감정, 건강, 재분배적 정의는 밀접한 관계가 있다"고 주장한다(Williams, 1998: 132~133을 보라). 실제로 국가가 치료요법의 역할을 맡는 개혁을 너무 늦게 취했다고 보는 일단의 중요한 견해들이 영국 사회정책 분야 내에서 제기되었다. 폴 호게트Paul Hoggett는 "'웰빙' 개념이 적극적 복지에 관한 새로운 전망을 체계화할 수 있는 핵심 원칙을 제공한다"고 주장한다. 호게트와 그의 동료 사상가들에게서 "웰빙은 본질적으로 정신건강의 용어로 정의된다"(Hoggett, 2000: 145를 보라).

치료요법적 거버넌스를 본질적으로 문제가 없는 것으로, 그리고 심지어는 개인의 역량을 강화할 수 있는 것으로 보는 입장은 개인의 능력을 비교적 취약한 것으로 인식하는 정치문화에 의해 지지된다. 개인의 자아를 취약하고 지원이 필요한 것으로 간주하는 사람들은 치료요법적 국가가 제공하는 지원을 기쁘게 받아들인다. 개인의 주체성을 허약한 것으로 규정하는 것은 이 새로운 형태의 국가사회주의적인 지적 전망의 이면이다. 이러한 입장은 무엇이 그들에게 이득인지를 잘 알고 있는 전문가의 지원 없이 사람들이 책임 있는 시민으로서 행위할 수 있을 것이라는 생각에 대해 회의적이다.

국가정책을 역량강화의 수단으로 보는 입장은 환자가 치료요법사에 의존하는 관계를 하나의 염려스러운 제도적 형태로 바꾸어 놓는다. 개인을 그의 감정적 웰빙이 제도적 지원에 달려 있는 존재로 보는 견해와 개인을 스스로 책임질 수 있는 능력을 지닌 시민으로 보는 민주적 견해를 조화시키기란 어렵다. 시민을 환자로 변형시키는 것은 사람과 공적 제도 간의 관계를 바꾸어놓을 가능성이 있다. 바네사 푸파바크가 '치료요법적 거버넌스'에 대한 자신의 비판에서 주장하듯이, "시민과 국가의 관계를 이러한 방식으로 재설정하는 것은 동시에 시민을 자율적인 합리적 주체로 보는 사회계약론적 개념화를 부식시켜왔다"(Pupavac, 2001: 3). 새로운 치료요법적 사회계약은 취약한 주체는 관료집단과 국가의 관리와 '지원'이 필요하다는 온정주의적 가정에 의해 뒷받침되고 있다.

반대하는 감정들에 대한 불관용

치료요법 문화가 지배하는 문화는 공개적인 감정표현에 우호적인 문화라고 자주 제시된다. 하지만 우리가 앞서 주장했듯이, 감정주의의 진전이 반드시 사람들이 느끼는 방식에 대해 아주 관대한 체제를 낳는 것은 아니다. 어떤 점에서는 그러한 반응은 여타 문화들과 다르지 않다. 치료요법 문화가 지배하는 문화에서도 어떤 감정들은 찬양되는 반면 다른 감정들은 비난받는다. 이전 시대에서와 마찬가지로 오늘날에도 모든 형태의 감정이 문화적 지지를 받는 것은 아니다. 치료요법 문화를 특징짓는 것은 그러한 문화가 감정에 대해 갖는 개방적인 태도가 아니라 그것이 사람들의 내적 삶의 관리에 대해 갖는 독특한 관심이다. 치료요법 문화는 사람들의 사적 감정을 공적 정책수립의 대상과 문화적 관심사로 변형시킨다. 그러나 그와 동시에 그것은 어떤 감정들이 표현될 수 있고 어떤 감정들이 표현될 수 없는지에 대해 선택적인 태도를 취한다. 사람들이 어떻게 느껴야 하는지를 다루는 일에 헌신하는 제도와 전문가들에 의해, 특정한 감정적 태도는 체계적으로 계발되고 다른 감정적 태도는 억압된다.

오늘날의 사회는 자신의 신념에 확신을 가지지 못하고 있다. 특히 사람들에게 분명한 의미체계를 제공하는 것에 심히 머뭇거리고 있는 것으로 보인다. 이처럼 사회가 사람들에게 의미를 제공하는 것에 혼란스러워하는 것이 치료요법적 세계관이 영향력을 확대할 수 있는 기회를 제공하고 있다. 오늘날의 문화 엘리트들은 무엇을 믿어야 할지를 사람들에게 말할 때에는 자신이 없어 하지만, 무엇을 어떻게 느껴야 하는지를 사람들에게 가르칠 때는 아주 편안해한다.

치료요법학의 제도화는 그것이 강제력을 행사할 수 있게 해준다. 치료요법의 권위는 자신만이 어떤 감정이 긍정적이고 부정적인지 안다는 전제에 의거한다. 치료요법학은 자신이 사람들이 어떻게 느껴야만 하는지를 훈련시키고 교육하고 또 어떤 경우에는 사람들에게 명령할 전문적 권위를 갖는다는 가정에 의거하여 조치를 취한다. 과거에 공적 기관들은 사람들의 행동과 신념을 지향했다. 국가 개입은 일반적으로 받아들여지는 형태의 행동과 신념을 계발하고 강화하기 위한 것이었다. 오늘날 국가는 그러한 활동에 더하여 주체성의 관리를 통해 사람들이 주요한 치료요법적 가치들에 순응하게 만드는 일 또한 하고 있다. 이러한 접근방식은 정부의 일을 공적인 것에서 사적인 것으로, 그리고 보다 우려스럽게는 개인의 내적인 삶으로까지 확장한다.

긍정적인 감정적 행동의 장려는 표면적으로는 바람직한 행동을 이끌어내는 현명하고 확실한 방법인 것처럼 보인다. 누가 영국 교과과정에서 6~8세의 아동들에게 "감정을 긍정적인 방식으로 인식하고 감정에 이름 붙이고 그것을 다루는 법"을 차후의 학습 목표로 설정하는 것에 반대할 수 있겠는가?[3] 하지만 감정을 다루는 긍정적인 방식이 어떤 것인지를 결정하는 것은 누구인가? 아이들인가? 어머니인가 아니면 아버지인가? 교사인가? 심리학자인가? 공무원인가? 그리고 누가 그것을 결정하든 간에 무엇이 감정을 다루는 긍정적 방식이란 말인가? 그리고 어떠한 권리로 교과과정이 그러한 형태로 감정을 긍정적으로 다루라고 강요할 수 있는가? 때로는 아이들에게는 감정 문제를 '부정적으로' 다룰 아주 타당한 이유들이 있기도 하다. 실제로 감정에 이름을 붙이지 않는 것이 개인적인 상황을 다루는 적절한 방식일 수도 있다. 학생들에게 어떻게 느껴야 하는지 가르치는 것과 교육을 구분하는 경계를 넘어서라고 교사들을 부추기는 것은 치료요법학을 교실 안으로까지 확대하는 것이다.

특정한 감정양식을 장려하는 것은 항상 다른 반응들이 비록 부당한 것은 아니지만 열등한 것이라는 함의를 담고 있다. 과거에 교육자들은 아이들이 예절 바르게 행동하도록 가르칠 책임을 지고 있었다. 선행은 공손함, 정직한 행동, 이타주의와 같은 분명하게 정의된 공적 행동과 연관지어졌다. 치료요법적 교육체제는 행동을 표적으로 삼을 뿐만 아니라 또한 특정한 형태의 느낌과 감정을 바꾸고자 시도하는 형태로 행동을 수정하는 일에 몰두한다. 아이에게 느끼는 방법을 훈련시키는 것은 학생에게 행동하는 법을 가르치는 것보다 훨씬 더 강제적이고 강압적인 과정이다. 한 교육심리학자가 진술하듯이, 아이들을 "감정적으로 교양 있게" 훈련시키는 것은 "우리가 우리 자신을 바라보는 방식을 다시 틀 짓는 것"에 관한 일이다.[4] 하지만 감정적으로 교양 있는 트레이너가 다시 틀 짓고자 하는 아이의 자아는 아이가 아니라 관련된 사람에게 타당한 형태의 의식일 수도 있다. 교사와 다른 전문가들이 어떤 형태의 자아인식이 아이에게 적합한지를 규정하는 지혜와 권위를 가지는 것은 자결이라는 이상을 견지하고 있는 누군가의 권리를 침해하는 문제를 낳는다.

앞서 우리는 치료요법 문화가 부정적 감정으로 지칭하는 감정, 특히 화와 증오에 대해 드러내는 적대감을 논의한 바 있다. 하지만 때때로 그러한 감정들은 부정적인 것과는 거리가 멀다. 그러한 감정들은 화 또는 증오를 표현할 것을 요구하는 상황에 대한 적절한 반응일 수도 있다. 화와 증오에 반대하는 운동은 아마도 갈등을 최소화하고 조화를 증진시키고자 하는 참된 바람을 동기로 하고 있을 것이다. 그러나 사람들에게 그들의 격렬한 감정들을 내적으로 삭히라고 가르치는 것은 묵인과 순응주의를 요구하는 것일 수도 있다. 몇몇 경우에서는 강한 열정을 억제하라는 요구는 사람들에게 끔찍한 부정의와 억압행위를 묵인하라고 압력을 가하는 것일 수도 있다. 데릭 서머필드가 시사하듯이, 전쟁의 영향을 받는 지역에 대한 서구의 치료요법적 개입은 폭력으로 고통받고 있는 사람들의 감정 반응을 치료받을 필요가 있는 질병으로 간주한다. 반면 그는 "몹시 학대를 받은 사람들이 느끼는 화, 증오, 절실한 복수 욕구가 반드시 나쁜 것인가"라고 묻는다 (Summerfield, 2002: 1105). 부정적 감정으로 일컬어지는 감정을 병리화하는 것은, 고칠 필요가 있는 것은 그러한 감정들을 불러일으킨 상황일 수도 있다는 사실을 시야에서 놓치게 한다.

치료요법 문화에서 드러나는 매우 우려스러운 점들 중 하나가 그것이 개인의 감정 상태가 단지 개인적 문제가 아니라 정당한 공적 관심의 대상이라고 확신한다는 점이다. 이러한 태도는 개인의 감정 상태가 사회에서 일어나는 일들을 결정한다는 믿음에 근거하고 있다. 감정결정론은 사회문제가 인식되는 방식에 영향을 미친다. 감정결정론은 현재의 시점에서 어린 시절을 인식할 때 특히 강력하게 나타난다. 이 도그마에 따르면, 어른들이 경험하고 유발하는 문제들은 어린 시절의 감정세계에 뿌리를 두고 있다. 이것이 바로 공적 기관들이 자신들이 아이의 감정을 틀 짓고 변경시켜야 하는 정당한 근거를 가지고 있다고 생각하는 이유이다. 그리하여 영국에서 아이들이 범죄자가 되는 것을 막기 위한 노력의 일환으로 시작한 한 사업계획은 8살밖에 안 된 어린아이들을 그 대상으로 하고 있다. 그 계획은 "2살 때의 공격성이 청소년기의 범죄행위에서 그 모습을 드러낼 수 있다"고 주장하는, 미국에서 수행된 '조사'에 기초하고 있다.[5]

치료요법적 행동주의의 대상이 되는 것은 단지 아이들만이 아니다. 일단 감정이 사건의 경과를 결정하는 엄청난 힘을 부여받고 나면, 성인들 또한 심리사회적 개입의 대상이 된다. 이를테면 뉴저지 유소년 하키 리그에서 뛰기를 원하는 아이들의 부모는 그 단체가 실시하는 의무적인 화 관리

프로그램에 참여해야만 한다. 만약 그들이 그러한 의무적인 치료요법 수업에 참여하지 않으면, 그들의 자녀들은 그 리그에서 뛸 수 없게 된다.[6] 많은 국가에서 범법행위로 유죄판결을 받은 운전자들은 화 관리 프로그램에 참여해야만 한다. 사람들의 감정 상태를 관리하는 것은 점점 더 공적 책임의 중요한 영역이 되고 있다.

감정적 순응의 요구

치료요법 에토스의 제도화는 또한 하나의 사회통제체제의 구축으로 해석되기도 한다. 전문가들은 계속해서 무엇이 용인되는 감정적 반응이고 무엇이 그렇지 않은 감정적 반응인지를 정하는 데 참여한다. 특정 형태의 감정적 행동을 긍정하는 것은 다른 감정적 행동들을 억압하려는 시도와 밀접하게 연관되어 있다. 이처럼 사람들의 감정을 조작하는 것은 자주 반사회적 행동에 대한 대책으로 인식된다. 미국의 많은 주州에서 음주운전으로 기소된 운전자들은 그들의 면허를 유지하거나 징역형을 피하는 조건으로 AA 모델에 입각한 알코올 중독 치료를 받을 것이 요구된다. 교도소의 치료요법 프로그램을 이수하는 동안 자신들의 감정을 받아들이지 못하는 수감자들은 자주 불이익을 받게 된다. 놀런은 텍사스 오스틴 인근의 중구금 교도소에서 치료 프로그램에 실패했던 어니 홀Arnie Hall의 사례를 인용한다. 놀런에 따르면, 치료에 실패한 까닭은 그가 "감정을 차단했기 때문이고 또 어린 시절에 부모가 그를 다룬 방식이 어떻게 그의 범죄 행위를 설명하는 데 도움이 되는지 이해하지 못했기" 때문이었다. 직장에서도 '감성훈련' 과정에 참석하기를 거부한 개인들은 스스로가 자신들의 경력을 위험에 빠뜨려왔다는 것을 자주 발견한다(Nolan, 1998: 292~294). 놀런의 우려는 미국에서의 중독치료에 대한 필의 비평에서도 그대로 되풀이된다. 필은 법정, 피고용자 지원 프로그램, 학교가 개인들에게 치료받기를 강요하는 경향이 증가하고 있는 것을 못마땅해한다. 그는 "게다가 그러한 프로그램은 사람들에게 스스로를 중독자 또는 알코올 중독자로 선언하고 자신들의 행동을 고침으로써, 실제로 유죄 판결을 받을 경우 자신들에게 내려질 수도 있는 처벌을 피할 것을 강요한다"고 지적한다(Peele, 1995: 221). 영국에서 수감자들의 조기 석방은 "화 관리, 마약과 알코올 중독 또는 섹스 치료요법" 과정에 참석하는 것에 달려 있다.7

의무적 치료요법은 또한 주요한 사회규범에 위배되는 행동을 하는 사람들에게도 강요된다. 이를테면 애틀랜타 브레이브스 야구팀의 투수 존 로커John Rocker가 인터뷰 도중에 편견이 들어간 말을 사용한 이후에, 메이저리그 야구협회 총재는 그에게 조치를 취하기로 결정했다. 하지만 어떤 조치를 취할지를 결정하기에 앞서, 총재는 로커가 정신과 의사에게 의무 상담평가를 받게 했다.8 미국 약물법원 운동은 유죄판결을 받은 개인들에게 약물치료 요법, 부부 카운슬링, 육아교실 또는 화 관리 수업을 받게 할 것을 적극 추진하고 있다. 놀런은 치료요법적 법체계가 주창하는 사법개념은 "법정이 자신의 권위를 전례 없는 방식으로 약물 의존자들의 삶으로까지 확장하게 한다"고 지적한다(Nolan, 2001: 202~203을 보라).

영국에서 기업 카운슬링은 "경영통제권을 유지하는 강력한 도구"가 되었다. 몇몇 경우에 경영자들은 피고용자들을 불러 해고 사실을 통보하고 즉각 구내를 떠날 것을 요구하고 나서 카운슬링을 받게 했다.9 민관합동 피고용자 건강관리 지원 프로그램은 자신들의 피고용자들에게 강제로 카운슬링을 받게 하기를 원하는 고용주들을 위해 강제 옵션을 제공한다. 만약 피고용자들이 그 프로그램에 참여하는 것을 거부하면, 그들은 해고를 포함하는 징계를 받을 수 있다.[10] 의무적 카운슬링 — "당신이 그것을 좋아하든 싫어하든 우리는 당신을 도울 것이다" — 의 점진적 확대는 단속과 치료요법적 개입 간의 구분선이 흐려졌음을 보여준다.

의무적 카운슬링 현상은 느낌과 감정의 영역이 어떻게 치료요법 에토스에 의해 침범당해 왔는지를 예증한다. 사람들이 그들 자신과 타인에 대해 느끼는 방식을 관리하는 것이 정부의 일이라는 관념 자체가 감정 영역을 정치화하는 데 일조해왔다. 감정 문맹자들을 돕기 위한, 그리고 새로운 치료요법적 합의에서 벗어나 있는 사람들을 감정적으로 옳은, 용인되는 형태의 행동을 하도록 교육시키기 위한 법령들이 제정되고 있다. 이른바 새로운 '증오 범죄'에 관한 법률들은 감정적으로 취약한 표적 집단을 편견으로부터 보호한다는 것을 명분으로 삼아 용인할 수 없는 형태의 개인적 생각을 단속하는 것을 목적으로 한다. 그러나 그러한 법률들은 실제적 목적을 거의 가지고 있지 않다. 왜냐하면 다양한 형태의 폭력과 폭력 선동을 기소하기 위한 많은 법적 수단이 이미 존재하기 때문이다. 그럼에도 불구하고 그러한 법률들은 어떤 생각과 감정형태가 받아들여질 수 있고 어떤 것이 경계를 벗어나 있는지를 알려주는 일을 하는, 중요한 상징적 역할을 한다.

영국과 미국에서 어떤 사람들은 말이 상처를 주고 심리적 피해를 유발할 수 있기 때문에 그러한 고통으로부터 희생자들을 보호할 필요가 있다고 주장하며, 언론자유에 문제를 제기해왔다. 심지어 예술까지도 엄격한 조사의 대상이 되었다. 예술가들은 그들의 예술작품이 일부 공중을 불쾌하게 만든다는 이유로 비난받고 전시를 종료할 것을 강요받아왔다. 현재의 감정적 옳음emotional correctness의 분위기는 불쾌함을 유발할 수 있는 권리를 견딜 수 없어 하는 것으로 보인다. 행동과 말이 고통과 불쾌함을 유발한다는 이유로 자주 비난받는다. "불쾌함을 느낀다"라는 진술은 검열과 사과를 요구한다는 것을 함의한다. 조나선 러치Jonathan Rauch는 사상의 자유에 대한 오늘날의 공격을 설명하면서, 불쾌한 신념을 지닌 사람들은 처벌받아야 한다는 믿음은 가차 없이 그러한 사람들에 대한 "엄격한 심문으로" 이어진다고 주장한다. 그는 "상처를 입히는 말과 생각은 폭력의 한 형태"라는 빠르게 부상하고 있는 관념이 '비판의 범죄화'로 이어지고 있는 것에 특히 비판적이다(Rauch, 1993: 26~28). 불쾌한 말에 '쉽게 상처받는' 사람들을 보호하려는 시도에 반대하는 러치 같은 비평가들은 희생자들의 기대를 저버렸다는 이유로 항상 비난받는다. 도덕 사업가들은 희생자를 보호한다는 명목으로 개인의 행동을 규제하는 규칙의 수를 늘릴 것을 계속해서 요구하고 있다.

불쾌함을 유발하는 말에 반대하는 것에 동의하는 엘리트들이 증가하고 있음은, 감정의 정치화가 어떻게 비순응주의적 관념을 주변화하는 것과 같은, 우려스러운 권위주의적 결과를 낳을 수 있는지를 예증한다. 존중받을 만한 가치가 있는 관념들은 역사 도처에서 광범위한 불쾌함을 유발해왔다. 보통선거권에서 장기이식에 이르기까지, 그리고 피임에서 이혼의 합법화에 이르기까지 모든 것은 한때 공중 예절의 기준에 어긋나는 것으로 간주되었다. 그때마다 일부 사람에게 유발된 고통은 그것이 전체 인류에게 제공하는 이익 때문에 충분히 가치가 있는 것으로 입증되었다. 불쾌함을 유발할 수 있는 권리는 항상 공적 토론을 낳았다. 하지만 오늘날 그러한 권리는 받아들여질 수 없는 것으로 간주된다. 왜냐하면 사회가 개인의 주체성에 대한 훨씬 더 제한된 시각을 채택해왔기 때문이다. 사람들은 너무나도 약하고 상처 입기 쉬워서 상처를 줄 수 있는 말이나 이미지로부터 보호받지 않고는 삶의 어려움을 견디낼 수 없다는 인식이 이제 널리 받아들여지고 있다. "상처를 줄 수 있는" 말은 이제 신체적 폭력에 비유된다. 말과 폭력의 이러한 융합을 묘사하기 위해 새로운 용어들이 만들어져왔고, 이제 누군가가 말했던 것에 의해 마음의 상처를 입은 사람들은 실제로 자신들이 '상처 주는 말', '공격적인 말' 또는 심지어 '영혼 살인'의 희생자라고 주장할 수 있게 되었다.

감정정치는 그 말이 함의하듯이 감정이 미치는 공적 영향을 자의적으로 규정한다. 사람들이 의지, 증오, 감정적 손상, 트라우마 또는 학대행위 같은 개념들을 객관적으로 파악하기란 극히 어렵다. 감정의 고조라는 말 자체는 희생자가 겪어왔다고 주장하는 주관적인 불쾌함이 가해자의 객관적인 행동과 반드시 관련 있을 필요가 없다는 것을 말해준다. 당신이 누군가의 말이나 행동이 불쾌하다고 느낀다면, 그것만으로도 그 의도가 무엇이었는가와는 무관하게 논의를 종결시키기에 충분하다. 결국 누구도 당신의 마음속으로 들어가서 당신이 얼마나 기분 나쁜지 확인할 수 없는 것처럼, 누구도 당신이 정말로 마음의 상처를 받지 않았다고 정당하게 주장할 수 없다.

영미 사법체계는 희생자에게 특권 있는 도덕적 지위를 부여하는 것을 점점 더 제도화하고 있다. 영국에서 1999년 2월에 발표된, 흑인 십 대 소년 스테판 로렌스Stephen Lawrence의 살인에 대한 맥퍼슨의 조사보고서는 범죄가 인종차별적 동기에 의한 것인지 또는 그렇지 않은지를 규정하는 권리를 희생자에게 전적으로 부여했다. "인종차별 사건은 희생자나 어떤 다른 사람이 인종차별을 당했다고 인식하는 특정한 사건이다"라는 맥퍼슨의 표현으로 복잡한 동기 문제가 해결되었다.[11] 범죄가 보는 사람 눈에 달려 있다는 원칙 — 수많은 성희롱 규약에서 이미 비공식적으로 규정되어 있던 — 이 감정을 적재한 새로운 사법체계의 집행을 규정하고 있다.

사법영역에 희생자의 주관성이 도입된 것은 올바른 태도에 도덕적 메시지를 부여하는 데 법이 이용되고 있음을 보여준다. 이처럼 도덕적 가치를 고무하기 위해 법을 상징적으로 이용한 것을 가장 일관성 있게 보여준 일이 바로 미국에서 지난 15년 동안 증오 범죄 개념을 구성해온 과정이다. 증오 범죄 개념이 도덕적 동력을 지니게 된 것은 그 개념이 위반자의 동기와 성격을 주요한 문제로 부각시키기 때문이다. 제이콥스와 포터가 이 범죄의 구성에 관한 연구에서 지적하듯이, 증오 범죄 희생자들은 다른 희생자들보다 더 큰 심리적·감정적 상처를 입는다고 자주 제시된다(Jacobs and Potter, 1998: 82). 증오 범죄 희생자들과 일반 범죄 희생자들의 감정적 반응을 비교하는 경험적 연구가 존재하지는 않지만, 그것은 법체계가 치료요법학의 제도화 쪽으로 방향을 전환한 것과 정확하게 일치한다. 감정적 고통의 최소화가 법 제정에서 하나의 중요한 모티브가 되어왔다. 그러한 고통의 예방에 대한 관심이 미국에서 희생자 운동가들로 하여금 '진보적 검열 progressive censorship' 캠페인을 벌이게 했다. 다운스가 지적했듯이, 1980년대의 희생자 정치는 희생자 단체들이 "그들의 자존감과 감정적 안전을 해쳤던 표현방식들에 대항하는 법률"을 제정할 것을 요구할 수 있는 분위기를 만들어냈다(Downs, 1996: 24~28). 그러한 캠페인들이 볼 때, 감정을 상하게 하는 것은 너무나도 중요한 것이기 때문에, 언론자유의 권리도 협상의 대상이 된다.

감정주의의 가치를 사법체계에 포함시키는 것은 영미 법 문화에서 가장 광범하게 일어난 혁신 중 하나이다. 이처럼 희생자의 권리를 받아들인 것이 재판의 성격을 바꾸어 놓고 있다. 희생자 권리 운동은 희생자들을 피고의 권리에 비해 특권 있는 지위에 위치시키는 것을 목표로 한다. 희생자 옹호자들은 자신들이 보호하는 사람들을 위한 적극적인 조치를 취해줄 것을 요구한다. 하지만 그들의 일부 요구를 받아들이는 것 ― 희생자 영향평가를 이용하는 것과 같은 ― 은 범죄행위에 대한 객관적인 판단기준을 유지하기 어렵게 할 수 있다. 오늘날 희생자가 적어도 간접적으로 범죄 판단에 영향을 미칠 수 있게 되면서, 범죄 판단에 주관적 요소가 개입되고 있다. 미국의 대부분 주들은 희생자들이 피고가 그들에게 가한 감정적 손상과 신체적 손상에 대해 증언하는 것을 허용하고 있다. 영국에서는 피고에게 공정성을 보장하기 위해 오랜 기간에 걸쳐 정교화된 안전장치들이 보다 희생자 친화적인 사법체계의 제도화를 통해 약화되어왔다.

증인, 원고, 피해자 그리고 그들의 가족이 형사소송 절차에서 공정하게 대우받아야 하고 또 그들이 상황의 진전에 대한 정보를 충분히 제공받아야 한다는 것은 분명 옳다. 그러나 형사소송 절차에서 희생자 지위의 상승은 공정한 재판에 심각한 영향을 미친다. 이 문제는 혹독한 반대심문의 대상이 될 때 증인들이 점점 더 자주 드러내는 분노에서 특히 두드러진다. "대체 지금 누가 여기서 재판받고 있는 거야?" 희생자가 분노감을 표출하는 것은 이해할 수 있는 일이기는 하지만, 그러한 격분 표출의 조장은 재판에 나쁜 영향을 미친다. 웬디 카미너는 이러한 경향들에 대한 그녀의 강력한 비평에서 다음과 같이 주장한다. "희생자에게 그러한 진술을 할 기회를 주지 않는 것은 매정해 보인다. 그러나 그러한 기회를 제공하는 것은 자주 선동적이다." 카미너는 "특히 심금을 울리며 또렷하게 말을 하는 희생자들에 의해 흔들린" 판사와 배심원이 "가해 피고들에게 과도하게 가혹한 판결을 내릴 수도 있다"고 우려한다. 그리고 "성격이 아주 쾌활한 희생자를 선택한" 매우 운이 좋은 가해자는 "쉽게 정신적 충격을 받는 희생자를 가해한 피고보다 더 관대하게 다루어질 수도 있다"(Kaminer, 1995: 85를 보라). 이 모든 것이 재판을 자의적이게 만든다.

영국 법학자 존 피츠패트릭John Fitzpatrick도 같은 우려를 하고 있다. 그도 카미너처럼 재판 절차에서 "희생자(또는 그들의 가족)의 역할이 두드러질수록 감정이 증거 — 공정함에 결정적인 — 에 입각한 냉정하고 신중한 판단을 뒤집을 위험이 더 높아질 것"이라고 우려한다.[12] 하지만 한때 감정에 좌우되지 않는 것으로 간주되던 재판 절차에 감정이 도입된 것은 분명 앞서 개관한 보다 광범한 사회적 추세들과 궤를 같이하고 있다. 게다가 치료요법은 희생자가 겪은 감정적 손상을 토로함으로써 재판 절차에 영향을 미치고 싶어 한다. 희생자 권리 운동은 재판 절차가 냉정하다고 비난하고 또 희생자들의 분노, 슬픔 그리고 여타 감정에 무감각하다고 불평한다. 오스틴 사라트Austin Sarat가 지적했듯이, 희생자 권리 운동은 "법정을 애도의례를 위한 장소로 바꿈으로써 사적인 경험들을 공적 담론의 일부로 만들고자 한다." 카미너 또한 그 프로젝트가 사법체계에 감정을 끌어들이는 것에 주목해왔다. 그녀는 희생자의 관점에서 볼 때, "재판이 부분적으로 하나의 치료요법적 과정"이라고 지적하고 다음과 같이 경고했다.

희생자 권리 운동은 법과 치료요법을 대중적으로 혼동하고 사실을 감정으로 대체한다. 그러나 감정은 주관적 진실이 지배하는 치료요법사의 사무실에서는 사실일 수 있지만, 비교적 객관적인 의사결정을 추구하는 법원에서는 편견이다. 재판은 치료요법의 하나의 수단이 아니다. 그리고 이는 특정한 희생자 또는 피고에게 도움이 되는 것이 반드시 정당한 것은 아니며 정당한 것이 치료에 도움이 되지 않을 수도 있음을 의미한다(Sarat, 1997: 164; Kaminer, 1995: 84).

객관적 재판에 대한 카미너의 옹호는 부분적으로는 감정적으로 옳은 입법이 권위주의적인 결과를 초래할 수도 있다는 우려에서 기인한다.

피츠패트릭, 카미너, 사라트 같은 비평가들은 재판 절차에서 희생자의 지위가 상승한 것과 사법체계 내로 감정이 제도화된 것은 보복 본능의 복권을 의미한다고 경고해왔다. 특히 사라트는 "희생자 권리의 요구와 희생자들의 목소리에 귀 기울이라는 주장은 복수가 스스로를 위장해온 가장 최근의 '양식'"이라고 주장한다(Sarat, 1997: 171). 사법체계 내에서 감정을 부추기는 것은 희생자의 목소리의 정당함을 인정하라는 요구에 대해 제도가 보인 파멸적 반응의 하나이다. 치료요법과 재판이 혼동될 때마다, 권리의 자의성과 부식이 뒤따른다.

신보수주의

치료요법 문화가 앞서의 장들에서 논의한 모든 추세에 책임이 있는 것은 아니다. 치료요법 문화의 지배는 주체성의 형태변화의 원인이 아니라 반영이다. 하지만 치료요법학이 단지 모더니즘적 상상력의 위기의 수혜자이기만 한 것은 아니다. 그것은 또한 자아로의 내적 전환에 의지하여 사람들이 더 광범한 사회문제에 관여하는 것에서 관심을 다른 곳으로 돌리게 함으로써 위기의 진전 과정에 기여했다. 이를테면 20세기 후반의 다양한 역사적 경험들은 사회적 의제를 외면하게 해왔다. 그러나 최근 부상한 감정 결정론이 사회적 원인의 관념을 부분적으로 대체하고 있다는 사실은 치료요법 에토스가 사회에 미치는 영향을 보여주는 하나의 증거이다.

치료요법 문화는 좀처럼 공적인 형태로 자신의 권위주의적이고 강압적인 측면을 드러내지 않는다. 실제로 치료요법은 겉으로는 좀처럼 강압적인 형태로 권위를 드러내지 않는다. 그것은 징벌체계를 통해서가 아니라 취약감, 무력감, 의존감을 계발함으로써 통제력을 행사하고자 한다. 축소된 주체성 서사는 자기제한을 요구한다. 치료요법 문화는 환자 역할과 도움 요청을 정상화함으로써 전문가의 권위에 의존하는 것이 갖는 장점을 부각시킨다. 동시에 그것은 친밀한 비공식적 관계에 의존하지 않게 만들고, 그러한 행위는 개인들에게서 소속감을 약화시킨다. 설상가상으로 오늘날의 문화는 사람들이 실제로 아프고 위험에 처해 있고 감정적으로 상처를 받았다고 느끼게끔 만드는 분위기를 조장한다.

진정으로 유감스러운 현상은 우리 중 많은 사람이 진단을 통해 위안과 긍정을 얻고자 한다는 것이다. 질병을 하나의 정체성으로 전환시키는 것은 공중의 건강에 하나의 심각한 문제가 될 수 있다. 하지만 그 모든 것 중 가장 중요한 사실은 자기제한 체제가 제도화되어 왔다는 것이다. 이것은 취약한 자아라는 숙명론적 전제가 적어도 가끔은 사회의 상당한 부문의 행동에 영향을 미친다는 것을 암시한다. 이러한 영향을 가장 분명하게 드러내는 것 중 하나가 그것이 개인적 경험과 사회적 경험 간의 관계를 전도시키는 데 성공해온 방식이다. 제6장에서 지적했듯이, 오늘날 안출된 수동적 자아는 위험을 감수하는 것이 아니라 위험에 처해 있는 자아이다. 이 시나리오에서 개인이 수행하는 실험과 변혁의 역할은 거의 소멸된다.

오늘날 장려되고 있는 수동적 자아 서사는 자존감을 찬양하는 데서 그 정점에 이르고 있다. 이러한 대의의 옹호자들은 사람들에게 자신을 무조건적으로 받아들이는 것이 갖는 장점을 계속해서 상기시킨다. 이러한 자아에 대한 정적靜的인 보수주의적 견해는 "자신을 바꿔라", "자신을 개선하라" 또는 "자신을 넘어서라"와 같은 이전의 보다 야심찬 요구를 기각한다. 자신을 받아들이라는 요구는 변화를 피하라는 요구를 우회적으로 표현하는 것이다. 미래에 대한 이러한 보수주의적 지향이 치료요법의 역할 그 자체 내에 분명하게 반영되어 있다.

비록 개별 치료요법사들이 때때로 자신들이 만들어낸 성과의 효력을 과장해서 주장하기도 하지만, 치료요법 문화는 실제로 조심스럽게 자신들의 주장을 만들어낸다. 치료요법은 그것이 사람들이 그들의 상황에 대처하고 타협하게 하는 것을 돕는다는 이유로 장려되는 경향이 있다. 이러한 비교적 온건한 주장들은 과거에 치료요법이 장려되던 방식과는 대조된다. 20세기 대부분을 통해 치료요법은 치료법이자 행복한 사회를 만들기 위한 도구로 광고되었다. 치료요법은 개인의 퍼스낼리티를 탐구하고 발전시키는 적극적인 방식이라고 홍보되었다.

오늘날의 치료요법 에토스의 관점에서 볼 때, 치료요법은 계몽을 이룰 수 있는 수단이라기보다는 생존의 도구이다. 개인들은 치료되는 것이 아니라 회복상태에 있는 것으로 위치지어진다. 개인들은 그들의 문제를 극복하기보다는 문제를 인정하라고 가르침을 받을 가능성이 훨씬 크다. 치료요법이 그 일부를 이루는 보다 광범한 문화처럼, 치료요법은 사람들에게 자신들의 처지를 알라고 가르친다. 그리고 치료요법은 그 답례로 긍정과 인정이라는 모호한 축복을 제공한다.

주

서론

1 Patricia Leigh Brown, "Cinematography and chilling out? That's scouting," *New York Times*, May 13, 2002와 "Lavender calms stressed pupils," *BBC News Online*, May 14, 2002를 보라.

2 "School phobia girl is excused lessons by GP," *The Daily Telegraph*, June 5, 2002도 보라.

3 www.as.wvu.edu/carlsonprofessorship/Smelser, September 17, 2002를 보라.

4 Dr Moti Peleg, "A year after the assassination. A nation in post trauma," *Yediot Achronot*, November 29, 1996을 보라.

5 "Getting McVeigh," *The Nation*, June 23, 1997.

6 *The Oxford English Dictionary* (1989), vol.XIV, p.920.

7 이러한 추세가 다른 어떤 곳보다 영미사회에서 훨씬 더 진전되어 있기는 하지만, 그것의 영향은 서구 세계 도처에서 분명하게 드러난다. 바네사 푸파바크가 중요한 일련의 기고문들에서 보여주었듯이, 치료요법 문화는 지구화되었다. Pupavac(2001)를 보라.

8 "Study warns about rise in childhood trauma cases," *press release*, University of Alberta, August 3, 2000, www.ualberta.ca

9 "Martin Seligman forum on depression," August 16, 2002, http://abc.net.au/rn/talks/lm/stories/s648530.htm

10 Catherine Scott, "Teaching in a culture of fear," Technology Colleges Trust, Vision 2020, Second International Online Conference, 13-26 October and 24 November-7 December 2002, www.cybertext.net.au/tct2002/disc_papers/staff ing/pri../scott%20-%20printable.ht, "Ride gets rougher," *The Guardian*, May 15, 2001 and "Support sites," *The Guardian*, December 3, 2002를 보라.

11 "Student stress," *The Site*, September 2002, www.thesite.org/magazine/spe cials_mental_health/work.student_stress.html

12 "Confronting the social causes of psychological depression: too taboo?" *Radical Middle Newsletter*, January/February, 2001, p.10.

13 "Primary pupils stressed by exams," *The Guardian*, December 30, 2002; "En-

tranced exams; pupils offered classes in self-hypnosis to help them relax before school tests," *Daily Mail*, October 17, 2000.

14 "Looking back without anger," *BBC News Online*, November 21, 1999를 보라.

15 "Counselling team helps school tots," *Hartlepool Mail*, June 6, 2001; "Stress lessons for children at primary school," *The Daily Telegraph*, September 28, 2000.

16 "Pupils to get therapy for big leap forward to secondary," *The Observer*, September 5, 1999.

17 "Early warning system," *The Guardian*, July 21, 1999를 보라.

18 "Stress counsellors for England fans," *Evening Standard*, August 29, 2001.

19 "Pet insurer offers grief counselling," *The Daily Telegraph*, May 3, 2002.

20 Donna Lafromboise, "One of their own blasts therapists for shoddy work," *The Montreal Gazette*, January 11, 1997을 보라.

21 정확한 수치를 집계하기는 어렵다. 이용 가능한 증거에 따르면, 전일제와 시간제 카운슬러로 일하는 사람이 약 11만 명에 이르는 것으로 보인다. 그리고 공공영역에서 카운슬링 스킬을 자신의 직무의 일부로서 실행하는 사람들ー교사, 대학 강사, 사회사업가, 보호관찰 공무원, 법집행 직원 등ー의 숫자는 훨씬 더 많다.

22 "Counselling is offered for the death of a council," *The Daily Telegraph*, October 25, 1995.

23 Jennifer Cunningham, "Counter the counselling culture," *LM*, March, 1999, p.13 을 보라.

24 《영국 가이던스·카운슬링(British Journal of Guidance and Counselling)》의 편집자 토니 왓츠(Tony Watts)와의 사적 서신. 이 수치에는 조언(54만 번), 옹호(5000번), 카운슬링(63만 2000번), 지도(4만 4000번), 심리치료(5500번), 중재(4500번)가 포함되어 있다.

25 "A new growth industry emerges to cushion the blow as more people lose their jobs," *The Guardian*, January 19, 1991을 보라.

26 "Taking the worry out of work," *The Daily Telegraph*, April 6, 1999를 보라.

27 "The sharing and caring way to get to the top," *The Times*, January 6, 2001을 보라.

28 Press release, November 20, 2000, DfEE news centre, Report findings of the Work-Life Balance Baseline Study.

29 거트만이 "더 친절하고 더 점잖은 군대"라고 부른 것을 논의하고 있는 것으로
는 Gutmann(2000)을 보라.

30 Joshua Rozenberg, "2,000 sue MoD over psychiatric injuries of war," *The Daily
Telegraph*, March 5, 2002를 보라.

31 "Police 'becoming soft'," *The Guardian*, June 16, 1998.

32 이를테면 "Managing grief after disaster," a National Center for PTSD Fact
Sheet, by Katherine Shear, October 26, 2001을 보라.

33 Rand Health, "After 9/11: stress and coping across America: research high-
lights," November 15, 2001, www.rand.org/health

34 이를테면 야후(Yahoo)는 "Featured category: children and traumatic events"를
만들었다.

35 Abby Goodnough, "Post-9/11 pain found to linger in young minds," *The New
York Times*, May 2, 2002.

36 이를테면 "When nightmares won't go away," *Business Week*, March 18, 2002
를 보라.

37 Shankar Vedantam, "After September 11, psychic wounds slow to heal,"
Washington Post, March 17, 2002.

38 "Communities gear up for long-term effects of disaster," *Alcoholism & Drug
Abuse Weekly*, 37, 2001을 보라.

39 Stephanie Kriner, "In New York, many still in shock," *DisasterRelief.org*,
November 5, 2001.

40 William Booth, "9/11 Trauma: studies find resilience, worry," *Washington Post*,
September 7, 2002.

41 보스카리노에 대한 논의는 Sally Satel, "New Yorkers don't need therapy," *The
Wall Street Journal*, July 26, 2002에서 인용했다.

42 Erica Goode, "Program to cover psychiatric help for 9/11 families," *The New
York Times*, August 21, 2002를 보라.

43 Stephanie Kriner, "In New York, many still in shock," *DisasterRelief.org*,
November 5, 2001에서 인용함.

44 "Nation's victim assistance organizations issue trauma recovery tips to Ameri-
cans," MADD press release, September 12, 2001.

45 National Association of School Psychologists, "Memorials/activities/rituals fol
lowing traumatic events. Suggestions for schools," September, 2001, www.

nasponline.org

46 "Q&A: helping adults, children cope with grief, " *Washington Post*, September 24, 2001.

47 Stephanie Kriner, "In New York, many still in shock," *DisasterRelief.org*, November 5, 2001에서 인용함.

48 "Tapping your resilience in the wake of terrorism: pointers for practitioners," October, 2001, APA Online, www.apa.org/practice/practitionerhelp.html

49 "For a shared expression of emotions, we turn to the arts," *Pittsburgh Post-Gazette*, November 11, 2001에서 인용함. 치료요법학과 치료요법의 영향을 받은 종교를 매개로 하여 의미를 부여하고자 시도하라. 고백 TV 유명인사 오프라 윈프리는 그녀가 9·11의 희생자 각자가 당장 천사가 되도록 양키 스타디움에서 초종파적 기도회를 열자고 선언했을 때 이러한 견해를 분명하게 표현했다.

50 Erica Goode, "Program to cover psychiatric help for 9/11 families," *The New York Times*, August 21, 2002를 보라.

51 이러한 경향에 대한 비판들은 사건 내내 영향력을 발휘하지 못했다. 그러한 경향에 반대한 것은 주로 소수의 정신건강 전문가들과 미디어 논평자들뿐이었다. Sally Satel, "New Yorkers don't need therapy," *The Wall Street Journal*, July 26, 2002를 보라. 이는 전국 매체에서 치료요법 행동주의에 의문을 제기한 몇 안 되는 시도 중 하나이다.

52 Mindy Hung, "Note of caution sounded on trauma counselling," *Medscape-Wire*, September 19, 2001.

53 William Booth, "9/11 trauma: Studies find resilience, worry," *Washington Post*, September 7, 2002.

54 "Therapy is new religion says Carey," *The Daily Telegraph*, August 1, 2000.

55 *The Guardian*, January 6, 1996을 보라.

56 "Brash Britain breaks with its blushing habit," *The Sunday Times*, July 5, 1998을 보라.

57 *The Guardian*, November 13, 2000.

58 Ibid.

59 *The Times*, November 5, 1966을 보라.

60 *Daily Mail*, March 19, 1999를 보라.

61 이를테면 "164 known dead in flood disaster," *The Times*, February 2, 1953을

보라.

62 "Burial of flood victims: ceremony in valley of rocks," *The Times*, August 23, 1952를 보라.

63 *The Times*, February 20, 1953에서 인용함.

64 Ibid.

65 이 연구는 ≪선데이 텔레그래프(The Sunday Telegraph)≫ 1997년 8월 3일 자에 논의되어 있다. 치료요법의 역사를 논의하고 있는 것으로는 Frank Furedi, "The 'second generation' of Holocaust survivors," www.spiked-online.com, January 24, 2002를 보라.

제1장 감정주의 문화

1 *The Guardian*, September 14, 1999.

2 *Times Educational Supplement*, July 25, 1980에서 인용함.

3 Paul Lashmar, "Feel-bad factor," *New Statesman*, September 6, 1995를 보라.

4 "Attachment theory: a secure base for policy?" in Kraemer and Roberts(1996), pp.36~37.

5 *The Antidote Manifesto: Developing an Emotionally Literate Society*(London: Antidote, 2001), pp.6, 16을 보라.

6 Mark Brayne, "Journalists on the couch," *The Guardian*, August 5, 2002.

7 포스트의 주장은 "Saddam, tell me about your mum," *The Guardian*, November 14, 2002에서 인용한 것이다. 사담의 병리 상태에 대한 논의로는 Con Coughlin, "Saddam: King of terror," *The Washington Post Online*, December 6, 2002를 보라.

8 커비 패럴(Kirby Farrell)은 미국에서의 이러한 사태의 진전을 포스트-트라우마 문화(post-traumatic culture)의 발전으로 특징지었다. Farrell(1998)을 보라.

9 이를테면 Madeleine Bunting, "Rewiring our brains," *The Guardian*, November 13, 2000을 보라.

10 "Negative emotions can make life a misery," Better Health Channel, August 23, 2002, www.betterhealth.vic을 보라.

11 Dr Thomas Yarnell, "Release negative emotions," Dr Yarnell's self-help solutions store, http://members.aol.com/tototmnow/page3, August 2002.

12 Mark Sichel and Alicia Cervini, "The alcohologenic parent," Psyber Square, www.psybersquare.com/recovery_a1cohologenic.html, August 2002.

13 John Bradshaw audio archives, www.bradshawcassetts.com/archives.html을 보라.

14 "Profile: university counselling service," University of Dundee Press Office, Contact, www.dundee.ac.uk/pressoffice/contact/2000/decjan/counselling.htm, 2000을 보라.

15 Dan Kindlon and Michae Thompson, "Fighting inner turmoil," *The Times*, June 15, 1999.

16 Ibid.

17 *The Guardian*, April 25, 1996과 Horrocks(1994: 17)을 보라.

18 아이 양육과 관련하여 장려되고 있는 도움 구하기에 대해서는 Furedi(2001a: ch.10)를 보라.

19 Anne Karpf, "Farmers' grief leaves us all bereft," *The Guardian*, April 12, 2001.

20 Suzanne Moore, "The Windsors still don't understand us," *The Independent*, September 3, 1997, 그리고 A. 스콧 버그와의 인터뷰, *The New York Times*, August 5, 1998을 보라.

21 www.Amazon.com의 공지사항을 보라.

22 *The Guardian*, February 17, 1997에서 인용함.

23 *Independent on Sunday*, October 16, 1994에서 인용함.

24 *New York Times Magazine*, May 12, 1996을 보라.

25 *The Guardian*, October 19, 1998을 보라.

26 Laura Miller, "My syndrome myself," *Salon Magazine*, June 24, 1998을 보라.

제2장 감정정치

1 Tessa Mayes, "Restraint or revelation? Free speech and privacy in a confessional age," spiked on-line, October 22, 2002를 보라.

2 Jonathan Freedland, "Now Brown is one of us," *The Guardian*, January 9, 2002.

3 Madeleine Bunting, "We are the people," *The Guardian*, February 17, 2003을 보라.

4 Ian Robertson, "Big boys don't cry," *British Medical Journal*, June 15, 1996, p.1547.

5 *The Antidote Manifesto: Developing an Emotionally Literate Society*(London: Antidote, 2001)를 보라.

6 Barry Richards, "Introduction," paper given at the "Conclusions" seminar in the 'Affect, Ethics and Citizenship Series', May 8, 2000, Department of Cultural Studies, University of East London을 보라.

7 "The United States of Apathy?" *BBC News*, January 11, 2000를 보라.

8 Gitell, "Apathy at the polls," *The Boston Phoenix*, December 4, 2002를 보라.

9 ≪가디언≫ 1999년 6월 8일 자에 발표된 여론조사 결과.

10 "Politics a 'turn-off ' for under 45s," *BBC News*, February 28, 2002.

11 Alice Thomson, "Politics doesn't have to be like the Big Brother House," *The Daily Telegraph*, December 4, 2002를 보라.

12 Madeleine Bunting, "No politics, we're British," *The Guardian*, May 15, 2000을 보라.

13 Clare Garner, "Church turns to Diana to boost attendance," *The Independent*, February 20, 1998.

14 "TV boss backs BBC political review," *BBC News*, February 5, 2002.

15 Wendy Kaminer, "Jesus and the Politicians," *Free Inquiry Magazine*, 20(2), June 29, 2002.

16 Sarah Womack, "MPs 'need help to fight depression'," The Daily Telegraph, November 14, 2001.

17 John Sutherland, "Politicians, dry your eyes," *The Guardian*, April 30, 2001을 보라.

18 *The Guardian*, June 21, 1999를 보라.

19 "In Sickness and in health?" *Wall Street Journal*, August 4, 1999에서 인용함.

20 "Crying if he wants to," transcript of Online Newshour, July 10, 1996. www.pbs.org/newshour/essays/flemins-7-10.html을 보라.

21 David Skinner, "Matters of the heart," *Salon*, September 20, 2000, www.salon.com

22 Steven Thomma, "Faced with this crisis, Bush must tap a reserve of emotional discipline and maturity," *Knight Ridder Newspapers*, September 21, 2001.

23 *The Telegraph*, October 25, 1996.

24 "Assured of her place in history," *The Irish Times*, October 12, 1999. 나는 이 보도에 주목하게 해준 크리스 길리건(Chris Gilligan) 박사에게 감사를 표하고 싶다.

25 Fraser P. Seitel, "Rudy Giuliani's crisis communications leadership," *O'Dwyer's*

PR Daily, September 17, 2001, www.ODWYERPR.com을 보라.

26 Jonathan Freedland, "Inching towards peace," *The Guardian*, November 10, 1999.

27 *The Times*, August 4, 1999에서 인용함.

28 *The Guardian*, September 23, 1998을 보라.

29 DfEE(2000), *Sex and Relationship Guidance*와 Scottish Executive(2000), *Educating the Whole Child: Personal and Social Development in Primary Schools and the Primary Stages of Special Schools*를 보라.

30 *Antidote*, August 2000에서의 토의를 보라.

31 이 프로젝트에 대한 논의로는 *Time Out*, October 25, 2000을 보라.

32 "The real life class," *The Guardian*, April 11, 2000을 보라.

33 "New Deal-so play your hand right," *The Observer*, September 13, 1998.

34 *The Daily Record*, September 7, 1999를 보라.

35 *The Guardian*, August 8, 2001.

36 *Supporting Families: A Consultation Document*(London, 1999), p.30.

37 이 점은 Furedi(2001a; ch.11)에 자세히 설명되어 있다.

38 "Draft Speech for the Home Secretary-Launch of the Lords and Commons Family and Child Protection Group's Report 'Family Matters'," July 23, 1998을 보라.

39 Home Office "The Crime And Disorder Act. Guidance Document: Parenting Order," June 2, 2000을 보라.

40 "Social exclusion: keeping the doors open," *The Guardian*, July 21, 1999를 보라.

41 Home Office, Research Development and Statistics Directorate, *An Evaluation of the Prison Sex Offender Treatment Programme*(London, 1998).

42 "Straw plan to tag more ex-inmates," *The Guardian*, January 27, 2000.

43 *The Irish Times*, July 1, 1998을 보라.

제3장 프라이버시와 비공식적 관계 겨냥하기

1 *The Independent*, October 13, 1991을 보라.

2 Elizabeth Wurtzel, "Memoirs are made of this," *The Guardian*, October 27, 1998.

3 *The New York Times*, August 28, 1988에 실린 오츠의 논평을 보라.

4 Michiko Kakutani, "Critic's Notebook: Biography becomes a blood sport," *The*

New York Times, May 20, 1994를 보라.

5 위르겐 하버마스 같은 선도적인 사회이론가들은 그들이 프라이버시의 덮개로 보았던 것에 대해 비판적이었고 가정생활의 '의사(疑似) 프라이버시'에 대해 기술했지만, 프라이버시의 권리 자체에 대해서는 의문을 제기하지 않았다. 이에 대한 논의로는 이를테면 Wolfe(1997)를 보라.

6 "Survey of parents on abuse," www.Childabuse.com, 2001을 보라.

7 이것은 특히 가족사회학 분야에서 사실이다. 이 경향과 대조를 이루는 예외적인 논의로는 Weintraub and Kumar(1997)에 실린 논문들, 그중에서도 진 코헨 (Jean Cohen)과 진 베스키 엘쉬타인(Jean Bethke Elshtain)의 논문을 보라.

8 이 치료요법들에 대한 탁월한 비판으로는 Cunniham(1999)을 보라.

9 급진적 치료요법 운동에 대한 자코비의 비판은 반(反)가족 합의의 공고화에 귀중한 통찰을 제공한다.

10 스미스에 따르면, 글로리아 스타이넘의 『내부로부터의 혁명』과 패티 데이비스 (Patti Davis)의 『내가 그것을 보는 법(The Way I See It)』은 이러한 경향을 보여주는 실례들이다.

11 Deepak Chopra, "Ten Keys to Happiness," www.sppiritwalk.org/chopra10keys.htm(2002).

12 Dian Katz, "Relationships: fireworks or fizzle," *Lesbian News*, July, 1999, p.24 를 보라.

13 www.carrollconsulting.cc/lovehandbook.html에서도 이용할 수 있다.

14 Oliver James, "Addicted to order," *The Sunday Times Magazine*, January 18, 1998을 보라.

15 "General mental health issues: co-dependency," www.nmha.org/infoctr/fact sheets/43.cfm(1997).

16 Ibid.

17 "Compulsive helping," www.promis.co.uk/?view=chelp(2002)를 보라.

18 http://joy2meu.com/Relationship.html(2001)을 보라.

19 "Teenagers warned of sex trauma," *BBC News Online*, June 2, 1999를 보라.

20 이 과정에 대한 논의로는 Craib(1994) 제2장을 보라.

21 "Valentine sweet-talk could mask a violent monster, abuse charity warns," *The Independent*, February 9, 1998을 보라.

22 영국에서는 평균적으로 1년에 5~6명의 어린이가 낯선 사람에 의해 살해되고 그들의 형제자매에 의해 4명이 살해된다. "At home and so at risk," *The Times*,

March 16, 1998을 보라.
23 "Childhood sibling abuse common, but most adults don't remember it that way, study finds," press release issued by the American Psychological Association, Washington DC, August 8, 1997을 보라.
24 Sibling Abuse Survivors' Information and Advocacy Network, www.sasian. org(2000)을 보라.
25 www.qwi.net/-tbkkpt/justine.htm에 올라와 있는 논평을 보라.
26 "Help shape a manifesto for an emotionally literate society," *Antidote*, August 8, 2000, p.2를 보라.

제4장 우리가 어쩌다가 이 지경이 되었는가?

1 1972년에 노스는 "심리치료요법 이데올로기의 가치가 그 근거를 획득하고 있는 중인 것으로 보인다"고 논평했다(North, 1972: 57). 그 당시 그에게 마련되어 있는 것은 거기까지였다. 왜냐하면 그 이데올로기가 당시까지는 여전히 사회생활에 현저한 영향을 미치지 못하고 있었기 때문이다.
2 제임스 놀런도 치료요법적 국가의 등장에 대한 자신의 연구에서 합리화 과정이 전통적 도덕의 토대를 침식했을 뿐만 아니라 "감정에 관한 보다 광범한 관심을 위한 문화적 토양"을 마련해주었다는 견해를 취하고 있다.
3 "Therapy is new religion says Carey," *The Daily Telegraph*, August 1, 2000을 보라. 또한 미국목회상담사협회의 웹사이트 www.aapc.org을 보라.
4 여론에 대한 고전 엘리트주의적 지향에 대해서는 Lippmann(1934)을 보라.
5 한 연구에 따르면, 그러한 정책들은 "개인들이 스트레스를 관리하고, 그 또는 그녀의 자존감을 높이고, 그들의 삶에 몇 가지 새로운 목적들을 주입하기 위해 새로운 정체성과 목표를 획득하도록 돕는 것"을 포함하고 있었다(Hayes and Nutman, 1981: 114을 보라).
6 이러한 추세에 대한 논의로는 Furedi(1999)를 보라.
7 이를테면 크리스(Chriss, 1999: 4~5)의 논의를 보라.
8 제임스 크리스가 논평한 바 있듯이, "이처럼 보통 시민들이 자신들의 지침과 통찰을 결여하고 있다고 인식하는 것이 '전문가들'이 사실상 삶의 모든 영역에 침입할 수 있는 장(場)을 마련해준다"(Chriss, 1999: 5).
9 이 과정이 부모와 자식의 관계에 어떻게 영향을 미치는지를 논의하고 있는 것으로는 Furedi(2001a)를 보라.

제5장 축소된 자아

1 힐라스(Heelas)는 자아에 대한 그러한 낙관주의적 설명은 "펠라기우스 교도의 맹신을 연상하게 한다"고 주장한다. Heelas(1991: 43)을 보라.

2 University of Bath Counselling Service: "Help for common problems," www.bath.ac.uk/counselling/cshelp.htm, September 3, 2001.

3 "Hereditary peers 'need counselling on job loss'," *The Daily Telegraph*, April 6, 1999.

4 "Sporting stars find times hard after the cheering stops," *Independent on Sunday*, October 22, 2000.

5 Nancy Silcox "Finding their way; campus counsellors see almost 25% increase in mentally ill students," in *The Record.com*, April 12, 2002.

6 "Transition counselling needed following exposure to combat situations, Yale researcher recommends," Press release, January 22, 2002, EurekAlert, www.eurekalert.org/pub_releases/2002-02/yu-tcn012202.php

7 "Stand by your sickbeds," *The Guardian*, August 14, 2002를 보라.

8 "SAS men seek help to stem wave of suicides," *The Sunday Times*, August 5, 2001.

9 이를테면 ≪영국 정신병학(British Journal of Psychiatry)≫지에 실린 한 연구는 구급대원 3명 중 1명이 정신건강 문제로 고통받고 있다고 주장한다. *The Daily Telegraph*, January 4, 2001을 보라.

10 "Mental disorders key health problems in US military," *Reuters Health*, September 20, 2002.

11 "Stress," July 9, 1998, on web page jpmock@ix.netcom.com을 보라.

12 *The Guardian*, November 1, 1996을 보라.

13 "Surge in mental disorders predicted," BBC News, January 9, 2001.

14 "One in four gays suffers mental illness over sexuality," *The Guardian*, November 16, 2001.

15 "Caregiving impacts emotional health of the giver," *Women's Health Weekly*, March 25, 2000.

16 "Housework 'makes you depressed', say scientist," *The Daily Telegraph*, September 30, 2002.

17 "Stress makes 25% of GPs want to quit the NHS," *The Guardian*, October 18, 2001.

18 "Pupils 'stressed out' over school," BBC News, September 18, 2002.

19 Mark Satin, "Confronting the social causes of psychological depression: too taboo," *Radical Middle Newsletter*, January-February 2001, www.radicalmiddle. com에서 인용함.

20 Erica Goode, "More in college seek help for psychological problems," *The New York Times*, February 3, 2003에서 인용함.

21 www.surgeongeneral.gov/library/mentalhealth, 1999를 보라.

22 Secretary of State for Health(1998), *Our Healthier Nation*(Department of Health: London)을 보라.

23 Micheal G. Conner, "About domestic violence against men," September 21, 2002, www.crisiscounseling.com/AbuseViolence/DomesticViolenceMen.htm

24 Nigel Hawkes, "Floods sap health and confidence," *The Times*, October 15, 2001.

25 Frances Rickford, "Early warning system," *The Guardian*, July 21, 1999를 보라.

26 "Children suffer stress over their 'love lives'," *The Guardian*, October 28, 2000.

27 *The Times*, March 10, 1998.

28 "Depression and violence," press release of the American Psychological Association, September 3, 1998.

29 "An accused priest speaks out," *The Boston Globe*, January 9, 2002.

30 Marilyn Elias, "Is homosexuality to blame for church scandal?" *USA Today*, July 15, 2002.

31 *Pastoral Care Today, Practice, Problems and Priorities in Churches Today.* An interim report from a major survey initiated by CWR/Waverley Christian Counselling in Association with the Evagelical Alliance conducted by the Centre for Ministry Studies, University of Wales, Bangor(2000) (CWR, Farnham, Surrey), pp.10, 12.

32 "Wounded heroes," ACF News source, September 28, 2002, www.acfnew source.org/cgi-bin을 보라.

33 www.kairosinstitute.org를 보라.

34 BALM 웹사이트를 보라.

35 *PA News*, July 26, 1998.

36 *The Guardian*, June 21, 1996에서 인용함.

37 이 연구들은 Furedi(1997: 86)에서 인용했다.

38 기억의 정치에 대한 논의로는 Hacking(1995: ch.15)을 보라.

39 Susan Krygsvel, "The codependent self construct; an ethnopsychological perspective," 1995, p.12, www.sfu.ca/~wwwpsyb/issues/1995/spring/krygsvels. htm

40 Carol Tavris, "Mind games: psychological warfare between therapists and scientists," *Chronicle of Higher Education*, February 28, 2003을 보라.

41 "Lottery addict children," *Daily Mail*, February 21, 1998을 보라.

42 "Hooked on the exercise high," *The Guardian*, October 24, 2000에서 인용함.

43 "Action on addiction," press pack, October, 1997을 보라.

44 Helen Wilkinson, "Addicts anonymous," *The Observer*, December 12, 1998; Oliver James, "Addicted to order," *The Sunday Times Magazine*, January 18, 1998.

제6장 위험에 처한 자아

1 "Center for the Study of Traumatic Stress, Executive Summary," www.usuhs.mil/psy/traumaticstress/center_body.htm

2 "IFRC: community-based psychological support," *Reuters Foundation Alert*, July 20, 2001.

3 Vanessa Pupavac, "Therapy against politics," paper presented at the Commonwealth Institute, London, February 1, 2001을 보라.

4 "Hurricane season: USF professors can share research on risks, trauma, evacuation," University of South Florida press release, May 2, 2002.

5 Kai Erikson, "Toxic reckoning: business faces a new kind of fear," *Harvard Business Review*, January-February, 1990, p.123.

6 Peter Greste, "Trauma hits quake victims," *BBC News*, February 14, 2001을 보라.

7 "Handling of crisis left broken men scarred for life," *Western Mail*, October 2, 2002.

8 이 문제에 대한 논의로는 Furedi(2002: ch.2)를 보라.

9 Agency for Substances and Disease Registry(1995), "Report of the Expert Panel Workshop on the Psychological Responses to Hazardous Substances-Executive Summary, US Department of Health and Human Services: Atlanta, Georgia."

p.2.

10 Report of the IEMPG.

11 NSPCC, "Protecting children from abuse: a guide for everyone involved in children's sport," London을 보라.

12 "Child protection guidelines and procedures, Wirral Area Child Protection Committee," 1997을 보라.

13 이 주장은 *Personnel Today* (August, 1999)가 전문가 331명을 대상으로 실시한 조사에서 나왔다.

14 이 보고서들은 Furedi(2001b)에서 인용했다.

15 Robert Thompson, "Workplace violence experts see lessons from littleton," *HR News online*, June 14, 1999, pp.1~4.

16 같은 글에서 인용함.

17 Julia Kaminski, "Low blows in the name of high performance: bullying triggers stress," *The Independent on Sunday*, May 29, 1994.

18 O'Neill(1996)에 인용되어 있는 사례들을 보라.

19 O'Neill(1996)에서 인용함.

제7장 허약한 정체성: 자존감에 대한 집착

1 Ruth Shalit, "Quality wings," *The New Republic*, July 20, 1998을 보라.

2 소외에 대한 철학적 논의를 개관하고 있는 글로는 Meszaros(1972)를 보라.

3 이 이야기는 *Ananova*, February 14, 2003에 실려 있다.

4 "Orlando group hoping to pique concern for slavery reparations," *The Orlando Sentinel*, July 21, 2002.

5 "Racism poses Indians' biggest challenge, speaker says," *United Methodist News Service*, August 2, 2000.

6 이러한 접근방식을 비판하고 있는 것으로는 Dinesh D'Souza, "Education's self-esteem hoax," *The Christian Science Monitor*, October 24, 2002를 보라.

7 '손상' 이론에 대한 논의로는 Moskowitz(2001: 180~193)를 보라.

8 *The White House Bulletin*, February 27, 2002를 보라.

9 Annual Conference of the Professional Association of Teachers에서 제인 러브리 (Jane Lovey)가 한 논평. Rebecca Smithers, "Young 'see law change as green light for cannabis'," *The Guardian*, July 31, 2002를 보라.

10 "End of the line-getting up steam to defend the birthplace of railways," *The Daily Telegraph*, March 29, 1993에서 인용함.

11 이 논의에 대한 유용한 개관으로는 Russell(1999)을 보라.

12 이에 대한 논의로는 Furedi(1992)를 보라.

13 Buruma, "The joys and perils of victimhood," *The New York Review of Books*, April 8, 1999.

14 Ibid.

15 "'Holocaust on a plate' angers US Jews," *The Guardian*, March 2, 2003.

16 이 저자는 카운슬링과 치료요법의 주요 역할에 대해 지적한다.

17 http://www.geocities.com/Athens/Delphi/7279/ "Association of Second Generation Holocaust organizations," August, 1997.

18 『케임브리지 국제 영어사전(The Cambridge International Dictionary of English)』 (2002)은 자존감을 "자기 자신의 능력과 가치에 대한 믿음과 확신"으로 정의한다. www.dictionary.cambridge.org/define.asp?key=selfesteem*1+0을 보라.

19 "The Diana Interview," *The Guardian*, November 21, 1995를 보라.

20 "President proclaims June 9 National Child's Day".

21 Michael White, "Drive against domestic violence," *The Guardian*, May 27, 2002 를 보라.

22 Pfizer, "New survey reveals importance of sexual health to relationship and self-esteem but finds many refuse to speak to their doctors," press release, April 10, 2001.

23 Department of Health and National Assembly for Wales, "Safeguarding children involved in prostitution," 2000.

24 "The power and fantasies of a 999 hoaxer," *The Daily Telegraph*, February 21, 1991에서 인용함.

25 "Racism homophobia. which do you prefer?" www.sfaf.org/aboutsfaf/outreach/april00/commentary_bbe.html, April 2000.

26 "Authors reveal 'Warning Signs'; low self-esteem can lead to problems for children," *The Boston Herald*, July 14, 2002를 보라.

27 "Self-esteem related to childhood obesity," in Brown University Child and Adolescent Behavior Letter, 16(3).

28 "Daughters ⋯ and sons," *Chicago Tribune*, April 26, 2002.

29 BBC News On Line, "Education, why girls do well," August 12, 1999.

30 "Hartford could be model for initiative," *The Hartford Courant*, May 20, 2002.

31 "Abstinence finds core of support," *Akron Beacon Journal*, February 17, 2002.

32 Loughborough University, "Could gardening help people's health and well-being to grow?" press release, March 13, 2002.

33 National Cycling Forum, "Promoting cycling; improving health," April, 1999, p.2를 보라.

34 Community Education website homepage, www.w-isles.gov.uk/commed/web06.htm을 보라.

35 NPT statement on, www.nptrust.org.uk를 보라.

36 Institute for Public Policy Research, "Sisters are doing it for themselves-because they have to," press release, October 25, 2002.

37 Tony Hurley and Graham Dunxbury, "Engaging disaffected young people in environmental regeneration," January, 2002. www.groundwork.org.uk/policy/rep를 보라.

38 "Our aim," SureSlim UK Research, March 22, 2001. www.sureslimspain.com을 보라.

39 Adam Woolf, "Football scheme boosts community's self esteem," *The Guardian*, June 1, 2001.

40 www.nationwidefoundation.org.uk의 홈페이지에 나와 있는 진술을 보라.

41 Jennifer Cunningham, "Self-esteem. Is confidence building the key to success," lecture given at the Royal Society for the Encouragement of Arts, July 13, 2000 을 보라.

42 Terri Apter, "Confidence tricks," *The Guardian*, September 27, 2000.

43 John Vasconcellos, "Visions and writings," San Francisco Chronicle, January 21, 1993을 보라.

44 스멜서는 "자존감과 십 대 임신, 자존감과 아동학대, 자존감과 알코올 중독 및 약물 중독의 관계를 다루는 대부분의 사례들 사이에서 그러한 무관계가 유지되고 있다"고 덧붙인다(smelser, 1989: 15).

45 "Self-esteem of college students increases dramatically over 25-year period but benefits to society unclear, says expert," *Ascribe Newswire*, October 15, 2001.

46 "Author offers new take on self-esteem," *The Wichita Eagle*, April 19, 2001을 보라.

47 Frank Furedi, "Can self-esteem be bad for your child," *The Times*, January 7,

2002에서 인용함.

48 Jason Burke, "Confident kids likely to try drugs," *The Observer*, February 11, 2001을 보라.

49 "Low self-esteem not as damaging as claimed," *PA News*, November 28, 2001에서 인용함.

50 Carol Tavris, "Mind games: psychological warfare between therapists and scientists," *The Chronicle of Higher Education*, February 28, 2003.

51 "Why your emotional intelligence may be more important than your IQ," www.media-associates.co.nz/fie.html 2001; "Emotional intelligence (EQ) more important than IQ for work success," press release of the BarOn Emotional Quotient Inventory, http://gwmi.imi/eqhtml/articles-eq-iq-work-success.shtml, 2001을 보라.

52 감정지능의 개념을 지지하는 심리학이론에 대한 나의 이해는 내가 제니 커닝햄(Jenny Cuningham) 박사와 그간 나누어온 대화들에 빚지고 있다.

53 Andrew Samuels, "Therapists with attitude," www.ed.uius.edu, March 21, 1997.

54 Alan McCluskey, "Emotional intelligence," July 7, 1997, www.e-news.connected.org를 보라.

제8장 인정해주기: 정체성 추구와 국가

1 "Realising the potential for cultural services," December 17, 2001, Wigan Council을 보라.

2 스포츠 스코틀랜드의 웹 페이지에 실려 있는 "Social Inclusion"을 보라.

3 *Building on PAT 10-Progress Report on Social Inclusion*, February, 2001, p.5.

4 Ibid. p.22.

5 Department of Culture, Media and Sports, *Centres for Social Change: Museums, Galleries and Archives for All*.

6 Ruth Levitas, "Government more concerned with conformity than poverty," *The Guardian*, March 23, 2001을 보라.

7 Tony Blair, "Speech at Stockwell Park School, Lambeth, December 1997".

8 최근 발표된 정부 위탁 보고서가 자존감이라는 용어에 합의된 정의가 없고 또 자존감 고취 정책들을 정당화하는 데 사용될 수 있는 영국의 연구조사도 전혀

존재하지 않는다고 인정한 것은 지적할 만한 가치가 있다. Dennison and Coleman(2000)을 보라.

9 John. Vasconcellos, "The time is ripe: are we?" *San Francisco Chronicle*, January 21, 1995.

10 Frank E. Scott, "Reconsidering a therapeutic role for the state: anti-modernist governance and the reunification of the self," http://online.sfsu.edul/~fscott.scottf2000apsa.htm, 2000.

11 그 형태 면에서는 차이가 있지만, 영국에서 치료요법적 국가가 미국에서만큼 발전되어 있다는 것은 거의 분명하다. 미국의 치료요법적 국가에 대한 논의로는 Nolan(1998)을 보라.

12 "Prime Ministers speech to the Global Ethics Foundation," Tubingen University, Germany, 2000, http://www.number-l0.gov.uk/default.asp?PageId=1881을 보라.

13 Sports Scotland(2000), *Social Inclusion*.

14 Northern Ireland Executive(2000), *Investing For Health*, Belfast, p.55.

15 Cabinet Office press release, June 20, 2000, "Pressure to be thin affecting young women's self-esteem: body image summit," June 21, 2000을 보라.

16 National Strategy for Neighbourhood Renewal: Policy Action Team 3(1999) *Enterprise and Social Exclusion* (HM Treasury: London) and Northern Ireland Executive(2000), *Investing for Health*, Belfast, p.55를 보라.

17 놀런(Nolan, 1998)은 정치적 정당성 위기에 대처하고자 하는 시도에서 치료요법적 정치가 수행하는 역할에 대해 잘 논의한 바 있다. 영국에서 이와 유사한 추세의 발전을 논의하고 있는 것으로는 Furedi(2001a: ch.7)를 보라.

제9장 치료요법식 주장 제기하기와 진단의 요구

1 NEAVS, "Student Concerns," 2000, www.neavs.org/esec/studeenCconcerns_index.htm, 그리고 Circumcision Resource Centre, "Psychological Impact of Circumcision on Men," www.circumcision.org/impact.htm and "Christianity in Transition," Dwapara Press, news release, November 1, 1997을 보라.

2 "Post-traumatic stress disorder and the ambulance service," leaflet published by the Association of Professional Ambulance Personnel, Liverpool, 1999.

3 "Theory links slavery, stress disorder," *Boston Globe*, November 12, 2002를 보라.

4 Eitan Rabin, "'What have I done!'-a hundred soldiers treated for 'Intifada

Syndrome'," *Jewish Voice For Peace*, November 5, 2002. www.jewishvoice for peace.org/resources/jpn2.htm

5 Myalgic Encephalomyeltis Association home page, "The Role of the ME Association," p.1.

6 Margaret Talbot, "The shyness syndrome: bashfulness is the latest trait to become a pathology," *New York Times*, June 24, 2001을 보라.

7 *The Times*, March 10, 1998.

8 INFOLINK., www.ncvc.org, National Victim Center, "Hate crime-the violence of prejudice"를 보라.

9 The Guardian, October 9, 1997; *The Observer*, December 14, 1997을 보라.

10 "Ritualistic Abuse Task Force," Believe The Children Newsletter, Winter, 1990, p.1을 보라.

11 "Who are We," Home page of Fibromyalgia Association UK.

12 이 단체의 웹사이트 www.eurodis.org를 보라.

13 "Chronic Disability Payments," December 23, 1998.

14 *The Guardian*, February 8, 2002의 letter page를 보라.

15 *The Times*, December 26, 1997.

16 *The Guardian*, September 30, 1998에서 인용함.

17 1998년 1월에 교사들과 한 인터뷰.

18 *The Guardian*, November 16, 1996.

19 *The Guardian*, December 3, 1996.

20 *The Mail on Sunday*, April 19, 1998을 보라.

21 이 사례에 대한 설명과 지역의 반응에 대해서는 *The Guardian*, July 17, 1998을 보라.

22 DFEE green paper, *Excellence for all Children-Meeting Special Educational Needs*, October, 1997을 보라.

23 Renee Newman, "Dyscalculia symptoms," www.dyscalculia.org/dss/html, Dyslexia and Dyscalculia Support Services of Shiawassee County, October 27, 1997, p.1.

24 Ruth Shalit, "Defining disability down," *The New Republic*, August 25, 1997을 보라.

25 이 문제를 논의하는 것으로는 Wilson(1997)을 보라.

26 최근 법률위원회가 제출한 한 보고서는 이 문제에 대해 매우 다른 견해를 취하

고 있다. 그것은 '비정상적인 슬픔 반응'에서 손상을 입었다는 주장을 기각한 법원판결을 '가혹'하고 '독단적'이라고 묘사했다. Law Commission(1998: 35)을 보라.

27 이 주제에 대한 유용한 탐구로는 Hotopf and Wessely(1997: 2)를 보라.

맺음말: 무엇이 문제인가?

1 로즈는 다음과 같이 부언했다. "행동 기법들은 더 이상 개인들의 주체성에 대한 강압적이고 타율적인 침해로 간주되지 않는다. 그것들은 이제 의사, 임상심리학자, 정신과 간호사뿐만 아니라 사회사업가와 다른 많은 사람들에 의해 무력화된 자아(disempowered self)의 역량 재강화를 위한 수단으로 널리 이용되고 있다." Rose(1996)를 보라.

2 Frank E. Scott, "Reconsidering a therapeutic role for the state: anti-modernist governance and the reunification of the self," http://online.sfsu.edu/~fscott/scottf2000apsa.htm, 2000, p.8을 보라.

3 *The Guardian*, September 10, 2002에서 인용함.

4 Joyce Jerry, "Emotional literacy," www.getting-on.co.uk/toolkit/emotiona.html 을 보라.

5 Philip Johnston, "Children of eight to be targeted as future criminals," *The Daily Telegraph*, October 24, 2002를 보라.

6 "On the Baseline," *Columbia Chronicle Online*, December 9, 2002.

7 Alan Travis, "Straw plan to tag more ex-inmates," *The Guardian*, January 27, 2000을 보라.

8 이 사건에 대한 논의로는 Sally Satel, "Baseball is off its rocker," *The Wall Street Journal*, January 1, 2000을 보라.

9 Blackett Charlton, "Corporate counselling," *LM*, March 18, 1999, p.15.

10 "See our shrink-or you're fired," *The Observer*, June 20, 1999를 보라.

11 *The Guardian*, February 25, 1999에서 인용함.

12 J. Fitzpatrick, "The Macpherson Report in the dock," *LM*, April, 1999, p.9를 보라.

참고문헌

Albee, G.W. 1990. "The futility of psychotherapy." *The Journal of Mind and Behavior*, 11(3-4).

Alexander, J. and M. Pia Lara. 1996. "Honneth's new critical theory of recognition." *New Left Review*. November-December.

Alexander, J. and P. Sztompka. 1990. "Introduction." in J.C. Alexander and P. Sztompka(eds.). *Rethinking Progress*. Boston: Unwin Hyman.

Alexander, J.C. and P. Sztompka(eds.). 1990. *Rethinking Progress*. Boston: Unwin Hyman.

Alexander, T(ed.). 1997. *The Self-Esteem Directory*. Dover: Smallwood Publishing.

Altheide, D.L. 2002. *Creating Fear: News and the Construction of Crisis*. New York: Aldine de Gruyter.

Anthony, G. and J. Watkeys. 1991. "False allegations in child sexual abuse: the pattern of referral in an area where reporting is not mandatory." *Children and Society*, 5(2), 120.

Archard, D. 1993. *Children's Rights and Childhood*. London: Routledge.

Arendt, H. 2000. "The public and the private realm." in P. Baehr(ed.). *The Portable Hannah Arendt*. London: Penguin.

Arnason, A. 2000. "Biography, bereavement story." *Mortality*, 5(2).

Azhar, M. and S. Varma. 1995. "Response of clomipramine in sexual addiction." *European Psychiatry*, 10(5).

Baglow, R. 1994. *The Crisis of the Self in the Age of Information*. New York: Routledge.

Baker, L. 1995. "Food addiction deserves to be taken just as seriously as alcoholism." *Addiction Letter*, July.

Barker, K. 2002. "Self-help literature and the making of an illness identity: the case of fibromyalgia syndrome." *Social Problems*, 49(3).

Baron, L., M. Reznikoff and D.S. Glenwich. 1993. "Narcissism, interpersonal adjustment, and coping in children of Holocaust survivors." *The Journal of Psychology*, 127.

Bartholomew, R.E. and S. Wessely. 2002. "The protean nature of mass socio-genic illness; from possessed nuns to chemical and biological terrorism fears." *British Journal of Psychiatry*, 46(2).

Bauman, Z. 2000. *Liquid Modernity*. Cambridge: Polity Press.

Baumeister, R.F. 2001. "Violent pride." *Scientific American*, 284(4).

Beale, I. 1999. "Human fear of new technology. Can the judiciary grasp the biopsychosocial model?" Transcript of address to the 6th New Zealand Health Psychology Conference, Okororire, New Zealand.

Beck, R. and D. Franke. 1996. "The rehabilitation of victims of natural disasters." *Journal of Rehabilitation*, 62(4).

Beck, U. 1992. *Risk Society: Towards a New Modernity*. London: Sage.

_____. 2002a. "Beyond status and class?" in Beck and Beck-Gemsheim. *Individualization*. London: Sage.

_____. 2002b. "The ambivalent social structure." in Beck and Beck-Gemsheim. *Individualization*. London: Sage.

Beck, U. and E. Beck-Gernsheim. 2002. *Individualization*. London: Sage.

Bell, D. 1964. *The End of Ideology: On the Exhaustion of Political Ideas in the Fifties*. New York: The Free Press.

Bellah, R., R. Madsen and W. Sullivan et al. 1996. *Habits of the Heart: Individualism and Commitment in American Life*. Berkeley: University of California Press.

Bellamy, R. 1997. "Compensation neurosis-financial reward for illness as nocebo." *Clinical Orthopaedics and Related Research*, 336.

Berger, P. 1965. "Towards a sociological understanding of psychoanalysis." *Social Research*, 32(1).

Berger, P. and T. Luckmann. 1967. *The Social Construction of Reality*. Harmondsworth: Penguin.

Berger, P., G. Berger and H. Kellner. 1973. *The Homeless Mind*. Harmonsworth: Pelican.

Best, J. 1997. "Victimization and the victim industry." *Society*, 34(4).

_____. 1999. *Random Violence: How We Talk About New Crimes and New Victims*. Berkeley: University of California Press.

Best, J(ed.). 2001. *How Claims Spread: Cross National Diffusion of Social Problems.* New York: Aldine de Gruyter.

Bhutta, Z. 2002. "Children of war: the real casualties of the Afghan conflict." *British Medical Journal*, 324.

Bloomfield, I. 1997. "Effects of the Holocaust on the second generation." *Counselling*, 8(4).

Bracken, P. 2002. *Trauma: Culture, Meaning and Philosophy.* London: Whurr Publishers.

Braiker, H. 2001. *Lethal Lovers and Poisonous People: How to Protect Your Relationships That Make You Sick.* iUniverse, Inc.

Brauner, C. 1996. *Electrosmog-A Phantom Risk.* Zurich: Swiss Re.

Britton, F. 2000. *Active Citizenship; A Teaching Toolkit.* London: Hodder & Stoughton.

Brown, J.D. 1991. "The professional ex-: an alternative for exiting the deviant career." *The Sociological Quarterly*, 32(2).

Brown, W. 1995. *States of Injury: Power and Freedom in Late Modernity.* Princeton: Princeton University Press.

Bulcroft, R., K. Bulcroft, K. Bradely and C. Simpson. 2000. "The management and production of risk in romantic relationships: a postmodern paradox." *Journal of Family History*, 25(1).

Bunting, M. 2001. "From socialism to Starbucks: the decline of politics and the consumption of our inner self." *Renewal*, 9(2&3).

Burchell, B.J., D. Dat, M. Hudson, D. Lapido, R. Mankelow, J. Nolan and H. Reed, 1999. *Job Insecurity and Work Intensification.* York: Joseph Rowntree Foundation.

Burgess, A. 2003. *Panics Over Cell Phones.* New York: Cambridge University Press.

Cancian, F. 1987. *Love in America: Gender and Self-Development.* Cambridge: Cambridge University Press.

Carroll N.J. 1998. *The Love Handbook for Singles.* East Longmeadow MA: Lifeskills Publications.

Casement, P. 1994. "The Wish Not to Know." in V. Sinason(ed.). *Treating Survivors of Satanist Abuse.* London: Routledge.

Chodoff, P. 1997. "The Holocaust and its effect on survivors: an overview." *Political Psychology*, 18(1).

Chriss, J.J. 1999(ed.). *Counselling and the Therapeutic State.* New York: Aldine de Gruyter.

Clark, D. 1991. "Guidance, counselling, therapy: responses to 'marital problems' 1950-90." *The Sociological Review*, 39.

Clarke, J. 2000. "The search for legitimacy and the 'expertization' of the lay person: the case of chronic fatigue syndrome." *Social Work in Health Care*, 30(3).

Clarke, J(ed.). 1993. *A Crisis in Care?: Challenges to Social Work.* London: Sage.

Cloud, D.L. 1998. *Control and Consolation in American Culture and Politics: Rhetoric of Therapy.* Thousand Oaks, CA: Sage.

Cohen, R., J. Coxall, G. Craig and A. Sadiq-Sangster. 1992. *Hardship Britain: Being poor in the 1990s.* London: CPAG.

Conrad, P. 1975. "The discovery of hyperkinesis: notes on the medicalization of deviant behavior." *Social Problems*, 23.

_____. 1992. "Medicalization and social control." *Annual Review of Sociology*, 18.

Conrad, P. and D. Potter. 2000. "From hyperactive children to ADHD adults: observations of the expansion ofmedical categories." *Social Problems*, 47(4).

Conrad, P. and J.W. Schneider. 1980. *Deviance and Medicalization: From Badness To Sickness.* St. Louis: C.V. Mosby.

Craib, I. 1994. *The Importance of Disappointment.* London: Routledge.

Craig, P. and M. Greenslade. 1998. *First Findings from the Disability Follow-Up to the Family Resources Survey.* London: DSS Social Research Branch.

Cruikshank, B. 1993. "Revolutions within: self-government and self-esteem." *Economy and Society*, 22(3).

Cunniham, J. 1999. "Primal therapies-stillborn theories." in C. Feltham(ed.). *Controversies in Psychotherapy and Counselling.* London: Sage.

Curtice, J. and R. Jowell. 1995. "The Sceptical Electorate." in Jowell, Curtice, Park, Brook and Ahrendt. *British Social Attitudes: the 12th Report.*

Dartmouth: SCPR.

Cushman, P. 1995. *Constructing the Self, Constructing America: A Cultural History of Psychotherapy.* Reading: Addison-Wesley.

Davis, R., A. Lurgio and W. Skogan(eds.). 1997. *Victims of Crime.* London: Sage.

Dennison, C. and J. Coleman. 2000. "Young people and gender: a review of research." a report submitted to the Women's Unit, Cabinet Office and the Family Policy Unit, Home Office. London: Women's Unit.

Dineen, T. 1999. *Manufacturing Victims: What the Psychology Industry is Doing to People.* Toronto: Robert Davies Publishers.

Dolley, J. 1995. "Developing self-esteem through building on skills." *Adult Learning*, 6(10).

Downs, D.A. 1996. *More Than Victims: Battered Women, the Syndrome Society, and the Law.* Chicago: The University of Chicago Press.

Dworkin, R.W. 2001. "The medicalization of unhappiness." *The Public Interest*, 144.

Edelstein, M.R. 1998. *Contaminated Communities: The Social and Psychological Impact of Residential Toxic Exposure.* Boulder, CO: Westview Press.

Eisner, D.A. 2000. *The Death of Psychotherapy: From Freud to Alien Abduction.* Westport: Prager.

Elias, N. 1999. *The Society of Individuals.* Oxford: Blackwell.

Emler, N. 2001. *Self-Esteem: The Costs and Causes of Low Self-Worth.* York: YPS.

Engle, D.M. 1984. "The oven bird's song: insiders, outsiders, and personal. injuries in an American community." *Law and Society Review*, 18.

Eysenck, H.J. 1960. *The Psychology of Politics.* New York: Praeger.

Fairclough, N. 2000. *New Labour, New Language?* London: Routledge.

Farrell, K. 1998. *Post Traumatic Culture: Injury and Interpretation in the Nineties.* Baltimore: Johns Hopkins University Press.

Fevre, R.W. 2000. *The Demoralization of Western Culture: Social Theory and the Dilemmas of Modern Living.* London: Continuum.

Field, L.H. 1999. "Post-traumatic stress disorder: a reappraisal." *Journal of the*

Royal Society of Medicine 92. January.

Finkelhor, D. 1997. "The victimization of children and youth" in R. Davis, A. Lurgio and W. Skogan(eds.). *Victims of Crime*. London: Sage.

Forward, S. 1990. *Toxic Parents: Overcoming the Legacy of Parental Abuse*. London: Bantam Press.

Fox, C.R. 1977. "The medicalization and demedicalization of American society." *Daedalus*, 106(1).

Franklin, B. 1995. "The case for children's rights: a progress report." in Franklin, B. *A Handbook of Children's Rights*. London: Routledge.

Franklin, I(ed.). 1997. *The Politics of Risk Society*. Cambridge: Polity Press.

Fraser, N. 1998. *Social Justice in the Age of Identity Politics: Redistribution, Recognition and Participation, The Tanner Lectures on Human Values*. Salt Lake City: University of Utah Press.

Fraser, N. 2000. "Rethinking recognition." *New Left Review*. May-June.

Fredrickson, B.I. 2000. "Cultivating positive emotions to optimize health and well-being." *Prevention and Treatment* 3(March).

Freud, S. 1985. *Leonardo Da Vinci and a Memory of his Childhood*. London: Pelican.

Friedman, L.M. 1990. *The Republic of Choice: Law, Authority, and Culture*. Cambridge, MA: Harvard University Press.

Frost, P. 2003. *Toxic Emotions at Work*. Cambridge, MA: Harvard Business School Press.

Frye, M. 1992. *Willful Virgin: Essays in Feminism, 1976-1992*. Freedom, CA: Crossing Press.

Fukuyama, F. 1992. *The End of History and the Last Man*. London: Hamish Hamilton.

_____. 1995. *Trust: The Social Virtues and The Creation of Prosperity*. London: Hamish Hamilton.

Furedi, F. 1992. *Mythical Past, Elusive Future: History and Society in an Anxious Age*. London: Pluto Press.

_____. 1997. *Culture of Fear: Risk Taking and the Morality of Low Expectation*. London: Cassell.

_____. 1999. *Courting Mistrust: The Hidden Growth of a Culture of Litigation in Britain*. London: Centre for Policy Studies.

_____. 2001a. *Paranoid Parenting*. London: Allen Lane.

_____. 2001b. "Bullying: the British contribution to the construction of a social problem." in J. Best(ed.). 2001. *How Claims Spread: Cross National Diffusion of Social Problems*. New York: Aldine de Gruyter.

_____. 2002. *Culture of Fear: Risk Taking and the Morality of Low Expectation*, 2nd edn. London: Continuum Press.

Gagne, P. 1996. "Identity, strategy, and feminist politics: clemency for battered women who kill." *Social Problems*, 43(1).

Gates Jr., H.L., A.P. Griffin, D.E. Lively et al. 1994. *Speaking of Race, Speaking of Sex: Hate Speech, Civil Rights, and Civil Liberties*. New York: New York University Press.

Gellner, E. 1993. *The Psychoanalytic Movement; The Cunning of Unreason*. London: Fontana Press.

Gergen, K.J. 1990. "Therapeutic professions and the diffusion of deficit." *The Journal of Mind and Behavior*, 11(3-4).

Gerth, H.H. and C. Wright Mills(eds.). 1977. *From Max Weber: Essays in Sociology*. London: Roudedge and Kegan Paul.

Giddens, A. 1991. *Modernity and Self-Identity: Self and Society in the late Modern Age*. Cambridge: Polity Press.

_____. 1995. *The Transformation of Intimacy: Sexuality, Love and Eroticism in Modern Societies*. Oxford: Polity Press.

_____. 1998. *Third Way: The Renewal of Social Democracy*. Oxford: Polity Press.

Gist, R. and B. Lubin. 1999. *Response to Disaster: Psychosocial, Community and Ecological Approaches*. Philadelphia: Brunner/Mazel.

Gist, R. and S. J. Woodall. 1999. "There are no simple solutions to complex problems: the rise and fall of critical incident stress debriefing as a response to occupational stress in the fire service." in R. Gist and LB. ubin. *Response to Disaster: Psychosocial, Community and Ecological Approaches*. Philadelphia: Brunner/Mazel.

Goleman, D. 1996. *Emotional Intelligence; Why It Can matter More Than IQ*. London: Bloomsbury.

Gutmann, A(ed.). 1992. *Multiculturalism and "The Politics of Recognition."* Princeton: Princeton University Press.

Gutmann, S. 2000. *The Kinder, Gentler Military: How Political Correctness Affects Our Ability To Win Wars.* San Franscisco: Encounter.

Habermas, J. 1981. "New social movements." *Telos* 49.

_____. 1987. *The Theory of Communicative Action, Vol. 2, Lifeworld and System: A Critique of Functionalist Reason.* Cambridge: Polity Press.

_____. 1993. "Struggles for recognition in constitutional states." *European Journal of Philosophy*, 1(2).

Hacking, I. 1991. "The making and molding of child abuse." *Critical Inquiry*, 17.

_____. 1995. *Rewriting the Soul: Multiple Personality and the Sciences of Memory.* Princeton: Princeton University Press.

Halmos, P. 1973. *The Faith of the Counsellors.* London: Constable.

Hanmer, J. and M. Maynard(eds.). 1987. *Women, Violence and Social Control.* London: Macmillan Press.

Hayes, J. and P. Nutman. 1981. *Understanding the Unemployed: The Psychological Effects of Unemployment.* London: Tavistock Publications.

Hedges, C. 2002. *War Is A Force That Gives Us Meaning.* Oxford: Public Affairs Limited.

Heelas, P. 1991. "Reforming the self: enterprise and the characters of Thatcherism." in R. Keat and N. Abercrombie(eds.). *Enterprise Culture.* London: Roudedge.

_____. 1996. "Introduction: Detraditionalization and its rivals." in P. Heelas, S. Lash and P. Morris(eds.). *Detraditionalization: Critical Reflections on Authority and Identity.* Oxford: Blackwell.

Heelas, P., S. Lash and P. Morris(eds.). 1996. *Detraditionalization: Critical Reflections on Authority and Identity.* Oxford: Blackwell.

Herman, E. 1995. *The Romance of American Psychology: Political Culture in the Age of Experts.* Berkeley: University of California Press.

Herman, J.L. 1994. *Trauma and Recovery: From Domestic Abuse To Political Terror.* London: Pandora.

Hewitt, J. 1998. *The Myth of Self-Esteem; Finding Happiness and Solving*

Problems in America. New York: St. Martin's Press.

Himmelfarb, G. 1995. *The De-moralization of Society: From Victorian Values to Modern Values*. London: IEA.

Hobson, J.A. 1901. *The Psychology of Jingoism*. London: Grant Richards.

_____. 1988. *Imperialism: A Study*. London: Unwin Hyman.

Hochschild, A.R. 1983. *The Managed Heart: The Commercialization of Human Feeling*. Berkeley: University of California Press.

_____. 1994. "The commercial spirit of intimate life and the abduction of feminism: signs from women's advice books." Theory, Culture and Society 11.

Hoggett, P. 2000. "Social Policy and the Emoyions." in G. Lewis, S. Gewirtz and J. Clarke(eds.). *Rethinking Social Policy*. London: Sage.

Hollway, W. and T. Jefferson. 1996. "PC or not PC: sexual harassment and the question of ambivalence." *Human Relations*, 49(3).

Holton, R. 1990. "Problems of crisis and normalcy in the contemporary world." J.C. Alexander and P. Sztompka(eds.). 1990. *Rethinking Progress*. Boston: Unwin Hyman.

Honneth, A. 1995. *The Fragmented World of The Social: Essays in Social and Political Philosophy*. Albany: State University of New York Press.

Horrocks, R. 1994. *Masculinity in Crisis*. London: Macmillan.

Horwitz, A.V. 1982. *The Social Control of Mental Illness*. Orlando: Academic Press.

_____. 2002. *Creating Mental Illness*. Chicago: The University of Chicago Press.

Hotopf, M. and S. Wessely. 1997. "Stress in the workplace: unfinished business." *Journal of Psychosomatic Research*, 43(1).

Hough, M. and P. Mayhew. 1983. *The British Crime Survey: The First Report*. London: HMSO.

Huber, P.W. 1988. *Liability. The Legal Revolution and Its Consequences*. New York: Basic Books.

Hughes, R. 1993. *Culture of Complaint*. London: The Harvill Press.

Hunter, J.D. 2000. *The Death of Character: Moral Education in an Age Without Goodor Evil*. New York: Basic Books.

Hymowitz, K. 2000. *Ready or Not: What Happens When We, Treat Children as Small Adults*. San Francisco: Encounter Books.

ICAS. 1998. "University of Kent at Canterbury, levels of stress among campus staff, survey report and recommendations." ICAS: London.

IDS. 1999. *IDS Studies: Personnel Policy and Practice, Harassment Policies*. London: IDS.

Illouz, E. 1997. *Consuming the Romantic Utopia: Love and the Cultural Contradictions of Capitalism*. Berkeley: University of California Press.

Irvine, I. 1997. "Reconsidering the American emotional culture: co-dependency and emotion management." *The European Journal of Social Sciences*, 10(4).

_____. 1999. *Codependent Forevermore: The Invention of Self in a Twelve Step Group*. London: The University of Chicago Press.

Isaacs, F. 1999. *Toxic Friends/True Friends*. Chicago: William Morrow.

Jacobs, J.B. and K. Potter. 1998. *Hate Crimes: Criminal Law and Identity Politics*. New York: Oxford University Press.

Jacoby, R. 1975. *Social Amnesia: A Critique of Conformist Psychology from Adler to Laing*. Hassocks: The Harvester Press.

Janov, A. 1993. *The New Primal Scream: Primal Therapy Twenty Years On*. London: Abacus.

Jeffreys, S. 1990. *Anticlimax: A Feminist Perspective on the Sexual Revolution*. London: Women's Press.

Jenkins, P. 1992. *Intimate Enemies, Moral Panics in Contemporary Great Britain*. New York: AIdine de Gruyter.

_____. 1996. *Pedophiles and Priests*. New York: Oxford University Press.

Jenkins, R. 1996. *Social Identity*. London: Routledge.

Jones, A. 1984. *Counselling Adolescents: School and After*. London: Kogan Page.

Jowell, R., J. Curtice, A. Park et al(eds.). 1995. *British Social Attitudes, The 12th Report*. Dartmouth: SCPR.

Kaminer, W. 1993. *I'm Dysfunctional, You're Dysfunctional: The Recovery Movement and Other Self-Help Fashions*. Reading, MA: Addison-Wesley.

_____. 1995. *It's All The Rage, Crime and Culture*. Reading, MA: Addison-

Wesley.

_____. 1996. *True Love Waits: Essays And Criticism*. Reading, MA: Addison-Wesley.

_____. 2000. "I spy." *The American Prospect*, 11(18).

Kaplan, M. and G. Marks. 1995. "Appraisal of health risks: the roles of masculinity, femininity, and sex." *Sociology of Health and Illness*, 17(2).

Karp, D. 1996. *Speaking of Sadness: Depression, Disconnecting and the Meaning of Illness*. New York: Oxford University Press.

Kasl, D.C. 1990. *Women, Sex and Addiction-A Search For Love And Power*. Minneapolis: Mandarin.

Kates, A.R. 1999. *CopShock, Surviving Posttraumatic Stress Disorder(PTSD)*. Cortaro, AZ: Holbrook Street Press.

Kinchin, D. 2001. *Post-Traumatic Stress Disorder: The Invisible Injury*. Didcot, Oxfordshire: Success Unlimited.

Kraemer, S. and J. Roberts(eds.). 1996. *The Politics of Attachment: Towards a Secure Society*. London: Free Association Books.

LaFontaine, J. 1994. *Extent and Nature of Organized Ritual Abuse*. London: Department of Health.

Lamb, S. 1996. *The Trouble with Blame: Victims, Perpetrators, and Responsibility*. Cambridge, MA: Harvard University Press.

Langford, W. 1999. *Revolution of the Heart*. London: Routledge.

Lasch, C. 1979. *The Culture of Narcissism: American Life in an Age of Diminishing Expectations*. New York: Warner Books.

_____C. 1984. *The Minimal Self: Psychic Survival in Troubled Times*. New York: W.W. Norton.

Lasch-Quinn, E. 2001. *Race Experts: How Racial Etiquette, Sensitivity Training, and New Age Therapy Hijacked the Civil Rights Revolution*. New York: W.W. Norton.

Lash, S. and J. Urry. 1994. *Economies of Signs and Space*. London: Sage.

Laski, H.J. 1932. *Nationalism and the Future of Civilization*. London: Watts.

Law Commission. 1998. *Liability For Psychiatric Illness*. London: The Stationery Office.

Le Bon, G. 1990(reprint). *The Crowd: The Study of the Popular Mind*. London:

Norman and Berg.

Levine, M.P. and R.R. Troiden. 1988. "The myth ofsexual compulsivity." *Journal of Sex Research*, 25(3).

Lewis, G., S. Gewirtz and J. Clarke(eds.). 2000. *Rethinking Social Policy*. London: Sage.

Lindenfield, G. 1997. "The self-esteem building citizen." in T Alexander(ed.). *The Self-Esteem Directory*. Dover: Smallwood Publishing.

Linenthal, E.T. 2001. *The Unfinished Bombing: Oklahoma City in American Memory*. New York: Oxford University Press.

Lippman, W. 1922. *Public Opinion*. New York: Macmillan.

_____. 1934. *Public Opinion*, 4th edn. New York: Macmillan.

Lipset, M. 1963. *Political Man: The Social Basis of Politics*. New York: Anchor Books.

Lowney, K.S. 1999. *Baring Our Souls: TV Talk Shows and the Religion of Recovery*. New York: Aldine de Gruyter.

Luckmann, T. 1967. *The Invisible Religion: The Problem of Religion in Modern Society*. New York: Macmillan.

Lupton, D. 1998. *The Emotional Self: A Sociocultural Exploration*. London: Sage.

Lyng, S. 1990. "Edgework: a social psychology of voluntary risk taking." *American Journal of Sociology*, 95(4).

MacInnes, J. 1998. *The End of Masculinity: The Confusion of Sexual Genesis and Sexual Difference in Modern Society*. Buckingham: Open University Press.

Mackenzie, G. and J. Labiner. 2002. *Opportunity Lost: The Decline of Trust and Confidence in Government After September 11*. Washington, DC: Ceriter For Public Service.

MacKinnon, C. 1989. *Toward a Feminist Theory of the State*. Cambridge, MA: Harvard University Press.

Maguire, M. and J. Pointing. 1988. *Victims of Crime: A New Deal?* Milton Keynes: Open University Press.

Maguire, M., R. Morgan and R. Reiner(eds.). 1997. *The Oxford Handbook of Criminology*. Oxford: Clarendon Press.

Martin, L.H., H. Gutman and P.H. Hutton(eds.). 1988. *Technologies of the Self: A Seminar with Michel Foucault.* London: Tavistock Publications.

Mayou, R. and A. Farmer. 2002. "Trauma." *British Medical Journal*, 325.

McGuigan, J. 2000. "British identity and the people's princess." *Sociological Review*, 48(1).

McLean, I. and M. Johnes. 2000. *Aberfan: Government and Disasters.* Cardiff: Welsh Academic Press.

McLeod, J. 1994. "Issues in the organisation of counselling; learning from NMGC." *British Journal of Guidance and Counselling*, 22(2).

McShane, M.D. and F.P. Williams. 1992. "Radical victimology: a critique of the concept of victim in traditional victimology." *Crime and Delinquency*, 38(2).

Mecca, A., N. Smelser and J. Vasconellos(eds.). 1989. *The Social Importance of Esteem.* Berkeley: University of California Press.

Melucci, A. 1989. *Nomads of the Present: Social Movements and Individual Needs in Contemporary Society.* London: Hutchinson Radius.

Mestrovic, S.G. 1997. *Postemotional Society.* London: Sage.

Meszaros, I. 1972. *Marx's Theory of Alienation.* London: Merlin Press.

Miller, G. and J.A. Holstein. 1993. *Constructionist Controversies: Issues in Social Problems Theory.* New York: Aldine de Gruyter.

Miller, P. 1986. "Psychotherapy of work and unemployment." in P. Miller and N. Rose(eds.). 1986. *The Power of Psychiatry.* Cambridge: Polity Press.

Miller, P. and N. Rose. 1994. "On therapeutic authority: psychoanalytical expertise under advanced liberalism." *History of the Human Sciences*, 7(3).

Miller, P. and N Rose(eds.). 1986. *The Power of Psychiatry.* Cambridge: Polity Press.

Moncrieff, J. 1997. "Psychiatric imperialism: the medicalisation of modern living." *Soundings*, 6.

Morgan,1. and L. Zedner. 1992. *Child Victims: Crime Impact and Criminal Justice.* Oxford: Clarendon Press.

Moscovici, S. 1961. *La Psychoanalyse-Son Image et Son Public.* Paris: Presses Universitaires de France.

Moskowitz, E. 2001. *In Therapy We Trust: America's Obsession with*

Self-Fulfillment. Baltimore: Johns Hopkins University Press.

Muncie, J., M. Wetherell, R. Dallos and A Cochrane(eds.). 1993. *Understanding the Family*. London: Sage.

Nathan, D. and M. Snedeker. 1995. *Satan's Silence: Ritual Abuse and the Making of a Modern American Witch Hunt*. New York: Basic Books.

Newman, M. and B. Berkowitz. 1971. *How To Be Your Own Best Friend*. New York: Ballantine.

Nolan, J.L. 1998. *The Therapeutic State: Justifying Government at Century's End*. New York: New York University Press.

Nolan, J.L. 2001. *Reinventing Justice: The American Drug Court Movement*. Princeton: Princeton University Press.

North, M. 1972. *The Secular Priests*. London: George Allen & Unwin.

O'Connor, W. and J. Lewis. 1999. "Experiences of social exclusion in Scotland". *Scottish Executive, Central Research Unit*. Research Programme Research Findings No. 73.

O'Neill, J. 1995. *The Poverty of Postmodernism*. London: Routledge.

O'Neill, R. 1996. "Stress at work: trade union action at the workplace." (unpublished report). London: TUC.

Oakely-Browne, R., R. Churchill, D. Gill et al(eds.). 2000. *Depression, Anxiety and Neurosis Module of the Cochrane Database of Systematic Reviews*. Oxford: The Cochrane Library, Issue 3. Oxford Update Software.

Ohl, C. A. and S. Tapsell. 2000. "Flooding and human health; the dangers posed are not always obvious." *British Medical Journal*, 321.

Okami, P. 1992. "'Child perpetrators of sexual abuse', the emergence of a probiematic deviant category." *The Journal of Sex Research*, 29(1).

Olson, W. 1992. *The Excuse Factory: How Employment Law is Paralyzing the American Workplace*. New York: Free Press.

Orbach, S. 1997. "People in distress" in I Franklin(ed.). 1997. *The Politics of Risk Society*. Cambridge: Polity Press.

Overton, D. 1994. "Why counselling is not sought in deteriorating relationships: the effect of denial." *British Journal of Guidance and Counselling*, 22(3).

Oxford English Dictionary. 1989. 2nd edn, vol. XIV. Oxford: Clarendon Press.

Paget, E.H. 1929. "Sudden changes in group opinion." *Social Forces*, 7(3).

Park, J. 1999. "Politics of emotional literacy." *Renewal*, 7(1).

Parsons, T. 1964. *Social Structure and Personality*. New York: Free Press.

_____. 1978. *Action Theory and The Human Condition*. New York: Free Press.

Patai, D. and N. Koertege. 1994. *Professing Feminism: Cautionary Tales from the Strange World of Women's Studies*. New York: Basic Books.

Pearson, G. 1979. *The Deviant Imagination: Psychiatry, Social Work and Social Change*. London: Macmillan.

Peele, S. 1995. *Diseasing of America: How We Allowed Recovery Zealots and the Treatment Industry to Convince Us We Are Out of Control*. New York: Lexington Books.

Pendergrast, M. 1995. *Victims of Memory: Incest Accusations and Shattered Lives*. Hinesburg, VT: Upper Access.

Perham, P. 1962. *The Colonial Reckoning*. London: BBC.

Plato. 1955. *The Republic*. Hannondsworth: Penguin.

Polsky, A.J. 1991. *The Rise of the Therapeutic State*. Pripceton: Princeton University Press.

Pupavac, V. 2001. "Therapeutic governance: psychosocial intervention and trauma risk management." unpublished paper, London.

_____. 2002. "Traumatising children: war and trauma risk management." Paper given at The Society for The Study of Social Problems, 52nd Annual Meeting, Chicago.

Purdy, J. 1999. *For Common Things: Irony, Trust, And Commitment in America Today*. New York: Alfred A. Knopf.

Rauch, J. 1993. *Kind Inquisitors: The New Attacks on Free Thought*. Chicago: The University of Chicago Press.

Real, T. 1999. *I Don't Want To Talk About It: Overcoming the Secret Legacy of Male Depression*. New York: Fireside Books.

Reid, J., C. Ewan and E. Lowy. 1991. "Pilgrimage of pain: the illness experiences of women with repetition strain injury and the search for credibility." *Social Science and Medicine*, 32(5).

Rice, J.S. 1996. *A Disease of One's Own: Psychotherapy, Addiction, and the Emergence of Co-Dependency*. New Brunswick, NJ: Transaction.

Richards, B(ed.). 1989. *The Crises of the Self: Further Essays on Psychoanaly- sis and Politics.* London: Free Association Books.

Richards, G. 1995. "'To know our fellow men to do them good': American psychology's enduring moral project." *History of the Human Sciences,* 8(3).

_____. 2000. "Psychology and the churches in Britain 1919-39: symptoms of conversion." *History of the Human Sciences,* 13(2).

Rieff, P. 1966. *The Triumph of the Therapeutic: Uses of Faith After Freud.* London: Chatto and Windus.

Rind, B. and Tromovitch. 1997. "A meta-analytic review of findings from national samples on psychological correlates of child sexual abuse." *The Journal of Sex Research,* 34(3).

Robinson, D. 2002. "Cancer clusters: findings vs feelings." American Council on Science and Health: New York.

Rock, P. 1998a. "Murderers, victims and 'Survivors'; the social construction of deviance." *The British Journal of Criminology,* 38(2).

Rock, P. 1998b. *After Homicide: Practical and Political Response To Bereave- ment.* Oxford: Clarendon Press.

Rose, N. 1990. *Governing the Soul: The Shaping of the Private Self.* London: Routledge.

_____. 1996. "Psychiatry as a political science: advanced liberalism and the administration of risk." *History of the Human Sciences,* 9(2).

Rosenblum, N(ed.). 1989. *Liberalism and the Moral Life.* Cambridge, MA: Harvard University Press.

Russell, J. 1999. "Counselling and the social construction of self." *British Journal of Guidance and Counselling,* 27(3).

Rustin, M. 2001. *Reason and Unreason: Psychoanalysis, Science and Politics.* Middletown, CT: Wesleyan University Press.

Samuels, A. 2001. "Therapists with attitude." in Samuels. *Politics on the Couch: Citizenship and the Internal Life.* London: Profile Books.

_____. 2001. *Politics on the Couch: Citizenship and the Internal Life.* London: Profile Books.

Sapford, R. 1993. "Endnote: Public and Private" in J. Muncie, M. Wetherell, R.

Dallos and A. Cochrane(eds.). *Understanding the Family.* London: Sage.

Sarat, A. 1997. "Vengeance, victims and the identities of law." *Social and Legal Studies*, 6(2).

Sargeant, K.M. 2000. *Seeker Churches: Promoting Religion in a Nontraditional Way.* New Brunswick, NJ: Rutgers University Press.

Schumpeter, J. 1951. *Capitalism, Socialism and Democracy.* London: Allen and Unwin.

Scott, F.E. 2000. "Reconsidering a therapeutic role for the state: anti-modernist governance and the reunification of the self." http://online.sfsu.eduJ-fscottlscottapsa.htm

Seidler, V. 1992a. "Men, sex and relationships." in V. Seidler(ed.). *Men, Sex and Relationships.* London: Routledge.

_____. 1992b. "Postscript, men therapy and politics." in V. Seidler(ed.). *Men, Sex and Relationships.* London: Routledge.

Sennett, R. 1976. *The Fall of Public Man.* New York: Knopf.

_____. 2003. *Respect; The Formation of Character in an Age of Inequality.* New York: W.W. Norton.

Sennett, R. and J. Cobb. 1993. *The Hidden Injuries of Class.* New York: W.W. Norton.

Sharp, P. 2001. *Nurturing Emotional Literacy: A Practical Guide for Teachers, Parents and Those in the Caring Professions.* London: David Fulton.

Showalter, E. 1997. *Hystories: Hysterical Epidemic and Modern Culture.* London: Picador.

Sinason, V(ed). 1994. *Treating Survivors of Satanist Abuse.* London: Routledge.

Slovic, P. 1997. "Public perception of risk." *Journal of Environmental Health*, 59(9).

Smail, D. 1996. *How to Survive Without Psychotherapy.* London: Constable.

_____. 2001. *The Origins of Unhappiness: A New Understanding of Personal Distress.* London: Robinson.

Smelser, N. 1989. "Self-esteem and social problems." in A. Mecca, N. Smelser and J. Vasconellos(eds.). *The Social Importance of Esteem.* Berkeley: University of California Press.

Smith, S. 1995. *Survivor Psychology.* Boca Raton, FL: Upton Books.

Soderberg, S., B. Lundman and A. Norberg. 1999. "Struggling for dignity: the meaning of women's experiences of living with fibromyalgia." *Qualitative Health Research*, 9(5).

Spear-Swerling, L. and R.J. Sternberg. 1996. *Off Track: When Poor Readers Become 'Learning Disabled'*. Boulder, CO: Westview Press.

Stanko, E. and K. Hobdell. 1993. "Assault on men: masculinity and male victimisation." *British Journal of Criminology*, 33(3).

Steinem, G. 1992. *Revolution From Within: A Book of Self-Esteem*. Boston: Little, Brown and Company.

Stewart-Brown, S. 1998. "Emotional wellbeing and its relation to health." *British Medical Journal*, 317.

Strauss, L. 1991. *On Tyranny*. New York: The Free Press.

Strauss, M.A., R.J. Gelles and S.K. Steinmetz. 1980. *Behind Closed Doors, Violence in the American Family*. New York: Anchor Books.

Summerfield, D. 1996. "The psychological legacy of war and atrocity: the question of long-term and transgenerational effects and the need for a broad view." *The Journal of Nervous and Mental Disease*, 184(1).

_____. 1996. *The Impact of War and Atrocity on Civilian Populations: Basic Principles for NGO Interventions and a Critique of psychosocial Trauma Projects*. London: ODI.

_____. 1999. "A critique of seven assumptions behind psychological trauma programmes in war-affected areas." *Social Science and Medicine*, 48.

_____. 2000. "Childhood, war, refugeedom and 'trauma': three core questions for mental health professionals." *Transcultural Psychiatry*, 37(3).

_____. 2001. "The invention of post-traumatic disorder and the social usefulness of a psychiatric category." *British Medical Journal*, 322.

_____. 2002. "Effects of war: moral knowledge, revenge, reconciliartion, and medicalised concepts of 'recovery'." *British Medical Journal*, 325.

Sumner, C. 1994. *The Sociology of Deviance: An Obituary*. Buckingham: Open University Press.

Swidler, A. 1996. "Love and marriage" in R. Bellah, R. Madsen, W. Sullivan et al. *Habits of the Heart: Individualism and Commitment in American Life*. Berkeley: University of California Press.

_____. 2001. *Talk of Love: How Culture Matters*. Chicago: The University of Chicago Press.

Szasz, T. 1963. *Law, Liberty and Psychiatry*. New York: Macmillan.

_____. 1984. *The Therapeutic State; Psychiatry in the Mirror of Current Events*. Buffalo: Prometheus Books.

Taylor, C. 1992. "The Politics of Recognition." in A. Gutmann(ed.) *Multiculturalism and "The Politics of Recognition."* Princeton: Princeton University Press.

Taylor, E. and R. Hemsley. 1995. "Treating hyperkinetic disorders in childhood." *British Medical Journal*, 310.

Taylor, G. 1993. "Challenges from the margin." in J Clarke(ed.). *A Crisis in Care?: Challenges to Social Work*. London: Sage.

Thoits, P.A. 1989. "The sociology of emotions." *Annual Review of Sociology*, 15.

Totton, N. 1999. "The baby and the bathwater: 'professionalisation' in psychotherapy and counselling." *British Journal of Guidance and Counselling*, 27(3).

_____. 2000. *Psychotherapy and Politics*. London: Sage.

Treacher, A. 1989. "Be your own person, dependence/independence, 1950-1985." in B. Richards(ed.). *The Crises of the Self: Further Essays on Psychoanalysis and Politics*. London: Free Association Books.

Turner, B.S. 1995. *Medical Power and Social Knowledge*. London: Sage.

Viano, E.C. 1990. "Introduction" in E.C. Viano(ed.). *The Victimology Handbook: Research Findings, Treatment, and Policy*. New York: Garland Publishing.

Viano, E.C(ed.). 1990. *The Victimology Handbook: Research Findings, Treatment, and Policy*. New York: Garland Publishing.

Vyner, H. 1987. *Invisible Trauma: The Psychosocial Effects of Invisible Environmental Contaminants*. Lexington, MA: Lexington Books.

Wainwright, D. 1999. *Understanding Work Stress: Report of a Qualitative Study in Dover*. Canterbury: Centre for Health Services Studies, University of Kent at Canterbury.

Wainwright, D. and M. Calnan. 2000. "Rethinking the work stress 'epidemic'."

European Journal of Public Health 10(3).

_____. 2002. *Work Stress: The Making of a Modern Epidemic*. Buckingham: Open University Press.

Walter, T. 1999. *On Bereavement: The Culture of Grief*. Buckingham: Open University Press.

Weber, M. 1977. "Science as avocation." in H.H. Gerth and C. Wright Mills(eds.). 1977. *From Max Weber: Essays in Sociology*. London: Roudedge and Kegan Paul.

Weed, F.J. 1995. *Certainty of Justice: Reform in the Crime Victim Movement*. New York: Aldine de Gruyter.

Weintraub, J. and K. Kumar(eds.). 1997. *Public and Private in Thought and Practice: Perspectives on a Grand Dichotomy*. Chicago: The University of Chicago Press.

Wells, C. 1995. *Negotiating Tragedy: Law and Disasters*. London: Sweet & Maxwell.

Wessely, S., J. Bisson and S. Rose. "A systematic review of brief psychological interventions('debriefing') for the treatment of immediate trauma-related symptoms and the prevention of post-traumatic stress disorder." in R. Oakely-Browne, R. Churchill, D. Gill et al(eds.). *Depression, Anxiety and Neurosis Module of the Cochrane Database of Systematic Reviews*. Oxford: The Cochrane Library, Issue 3. Oxford Update Software.

Westervelt, S.D. 1998. *Shifting The Blame: How Victimization Became a Criminal Defense*. New Brunswick, NJ: Rutgers University Press.

Wilks, F. 1998. *Intelligent Emotion: How to Succeed Through Transforming your Feelings*. London: Heinemann.

Williams, D.I. and J.A. Irving. 1999. "Why are therapists indifferent to research?" *British Journal of Guidance and Counselling*, 27(3).

Williams, S. J. 1998. "'Capitalising' on emotions? Rethinking the inequalities in health debate." *Sociology*, 32(1).

Williams, S.S. 1993. "Impact of the holocaust of survivors and their children." found on http://libra.netmasterllc.comljameschelllcauses/ cpshpsyc.htm

Wilson Schaef, A. 1987. *When Society Becomes An Addict*. San Francisco: Harper and Row.

_____. 1990. *Escape from Intimacy: The Pseudo Relationship Addictions.* New York: Harper.

Wilson, J.Q. 1997. *Moral Judgment: Does the Abuse Excuse Threaten Our Legal System?* New York: Basic Books.

Winkle, H. 2001. "A postmodern culture of grief? On individualization of mourning in Germany." *Mortality*, 6(1).

Wolf, N. 2001. *Misconceptions, Truths, Lies and the Unexpected on the Journey to Motherhood.* London: Chatto and Windus.

Wolfe, A. 1997. "Public and private in theory and practice." in J. Weintraub and K. Kumar(eds.). 1997. *Public and Private in Thought and Practice: Perspectives on a Grand Dichotomy.* Chicago: The University of Chicago Press.

_____. 1998. *One Nation, After All: What Middle-Class Americans Really Think About.* New York: Viking.

Woolfolk, A. 2002. "The denial of character." *Society*, 39(3).

Wootton, B. 1959. *Social Science and Social Pathology.* London: Allen and Unwin.

Yellowlees, A. 1997. "Self-esteem and mental health." in T. Alexander(ed.). *The Self-Esteem Directory.* Dover: Smallwood Publishing.

Zebrack, B. 2000. "Cancer survivor identity and quality of life." *Cancer Practice*, 8(5).

Zizek, S. 2000. *The Ticklish Subject: The Absent Centre of Political Ontology.* London: Verso.

찾아보기

인명

주제어

지은이

프랭크 푸레디(Frank Furedi)는 헝가리 부다페스트 출신 사회학자이자 사회평론가로, 현재 영국 켄트대학교 사회학과 명예교수이다. 그는 공포, 교육, 치료요법 문화, 편집증적 양육에 관한 사회학적 연구로 널리 알려져 있으며, 여러 방송매체에 출연하고 대중잡지에 많은 기고를 하는 등 활발한 사회활동을 하고 있다. 저서로는 우리말로 번역된 『우리는 왜 공포에 빠지는가』, 『공포정치』, 『그 많던 지식인들은 다 어디로 갔는가』 외에도 *Invitation to Terror*(2007), *Wasted: Why Education Isn't Educating*(2009), *On Tolerance*(2011), *Authority: A Sociological Introduction*(2013), *First World War: Still No End in Sight*(2014), *Power of Reading: From Socrates to Twitter*(2015) 등 다수가 있다.

옮긴이

박형신은 고려대학교 대학원 사회학과에서 박사학위를 취득하고, 강원대학교 사회과학연구소 연구교수, 고려대학교 인문대학 사회학과 초빙교수, 연세대학교 사회발전연구소 연구교수 등을 지냈다. 현재 고려대학교와 한양대학교에서 강의하고 있다. 『정치위기의 사회학』, 『감정은 사회를 어떻게 움직이는가』(공저), 『오늘의 사회이론가들』(공저), 『열풍의 한국사회』(공저) 등의 책을 썼고, 『사회학적 야망』, 『음식과 먹기의 사회학』, 『탈감정사회』, 『감정과 사회학』, 『감정적 자아』 등 여러 책을 우리말로 옮겼다.

박형진은 고려대학교 대학원 사회복지학과 박사과정을 수료하고, 고려대학교, 서울시립대학교, 극동대학교에서 강의했다. 현재 장애에 대한 감정의 사회문화적 구성에 관한 연구를 진행하고 있다. 『한국의 종교와 사회운동』, 『한국의 복지정치』라는 책을 함께 썼고, 『우리는 왜 공포에 빠지는가?: 공포 문화 벗어나기』, 『공포정치: 좌파와 우파를 넘어서』라는 책을 공동으로 우리말로 옮겼다.

한울아카데미 1898

치료요법 문화
실존적 불안 시대에 취약한 주체 계발하기

지은이 ㅣ 프랭크 푸레디
옮긴이 ㅣ 박형신·박형진
펴낸이 ㅣ 김종수
펴낸곳 ㅣ 한울엠플러스(주)
편 집 ㅣ 배유진

초판 1쇄 인쇄 ㅣ 2016년 10월 18일
초판 1쇄 발행 ㅣ 2016년 11월 1일

주소 ㅣ 10881 경기도 파주시 광인사길 153 한울시소빌딩 3층
전화 ㅣ 031-955-0655
팩스 ㅣ 031-955-0656
홈페이지 ㅣ www.hanulmplus.kr
등록번호 ㅣ 제406-2015-000143호

Printed in Korea.
ISBN 978-89-460-5898-9 93330 (양장)
    978-89-460-6176-7 93330 (학생판)

* 가격은 겉표지에 있습니다.
* 이 책은 강의를 위한 학생판 교재를 따로 준비했습니다.
  강의 교재로 사용하실 때에는 본사로 연락해주십시오.